김대중 대화록 ❶ 1971—1987

김대중 대화록 1 1971–1987

정진백 엮음

도서출판 행동하는양심

이 땅의 민주 인권 정의 평화를 위해 평생을 헌신하신 김대중 대통령의 영전에 이 책을 바친다.

하서賀序

우리의 미래를 만들어 가는 데 보탬이 되기를

제 남편은 평생 동안 수많은 사람들을 만났습니다. 전국 방방곡곡을 다니면서 차별받는 이들, 삶에 지친 민중들, 민주주의를 갈구하고 평화를 열망하는 우리 국민들에게 용기를 주고 미래에 대한 희망을 이야기했습니다. 남편은 그들에게서 큰 위안과 격려를 받기도 했습니다. 또한 국내외 언론매체들, 그리고 뜻을 같이하는 세계적인 지도자, 지식인들과 한국의 민주주의 회복, 동북아시아의 평화 정착 등에 관한 숱한 대화를 나눴습니다.

남편이 세상을 떠난 직후, 수많은 강연문과 연설문, 저서 등에서 가려 뽑아 엮은 『김대중 어록』의 출간에 이어, 이렇게 국내외 여러 사람들, 언론매체와 나눈 대화를 선별하여 엮은 이 책 『김대중 대화록』을 출간해 주시는 정진백 대표께 다시 한번 고맙다는 말씀을 드립니다.

이 대화록에는 평생 동안 남편이 견지했던 사상과 철학, 신념과 열정이 고스란히 녹아들어 있습니다. 때때마다 대두되었던 문제들에 대한 고민과 해법이 담겨 있습니다. 그러므로 이 책이 오늘을 살아가는 많은 분들에게 널리

읽혀, 좀 더 희망찬 우리의 미래를 만들어 가는 데 작으나마 보탬이 되기를 바랍니다.

내년이면 제 남편이 세상을 떠난 지 벌써 10년이 됩니다. 이러한 즈음에 출간되는 이 책을 위해 애써 주신 간행위원과 편집진 등 모든 분들께 거듭 감사의 말씀을 드립니다.

2018년 8월 18일

이희호 김대중평화센터 이사장

간행사

'김대중 사상'과 '김대중 역사'가 국민과 함께하기를

제현諸賢들은 말한다.

"김대중 선생은 고난 속에서 성공을 쟁취한 한국 현대사를 대표하는 인물이며, 한국인의 지혜와 용기와 굴하지 않는 씩씩함을 대표하는 인물이라는 것이었다. 그 지혜와 용기와 씩씩함은 지금도 이어지고 있다."(와다 하루키 도쿄대학 명예교수)

"우리 현대사를 생각하면, 민주화를 생각하지 않을 수 없고 민주화 하면, 김대중 대통령을 생각하지 않을 수 없다. 민주화는 우리 모두에게 주어진 과제였다. 역사는 그것을 거두어 모아 하나가 되게 하는 노력이 없이는 큰 흐름이 되지 못한다. 역사를 바른길로 가게 하는 데에 김 대통령은 순교자의 고통과 인내와 의지를 가지고 온 힘을 다하였다. 그러한 노력 가운데에 역사는 지도자를 탄생하게 한다. 하나가 되는 역사와 국민과 지도자의 신비를 새삼 실감하지 않을 수 없다."(김우창 고려대 명예교수)

"한국인들은 자연스럽게 군사독재를 끝장내기 위해 수십 년에 걸쳐 펼쳐

온, 1987년 6월항쟁에서 정점에 이르렀던, 한국의 민주화투쟁을 생각할 것이다. 그리고 또한 1945년 이후 진정한 야당 출신의 최초의 대통령인 김대중을 기억할 것이다. 1997년 김대중의 당선으로 정점에 도달한 민주주의로의 이행, 그리고 그의 재임 기간 동안 이룩한 개혁 조치들로 오늘날의 대한민국은 안정적이고 약동적이며 광범위한 기반을 갖춘 민주주의를 누리고 있다. 한국인들은 민주주의란 밑으로부터, 수백만 보통 사람들의 희생에 의해 쟁취할 수 있다는 사실을 일깨워줬다. 전두환을 무너뜨린 것은 거리에 나선 한국의 대중大衆들이었고, 이들을 거리로 뛰쳐나오게 만든 심볼은 김대중이었다."(브루스 커밍스 시카고대학 석좌교수)

"조국에 대한 헌신과 한반도 평화 증진을 위한 지칠 줄 모르는 노력, 자유를 위한 개인적 희생은 귀감으로 결코 잊혀지지 않을 것이다. 김대중 대통령은 목숨을 걸고 대한민국의 역동적 민주화에 중요한 역할을 한 정치운동을 일으키고 이끌어 왔다."(버락 오바마 전 미국 대통령)

"1970년대와 1980년대 워싱턴, 도쿄, 베를린을 포함한 국제사회의 한국 민주화운동 연대의 한 축은 김대중 구명 구원과 직결되어 있었다. 한국 민주화 역사는 냉전 시대 국제 민주 인권 연대의 한 표상이었고, 그 중심 한 켠에 김대중이 있었다."(박명림 연세대 교수)

"그가 사형을 구형받고 최후 진술을 하던 모습을 지금까지 잊을 수가 없다. 그는 침착했다. 너무나 어엿하고 우아했다. 죽음 앞에서 비굴해지기 쉬운 그 순간, 그러나 당당하게 후배들과 역사를 향해 용서와 평화의 메시지를 던지는 경륜가요 사상가였다."(한완상 전 부총리)

"그의 정치 역정에는 늘 광범한 비토 세력이 있었다. 친북 세력이라는 모함, 특정 지역 출신이라는 편견도 적지 않았다. 그의 삶은 소수자로서, 저항가로서, 개혁자로서의 고단한 삶일 수밖에 없었다. 취임 직전 닥쳐온 국제통

화기금 외환 위기의 부채마저 그의 짐이었다. 해결해야 할 과제들이 산 넘어 산이었다. 나라의 위기는 현명하고 지혜로운 지도자를 기다리고 있었다. 그는 바로 이런 난세를 위해 오래 예비되었던 지도자였다. 아이엠에프 위기와 경제난을 극복하고, 다양한 사회 계층을 아우르고, 민주주의의 초석을 세우고, 마침내 남북 냉전의 둑을 허물어뜨렸다. 그를 핍박했던 사람들을 용서하며 다른 생각을 가진 사람들을 포용했다."(박원순 서울특별시장)

"김대중 대통령이 화해를 위해 얼마나 노력했는지 기억한다."(넬슨 만델라 전 남아공 대통령)

"김대중 대통령은 우리나라의 민주주의를 가져오는 데 결정적으로 기여한 민주화의 거인이다. 광주항쟁 이후 큰 희생을 치르지 않고 민주화를 이루는 데 구심점이 돼서 다른 나라에 비해서 빠르게 민주주의를 성취할 수 있게 했다. 그리고 남북 관계의 데탕트와 남북 간 긴장 해소에 기여했고, 햇볕정책을 통해 민족 화해의 물꼬를 텄다."(최장집 고려대 명예교수)

"색깔론과 국가보안법으로 위협을 받으면서도 실현하고자 했던 남북의 평화 공존·교류·협력을 통한 공동 발전을 이뤄낸 햇볕정책, 동아시아판 헬싱키 체제가 되기를 바랐던 6자회담 등은 역사적으로도 올바르고 정당한 것이었다. 1971년도 후보 시절 미·일·중·러의 남북 교차 승인을 주장했던 것에서 보듯이 강력한 문제 해결 방안이 냉전 해체 훨씬 전에 이미 김대중 대통령에 의해 공개적으로 제시되었다."(김근태 전 국회의원)

"김대중 대통령은 세계에 자랑할 만한 지도자였다. 우리 역사에 그런 지도자는 없었다. 정말 오랜 기간 동안 독재와 싸웠다. 암살 위기도 겪었다. 구속당하고, 연금당하고, 그것도 모자라 사형 선고까지 받았다. 그래도 끝까지 굴복하지 않고 민주주의 노선을 견지했다. 국민의 힘으로 독재정권을 무너뜨리고 나면 그런 사람은 보통 투표를 할 필요도 없는 수준의 지도자가 된다. 전국의 아버지와 같은 대우를 받는 것이다. 그것이 정상이다. 그런데 우리는 그렇게 하지 못했다. 김대중 대통령은 그냥 민주 투사가 아니고 뛰어난 사상가였다. 해박한 지식을 가지고 있었다. 끊임없이 새로운 지식을 받아들였다. 그리고 그 지식을 전략적으로 요령 있게 활용하는 지혜까지 지닌 특별한 지도자였다. 국민들이 그것을 잘 알아보지 못한 것이 안타깝다."(노무현 전 대통령)

"우리 국민들은 참으로 오랜만에 아니, 역사상 처음으로 자유 정의 평등 평화의 세상맛을 김대중 대통령으로 말미암아 경험할 수 있었다. 김대중 대통령은 우리의 자랑스러운 역사다. 자유 정의 복지 즉 민주주의의 역사이고, 민족 공생과 평화 즉, 민족 평화 통일의 역사다. 우리 민족이 결코 망각해서는 안 될 위대한 역사다."(이해동 목사)

"이 나라에 민주주의와 평화를 정착시킨 이유 하나만으로도 백년 후까지 그 이름이 교과서에 실려 길이 빛날 것이다."(두봉 가톨릭 전 안동교구장)

"돌아보면, 김대중 대통령 앞에 펼쳐진 도화지는 구상한 정책을 마음껏 그릴 수 있는 하얀 도화지가 아니었다. 일제 식민지와 남북 분단, 냉전과 한국 전쟁, 군사독재와 외환 위기 등 청산하지 못한 과거사로 온통 얼룩진 도화지였다. 하지만 그는 이런 제약을 뚫고 깊이 있는 역사 인식과 철학을 바탕으로 큰 정치를 펼쳤다. 그중에서도 김대중 대통령의 '보복 없는, 용서의 정치' 는 국민들에게 큰 감동을 주었다. 한반도의 평화와 민족 공영의 길을 모색하고, 아시아의 민주 발전을 이루기 위해 '동북아 평화 구상도'를 그렸다. 우리가 계승 발전시켜야 할 그의 값진 유산이다."(한명숙 전 국무총리)

"김대중 정부는 인권 문제에 관한 한 전무후무한 진전을 이뤄 냈다. '민주화운동 관련자 명예 회복 및 보상에 관한 법률' 이 제정되어 민주화운동에 대한 평가와 보상이 진행되었고, '제주4·3사건 진상 규명 및 희생자 명예 회복에 관한 특별법' 에 근거한 제주 4·3사건에 대한 진상 규명과 명예 회복 작업이 진행되었다. 여성부가 출범하고, '국민기초생활보장법'의 제정으로 복지가 보편적 인권으로 전환되는 중요한 계기를 마련하였다. 민주노총과 전교조가 합법화되었고, 집회와 시위의 자유도 예전보다 많이 개선되었다. 언론의 자유는 완벽에 가까울 정도로 보장받았다. 김대중 대통령의 임기가 끝나고, 두 명의 대통령을 만난 지금에 와서 보면, 김대중 대통령이 인권 분야에서 이룬 성과가 얼마나 소중한 것인지 알 수 있다. 현실 정치의 한계 속에서 고군분투했던 그가 고맙다." (오창익 인권연대 사무국장)

"김대중 대통령은 한국의 심각한 경제 위기를 극복했고, 한반도를 평화로 향하게 했으며, 지구적 인권을 수호한 용기 있고 비전을 가진 지도자였다. 그가 대통령이 된 이후 나는 남북 화해를 위해 그와 함께 일하는 영광을 누렸다. 한국전쟁 이래, 그의 '햇볕정책'만큼 평화를 위해 희망을 줬던 적은 없었다." (빌 클린턴 전 미국 대통령)

"김대중 대통령은 세계 민주주의 역사에 큰 획을 그은 중요한 분이고 한반도 평화 정착을 위한 노력으로 노벨평화상을 수상해 정말 기뻤다." (엘리자베스 2세 영국 여왕)

"김대중 대통령은 우리 국민들과 함께 성공했고, 대한민국을 성공적으로 발전시켰다. 김대중 정부는 정부 수립 후 최초의 수평적 정권 교체를 했다. 이것을 나는 '우리나라가 처음으로 국가다운 정상적인 국가가 된 것' 이라고 표현한다. 국가 부도 사태의 외환 위기를 빠르게 극복하면서 민주주의와 인권국가, 세계 최선두 정보화와 세계 10위권 경제 발전, 복지국가와 문화국가, 6·15남북정상회담을 통한 남북 화해 협력과 자주적 국제 외교, 노벨평화상 수상 등 탁월한 업적을 이루었다. 전 세계가 감탄했다. 국민들도 역시 준비된 대통령이었다고 박수를 보냈다." (김성재 전 문화체육관광부 장관)

"김대중 대통령은 영토와 주권의 보존, 번영과 복지의 추구 그리고 국격國

格의 신장이라는 국익을 소중히 여겼다. 그러나 이러한 국익의 추구가 지역의 이익, 세계적 이익과 상치되는 것을 바라지 않았다. 이들 사이의 상호 보완성을 인정하고 공통분모가 있다는 전제하에 외교 정책을 전개해 왔다. 따라서 배타적 민족주의, 중상주의 그리고 패권주의를 배격했던 반면, 국가, 지역, 세계 수준에서의 '윈-윈'의 상생과 공영이 가능하다고 믿었던 것이다." (문정인 연세대 명예교수)

"한국, 아시아, 세계의 민주주의와 인권, 남북 화해를 위한 위대한 기여를 영원히 기억할 것입니다. 우리는 김대중 대통령을 노벨평화상 수상자로 선택했던 것을 자랑스럽게 여깁니다." (예이르 루네스타 노르웨이 노벨위원회 사무총장)

"한국인 최초의 노벨상 수상자이기도 한 김대중 대통령은 대한민국의 인권과 민주화, 한반도 평화 증진을 위해 한평생 헌신하셨다. 여러 차례 생사의 고비를 넘기고, 사형 선고를 받아 옥살이를 하고 이후로도 수십 년간 역경 속에서도 오히려 상대방을 용서하고 사랑으로 감싸 안으셨다." (정진석 가톨릭 추기경)

"2005년 5월 23일, 도쿄대 야스다강당에서 열린 김대중 대통령의 강연은 일본에서도 큰 관심을 모았다. 그는 건강하고 활기찬 모습이었고 목소리도 힘이 있었다. 각국 외교사절을 비롯해 많은 저명인사가 강연을 경청했다. 한반도와 동북아 전체의 화해 평화에 관한 그의 연설은 1500여 청중의 열렬한 호응을 불러일으켰다. 고난과 죽음의 고비를 헤치고 평화와 민주주의를 위해 투쟁한 인물이었던 만큼, 그의 말 하나하나가 큰 감화력이 있었다. 청중이 느끼는 감동의 기운, 국제사회가 그에게 보내는 존경의 기운이 몸으로 전해지는 듯했다. 이토록 빛나던 그의 모습은 언제부턴가 어두워져 갔다. 그 높은 연세에도 외국인들을 감동시키고 우리의 젊은 세대를 열광케 하는 능력을 가졌던 그가, 우리 사회의 타락과 야만으로 인한 상심을 이기지 못했다. 국제사회를 향해, 미래의 주인들을 향해 평화와 민주주의와 인권의 가슴 벅찬 가

치를 알려 줄 인물은 이제 없는 것인가?" (한정숙 서울대 교수)

"퇴임한 후광은 예전보다 더 꼿꼿하게 국가와 민족에 필요한 화두를 던졌다. 특히 '행동하는 양심'이 역사의 동력이라는 사실을 새삼 강조했다. 평화는 더욱 멀어지고 자유는 더욱 후퇴하는 신권위주의 상황에서 그는 광야의 요한처럼, 미국의 킹 목사처럼, 남아공의 만델라처럼 예언자의 목소리를 높였다. 앞으로 그는 더욱 간디처럼 기억될 것이다." (한완상 전 부총리)

"나는 그가 서거하기 직전까지도 국가와 민족의 장래를 걱정하는 그의 불길 같은 정열을 보고 놀라지 않을 수 없었다. 김대중처럼 사는 것은 너무 어렵고 힘들어서 따라 할 수 없는 일이다. 그러나 그렇게 살 수만 있다면 이것은 가장 값진 삶일 것이다. 모든 것을 타고난 사람만이 가질 수 있는 삶이다. 그래서 그러한 삶은 백년에 한 사람 있을까 말까 한 것이다. 그리고 그러한 삶은 살아서보다는 죽어서, 그리고 죽어서는 시간이 지날수록 인정을 받고 빛이 나는 삶일 것이다." (박승 전 한국은행 총재)

"나는 1980년부터 돌아가시기 전까지 거의 30년 동안 김대중 대통령을 가까이서 지켜봤다. 과연 김대중 같은 지도자가 다시 나올 수 있을까? 그분은 매우 진지하면서도 집념이 강했고 어떤 경우에도 흐트러지는 법이 없었다. 종교적인 철학이나 가치관도 명확했다. 정치에 대한 사명감과 책임감은 어느 누구보다 절실했다. 당신이 마지막까지 이야기했던 '행동하지 않는 양심은 악의 편이다.' 라는 말을 가장 분명하게 실천한 사람이었다. 그런 분을 모시고 민주화운동을 하고 평화적인 정권 교체를 이룩했다는 것은 지금 돌이켜 봐도 기적 같은 일이다. 그리고 그 기억은 내 삶의 가장 큰 기쁨이자 보람으로 남아 있다." (이해찬 전 국무총리)

"지난 10년간의 민주 정권을 지내면서 사람들은 싸우는 법을 잊어버렸다. 현재 진행형으로 숨 돌릴 새 없이 세상은 거꾸로 가는데, 우리는 무엇이 잘못된 것인지, 무엇을 해야 할지 알지 못했다. 그때 중심을 잡아 주신 분은 단연 김대중 전 대통령이었다. 역주행을 처음 지적하고, 현재의 문제를 민주주의의 위기, 서민 경제의 위기, 남북 관계의 위기로 일목요연하게 정리하고, 이명박 정권의 본질을 독재 정권이라 규정하고, 민주당·진보정당·시민사회 등 민주 연합 세력의 대동단결이라는 방안을 제시한 것은 다름 아닌 김대중 전 대통령이었다. 특별한 유언이 따로 없으셨다고? 그분은 가만히 계시기만 해도 비바람을 막아 주고, 뙤약볕도 막아 주는 지붕 같은 분이었다. 부디 그분이 남긴 정치적 유산을 탐하지 말고, 유지를 잇도록 하자."(한홍구 성공회대 교수)

"김대중 대통령님께서 남기신 발자취는 이 나라의 빛과 어둠, 그리고 이 겨레의 염원과 맞닿은 궤적이었다. 비단 남한의 대통령에 그치지 아니하고, 조국의 남과 북을 아우르는 지도자였고, 세계가 존경하는 지도자였다. 대통령님만큼 많이 읽고, 깊이 사색하시며, 넓게 살피고, 멀리 내다보시는 지도자를 이제 어디서 또 만날 수 있을까."(한승헌 변호사·전 감사원장)

"국내의 여러 가지 갈등으로 인해 김대중 전 대통령의 업적은 국내보다는 국외에서 훨씬 높이 평가되고 있는 실정이다. 남아프리카공화국에는 만델라가 있고, 미얀마에는 아웅산 수지가 있으며, 스위스에는 앙리 뒤낭, 미국에는 링컨이 세계인의 인구에 회자되듯이 한국에는 김대중이 외국 사람들로부터 많은 존경을 받고 있음은 과장이 아니다."(박경서 대한적십자사 총재)

"김대중 대통령은 한국의 인권과 민주주의 형성, 한반도의 평화 조성에 큰 기여를 했다. 오래전부터 김 대통령을 알았고 그의 용기와 선견지명을 높이 사 왔다."(고르바초프 전 소련 대통령)

"김대중 대통령의 재임 기간에 우리는 21세기를 향한 동반자 관계의 구축을 선언했다. 중국 인민은 양국 관계 발전을 위한 김대중 선생의 중요한 공헌을 잊지 못할 것이다."(장쩌민 전 중국 국가주석)

“그는 과거의 인물이 아니라 미래의 인물이다. 대통령 재임 시 그는 한반도를 통한 유라시아 문명을 꿈꾸었으며, 보편적 세계주의로 인류의 미래를 설파했다. 미래를 향한 그의 사상과 윤리를 잘 확립하는 과제가 우리 앞에 놓여 있다.” (한상진 서울대 명예교수)

“저희는 김 전 대통령을 큰 나무에 비유하며 칭송합니다. 그리고 그 죽음을 이렇게 애통해하고 있습니다. 그렇습니다. 그는 분명 큰 나무입니다. 이에 저희는 이 순간 그 큰 나무를 지탱했던 땅속의 숱한 뿌리들, 이 모든 익명의 은인들과 희생자들을 기억하시어 이들 모두 주님의 은총 속에 영원히 살게 하소서…….” (함세웅 신부)

“이제는 김대중 대통령의 기념사업을 체계적이고 내실 있게 할 때이다. 김대중 추모기금과 아시아 펠로십을 만들어 아시아의 민주주의를 확산하고, 김대중인권상을 만들어 인권의 보편성을 전 세계에 키울 일이다. 좌우·지역·계층·남북을 넘어 나라와 민족을 하나로 화해시키고자 했던 그의 정신과 위업을 우리가 계속 이어 갈 다짐을 할 때이다.” (박원순 서울특별시장)

사람이 지니고 있는 존엄한 품격과 영예로운 면모는 사회와 그 구성원을 위하여 얼마나 유익한 일을 실천하고 있으며, 공공의 이익을 위하여 얼마나 성실히 헌신하고 있는가 하는 데에서 평가된다.

김대중 정부 수립 이후 비로소 우리 국민의 위상과 역할이 가장 숭고한 높이에 이르게 되었다. 국민에게 역사 발전의 주체로서의 지위와 권리를 실답게 보장해 주는 합법적 장치가 마련되었다. 그러한 근본적인 변화를 추동한 것은 국민들의 역동적인 민주화운동과 김대중 대통령의 뛰어난 지도력이 빚어낸 성과이다. 의식적이고 목표 지향적인 모든 과정은 지도를 필요로 한다. 역사적 전망이 난감하거나 부재할 때마다 ‘중단 없는 진보’를 향한 김대중 대통령의 지도는 분명히 나타났다. 김대중 대통령은 한국의 현대 지도자 가운데 가장 아름답고 고상한 사상정신적 풍모를 가지고 있다. 현명한 지도자로서 민주 정의 평화의 위업을 완수하기 위한 노심초사는 일생 동안 지속되었다. 역사로부터 몰락을 선고받은 낡은 사회의 유물을 청산하기 위해 가장 올바른 자세와 과학적 입장을 늘 견지했다.

인간의 아름다움은 무엇보다도 사회정치적 의식, 그 사상정신적 세계에 있다. 김대중 대통령은 사상事象의 본질을 적확的確히 파악할 수 있는 뚜렷한 철학적 능력을 갖고 있다. 때문에 사상思想을 정식화하는 김대중 대통령의 언어 체계는 경이롭다. 자신의 사상 및 정서를 교환하는 데 있어서 가히 비할 바 없는 경지에서 자유자재하다. "언어는 의식과 마찬가지로 타인과 교류하고 싶은 욕구, 교류의 필요가 있을 때야 비로소 생겨난다. 사상의 직접적인 현실태現實態는 언어다."

김대중 대통령의 사유는 특별히 "자신의 환경을 실천적으로 지배하고 이용한 결과로서 성립한 것"이다. 그러므로 김대중 대통령의 사유와 언어는 '관념'이 아닌 '실천적 행위'를 통해 전개되기 때문에 미래의 차원과 개방적으로 관계한다. 김대중 대통령은 "시대적 현실 속에 있는 개인이나 집단이 자기가 처해 있는 현실에 정당하게 대처하여 의미 있는 행동을 하는 데 실천적 규준"을 제시한다. 한 시대를 움직이는 원동력이 되며, 정치 경제 사회 문화 일반을 지도하고 때에 따라서는 변혁까지 일으킨다. 여기에 이르러 '김대중 사상' 이라는 표현을 획득한다.

개인적으로 '김대중 사상' 에 최초로 세뇌된 것은 1970년 9월 30일 『동아일보』 인터뷰 기사를 읽은 시점이다. 지금도 스크랩북에 간직하고 있는데 언어의 품격이 높았다. "사회를 살아 있는 유기체, 지속적으로 발전하는 유기체" 로 통찰하는 시각이 힘차고 신선했다.

먼저 후보로 지명된 소감에 대해 "오늘의 승리는 나 한 사람의 영예가 아니고 박 정권 밑에서 설움받으며 좌절감에 사로잡힌 국민에게 위로와 격려를 주는 종소리가 되기를 바란다" 면서 '내년 선거'(대선)를 "국민을 혁명적으로 궐기시켜 '민중 선거'의 페이스로 승화시킨다면 승리는 확실하다" 고 단언하였다. 이어서 "신명을 평화적 정권 교체에 걸 결심" 을 굳히고 "농민의 희생 위에서 이룩된 외형적인 건설, 빈부의 격차를 심화하는 분배 정책 등 수술을 기다리는 문제들이 많다. 그리고 무한 부패와 부조리와 역리逆理가 지배하는 사회 풍토를 개선해야 할 것이다. 정직한 사람이 좌절하고 국가로부터 국민이 버림받는 현실을 타개, 나라가 국민을 위해 있다는 것을 실감시키는 것이 근본 문제" 라고 규정하였다. 또한 "1970년대는 세계가 본질적으로 변화해 가는 제3세계의 서막을 여는 시기로 보고 있기 때문에 유물唯物과 유심唯心의 대립적 개념을 하나의 합일된 이상으로 끌어올리는 일이 필요하다" 고 선언하였다.

이후 감동은 '제7대 대통령 선거' 직후인 『동아일보』와의 인터뷰, 1972년 9월 호 월간 『다리』 대담, 1975년 1월 호 『신동아』 대담, 1980년 봄의 관훈토론, 1983년의 일본 『세카이』 대담, 1987년 10월 민통련 초청 대담 등으로 이어졌다. 마침내 1991년 12월, 내가 운영하던 월간 『사회평론』 대담에서 직접 말씀을 경청敬聽하는 은혜를 입었다. 이 책은 그러한 인연생기因緣生起에서 기획되었다.

이 책에 수록된 자료들은 1971년 4월 29일부터 2009년 5월 21일까지의 인터뷰, 대담 원고로서 사료史料의 가치가 높아 선별, 편집하였다. 여기에 싣지 못한 자료들도 이후 모아서 보유補遺편에 담을 계획이다.

이 책의 편집은 선별한 자료들을 연대순으로 배열하였다. 그리고 200자 원고지 기준으로 15,000여 매에 이르러 다섯 권으로 분책分冊하였다.

『김대중 대화록』은 '김대중 사상' 가운데 보편적인 것, 본질적인 것, 합법칙적인 것을 총화하고 있다. 현실의 변화에 필요한 규칙, 계획, 지침 등 결정적인 '뇌수'가 말꽃으로 피어나고 있다. 무진장無盡藏의 보고寶庫로 가히 장관壯觀이다.

끝으로 이 책을 간행하는 데 마음과 힘을 합하여 도움을 주신 분들의 고마움을 새기고자 한다. 우선 귀한 저작물 수록을 흔쾌히 승낙해 주신 김대중평화센터 이희호 이사장님께 깊은 감사를 드린다. 또한 자료 제공 등 노고를 아끼지 않은 윤철구 김대중평화센터 사무총장, 박한수 실장에게도 고마움을 표한다. 웅숭깊은 우정으로 한결같이 응원해 주는 노영대 변호사, 윤풍식 회장께도 감사를 올린다. 김대중평화센터 임원 여러분과 김대중대통령광주전남추모사업회의 공동대표들의 격려도 잊을 수 없다. 특히 정해숙, 림추섭 선생은 아낌없이 자료를 협조해 주었다. 교정·편집에 매진한 김효은 편집장의 사회 역사적 노동 과정은 아름다웠다. 아울러 출판 활동의 높은 형태를 보여 준 조윤형 선생, 그리고 (주)신광인쇄의 한상민 사장, 정운진 상무께도 감사의 인사를 전한다.

'김대중 사상'과 '김대중 역사'가 김대중 대통령이 '존경하고 사랑하는 국민 여러분'과 길이 함께하기를 기원한다.

2018년 8월 18일

정진백

"김대중 씨가 죽고 나면 한국인들은 그때 가서야 그에게 정말 큰 빚을 지고 있다는 사실을 깨닫게 될 것이다."

— 버나드 크리서(전 뉴스위크 도쿄 특파원)

차례

일러두기

1. 1971년 4월 29일부터 2009년 5월 21일까지의 인터뷰, 토론, 대담 등 200자 원고지 15,000여 매를 연대순으로 배치하여 5권의 책으로 엮었다.
2. 매회 원고 앞뒤에 대화 상대의 이름과 직함, 대담 일시와 장소를 기재하였다. 단, 불확실하거나 확인되지 않은 경우는 생략하였다.
3. 대담자의 직함은 당시 직함이다.
4. 언론 매체에 게재, 방송되었던 글은 인터뷰하거나 녹화한 날짜를 일시로 밝혀 두되, 그 날짜가 정확지 않은 경우 매체에 게재, 방송된 시기를 일시로 보았다.
5. 원문에 따르되 분명한 오탈자에 한해 바로잡았고, 용어 등 최소한의 범위에서 교열에 임했다.
6. 독자들의 이해를 배려하고자 원문의 제목을 바꾼 경우도 있고 중간 제목을 추가하였다.
7. 외래어 표기는 현지음을 존중하되 오랜 관행으로 굳어진 경우는 예외로 하였다.

하느님과 양심 앞에 부끄럼 없이 싸웠다

대담 『동아일보』

일시 1971년 4월 29일

한국 보수야당保守野黨에서 40대 기수란 새 물결을 타고 야당 대통령 후보로 그동안 초정력적超精力的으로 공화당 박정희 후보와 싸워 전례 드문 야당 붐을 불러일으켰으나 끝내 패하고 만 신민당 김대중 후보는 아직도 투지에 차 있다. 29일 시내 동교동 자택에 밤늦게 귀가한 그의 얼굴은 그동안 1백여 회의 유세 때문에 몰라볼 정도로 새까맣게 타 있었고 움푹 파인 두 눈동자만이 유난히 반짝였다. 방문객에 몰려 미처 패배의 쓰라림을 되씹을 겨를도 없는 듯한 그는 29일에도 아침부터 김영삼 의원을 비롯 밀어닥치는 방문객을 맞느라고 부산했고 오전 오후에 당사黨舍의 회의에 참석하는가 하면 많은 국내외 기자들을 만나는 등 그의 하루는 분주했다.

최소한 2백만 표는 부정

"개인적으로는 내가 할 수 있는 최선을 다해 싸워 하느님과 양심에 부끄러움이 없으며, 지금은 낙선의 고민보다는 그저 담담한 심정입니다. 다만 이 나라 민주주의의 장래가 암담하여 나의 고민은 낙선 그것보다 앞날에 대한 걱정으로 차 있습니다."

그는 지금의 심경을 이렇게 털어놓았다.

그는 또 "이번 같은 초유의 국민궐기를 가지고도 정권 교체가 안 된다면 이 나라는 희망이 없고 야당을 유지하는 방법이 없지 않습니까. 이 사태를 타개할 길이 무엇이냐에 나의 온갖 생각과 고민이 잠겨 있습니다."라고 개탄했다.

질문 패인敗因을 한마디로 말한다면?

김대중 그것은 부정선거입니다. 공화당의 부정이 표차로 나타난 94만 표뿐이겠습니까? 최소한 2백만 표는 넘을 것입니다.

질문 선거 기간 중 당내 협조는?

김대중 물론 진선진미했다고 할 수는 없고 경우에 따라서 불만족스러운 것이 없다고 말할 수 없었으나 유진산 당수 이하 전 당원들이 잘해 주어 감사하게 생각하죠.

질문 이번에 가장 어려웠던 일과 즐거웠던 일은?

김대중 선거자금 조달은 피눈물 날 정도로 어려웠습니다. 우리는 법정 금액인 9억 원의 절반도 못 썼으며 처음에는 경제인들에 대해 원망도 많이 했지만 나중에 그들에게 가해지는 형언할 수 없는 박해를 듣고 보니 오히려 동정이 갔습니다. 따라서 공화당의 이번 야당 정치자금 봉쇄는 100퍼센트로 성공했죠. 그리고 가장 즐거웠고 긍지를 느낀 때는 부산, 서울 유세가 대성공, 정권 교체를 확신했던 때입니다. 공화당은 과거 그렇게도 정책 대결하자고 내세웠으면서도 정작 정책 대결을 솔선한 것은 나였으며 공화당은 그렇지 못했습니다. 이런 점에서 나는 우리 선거사를 발전시키는 데 큰 공헌을 했다고 자부합니다.

지역감정 촉발시킨 건 큰 죄악

질문 선거운동에서 역점을 둔 점은?

김대중 유세의 현장 반응보다 듣고 난 후 유권자들이 신념에 찬 지지를 보내 주는 것을 중시했으며 책임 있는 정책공약政策公約에 역점을 두었습니다. 그리고 각계각층의 이해와 관계되는 정책과 표 지키기에 중점을 두었죠. 그러나 나는 득표 작전에 성공했으면서도 수표守票 작전에 실패했다고 보아요.

질문 지역적인 표의 편존偏存에 대한 소감은?

김대중 박 정권은 5·16쿠데타 후 지역감정을 줄곧 촉발시켜 왔습니다. 그 전에는 경상도니 전라도니 하는 말이 없었으나 5·16쿠데타 후 그들은 선거 때마다 이 지역감정을 써먹었고, 더욱이 이번 선거에서는 가장 악질적으로 이용했습니다. 예를 들면 이번에 공화당은 경북에서 26일 오전까지도 가만히 있다가 오후부터 투표 날 새벽까지 야당 지지자와 참관인들을 찾아다니며, "이번 선거전은 '하와이'와 '문둥이' 싸움이다. 전라도 사람이 단결했는데 경상도 사람이 전라도 사람을 위해 앞장서다니, 너는 반역자다. 네가 사는 길은 꼭 한 가지, 내일 선거장에 안 나가는 것이다. 그 사람들은 져도 정권을 안 내놓는다"는 등 소문을 퍼뜨렸습니다. 전라도에서는 박정희 후보 표가 섭섭잖게 나왔으며, 그것은 지역감정을 초월한 것으로 당연한 일입니다. 공화당이 조장한 지역감정은 용서할 수 없는 죄악이며, 그 후유증이 얼마나 클까, 정말 가슴이 아픈 일이죠.

어느샌가 그의 목소리는 높아지고 있었다.

질문 공화당이 이번에 어떻게 해서 이겼다고 생각하는지?

김대중 첫째는 원천적인 부정입니다. 언론 통제와 야당의 정치자금 봉쇄, 그리고 지방자치제를 실시하지 않았기 때문에 지방에서의 야당 활동이 불가능했고, 두 번째로 공화당 외에도 공무원 40만 명을 비롯, 국영기업체 직원, 통반장 등 1만 명을 동원, 관권선거를 한 것입니다. 이들은 선거운동을 할 수 없는 사람들인데도 선거운동을 했는데 한 사람이 한 표만 얻어 내도 2만 표가 아닙니까. 또 공무원들은 2개월 동안 완전히 자리를 비워 놓고 선거운동만 하고 다니지 않았습니까. 셋째는 국고를 유용, 선거운동에 쓰고 유령 유권자를 조작, 야당 성향 유권자들을 고의로 선거인 명부에서 누락시키는 반면 128만 표나 이중 삼중의 유권자 중복 등재를 했으며, 이런 중복 투표를 하러 다닌 공화당원만도 28만 명입니다.

김 후보는 이 밖에, 공화당이 300억을 뿌려 매표買票 행위를 자행하고 밀가루·시멘트를 뿌려 표를 교환했으며, 지역공약을 남발했고, 부정투표, 무더기, 대리, 릴레이, 공개투표가 행해졌으며, 지역감정을 조작했고, 삼천포 등 공화당 우세 지역을 먼저 개표, 이를 방송으로 알려 선거가 여당에게 유리하게 다 끝난 것처럼 허위 선전함으로써 야당 참관자의 사기를 떨어뜨려 참관을 포기케 한 것 등이 공화당의 승인勝因들이라고 주장했다.

그는 이어 "박 대통령이 이번이 마지막 기회라고 말한 것이 승인이라고 말하는 사람이 있으나 이것은 감상적 효과는 있을망정 결정적인 것은 아니"라면서 "그 이유는 박 대통령의 14년간 집권에 표 안 찍기로 결심한 사람은 앞으로 4년간만 더 집권하고 그만둔다고 해서 다시 표 찍지는 않을 것이기 때문"이라고 풀이했다.

질문 앞으로 진로와 거취 문제는?

김대중 투쟁 방향에 대해서는 당의 결정에 따르겠습니다. 우리나라 정치의 앞날이 암담해 고민 중이죠. 우리나라는 해방 이래 최대의 위기에 처해 있으며 민주주의의 소생을 위해 내가 할 수 있는 일이 무엇인가 하는 생각 이외에 딴생각은 없습니다.

질문 전국을 돌아다니면서 특별히 느낀 점은?

김대중 우리나라 국민들은 세계적으로 우수하며 자랑스럽다고 느꼈습니다. 특히 청년들은 현실 참여의 용기를 가졌으면서도 이것을 혼란으로 끌고 가지 않는 지성을 가졌다는 데 감명을 받았으며 대학생들이 교련 반대 데모를 하기로 했으나 선거에 혼란을 가져올까 염려하여 참관인으로 나선 것을 높이 평가합니다. 그리고 농촌 지방에서 내가 유세 시간에 5-6시간 늦어도 40리, 50리 길을 달려온 청중들이 나의 연설을 듣겠다고 기다리고 있었다는 사실은 그들의 나라 살림에 대한 관심과 우리의 발전에 대한 무한한 가능성을 보여 준 것입니다. 언제나 그런 것처럼 지도자들이 나쁜 것이지 국민이 나쁜 것은 아닙니다. 국민을 부패로 타락하게 만든 것도 지도자들이지 결코 국민은 아닙니다.

질문 선거 기간 중 간혹 한복을 입었는데 그 이유는?

김대중 거기에 정치적인 이유는 물론 없고 한국적인 것을 좋아하기 때문입니다. 나는 호텔에서도 한식 방에 들고 한식韓食을 먹습니다. 그렇다고 배타적인 것은 아니고 서구적인 것도 이해합니다. 민주주의와 경제 발전도 한국적인 것을 토대로 발전시켜야 됩니다.

질문 김 후보가 얻을 수 있었던 가장 큰 계층의 표밭은?

김대중 전반적으로 각계각층의 지지를 받았는데 특히 청장년과 지식인, 학생층이 많았다고 봅니다.

개인은 죽어도 민족은 못 죽어

질문 국민과 박정희 후보에게 하고 싶은 말은?

김대중 국민의 성원에 감사하며 5천 년 역사상 전례 없는 국민의 궐기에도 정권 교체를 이룩하지 못한 데 진심으로 미안하고 위로의 뜻을 전합니다. 개인은 자살해도 민족은 자살할 수 없어요. 무언가 돌파구를 찾기 위해 또다시 최후까지 일어서 달라고 부탁하고 싶습니다. 나는 내가 앞으로의 거취를 결정짓기 전에 국민의 소리가 무언가 그것을 알고 싶으며 나는 국민을 위해 모든 것을 바친 몸이니 끝까지 국민을 위해 싸울 것입니다. 과거보다 더 자중하고 더 현명하게…….

박 후보는 나의 말이 통할 사람이 아니기 때문에 할 말이 없소. 내 개인으로는 박 대통령에게 축하의 화분을 보낼 수 없는 선거전이 된 것을 슬프게 생각할 따름입니다.

어느샌가 자정이 넘었다. 그는 잠자리에 들어야겠다고 일어섰다.

* 이 글은 4·27 대통령 선거가 끝난 뒤 동교동 자택에서의 인터뷰다. 1971년 4월 29일 자 『동아일보』에 게재되었다.

국민의 위대한 힘

대담 김동길

일시 1972년 8월 11일

김동길 540만의 막대한 민주 세력이 민주주의를 성장·발전시키기 위해 정권 교체를 기어코 해야 되겠다는 뜻에서 김대중 후보를 적극 지지했던 것은 명백한 사실입니다. 그러나 정치란 선거 한 번으로 끝나는 것이 아니라 계속적으로 지향되는 것인데, 김 후보께서는 이러한 역할 수행을 후보로서 또 현직 국회의원으로서 어떻게 반영을 시키고 있는 것인지, 시민의 한 사람으로서 또 지식인의 한 사람으로서 궁금해하고 있습니다.

김대중 제가 지금 가장 무거운 책임을 느끼고 있는 것도 바로 그 점입니다. 작년 선거 때 국민이 그러한 여건 속에서 모든 부정을 제외하고도 46퍼센트라는 다대한 표를 주었다는 데에 있습니다. 당시 야당은 권력도 없었고 금력도 없었던 데다가 지방자치제도 실시되지 않아 지방에서 조작하는 부정을 막을 수 있는 행정기구가 없음은 물론 조직 확대도 불가능했습니다. 그런 데다 관권官權까지 총동원돼서 부정을 저지르는 그러한 상황에서도 야당에 그만한 표를 집중시켜 주고 연이은 국회의원 선거에서도 헌정사상 보기 드문 89석을 확보시켜 주었다는 것은 정말로 국민의 위대한 힘을 보여 준 것이라 생각합니다.

내가 알기에 이와 같은 저력을 가진 국민은 아마 2차대전 후 탄생한 국가에서는 한국 이외에 없다고 봅니다. 그래서 저의 모든 정치의 출발점과 기본은 우리 국민에 대한 존경심과 한없는 신뢰심으로부터 나왔다고 볼 수 있겠습니다.

가장 강력한 저항 정신의 민족

김대중 우리가 과거를 보더라도 2천여 년 동안 중국 대륙에 혹같이 붙어 있으면서도 수隋나라·당唐나라·몽골·청淸나라의 침략에 대항해서 싸웠고, 비록 싸우다 안 될 경우 최후에는 굴복해서 속국이 된 적은 있었지만 결코 혼魂은 준 일이 없다는 것을 비교해 보면 곧 알 수 있을 것입니다. 가령 몽골족이 중국 천지를 지배해서 원元나라를 만들었지만 지금 몽골 인민공화국 백만 명을 빼놓고는 거의 전부가 중국화되었고, 만주족이 청나라를 만들어 3백여 년 동안 중국을 지배했지만 지금 만주족은 씨도 없습니다. 신강성이 그렇고 티베트가 그렇습니다. 그런데 한국 사람만은 중국인도 안 되고 일본인도 안 되었고 오로지 우리의 독자적인 모든 것을 유지하고 있습니다. 이렇게 강인한 저항력을 가진 민족은 아마 세계에 없을 것입니다. 또한 세계에서 단일민족이 천 년 이상 계속된 나라는 한국하고 일본밖에 없는데 그중에서 일본은 엄격히 말해서 복합민족입니다.

이러한 것을 보더라도 우리는 오늘뿐만 아니라 역사적으로도 가장 강력한 저항력을 가지고 있는 민족이라고 자부하지 않을 수 없습니다. 그러한 정신이 작년 선거 때도 표로써 나타났다고 봅니다. 그런데 선거가 1년이 지난 지금 신민당은 무엇을 했고 김대중이라는 사람은 과연 무엇을 했느냐 하고 안타까워도 하고 책망도 하시는 분들이 많이 계시는 줄을 알고 있습니다. 물론

저 자신도 국민의 기대를 충족시켜 주지 못했음을 시인하지 않을 수 없었고 그 점에 있어서는 내 나름대로의 굉장한 고민과 몸부림도 했습니다.

사실상 여기에는 그 후의 내 자신의 문제도 있었습니다. 근 1년 동안 병석에 누워 활동을 하지 못했습니다.

그러나 문제가 있을 땐 노력을 할 만큼 했습니다. 금년에도 전국에 다니며 50여 회나 강연회를 했고 국내에서나 국외에 있어서나 현 정부의 정책에 관한 비판도 하고 발언도 했지만 이것이 전연 보도가 안 되었습니다. 그래서 국민과 단절이 되어 국민들이 볼 때는 이 중차대한 시기에 무얼 하고 있느냐, 즉 말을 했어도 안 한 것처럼 인식을 흐리게 조작시키고 있다는 점과 당내에서 내가 당권을 장악하고 있지 못하기 때문에 단지 평당원의 자격으로서는 내 뜻대로 당을 이끌어 갈 수가 없었습니다.

이러한 두 가지 점이 현재 외부에서 오는 정보 정치의 압력과 더불어 그나마 부족한 힘도 발휘하지 못하도록 만들고 있어 대단히 안타깝게 생각하고 있는 것입니다.

그러나 이러한 심정은 나만이 아니라 이러한 부조리를 개혁해야 되겠다는 한국의 모든 사람의 고민이요, 내게 질문한 김 교수의 고민도 아닙니까. 김 교수도 내가 보기에는 때로는 자기의 모든 것을 걸고도 발언하고 또 국민하고 대화를 하고자 하기도 하며 현실 문제에 대해 애국적인 자기의 심경을 토로하고자 하지만 그것이 여러 군데서 방해를 받고 저항을 받는다는 것을 볼 때 이것이 결국 우리들의 공통의 고민이 아닌가 생각됩니다.

김동길 그러니까 이제 말씀하신 내용이 참으로 적절한 분석이라고 생각되는데, 첫째는 언론의 자유가 없으니까 그렇다고 봅니다. 현 정권이 언론에 대해 굉장히 신경을 쓸 뿐만 아니라 조직적으로 그런 것들을 막으니까 결국에는 자유로운 의사 표시를 할 수 없고 설사 의사 표시를 한다 하더라도 신문과 잡지가 그것을 보도할 수가 없으니까 국민은 괜히 모르고 지내지 않느냐 하는 문제는 똑같이 지식인 사회에도 적용이 되는 문제라고 봅니다.

그래서 현실에 대한 비판이나 인식이 이 시기에 반드시 필요함에도 불구하고 이것을 못 하게 하는 것은 마땅히 시정되어야 된다는 주장은 정치를 하는 분의 입장에서나 학계에 있는 사람에게도 공통된 입장이 아닌가 합니다. 그런데 그다음에 말씀하신 야당은 무엇 하고 있느냐, 또 신민당의 주도권은 누구의 손에 있느냐, 이것은 우리가 시민의 입장에서 퍽 궁금하게 생각할 뿐 아니라 그 내용이 국민에게 꼭 알려져야 한다고 보고 있습니다. 그런데 내가 김 의원께 듣기 좋은 말을 하는 것은 아니지만 일전에 어떤 사람이 얘길 하는데 물론 공화당 측을 두둔해서 하는 얘기이긴 하지만 사실 신민당이라는 것이 좌우지간 형편없는 당이요, 내용이 많이 부패했다고 하면서 아마 그중에 부패하지 않았다 하면 단지 김대중 의원 정도일 거요, 하고 여당의 사람한테서 들은 적이 있습니다. 이것이 사실이라면 신민당에서 깨끗하다 하는 세력은 과연 당내에서 무엇을 하고 있느냐, 그것을 움직이지 못하게 하는 요소는 무엇이냐 하는 것은 국민이 대단히 궁금하게 생각합니다. 왜냐하면 민주정치란 국민이 들고일어나 4·19 같은 혁명을 일으키지 말고 정권이 마음에 안 들 때나 정권이 너무 잘못하는 일이 많을 때는 그 시정을 위하여 반대당에다 그것을 주는 그 시스템을 써야 될 것인데 반대당이 이런 꼴이라면 막다른 골목에 가서는 국민 대 정부의 대립밖에 없지 않으냐, 정당정치란 정당을 통해 국민이 바라는 바를 요구하는 것으로서 단지 국민 자체는 헌법의 질서 자체를 무너뜨리는 행위를 할 필요가 없다고 생각하고 있습니다. 따라서 여당에 대해 국민의 불만이 이러하다면 야당이 으레 대신해 줄 것을 기대하고 있는 것은 사실인데 가만히 보니 야당이 형편없다 그겁니다. 이러한 야당 부재 현상이라면 여당 하나와 정부밖에 없게 되는데 여당이라는 것이 정부의 시중을 드는 것이니까 정부밖에 없다는 결론밖에 안 나옵니다. 그러면 정부와 국민 간의 대결인데 그렇다면 민주질서와 체제는 무너지게 되는 것 아니냐, 때문에 야당을 육성시켜야 되는데 그러기 위해서는 야당의 생리와 야당을 육성시키는 데 저해 요소가 무엇인가를 알려 주셔야 되겠습니다.

지난번 여당의 선거공약을 볼 때 야당을 육성하겠다고 한 것 같은데 야당을 육성하지는 못할망정 이렇게 야당 부재 현상을 만들어 놓으니 국민은 얼마나 좌절 의식을 느끼게 되느냐 말입니다. 민주정치가 본래 한 정당, 한 정권이 영구히 집권할 수 있다는 것이 아니지 않습니까. 반드시 정권이 교체된다, 하기 때문에 민주정치를 하는 것이고 아무리 잘한다 하더라도 그것이 교체되고 봐야 한다는 것 아닙니까? 그러면 국민이 믿을 만한 유일한 야당인 신민당의 생리가 얼마나 국민의 원망을 사게 됐느냐, 그런 점에 대해서 국민 앞에 몇 가지 설명이 있으셔야 될 것 같습니다.

김대중 우리가 자기 자신에 대해서는 결국 변명이 될는지 모르지만 그만큼 신임을 받는 야당으로서는 도저히 변명이 안 된다는 것은 사실입니다.

아까 저에 대해서는 특별한 말씀을 해 주셨는데 그것은 결코 그렇지 않습니다. 이것은 겸손의 말이 아니라 내가 볼 때에 우리 당내에는 국민의 뜻에 부합해서 행동을 하려는 사람들이 많은 것도 사실입니다. 그런데 그러한 생각을 국민과 연결시키기가 대단히 어렵게 되었습니다.

나도 역시 그렇게 느끼고 있습니다. 외람된 말씀입니다만 솔직히 말해서 내가 작년 선거가 끝나고 하늘과 국민에게 부끄럽지 않다는 말을 한 적이 있습니다. 이것에 대해 몇몇 신문들이 꾸중하지도 않고 정말 잘 싸웠다고 공감한 것을 보기도 했지만 사실은 그때 나는 생명을 내놓고 싸웠습니다. 내가 믿는 천주님에 대해 의뢰를 하다시피 했습니다. 그때 나는 종교를 믿는 사람이 참으로 강할 수 있다는 것을 나 스스로 체험을 했습니다.

그런데 지금은 작년과 또 다릅니다. 솔직히 말해서 지금 저는 24시간 미행을 당하고 1년 내내 전화 도청을 당하고 집 주위에 감시를 하는 사람이 상주하고 있고 하다못해 우편물 하나 지방엘 못 보내고 있는 실정입니다. 전부 거두어 불태워 버리기 때문입니다. 이것을 이번에 국회에서도 다 질문을 했습니다. 또 경제인들이 나한테 돈을 주었다고 해서 붙들려 가서 호되게 당하고 단돈 10원을 못 만들고 있는 형편입니다.

정보 정치는 죄악이다

김대중 그래서 나는 가만히 이런 것을 생각해 보곤 합니다. 윤봉길 의사처럼 일시에 폭탄을 던지고 고통을 받기는 쉬워도 이렇게 교묘하게 사방팔방에서 몰아오는 정보 정치에 저항해 나간다는 것은 정말로 죽기보다 더 어려운 것이라고 생각이 됩니다.

자유당 때처럼 얼굴을 면도날로 그어 피가 나서 누가 보더라도 저 사람은 당했구나 하고 알기 때문에 남에게 과장도 하고 동정도 받을 수 있었는데 지금은 당하는 것도 웃으면서 손톱 밑에 바늘을 쿡 찌르는 식으로 하기 때문에 남이 볼 때도 꼭 악수나 하는 것처럼 뵈면서 당하는 것입니다. 아마 김 교수도 당해 봐서 잘 알 겁니다. 하여간 당하더라도 기가 막히게 당하는 것입니다. 이러한 것을 국민은 아마 모르는 것 같습니다.

또 야당 파괴 공작도 과거에는 어떠한 방법으로라도 탈당을 시켜 성명서를 발표하게 했는데 지금은 작전이 바뀌어 야당 내부에 놓아두고 교란을 시키고 있습니다. 그러기 때문에 멋도 모르고 국민이 볼 때 저 야당 사람들은 괜히 저희들끼리 그런다고 욕을 하는 것입니다.

최근의 예로 제가 6월 6일 대성빌딩에서 강연한 내용을 팸플릿으로 만드는 데 무려 한 달 이상이 걸렸습니다. 도중에 원고를 뺏어 가고 조판을 뺏어

가 세 번 네 번 옮겨 가면서 마지막에 결국 제본을 우리 집에서 했습니다.

또 남북회담에 관한 프린트를 하는데 이걸 해 준 사람이 정보부에 끌려가서 무척이나 당한 사실도 있습니다.

하여간 이런 식으로 인간적인 약점을 잡아 하나하나 파괴해 나가고 있습니다. 이러한 짓들을 하는 것을 보니 아마 현 정부 사람들은 자기들을 포함해서 우리 전체가 들어갈 묘혈을 파고 있는 것 같습니다.

지금 새삼스럽게 설명할 여지도 없지만 우리가 공산당과 싸우는 자랑거리가 무엇입니까? 그것은 오로지 자유 하나 아닙니까? 공산당은 독재를 한다고 솔직히 말하면서 합니다. 그 대신 그 사람들은 경제생활 면에 있어서 최저의 생활보장은 하려고 합니다. 그런데 이쪽은 경제적으로 빈부차가 극심하게 벌어져 있고 그렇다고 자유가 있느냐 하면 그것도 없고 거기에다 부패가 극심하여 인간 양심의 보장마저도 없는 실정입니다.

18세기나 19세기 당시에는 정치적인 자유만을 가지고도 민주주의가 성장 발전할 수 있었습니다. 그러나 이제는 문제가 다릅니다. 빵과 자유가 없이는 곤란합니다. 그런데 우리 현실은 어떻습니까? 빵은 없고 자유도 없습니다. 이래 가지고 어떻게 민주주의는 물론 공산당을 이길 수가 있겠습니까?

설사 지금 빵이 없다 하더라도 자유만 있다면 공산당에게 떳떳이 대할 수 있다고 생각합니다. 그런데 선거 후 급속도로 비상사태에 들어간 것은 결국 국민들로 하여금 우리가 공산당하고 싸우는 이유가 무엇이냐 하는 문제의식마저 상실하게 만들었습니다. 그런고로 국민은 전부 좌절감에 빠져들어 가고 결국에 가서는 국민이 파탄 상태로 돌입되지 않느냐 하는 걱정을 합니다. 그래서 내가 항상 하는 얘기지만 중국에서 장 정권(蔣介石)이 망하고 베트남에서 티우 정권이 미국의 그 많은 원조, 60만 대군과 하루에 1억 달러씩 지원을 받고 있으면서도 못 이기고 패퇴만 하는 과정에 있습니다. 이 이유가 과연 어디에 있느냐? 민주주의가 공산주의한테 진 거냐? 절대 그렇지 않다고 봅니다.

중국에서도 베트남에서도 민주주의가 공산주의에 진 것이 아니라 공산독재한테 군사독재가 진 것입니다. 독재는 뭐니 뭐니 해도 공산당이 최고 기술자이기 때문입니다. 말하자면 프로 선수한테 엉터리 선수가 진 것입니다. 엉터리 독재 선수가 프로 독재 선수한테 진 것입니다.

그래 명색이 민주주의를 하는 나라에서 대통령 나가는데 제 밑에 부통령으로 나가겠다는 사람을 못 나가게 만들어 놓고 저 혼자 일등 했다고 으스대고 있으니 이것이 어째서 민주주의란 말입니까. 거기다가 자기 자식들은 프랑스나 미국으로 도망시키고 공연히 불쌍한 국민들만 일선에 끌어다 놓고 싸우니 이게 말이나 되는 것입니까.

내가 일전에 베트남 가서 본 것인데 전쟁에 나가는 사람들이 엘에스티(LST)에 할머니, 어머니, 아내, 자식들과 심지어 돼지새끼, 닭새끼까지 태워 가지고 다니면서 전쟁을 하는 것을 보았습니다. 나중에 그 사실을 알고 보니 자기 가족들을 놔둘 곳이 없기 때문에 그런 거였습니다.

이렇게 해 가지고 이길 리가 있겠습니까. 몇 사람만을 위해서 또 몇 사람이 치부를 하고 호의호식하는 상황에서 말입니다.

이번에 또 어떤 사람이 군대 월급까지 떼어먹어 국방부 장관 목이 날아간 일도 있습니다.

그러나 이것이 남의 일이 절대로 아닙니다.

이번에 남북공동성명에 김일성 주석과 침략을 서로 안 하겠다고 사인을 했습니다만 그게 무슨 소용이 있습니까. 이쪽에서 정부가 신임을 받지 못해 결국에 가서는 내부적인 불만이 폭발되어 내부 문제가 발생하면 그 사람들이 바로 약속을 지킬 것 같습니까?

독·소불가침조약이나 일·소불가침조약이 휴지 한 장에 불과했고 국회에서 비준을 받은 조약도 휴지인데 그게 문제가 되겠습니까. 김일성이 대한민국 적화 통일을 언제 포기한 일이 있습니까?

박 정권, 이 사람들 국민을 무시하고 저희 몇몇끼리 하더니 이것은 자기들 것과 함께 대한민국 전체의 묘혈을 파는 것이 아닌가 생각됩니다.

국민에게 봉사하기로 결심

김대중 이러한 여러 가지를 고려해 볼 때 나는 작년에 있었던 국민의 성원을 다시 한번 생각하지 않을 수 없습니다.

과거에 혁혁한 독립운동을 한 것도 아니고 특별한 인물도 못 되는 나에게 이렇게 지지를 해 주었다는 점에 대해 국민에게 엄숙히 백배 감사하면서 눈시울이 뜨거워짐을 느낍니다.

나는 이 국민을 위해서는 언제 죽어도 한이 없다는 생각을 항상 갖고 있습니다.

인생이란 나서 어차피 죽을 것이니까…….

죽으려면 자동차 사고로 죽는 수도 있고 해수욕장에 갔다 죽을 수도 있는데 어찌 국민을 위해 일하다 죽는 게 뭐가 그리 억울하겠습니까? 형무소에 들어갈 것은 처음부터 각오하고 있는 건데.

본래는 나도 인간이기 때문에 죽기도 싫고 고통을 받기도 싫습니다. 그러나 나는 그런 것들을 극복해서 국민에게 봉사하기로 결심한 몸입니다.

남북공동성명이 발표되기 전까지 정부에서는 김일성이 곧 쳐내려올 것같이 선전하는 바람에 반공의식이 강한 우리 국민들은 남한에서 너무 말썽을 부리면 곤란하기도 하지 않겠느냐고 생각을 했습니다. 그러나 이제부터는 김일성이가 안 내려온다고 자기네들이 가서 도장을 받았으니 김일성이 쳐내려온다고 해서 선포한 비상사태는 당연히 해제하는 것이 마땅하지 않습니까.

비상사태를 선포할 때 박정희 대통령은 두 가지 이유를 들었습니다. 하나는 중국의 유엔 가입으로 우리 주위가 위태롭게 되었다는 것이고, 또 하나는 김일성이 곧 쳐내려올 위험성이 있기 때문이라고 했습니다.

그런데 금년의 아시아태평양각료회의(ASPAC)에서 공산권과의 외교의 접근이라든가 아시아 정세는 환영할 만큼 평화의 방향으로 진전되어 가고 있다고 한국이 주도한 이 아스팍(ASPAC)성명서에서 발표를 했습니다.

또 지금 김일성이 침략을 안 한다고 약속을 했지만 실제로도 김일성의 남침은 불가능합니다. 만일 김일성이 내일이라도 쳐내려온다면 미국이 가만히 있고 우리 국군은 거저 있습니까? 지금 전쟁이 나서 서로가 맞붙으면 어디가 이기고 지는지는 모르겠지만 양쪽 다 맞붙으면 파멸을 초래시킬 것이 뻔합니다. 이것을 김일성이 알기 때문에 쳐내려오지 못하는 것입니다.

이러한 사실을 자기들도 알면서 비상사태를 해제하지 않는 것은 목적이 전연 딴 데 있는 것이 아니냐는 의혹을 갖게 하는 것도 당연한 겁니다. 이것은 처음부터 김일성을 막으려는 것이 아니고 국민을 탄압하고 정권 연장을 하기 위한 것입니다.

그러면 국민들은 언제까지 당하기만 할 것이냐 하면 그렇지 않다고 봅니다. 모든 일은 시기가 있기 때문입니다.

문제는 있습니다. 야당이 우선 국민의 신뢰를 받고 그럼으로써 구심점 역할을 할 수 있도록 개선되어야 하겠습니다. 따라서 국민의 권리를 찾기 위해 일어설 수 있는 것이 아닙니까? 이제까지는 구심점이 없기 때문에 뜻은 있어도 전부가 좌절 내지 자포자기해 온 것이 아닙니까.

이것에 대해 나는 심각한 관심과 고민을 하고 있는 것입니다. 여기서 그러니까 어떻게 해야 되겠다는 것은 말할 수는 없지만 내 자신도 이러한 상황을 인식하고 있는 만큼 다음 기회로 미루겠습니다.

또한 지금 언론인에 책임이 있다, 지식인에게 책임이 있다, 국민에게 책임이 있다 하지만 나는 그보다 먼저 일단 국민의 신임을 받은 정치인이 길을 열어야 한다고 생각합니다. 그것도 국록을 먹고 신분이 보장된 국회의원들이 먼저 앞을 개척해야 된다고 봅니다.

그중에서도 내가 해야 되겠다고 결심을 하고 있어서, 기필코 대한민국 국민으로서 다시 보람 있는 정치적 자유를 획득하는 방향으로 뭔가 움직임이 있어야겠다, 뭔가 해야겠다, 여기에 대해 약간의 결심한 바가 있습니다.

그 점은 앞으로 행동으로 또 나타날 것입니다.

김동길 그러니까 야당에 관한 말씀을 하시면서 광범하게 현 시국의 여러 가지 문제를 지적해 주셨는데 야당 문제를 일단 이것으로 끝내면서 제가 한두 가지 말씀을 더 드릴 것은 야당 내에도 국가와 민족을 위해 올바르게 국정을 잡아 봐야 되겠다는 뜻을 가진 사람들이 상당히 있는 것은 사실이다라는 그 말씀에 국민은 어떤 희망을 걸어 볼 수밖에 없지 않으냐는 얘기가 될 수 있을 겁니다. 그렇다면 그러한 힘, 즉 세력들이 야당 내에서도 부패한 세력과 분리되어야 되지 않겠습니까. 부패한 힘은 물러서고 깨끗한 힘이 주도권을 잡아 새로운 기틀을 잡는 정당이 되지 않는 한, 우리 사회에 이렇다 할 공헌을 할 것이 없지 않겠습니까. 왜냐하면 야당 자체가 갈피를 못 잡게 되면 결국은 중상모략밖에 할 것이 없지 않겠습니까. 그러니까 지금 쓸 만한 몇 사람, 이들은 대국적인 견지에서 볼 때 야당은 물론 여당에게도 필요한 사람들이라고 봅니다. 국가 전체를 위한 참신한 지도자란 야당 사람도 포용할 줄 알아야 하기 때문입니다. 제가 가끔 정권을 맡아 하는 사람들에게 하는 얘기가 그겁니다. 당신들을 공격하는 이 힘이 종당에 가서는 결국 당신들을 살리는 힘이 될 거요, 그게 사실 민주사회이거든요. 따라서 어느 하나만 살지 않고 그 오포지션(opposition)도 살아야 된다는 것은 이 사람이 오포지션에 있을 때 그 사람도 살리겠다는 뜻이 아닙니까? 그래서 정권이 약화되는 이유는 우리만이 가지고 나아가야 한다는 일종의 아집 때문에 상대방을 죽이기 때문인데 오포지션을 죽이고 나면 고독한 존재가 되어 결국에 가서는 국민하고 맞서지 않으면 안 되게 됩니다. 그런데 국민의 힘을 당할 정당이라는 것은 없거든요. 국민이 싫다면 당연히 그 정당은 그것으로 끝장이 나는데 그렇게 되면 피를 많이 흘리게 되는 비극을 초래하게 됩니다. 그러니까 그러지를 말고 야당을 잘 키워서 정권 교체를 순조롭게 하되 국민에게 물라 하는 것입니다. 우리 헌법 제1조에 엄연히 대한민국의 주권은 국민에게 있다고 했으니까, 민주 절차를 밟아 국민이 계몽되고 더욱 각성함으로써 요다음에는 보다 더 나은 민주적인 권력 행사를 할 수 있게 하자 하는 것밖에 우리에겐 갈 길이 없는 것 같습니다. 그런데 우리에게는 또 한 가지 안타까운 것이 있습니다.

그것은 민중이 할 소리가 있어도 말을 못 하는 것입니다. 지난 모든 사태의 경우에도 민중이 올바른 위치에 섰었다면 지금의 정치는 훨씬 명랑한 길을 걷고 있었을 것이라고 생각합니다.

어떤 사람은 얘기하기를 정치가 민중의 수준을 넘을 수 없다고 하는데 내가 볼 때는 이런 형편에 있는 국가일수록 지도자의 역할은 더욱 큰 것 같습니다. 그래서 야당 안에 인물이 없는 것이 아니요, 야당 안에 인물이 없는 것이 아니라는 전제하에 국민은 여당이 기분 나쁠 때는 언제든지 야당으로 바꾸어도 볼 수 있는 가능성이 있어야 되겠습니다.

그렇다면 지금 야당 안에 있는 깨끗한 분자들은 합쳐서 국민의 뜻을 받들어 주어야 되지 않겠는가 하는 것이 국민들의 간절한 희망인 것 같습니다. 좀 더 구체적으로 말씀드린다면 한마디로 말해서 당신들 국민과 함께 고생해 주쇼, 하는 것입니다. 우리는 이렇게 고생하고 있는데 당신들은 월급이나 타먹고 거기다가 이권 운동이나 서서히 하려고 한다면 우리 기분 나쁘다 하는 것입니다. 그러므로 국민이 아파하는 것을 야당 자신이 알고 행동해 주고 또 야당이 당하고 있는 사실들을 국민에게 알게 해 줘야 하겠다는 겁니다. 민중이 하나라도 알아야 하지 않으면 안 될 것들은 언론기관이 사정이 있어서 보도를 못 한다고 할 때에는 그대로 국민의 여망을 받들어 의정단상에 나선 분들이 이 운동의 선두에 나서 줘야 하지 않겠느냐 생각됩니다.

의정에서 첫째 신경을 써 주어야 할 문제는 언론의 자유입니다. '언론'이란 민주주의의 모든 기초입니다. 요즘 문제가 되고 있는 부패도 언론의 자유만 있으면 근절시킬 수 있습니다. 국민들에게 부패상을 알려 주면 자연히 부패는 없어집니다.

요즘 우리나라에서도 부정부패를 없앤다는 인상을 주기 위해 은행장이니 군인 장성이 처벌되고 있습니다. 어째서 부정부패를 이런 식으로 처리합니까? 문제는 그 사람들이 돈을 얼마 먹었다는 데 있는 것이 아니라 그런 사람을 지명한 책임에 있습니다. 왜 그런 사람을 임명해서 그와 같이 국가에 손해를 끼치게 했는가 하는 것이 문제입니다. 뿐만 아니라 다 먹은 후에 잡아넣기나 하는 게 과연 부정부패를 없애는 일인가 말입니다. 또 왜 이런 정도의 부정부패는 단속하면서 그보다 더 큰 것은 그냥 두느냐가 문제입니다. 따라서 부정부패를 완벽하게 없앨 수 있는 방향은 언론의 자유를 누리는 길밖에 없습니다. 미국의 피어슨은 루스벨트 대통령 때 장성 3명의 목을 잘랐습니다. 미리 부정부패를 알고 보도하니 자연 그렇게 된 것입니다. 그러기에 언론의 자유만 있으면 괜히 정부가 나서서 자기가 지명한 사람의 목을 안 잘라도 됩니다.

그다음 언론이 지금 억압받고 있는 것은 그 원인이 집권층의 두려움 때문이라고 볼 수 있습니다. 그러니 언론의 자유를 위해 야당의 양심적인 인사들이 앞장을 서 달라는 겁니다. 학계, 종교계 등 각 분야에 걸쳐서 양심적인 인사도 많습니다. 그러나 가장 책임을 느껴야 할 것은 역시 정치인들, 그중에서도 야당이라고 봅니다. 학계 등의 힘없는 재야 침체 세력들은 그들이 참여할 수 있는 분위기가 조성되었을 때에야 비로소 호응을 보이기 때문에 이러한 선도 역할을 야당에서 해 주기를 바라는 것입니다.

이러한 현실 문제를 고려해서 최근의 이슈로 되고 있는 남북통일 문제를 남북공동성명과 적십자회담을 염두에 두면서 얘기를 계속해 주셨으면 좋겠습니다.

물론 김 의원께서는 공동성명이 발표되기 훨씬 전에 통일의 방법론을 주장하셨을 때 우리 국민의 우수성을 들어 조국통일의 과업을 충분히 성취할 수 있다고 말씀하신 것은 이미 다 아는 사실이지만 현시점에서 야당의 지도자로서 다시 한번 각성시킨다면 국민이 이해하는 데 퍽 도움이 되리라 생각합니다.

3단계 통일론

김대중 나는 통일 문제에 대해서는 원내 국회의원 중에서도 과거부터 가장 많은 발언을 해 왔습니다.

작년 선거 때도 남북 간의 교류, 공산권과의 무역과 외교의 추진 문제와 한반도에 4대국 평화 보장 등의 정책을 내걸어 당시의 공화당한테 맹렬한 공격을 받고 전연 터무니없는 용공적인 발언으로까지 몰린 일이 있었습니다. 심지어는 김일성이 피리를 불면 김대중이 춤을 추고 김대중이 북을 치면 김일성이 장단을 맞춘다고 공화당의 최고 간부가 떠들고 다닌 일도 있습니다. 한데 그 후 3개월이 못 돼 적십자회담이 열리고 1년이 지나서 오늘날 7·4성명이 나왔습니다. 그런데 7·4성명이 나오기 전에 저는 3단계 통일론의 주창, 제1단계로 평화적인 공존을 해야 한다고 했습니다. 국내외 간에 평화적 공존을 해서 일단 전쟁을 억제시키고 긴장을 완화해서 동포끼리 피를 흘리는 일이 없도록 해야 되겠습니다. 또 앞으로 전쟁이 일어난다면 남이나 북이나 모두 재가 됩니다. 서로를 인정하자는 것입니다. 상대방을 괴뢰라고 불러 보았자 세계적으로는 조소밖에 안 됩니다.

법적으로는 물론 독립국가로 인정할 수 없지만 사실상 존재하는 정권으로 인정을 해야지, 그것을 전제로 하지 않는 이상 아무것도 될 수 없습니다. 제2단계로 남북 간에 전쟁 억제에 대한 합의가 이루어지면 남북 교류를 확대시켜 언론·체육·문화·예술·라디오의 상호 청취, 무역 교류 등을 빈번히 확대시켜야 한다고 봅니다. 무엇보다도 가장 중요한 것은 남북이 27년 동안이나 단절된 관계로 정치·사회·경제 모든 부분이 극도로 이질적인 발전을 한 관계로 계속되어 왔고 이러한 괴리 현상은 편견과 증오심으로 인해 더욱 심화되어 국민의 동질성은 전연 존재하고 있지 않다고 봅니다. 그러나 이것은 우리가 교류를 확대시킴으로써 남북이 서로 장점을 인정하게 되어 동포애와 신뢰심을 서서히 회복할 수 있다고 봅니다. 일천여 년 동안 단일민족으로서 명맥을 유지해 온 우리 국민이 불과 27년이라는 짧은 기간으로 영영 단절되리라고 나는 보지 않고 있습니다. 이러한 것은 7·4성명으로 나타난 우리의 현상을 보더라도 곧 알 수 있습니다.

따라서 우리가 진정한 통일을 하기 위해서는 단지 남북 간의 국토통일에 있는 것이 아니라 남북이 평화 공존을 진정으로 할 수 있는 동질성을 회복하도록 노력하는 것이 중요하다고 봅니다.

이러한 1단계 2단계 작업이 끝나면 제3단계인 정치적인 통일로 들어가지 않느냐 하는 것입니다.

현재 정치적 통일 방안은 여러 가지가 있는 것으로 알고 있는데 이 가운데서 어느 특정 방안을 우리는 지금부터 고집할 필요는 없다고 봅니다. 그 이유는 아직까지 남북한의 어느 쪽 국민에게도 통일에 대한 발언을 하도록 허용을 않고 있습니다. 통일의 주체가 국민인데 국민에게 자유로운 의사 표시를 하지 못하게 하고 몇몇 정치인이 밀어 대는 통일 방안은 있을 수 없기 때문입니다.

그러므로 결정권을 가지고 있는 국민에게 의사 표시를 자유롭게 하여 이를 토대로 한 방법을 채택해야 하겠습니다. 이렇게 하다 보면 양쪽이 다 만족할 수 있는 방안이 나오게 될 것입니다. 만일 어느 한쪽이 좋은 방안이라 해서 그것을 제안할 때 다른 쪽에서는 자기들의 정치적 입장 때문에 거절을 하기가 십중팔구일 겁니다. 그렇다면 모처럼의 좋은 방안도 필요가 없게 될 우려가 있습니다. 그러므로 이것은 급히 서두를 문제가 아니라고 생각합니다.

다만 당시의 정치적인 상황에 따라 유연적인 방안도 낼 수 있고 현재 남한 체제처럼 중앙집권적 통일 방안도 제안할 수 있다고 생각합니다. 통일을 하는 데 있어서는 두 가지 중요한 점을 염두에 두지 않으면 안 된다고 생각합니다.

하나는 국민에게 통일에 대한 얘기를 할 수 있는 자유를 주어라 하는 것입니다. 독일 같은 경우를 보면 통일 문제를 선거 때 하나의 공약으로 내세우고 국민과 더불어 통일 문제를 해결하려고 노력하고 있는데 우리는 국민들에게는 아무 소리도 못 하게 해 놓고 자기들 몇몇 사람만이 이 문제를 처리하려고 합니다. 이것은 정권과 정권의 통일이지 진정한 통일 방법이 아니라고 생각합니다. 이런 의미에서 통일은 국민 총화를 토대로 한 통일이어야만 한다는 것입니다.

두 번째는 통일 문제를 정략의 도구로 이용해서는 안 된다는 것입니다.

통일이 늦어지고 빨라지는 것은 국내외 정세 문제에도 달려 있지만 내용 문제는 국민들의 정부에 대한 지지 여하에 달려 있다고 볼 수 있습니다. 국민이 볼 때 이 정부, 이 사람들이면 통일을 시킬 수 있다, 없다를 판단해서 능히 할 수 있다고 생각되면 확실히 언제 될는지는 모르지만 끝까지 믿고 밀어줘 성취된 통일이라야 참으로 우리가 바라는 통일이 된 것이라고 봅니다.

그런데 이번의 7·4성명은 박정희 씨의 정책이 아니고 전번에 내가 주장한 정책을 발전시킨 것이라고 보기 때문에 원칙적으로 찬성을 합니다. 그리고 일부에서 말하는 정권 연장의 목적으로 이런 일을 했다는 것도 부인하지는 않습니다. 하나 어떠한 목적에서 했건, 의사가 100퍼센트 돈벌이를 목적으로 인술仁術의 양심은 추호도 없이 환자를 치료했다 하더라도 완치되었다면 그 완치되었다는 사실 자체로 인정해 줘야 합니다. 마찬가지로 어떤 목적에서든, 분단 27년 만에 남북의 정권끼리 만나 전쟁을 하지 말고 민족 통일을 하자고 합의한 사실이 중요한 것입니다. 그러므로 이 거대한 통로를 뚫어 놓았다는 데 대해서 원칙적으로 지지하고 전적으로 찬성하는 것입니다.

다만 민주주의는 그 목적이 중요한 것이 아니라 수단과 방법이 중요한 것이라 봅니다. 그런데 박정희 씨의 방법은 한마디로 해서 틀렸다고 생각합니다. 왜냐하면 전번 선거 때는 그런 방향에 대해서 전적으로 반대를 했었고 비상사태를 선포하면서 곧 김일성이 쳐내려온다고 공언을 했습니다. 심지어 남북 간에 왕래가 끝나 도장까지 다 찍어 놓고 6·25전쟁 22주년, 그러니까 7·4성명 아흐레 전에도 공산당을 믿을 수 없다, 22년 전만 하더라도 조만식曺晩植 선생하고 공산당하고 바꾸자, 남북 교역을 하자 해 놓고 남침한 자들을 어떻게 믿느냐고 말했습니다. 그러나 그가 이런 말을 할 당시는 그자들을 믿고 도장을 찍을 때였습니다. 이렇게 다 해 놓고 국민 앞에서는 그런 말을 한 것은 정말 국민을 어떻게 보고 하는 짓인지 이해하기 힘듭니다.

이러한 비민주적인 방식으로 국민을 무시하고 한두 사람끼리의 뒷거래로 이 중대하고 거국적인 민족의 숙원을 결정하는 이런 수법을 나는 절대 반대하는 것입니다. 이래 가지고는 절대 진실한 통일을 할 수가 없다고 봅니다. 하더라도 서독과 같이 국민의 여론을 받아 가면서 추진했어야 되지 않겠는가, 그렇게 했다면 남북공동성명도 더 충실했을 것입니다. 오죽하면 540만의 지지를 받은 나 자신도 성명이 발표되는 날에서야 알았겠습니까.

그리고 남북 간에 전쟁을 하지 않겠다고 말하고 나서도 비상사태나 반공법을 철회하거나 뜯어고치려고 하지 않기 때문에 일반 국민은 통일 문제에 대해 전연 의사를 발표할 수가 없는 상태가 아닙니까. 현재의 반공법을 가지고는 이북과 배구 시합을 하든가 토론을 해도 이 모두가 공산당을 고무 동조하는 것으로 걸립니다.

이러한 악법을 그대로 놔두면서 통일을 추진해 보겠다는 것은 현 정권의 완전한 이율배반적인 처사라 아니할 수 없습니다.

그러기 때문에 나는 7·4성명의 의의를 높이 평가하고 원칙적으로 찬성하면서도 지금까지의 비민주적인 절차와 앞으로도 비민주적인 자세를 추호도 시정해 보겠다는 굳은 결의가 없는 것을 볼 때 과연 현 정부가 국민을 위해서 통일을 하려고 하느냐에 대해 심대한 우려와 비판적인 심정을 가지고 있습니다.

김동길 이제 남북통일 문제에 대해서 여러 가지 좋은 견해를 말씀해 주셨는데 그 내용을 요약해 보면 원칙에 있어서는 잘한 일이지만 절차 문제에 있어서 반성을 해야 한다, 국민이 참여해야 할 문제를 정권을 담당하고 있는 몇몇만이 했느냐 하는 것으로 집약될 수 있을 것 같습니다. 그런데 제가 보기에는 남북통일을 하자면 남한의 현실의 재정비가 불가피하다고 봅니다.

왜냐하면 남북은 피차간의 특색을 내세우고 약점을 보완하는 것 이외에 통일 터전이라는 것은 결국 없는 것인데 저쪽을 보면 자유가 결핍되어 있기 때문에 이쪽에서 자유의 바람을 불어넣어 주면 국민들은 자유로운 생활을 갈구하게 되어 통일을 원하게 되고, 이쪽은 좀 더 공정한 사회, 정의가 있는 사회, 빈부의 차이가 어느 정도 해소될 수 있는 사회, 최저 생활을 보장받는 사회로 향하게 될 것입니다.

이러한 경우에 남한의 현실을 보면 우리의 강점이라고 할 수 있는 자유가 구속을 받고 있는 상태이니 그럼 무엇을 가지고 그들과 상대를 할 것이냐가 문제입니다. 자본주의 사회이기 때문에 빈부의 차이는 인정된 사실이라고 하지만 헌법에 보장된 자유마저도 실제에는 제약을 받는다면 우리에겐 일은 시작했어도 무기가 없지 않으냐 하는 것입니다.

그러므로 7·4성명을 계기로 남한은 옛날처럼 자유의 따뜻한 분위기를 만들자 하는 것입니다. 언론의 자유가 있고 모든 면에서 국민의 기본권을 제약하지 않는다면 남북이 서로 내왕을 할 때 북에서 보고 놀랄 것이 그것밖에 없지 않습니까. 그러면 우리는 공산독재 체제보다 우월성을 가진 민주체제를 토대로 해서 공정한 사회, 빈부의 차가 없는 사회를 건설하면 되지 않겠습니까? 그렇다면 우리 남한에서는 무엇보다도 자유를 향유할 수 있는 여건을 마련하는 것이 중요하다고 봅니다.

더구나 야당은 통일 문제에 대해 원칙적으로 찬성을 하는데도 불구하고 의정단상에서의 발언이 그 무엇 때문에 국민이 볼 때는 원칙마저도 반대한다는 인상을 주고 있는데 나는 이것은 큰 실책이라고 봅니다. 그래 가지고는 도저히 국민을 납득 못 시킵니다.

다만 통일은 원칙적으로 해야 하기 때문에 그것을 위해서는 자기라도 희생시킬 각오가 되어 있다는 마음가짐을 갖지 않고서는 납득하기 어렵습니다. 절차 문제에 있어서도 아까 김 의원께서 말씀하신 것처럼 정부가 평소에 국민에게 돈독한 신뢰를 받았다면 지금과 같은 의아심을 갖지는 않았을 것입니다. 그렇게 생각하는 것은 아주 당연하다고 생각합니다. 그도 그럴 것이 믿는 사람이 하는 일과 믿지 못하는 사람이 하는 일은 다르기 때문입니다. 이것은 마치 믿고 있는 아버지가 아들 모르게 슬쩍 했을 때 설령 아들이 그것을 나중에서야 알았다 하더라도 그것은 아버지가 한 일이니까 믿어도 괜찮다고 할 수 있겠지만 이번 일에 있어서 국민이 의혹을 가지는 것은 정말 믿어도 좋으냐 하는 데 있기 때문에 일이 순조롭게 풀리지 않고 다소 얽히는 감이 없지 않나 생각합니다.

또 공동성명을 발표하면서 민족 통일의 첫걸음을 내디뎠다, 기틀을 마련했다 하면서도 폴로 업(follow up)이 안 되고 있습니다. 마련이 되었으면 그다음 단계가 착착 진행되어야 할 텐데 그렇지도 않고 오히려 호칭 문제나 그 외의 용어도 분명하지 않아 국민은 해야 할 바를 모르고 있습니다.

평양에 가서 김일성을 만났건 누구를 만났건 그것을 문제 삼는 것이 아니지 않습니까. 요는 그러한 정치적인 엔티티(entity)를 지점으로 해서 통일 문제를 풀어 나가는 것이 정도正道인데도 정부는 자꾸 이 현상을 인정하지 않으려고 하면서 문제를 해결해 나가려고 하니 우리는 그다음에 어디로 가야 하느냐 하는 문제가 남아 있다고 생각하지 않을 수 없습니다.

김대중 그러니까 우리가 남북 문제를 다루는 데 있어서 근본적인 출발점은 상대방을 서로 사실상의 존재로 인정하자 하는 데 있습니다. 다시 말하면 상대방을 괴뢰라고 부르는 사고방식부터 버려야 하겠습니다. 사실상의 존재로 인정하지 않고 통일을 한다면 그것은 북진통일밖에 없습니다. 저쪽에서 볼 때는 남침밖에 없는 것입니다.

통일 문제는 거족적으로 다루어야

김대중 따라서 우리는 북한이 국제기구에 가입을 하려 한다면 그것을 굳이 막을 필요는 없다고 봅니다. 그렇지 않으면 북한을 사실상의 존재로 인정을 한 것이 아니기 때문입니다. 그들이나 우리나 세계기구에 가입되어 일하다가 통일이 되면 하나로 합치면 되지 않겠느냐 하는 것입니다. 또 세계기구에 둘이 가입되어 있다 해서 반드시 그것이 두 개의 분단을 의미한다고는 볼 수 없습니다. 비근한 예로 소련·백러시아·우크라이나가 유엔에 가입되었다 해서 그것이 세 개의 소련을 말하는 것이 아니지 않습니까. 아랍연방공화국도 마찬가지입니다. 세 개의 국가가 유엔에 가입을 했지만 그것도 어디까지나 연방은 연방입니다. 그러므로 중국이 유엔에 가입해 북한의 유엔 출석을 원한다면 제지할 필요가 없다고 봅니다. 이번에 상정이 되어야 하느니 안 되어야 하느니 하는 인색한 짓은 하지 말자 그겁니다. 올해 안 된다 하더라도 내년엔 어차피 될 것을 불과 1년 때문에 그런 인상을 받을 필요가 있습니까?

그리고 남북통일 문제를 거족적으로 다루기 위해서는 남북의 정당, 사회단체 간 회의가 있어야 된다고 생각합니다. 이 문제에 대해서 나는 앞으로 정책으로 삼으려고 합니다.

그러나 남북적십자회담에 정당, 사회단체를 불러들이는 것은 반대합니다. 남북 간의 1천만 동포들이 서로 부모 자식 간의 소식을 알리고 하는데 거기에까지 끼어들어 정치적인 세력이 작용하고 있다는 인상을 주는 것에 나는 찬성할 수가 없습니다. 그러므로 이번에 북한에서 제의한 정당, 사회단체 참석 문제는 반대합니다. 또 대한민국이 왜 그런 문제를 요구받았느냐 하는 점에 대해서도 의문점을 갖고 있습니다.

그러지 말고 남북한 전체회의를 해서 통일 문제, 교류 문제, 전쟁 억제 문제 등 남북 간에 포함되는 것들을 정당, 사회단체들이 참가해서 합의한 것들은 집권 정부가 실천하도록 법적으로 인정해 주고 합의 안 된 것은 그런대로 놔두면 되지 않습니까. 그러니까 나는 합의를 하든 못 하든 하여간 만나서 얘기한다는 게 중요하다는 것입니다. 따라서 통일 문제를 박 정권과 김일성 정권만의 전유물로 국한시킬 것이 아니라 적어도 남한에 있어서만은 여야당과 그 외에 국민을 대표하는 세력이 나가서 얘기할 수 있게 하는 것이 진실로 박 정권이 출발시킨 통일의 작업을 전 국민의 통일로 승화시키는 길이라고 봅니다.

김동길 이제 말씀을 듣고 보니까 시작은 박 정권이 했건 누가 했건 하여간 통일의 첫출발을 했다는 점에 대해서는 찬성을 한다고 말씀하셨는데 내가 보기에 김 의원의 훌륭한 점은 바로 거기에 있는 것 같습니다. 누가 했거나 민족의 문제는 민족의 문제, 국민의 문제는 국민의 문제로 다루어져야 하는 것이지 이러한 문제에까지 편견을 개입시킬 필요는 없지 않으냐 하시면서 제일 우려하고 있는 것은 과연 이 정권이 진실하게 통일 문제를 다루어 주겠는가 하는 점 같습니다.

지난번 제가 친구 때문에 해운대에 가서 가만히 해변에 앉아 있으려니까 저기 비치 파라솔에 있는 저 사람들이 자기의 생활 수준을 희생하면서까지 통일에 적극적으로 나서 주겠는가? 다시 말하면 그들이 지금과 같이 향유할 수 있는 기득권을 포기하면서까지 진실로 통일을 바라고 있을까? 그렇지 않고 말로만 떠들어 대는 것일까 하는 생각이 문득 떠올랐습니다.

이러한 문제를 생각해 볼 때 남한에서의 현실 재정비는 여러 각도에서 검토되어야 할 것 같습니다.

이를테면 기업에 대한 문제, 소득 분배에 대한 문제 등에 관해서도 좀 더 과감한 시책이 나와야 비로소 통일에 대비가 되지, 그렇지 않다면 이러한 유의 현실 사회에서 그런대로 풍족한 생활을 누리는 일종의 사회적인 특권층들은 현실 이대로가 좋지 현실의 재조정이라든가 또는 그 외의 변화를 해서 그만 못하다 할 것 같으면 좌우간 반대를 할 것이 아닙니까?

김대중 그렇습니다. 그래서 나는 통일 문제에 있어서 공산주의를 절멸시키고 우리만이 남는 통일은 있을 수 없다고 생각해 왔습니다. 동시에 우리가 공산주의자들에게 숙청을 반대로 당하는 것은 더욱 그렇다고 봅니다. 통일은 양쪽이 비로소 안심하고 평화 공존이 가능한 경우에만 된다고 봅니다. 또한 그 과정에 있어서는 연방제 같은 과도적인 형태도 검토되어야 할 것입니다.

김 교수께서 지적하신 남한의 재정비 문제는 통일 작업을 하는 데 있어서 가장 중요한 것이라 생각합니다. 이 재정비 문제는 비단 통일을 위해서만이 아니라 20세기 국가로서는 당연히 하지 않으면 국가 자체를 유지할 수가 없는 것입니다.

빈부 격차 해소, 민주주의 확보

김대중 20세기 국가의 특징은 사상 면에서 볼 때 유심론唯心論과 유물론唯物論이 극도로 정正과 반反의 상태를 이루어 오다가 점차 합合의 단계로 접근하고 있다고 하겠습니다.

지금 칼 맑스나 레닌이 말하는 자본주의나 공산주의는 세계 어디에 가도 없습니다. 1950년대 덜레스가 말한 그러한 공산주의도 없습니다. 많은 변모를 해 가고 있습니다. 또 불과 2, 3년 전에 문화대혁명을 한 중국이 오늘날 닉슨의 방문을 받아들인 것을 볼 때에는 굉장한 변화를 일으켜 가고 있는 것이 사실입니다. 우리가 생각할 때에 누가 마오쩌둥 생전에 그런 변화가 있으리라고는 아마 아무도 예측하지 못했을 것입니다. 그러나 이것은 마오쩌둥이 변한 것이 아니라 시대가 변한 것입니다.

그래서 나는 오늘날 인류는 공산주의의 장점이라고 할 수 있는 물질의 평등, 비록 그것이 아무리 낮은 평등이긴 하지만, 이러한 것과 민주주의 국가의 장점인 자유를 둘 다 필요로 함이 틀림없는 사실인 것 같다고 생각합니다.

인간에게는 그중에 어느 하나만을 갖고 있어도 행복할 수 없습니다. 우리의 행복을 위해서는 자유와 빵 둘 다 필요한 겁니다. 하나만 있는 것은 오른쪽 절름발이든 왼쪽 절름발이든 어쨌든 절름발이입니다. 이 중에 어느 것도 인간은 싫어하는 것입니다. 이것이 곧 인간의 본능이요 곧 욕망입니다. 또 이러한 두 가지 욕구가 해결될 만한 시대가 왔다 이겁니다. 그것은 지금 유럽이나 미국, 일본 같은 선진국에서 초기 공산주의자들이 상상도 못 할 만큼의 사회보장제도, 심지어는 자본의 분배까지도 하고 있다는 것입니다.

이렇게 부의 분배라 하는 것을 진행시킴으로써 공산주의자들의 정책을 앞서서 시행하고 있는 겁니다.

얼마 전에 스웨덴에 가서도 느낀 것이지만 공산주의자들이 맥도 못 쓸 정도로 사회보장제도가 잘되어 있었습니다. 이렇게 사회가 되어 가고 있는 것은 인류의 욕망이기 때문입니다.

그러므로 오늘날 우리의 사회같이 빈부의 양극화가 심화된 상태에서는 설상 자유가 있다 하더라도 절대 국민의 지지를 받을 수가 없는 것입니다. 하물며 자유마저 없다면 그것은 국민하고 완전히 떨어진 다른 방향으로 가고 있는 것이라 아니할 수 없습니다.

그래서 나는 남한의 재정비 문제, 그중에서도 빈부의 격차는 시급히 해결하지 않으면 안 된다고 봅니다. 안 하면 견뎌 내지 못합니다. 더구나 빈부의 격차는 남북이 교류를 하면 북의 영향을 안 받을 수 없는 것입니다.

그러나 동시에 우리가 여기서 자유만 보장하면 북은 교류를 하는 이상 자유를 주지 않을 수 없을 것입니다.

그렇다고 해서 자유의 바람이라는 것이 뭐 삼팔선에 가서 선풍기로 보내는 겁니까? 사람이 가는 것이지. 이렇게 되면 결국은 양쪽이 서로 영향을 받는 것인데 역사에서 보아 온 바와 같이 정치 현상이란 상대방의 장점으로 끌려들어 가는 것입니다.

그렇기 때문에 김 교수가 지적한 것처럼 제일 중요한 문제는 자유 문제를 빨리 해결해야 하는 것입니다. 자유가 회복이 안 되면 우리가 북한을 만나 자랑할 게 없습니다.

지난번 삿포로올림픽에서 남북한 선수가 서로 만나서 얘기하는데 북한 선수가 자기들 자랑만 하더라는 것입니다. 그래서 이쪽 선수가 있다가 "얘! 그도 그렇다 하지만 너희들 김일성이 욕할 수 있느냐? 우리는 대통령도 잘못하면 비판할 수가 있는데." 하고 질문을 하니까 말문이 막혀 말을 못 하더란 것입니다.

그런데 오늘날같이 이렇게 자유가 없으면 그런 소리도 못 할 것 아닙니까? 만일 그때 우리가 정권 교체가 되었다면 그 선수가 또 한마디 했을 거요. "너희 쪽에서는 너희가 투표해서 김일성을 몰아낼 수 있느냐? 우리는 우리가 투표해서 대통령을 바꿨다" 고 틀림없이 자랑삼아 얘기했을 것이 아닙니까.

이걸 그 사람들이 들을 땐 어떠했겠습니까? 감히 김일성을 저희들이 바꾸다니 이것은 상상도 못 할 일이거든요.

그래서 우리에게는 이런 자유가 있어야 남북이 대등한 입장에서 무슨 문제든 해결을 할 수가 있다고 하는 것입니다.

그중에서도 가장 중요한 것은 언론의 자유라 하겠습니다. 왜 그런 말이 있지 않습니까? 민주주의라는 것은 3피(P)가 있다, 그것은 정당(Party), 의회(Parliament), 언론(Press)를 의미하는 것인데 이 가운데서 정당과 의회가 그 기능을 상실하더라도 언론만 강하면 된다 하는 것입니다. 그런데 오늘날 우리는 가장 불행하게도 언론이 맥을 못 쓰고 있습니다.

이러한 지경까지 되도록 한 것은 언론을 위해 투쟁을 하지 못한 야당에, 그 가운데서도 국회의원에게 일차적인 책임이 있다는 것입니다. 그렇다면 언론계에서는 반성할 점이 없느냐? 압력에 못 이겨 움직이지 못한 사람들이야 할 수 없다고 하겠지만 그 외에 얼마나 많은 사람들이 권력에 결탁을 해 가지고 청와대를 위시해 도처에서 독재정권에 완전히 매수당해 협력을 하고 있느냐, 과거 일제시대에 독립이 언제 될지도 모르면서 일제에 대항해서 선두에 나서던 언론이 어째서 이렇게까지 되었느냐 하는 점들을 볼 때 언론계에서도 심각한 반성이 없으면 나중에 국민으로부터 큰 원망을 받지 않을 수 없는 것입니다.

김동길 남한의 현실을 재정비한다는 것은 통일에 대비하기 위해서도 필요하고 국가 자체의 존속을 위해서도 필요한 것이다라고 개략할 수 있겠습니다. 그다음에 요즈음 벌이고 있는 소위 새마을운동이라는 것이 있습니다.

내가 보기에는 여기에도 대단히 많은 문제점을 내포하고 있다고 보고 있는데 당국자들은 이것이 5천 년 이래 민족 역사 가운데 처음 있는 일이요, 거국적인 혁명이니 운운하면서 자화자찬하고 다니는 경향이 있는데 김 의원께서는 이 문제에 대해 어떻게 생각하시는지?

김대중 제가 8대 국회에 와서는 국방분과위원으로 있었지만 6, 7대는 경제과학분과위원으로 있으면서 박 정권에게 정책을 내고 계속적으로 주장한 것은 농촌 경제를 발전시켜야 된다는 것이었습니다.

농촌 경제가 발전한 후에 공업화를 추진시켜야 한다는 것입니다. 그래서 당시에는 이러한 소리를 정부에서는 되게 싫어했었습니다. 그러나 요즈음에 와서 비록 늦은 감이 없지 않아 있지만 농촌 문제에 손을 대기 시작한 것은 나 개인적으로는 환영하고 있습니다.

솔직히 말해서 우리는 남북 간의 경제 사정을 잘 모르지만 남쪽이 북쪽보다 경제적인 면에서 약점이 있다면 농촌 경제라고 이북을 본 사람들은 말하고 있습니다.

순서가 농촌 생활을 밝게 함으로써 구매 시장이 확대되어 그것을 토대로 한 공업화가 건전하게 육성 발전하는 것이 아닙니까? 또 농민이 식량 증산이 되어 이익을 가져와야 자립 경제가 형성되는 것이 아닙니까.

이러한 원칙적인 문제를 고려해 볼 때 새마을운동에는 몇 가지 문제점이 있습니다. 새마을운동 자체는 좋으나 그 방법이 문제입니다. 새마을의 캐치

프레이즈인 자조와 자립, 협동을 보면 자조와 자립이라는 것은 내가 할 일은 내가 스스로 한다는 일종의 자주정신을 함양시킴을 의미하는데 지금 새마을 운동은 어떻게 하고 있느냐 하면 전부가 공문으로 한다 이겁니다.

자주적 삶이 마련되어야

김대중 또 우리나라에서는 자기 일을 자기가 하고 싶어도 지방자치제가 없고 모든 행정권이 중앙정부로부터 나오기 때문에 지방 문제를 자기들이 할 아무런 길이 없다는 것입니다. 세계에서 지방자치제를 실시하지 않는 유일한 나라가 한국 아닙니까?

농업협동조합 같은 것도 그 조직법을 보면 간부를 선거로 선출하게 되어 있는데 임시조치법이라는 것을 만들어 임명하고 있습니다. 따라서 농민이 지지하는 사람이 나오는 것이 아니라 공화당 선거운동 해 준 사람이 그 자리에 앉게 된다는 것입니다. 이렇게 자기가 자조 자립하고 싶어도 정부가 손발을 전부 묶어 버리기 때문에 할 수가 없습니다. 이래 가지고 무슨 자조 자립입니까? 완전히 관官의 지도 밑에서 움직이게끔 제도를 만들어 놓고 자조 자립하라는 것은 결국은 거짓말에 불과한 것입니다.

자주 없는 자조는 있을 수가 없지 않습니까. 비로소 관이 개척해 주어야만 그저 끌려다니게 되어 있습니다. 그러므로 이 문제부터 해결하지 않고서 새마을운동은 절대로 성공할 수가 없다고 봅니다.

둘째 새마을사업은 경제사업인데 이것은 돈벌이가 되어야 하는 것입니다. 그런데 농촌에 자금을 투자한 것을 보면 돈을 벌 수 있는 사업에 투자하는 것이 아니고 지붕 개량하고 담 쌓는 미화 작업에 투자하고 있다 그겁니다. 이러한 미화 작업을 하는 데 이제는 빚까지 내서 하라고 독촉을 하기 때문에 농민들은 대개가 빚을 지고 있어 새마을운동이 농민의 소득증대운동이 아니라 부채운동으로 둔갑해서 전개되고 있습니다. 이런 식으로 전개되어 가지고는 농민경제 향상은 절대 안 된다는 것입니다.

셋째는 새마을운동에 있어서 가장 중요한 것은 정신운동이라고 할 수 있겠습니다. 국민도의 앙양운동이라고도 볼 수 있는 것입니다.

그런데 정신운동의 발전이나 도의의 앙양은 지도층이 모범을 보여야 할 것인데 돈 10만 원밖에 못 받는 사람이 5천만 원짜리, 1억 원짜리 집에 살고 있고 거기다가 개 한 마리 100만 원, 150만 원짜리 갖다가 농민들이 1년 가야 한 번 두 번 먹을까 말까 하는 쇠고기를 하루에 1근, 2근 먹이고 있고, 마당에는 50만 원 짜리 나무가 서 있고, 저희들은 고급 차를 타고 다니면서 오전에는 새마을운동 시찰하고, 오후에는 골프장에 가서 골프 치고, 여자들의 손에는 2천만 원, 3천만 원짜리 다이아 반지 끼고 이래 가지고 그 지도층 믿고 새마을운동이 되고 정신개조운동이 되고 내핍하고 정직하게 근면하면서 일할 맛이 나겠습니까?

그것은 국민을 우롱해도 분수가 있다 그겁니다. 만일 새마을운동을 제대로 하려면 지도층부터 모범을 보여야 한다는 것입니다. 호화 주택 버리고 국민하고 똑같이 고생하고 자기들이 가지고 있는 쓸데없는 패물 같은 것은 팔아 내놓고 골프장은 전부 갈아엎어 땅 한 평을 새로워 하는 농민에게 경작을 하도록 해야 한다고 봅니다. 그런데 요즈음 골프장은 몇십만 평짜리가 자꾸 수없이 늘어만 가고 있으니 한심한 일이 아닌가, 우리가 한 10년 동안 골프 안 치고 농민들에게 나눠 준 다음에 생활이 윤택해지면 농민, 노동자와 같이 골프를 치면 될 게 아닌가? 이런 자세로 되돌아갈 때 새마을운동은 비로소 성공한다고 봅니다.

그러한 생각은 하지 않고 괜히 농민들한테 가서는 도박하지 마라, 놀지 마라, 그러니까 못산다, 술 먹지 말라고 합니다. 사실 그거 다 나쁜 것이죠. 하지만 그렇게 하지 않을 수 없어, 노력을 해서 농사를 지어 봤자 잘살 수가 없어, 잘살 수가 없으니까 자포자기하고 나태심이 생기는 거 아닙니까.

그런데 이 책임이 정부에 있다고 하지는 않고 농민 너희가 나쁘니까 그렇다고 주입시키니까 국민들이 괜히 열등의식만 축적하게 됩니다. 따라서 나는 새마을운동이 농민의 소득 증대와는 무관한 미화 작업만을 일삼고 또 지도층이 모범을 보이지 않는 이상 도저히 성공은 할 수 없다고 봅니다.

김동길 저도 새마을운동에 관해서는 두어 가지 문제점을 지적하고 싶은데, 과거에 보면 재건국민운동이라는 것이 한동안 물의를 일으켰는데 그 운동 역시 성공하지를 못했지 않습니까? 이러한 전례 때문에 국민은 정부에서 나서서 하는 일은 별로 성과를 보지 못하지 않았느냐 하는 인식을 하고 있기 때문에 이 새마을운동 역시 과거 운동의 전철을 그대로 밟는 것이 아니냐 하는 의아심을 갖고 있는 것 같습니다. 이런 것을 정부에서는 알아차리고 정부의 명령계통으로 하달되는 그러한 방법을 취하지 말고 밑에서부터 올라오는, 그러니까 상향식의 운동을 상부까지 끌어올리도록 해야 할 텐데 그렇게 하지 않고 있다는 점에 문제가 하나 있고요.

둘째 번은 제일 문제 되는 것은 무엇을 앞서서 내세우기 이전에 이념이 있어야 한다는 것입니다. 새마을운동도 철학이 있어야 된다는 것입니다. 철학 없이는 낡은 마을이 새마을로 되지 않는다고 봅니다.

그런데 이건 어찌 된 것인지 명령식으로 무조건 뛰어라, 그러면 된다 하는 식으로 강행만 하다가 도중에 모순덩어리가 톡톡 튀쳐나와 애꿎은 면장, 이장만 희생되고 있습니다. 이런 식으로 나가다가는 이 운동이 얼마나 갈지 의문입니다.

본래 운동이 민중 속에서 나온 것이라면 민중의 저력을 바탕으로 자꾸 성장할 수 있지만 이렇게 눌러서 시작된 운동은 위에서 누르는 힘만 없어지면 다시 원점으로 돌아갈 거거든요.

그러므로 거액을 투자해서 농민을 살리겠다면 처음부터 철학을 가지고 임해야 되었을 것이 아니겠는가, 지도 이념이나 추진 방법이 전무하니 말입니다.

또 내무부(현 행정안전부) 장관이라는 사람은 이 운동에 임하는 자세에 대해서 한국의 혼을 가지고 서양의 재산을 쓰자는 낡은 말을 한 것으로 알고 있는데 내가 볼 때 조국 근대화를 하는 마당에서 남의 것을 형식은 배우지만 실속은 배우지 말자, 다시 말하면 서양의 정치사상의 근본이 되는 민권사상이나 민주사상 같은 것은 배우지 말고 경제적으로 또는 과학적으로 발달한 그것만 배워 오자 하는데 이러한 생각 때문에 이홍장李鴻章이가 청국淸國 근대화에 실패를 했습니다. 모든 근대화 과정에 있어서 그 바탕을 이루고 있는 정신은 배워 오지 않으려 하고 단지 형식에 있어 좋은 열매만 따다 먹겠다 하는 사고방식을 갖는다는 것은 모든 일을 실패하게 하는 것인데, 이거 새마을운동에도 이런 것이 작용하고 있는 것 같습니다.

그렇지 않다면 농민이 새마을운동 하고 있는데 골프를 치러 갈 생각이 나겠습니까.

저도 골프 치는 것에 대해 대단히 공격을 한 일이 있는데 그것은 건강 관리상 할 수 없이 한다면 그러지 말고 빗자루를 들고 서울 시내를 쓸면 좋지 않겠습니까? 폼도 비슷하고 깨끗한 거리를 보니 기분도 상쾌할 거고. 왜 하필이면 외국서 나오는 자재를 써 가면서 그것도 농민의 비위를 거슬러 가면서까지 건강 관리를 할 필요는 없지 않겠느냐 하는 것입니다.

만일 이들이 올바른 정신 자세를 가졌다면 이제부터라도 그만두어야 할 것이 아닙니까? 그런데 새마을운동이 나와도 여전히 비상사태가 선포되어도 이들은 여전하다 그겁니다.

김대중 골프 애기가 나왔으니 말하는데 신문지상의 가십난을 보면 모 여당 간부들이 또는 여야 간부들이 골프장에서 같이 골프를 쳤다, 어떻다 하는 것을 볼 때마다 나는 항상 불유쾌합니다. 물론 골프가 좋은 운동이 된다는 것은 인정합니다. 그러나 아무리 골프가 좋은 운동이라 한다 해도 우리 한국의 실정에는 귀족 운동임에는 틀림없습니다. 아주 낭비적이고 사치성이 심한 특수층의 운동임에도 틀림없습니다.

그런데 국민의 선두에 서서 국민과 더불어 내일의 풍요한 생활을 위해 이 빈한한 현실에서 내핍하고 참고 노력을 해야 하는 사람들이 도구를 수입하고 골프장을 만들어 자가용이나 타고 다니면서까지 이런 운동을 해야 하겠느냐, 할 수 있는 여유가 있고 하고 싶더라도 하지 않고 참는 것이 지도자다운 자세고 국민을 위한 자세가 아니냐 하는 것입니다. 내 자신도 아직까지 골프채를 손에 잡아 본 적이 없습니다. 물론 칠 기회는 있었습니다. 그러나 차마 칠 수가 없어 치지 않았습니다.

왜냐하면 골프장에서 골프를 치면서 옆에 똥수레를 끌고 가는 농민에게, 여보 농민, 내가 당신의 벗이고 당신을 위한 사람이오, 하고 말할 때 농민은 나를 보고 아 저것이 우리를 위한 벗이다라고 생각하겠느냐 이거요. 아마 속으로는 죽일 놈이다 할 거요. 우리가 그런 인상을 농민에게 주면서 어떻게 그 분들과 운명을 같이 개척해 나갈 수 있겠느냐 말이오.

우리 선조들도 이제까지 골프는 안 쳐도 그 외의 딴 방법으로도 건강을 유지했고 나 역시 골프를 안 치고도 작년 양차 선거 때 보통 사람으로서는 해낼 수 없는 일을 치렀는데…….

요는 국민에게 심오한 무슨 철학 이론보다도 행동으로써 그 사람이 올바른 자세를 보여 줄 때 비로소 행동을 보고 믿는 것이지 떠드는 이론 가지고 국민이 따라갑니까?

물론 행동이 철학이나 신념으로부터 나오는 것이어야 하겠지만 국민이 신임하는 것은 그 이론이 행동으로 나타날 때 그 행동을 보고 신임하는 것이지 그 이론을 보고 신임하지 않는다는 것입니다.

김동길 더 나아가서 근자에 흔히 나도는 말 가운데 기업은 망해도 기업인은 잘산다는 얘기가 있습니다.

이것은 우리 현실의 기업인들의 자세와 윤리가 어떠하다는 것을 단적으로 말해 주는 아주 적절한 표현이라고 봅니다. 이러한 기업풍토와 경제구조 및 그 외의 국내경제의 문제점과 8·3긴급재정명령을 관련시켜 볼 때 김 의원께서는 어떠한 견해를 갖고 계십니까?

김대중 5·16쿠데타 이후 지금까지 그 분들이 한 일 중에서 가장 놀랍고 가장 기가 막힌 일이 이번의 8·3조치입니다.

이것은 정상적인 이성을 가지고는 상상도 할 수 없는 일입니다. 한마디로 말해서 일종의 자유경제에 대한 쿠데타입니다. 잘 아시다시피 자유경제란 사유재산, 자유경쟁, 유통의 질서가 생명인 것입니다. 그런데 이것은 사유재산을 무시하고 자유경쟁의 신용과 거래의 질서를 완전히 파괴한 것입니다. 따라서 이런 예는 세계 어느 나라에서도 찾아볼 수가 없습니다. 우리나라의 경제를 근저로부터 흔들어 놨다고 생각합니다.

8·3조치는 자유경제에 대한 쿠데타

김대중 소유권의 유린뿐만 아니라 신용 관계를 파괴했기 때문에 앞으로 금융 문제만 아니라 우리나라의 경제 전반에 걸쳐 지대한 악영향을 미칠 것입니다.

또 더 나아가 우리가 용서할 수 없는 것은 사회 문제입니다. 이번 발표를 보면 백만 원 이하의 영세 대출자가 63퍼센트나 됩니다. 백만 원이라는 액수는 그렇게 많은 돈은 아닙니다. 천만 원도 그렇게 많은 돈이라고는 할 수 없습니다. 그런데 이와 같은 사람들의 돈을 쓴 기업들이 40억도 쓰고 백억도 쓴 사람이 있다는 것입니다. 이러한 업체들이 이 사람들의 돈을 다 떼어먹는 것입니다. 3년 거치 5년 상환이라지만 그동안에 도산하면 못 받는 것입니다. 도산하더라도 정부가 책임을 안 집니다. 그러니 못 받아도 어디에 하소연할 수도 없어요. 또 위장 도산도 할 수 있는 문제입니다.

목돈을 만들기 위해 계 하는 부인들의 돈, 봉급자들의 퇴직금, 군인들의 연금, 월급자들이 근근이 모아 생활에나 보태 쓰려고 한 돈, 집 팔아 전세방에 들어 있으면서 그 돈을 융통해 이자로 자식들 교육에 쓰려는 돈, 이러한 사람들을 한꺼번에 다 죽여 버렸다 이겁니다. 이것은 결국 영세민들의 돈을 뺏어 몇몇 특권 재벌들만 살려 준 것밖에 없습니다. 지금 일부 중소 상공업자들이 약간의 덕을 보고 있지요. 그러나 그 사람들은 자금줄이 막혔고 사채 금리는 더 뛰어올라 가고 있습니다.

그래도 과거의 고리채 정리는 몇몇 고리채업자의 희생하에 절대다수의 농민들이 덕을 입었는데 지금은 반대로 절대다수의 영세 사채권자를 희생시켜 소수의 대기업만 덕을 보게 한 것입니다.

그런데 이 법을 보면 8·3조치 후에 돈을 갚으면 처벌을 받게 되어 있습니다. 세상에 빚져서 그걸 갚겠다는데 처벌하는 나라가 어디에 있느냐 그 말이오.

그러니 아까 말한 바와 같이 8·3조치는 돈 떼어먹으라는 조치입니다. 3년 거치 5년 상환인데 그동안에 위장 도산 얼마든지 시킬 수 있습니다. 결국 불량한 사람들은 전부 떼어먹습니다. 그러니까 갚는 사람은 바보란 말이오. 왜냐하면 전번의 농어촌 고리채 정리 때는 정부가 책임을 졌는데 이번 것은 정부가 책임을 안 지거든요. 그러면 신의信義라는 것은 완전히 없어지는 거요.

또 이번에 대기업체들이 중역회의에서 만세를 불렀다는 사실을 볼 때에

이 정권이 누구를 위한 정권이라는 것을 단적으로 증명해 주는 것입니다.

그리고 대기업체라는 것은 외국 차관을 다 갖다 쓰고 은행 융자를 다 갖다 쓰고 모든 재산을 은닉시켜 놓고 빈껍데기만 가지고 있어, 그러기 때문에 아까 말씀하신 것처럼 기업은 망해도 기업은 산다는 얘기가 아닙니까? 그런데 이제는 은행 돈이나 외국 돈만 떼먹는 게 아니라 개인 돈까지 다 떼먹게 만들어 주었단 말입니다. 그래 가지고 금융기관에서 나서서 또 살려 준단 말입니다. 그러면 결국 이 나라가 누구를 위한 나라입니까?

이러한 문제점은 사회적으로 볼 때에 중대한 사회악의 조성이요, 신뢰의 파괴요, 약육강식으로 정의에 위반된 위헌 조치라고 보지 않을 수 없는 것입니다.

동시에 정치적으로 볼 때에도 얼마나 중산층을 파괴시키는 것입니까? 우리나라에서는 백만 원 이상 천만 원 이하를 빌려줄 정도면 중산계층이라 볼 수 있는데 이 사람들을 파산시키고 일부 특권층의 이익만 더욱 보장해 준 것으로 완전한 위헌 조치입니다.

나는 이러한 문제는 지금 나타난 것, 그 이상으로 경제적으로나 정치적으로나 사회적으로 심각한 영향을 가져와 이 정권으로서도 도저히 수습할 수 없는 파국을 몰고 올 것이라고 생각하고 있는 것입니다.

김동길 그러니까 남 재무(남덕우南悳祐)의 얘기대로 한다면 한 번만 더 기회를 주자는 얘기나 또는 물가 안정을 시키는 것이 정부가 국민을 위해서 할 일이기 때문에 그렇게 한다…….

김대중 말씀 도중에 죄송합니다만 그러면 물가 안정이라는 것은 국민에게 문제가 있는 것입니까.

김동길 아니죠…….

김대중 지금 외국에서 주로 비싼 기계, 나쁜 기계를 구입하면서 외국 사람들하고 이미 정치적으로 커미션을 뜯어먹고 일은 시작되는 거요.

으레 현지에서 정치적으로 뜯고 그 나라에 재산 도피를 시킨 후에 나머지를 가지고 기업은 그 기계를 사야 되니 자연히 나쁜 기계만 살 수밖에 없지 않습니까?

그다음에 시멘트 같은 것을 보더라도 그렇습니다. 작년에는 230원 240원 하던 것이 요즈음에는 4백 원까지 하고 있습니다. 왜냐하면 시멘트를 완전히 공판제, 즉 카르텔을 만들어 시멘트업자들이 가격을 제 마음대로 올리기 때문입니다.

정치권력이 뒤흔드는 경제 정책

김대중 우리나라에 판초자板硝子 공장이 둘밖에 없는데 판초자 공장도 그런 짓을 하고 있어, 맥주 공장도 둘밖에 없는데 그렇게 하고 있어, 지금 전부가 그런 공판제 아니면 협정가격제를 만들고 있습니다. 이렇게 하여 독점가격을 형성하는 바람에 물가가 올라가는 거요.

원래 자유경제의 장점이란 자유경쟁에서 가격경쟁을 시켜 거기에서 우승열패로 가격을 코스트 다운시켜 소비자에게 봉사할 수 있고 여기에서 수지가 안 맞는 업체는 쓰러지고 그렇지 않은 업체는 남게 되어 기업이 발전하게 되는 것인데 지금은 가장 나쁜 업체를 기준으로 가격을 형성하기 때문에 쓰러져야 할 기업체는 살아남고 발전해야 할 기업체는 자연히 폭리가 되니까 더욱 발전시키지를 않고 낭비를 하고 있습니다. 그러니 이런 기업들을 보호하기 위하여 사채를 떼어먹게 하면서 물가를 떨어뜨린다는 것은 말도 안 됩니다. 또한 금융 문제도 마찬가지입니다.

금융 문제란 수요 공급의 원칙에 의해 모든 것이 해결되어야 하는 겁니다. 수요에 공급이 따라가야 금리가 떨어지는 거요. 수요에 공급이 따라가지 못하니까 벌써 시장 금리가 오르고 있지 않아요? 8·3조치 이후 시장 사채 금리가 10퍼센트까지 뛰어 가고 있습니다. 그런 데다가 은행 금리 내려 봤자 은행 금리는 적으니까 그걸 빌려준 사람들이 중간에서 커미션을 뜯어먹으니까 결국 금리는 마찬가지입니다. 말하자면 이러한 경제를 경제로 다루지 않고 경제를 이렇게 정치권력이 뒤흔드는 정책은 절대로 성공할 수 없다고 보는 것입니다.

김동길 결국은 기업을 한 번 더 밀어줘야 하겠다는 것은 기업이 실패했다는 것을 의미하는데 기업이 실패한 책임을 죄 없는 중산층이나 일반 국민이 져야 할 까닭은 없지 않습니까? 그런데 그렇게 말을 하는 의도는 이런 사람들이 희생을 당해야 기업은 살 수 있고 기업이 잘 육성되면 일반 경제가 안정이 될 게 아니냐 하는 뜻에 있는 것 같습니다. 그런데 이것은 논리상으로 볼 때는 모순이 없는 것 같지만 기업이 실패한 원인은 딴 데 있는 것이 아니라 자기 자신들의 부패와 부실기업으로 해서 잘못된 것이고 은행 관계 모든 것이 자기네 잘못 때문에 그런 것을, 저축성 있고 애써 살려고 노력하는 중산층에다가 희생을 당하게 하여 기업을 육성시킨다면 그것은 도저히 건전할 수 없다고 봅니다.

우리가 사회학적 관점으로 볼 때 자본주의 체제하의 민주주의 사회에 있어서 안정된 사회라고 하는 것은 견고한 중산층의 형성밖에 없습니다. 지금 말하신 것처럼 백만 원에서 천만 원을 가진 사람들이 점점 많아지면 많아질수록 우리나라는 안정된 사회로 발전해 나가는 것인데 이번 8·3조치로 그나마 형성된 중산계층을 싹 없애 버린다면 그다음에는 극과 극만 남게 되어 아주 불안한 사회가 됩니다.

얘기가 너무 길어지는 것 같아 여기서 마무리를 한다면 대체로 이와 같은 현실을 고려해 보면서 우리 국민은 어떠한 자세를 취해야 하느냐 하는 문제를 정계나 학계에서는 다루지 않으면 안 될 것 같습니다.

과연 국민들을 어떻게 지도해야 이러한 난문제를 해결할 수 있을 것인가에 대해서 김 의원께서 말씀을 해 주셨으면 좋겠습니다.

김대중 우리가 국민에게 해 줘야 하는 일은 무엇보다도 희망을 갖게 하는 일이라고 생각합니다. 그런 희망을 주기 위해서는 우리가 국민에게 자유와 생활과 양심을 보장해 줄 수 있는 사회를 건설하고 있다는 인식을 줄 때에 비로소 국민은 기대와 희망을 가질 수 있다고 봅니다.

국민에게 희망을 갖게 하는 일

김대중 그런데 대단히 불행한 일이지만 내가 보기에는 현재 정권 가지고는 자유의 보장도, 생활의 보장도, 부정부패를 일소하고 부조리를 시정하는 양심의 보장도 불가능하다고 봅니다.

왜냐하면 이 박 정권은 말기 증상에 도달해서 더 이상 자체 개혁을 할 수 없는 정권이다 하는 것입니다.

그러면 문제는 우리가 하루빨리 이 정권을 교체시키는 길밖에 없다고 생각합니다. 물론 나는 이것을 폭력적 수단이나 비헌정적 절차로 교체시키는 것보다는 어디까지나 합법적이고 헌법 절차에 의해서 교체시키는 것이 조금 시간이 걸리더라도 우리의 긴 역사로 봐서 바람직한 일이라고 보고 있습니다.

이것을 할 수 있는 일은 곧 국민들입니다. 우리 국민은 아까 말씀드린 것처럼 대단히 우수하고 끈질긴 저항력을 가진 국민임에는 틀림없습니다.

그런데 우리 국민은 총명하기 때문에 독재를 감수할 수 없을 뿐만 아니라 부조리나 악에 대해서 묵과하거나 사양하지 않는 예민한 비판력을 가지고 있지만 그것을 제거하는 데 과감하게 참여하고 투쟁하는 데 있어서 참여의식과 용기가 결여되어 있습니다.

따라서 우리 국민에게는 계몽이 필요 없습니다. 필요한 것은 참여의식과 용기를 구가하도록 하는 것입니다. 이래 가지고 국민이 참여의식을 발휘하면 옳은 것은 옳다, 그른 것은 그르다, 우리는 자유가 있어야 한다, 경제 건설은 온 국민이 고루 잘살아야 되고 부정부패는 일소되어야 한다는 등등의 말을 한다 해도 법에 아무런 저촉을 받지 않는데도 불구하고 이런 정당한 말조차도 하기를 꺼리고 또 내가 안 하더라도 누가 해 주겠지 하는 의뢰심, 다시 말하자면 참여의식의 결핍이 오늘날 이런 좋지 못한 정치를 연장시키고 있는 결과를 가져오고 있습니다.

그래서 내가 지방에 강연 다닐 때마다 하는 소리가 영국이나 프랑스, 미국 같은 나라가 자유를 찾을 때까지 얼마나 많은 피를 흘렸나 보라! 또 지금 영국이나 미국 같은 나라에도 나쁜 지도자가 없는 것은 아니다, 그들이 나쁜 짓을 할 경우에는 국민들이 그걸 보고 가만히 안 두기 때문에 그런 짓을 못 하고 있는 것이다, 거기에는 국민이 없다면 독재자나 그 외의 나쁜 놈이 많았을 것이다, 닉슨이 부통령 당시 천 달러짜리 부인 옷 한 벌 선물받은 거 가지고 그것이 뇌물이냐 아니냐로 시비가 엇갈려 텔레비전 앞에 나와 눈물을 흘리면서 해명하는 것을 보았습니다. 이런 정도로 국민의 감시가 엄중하다 그것입니다.

그래서 내가 볼 때는 만일 국민들이 여기에 3천 명 모였으면 3천 명이 한 달에 한 번씩만이라도 대통령에 대해서 잘한 것은 잘한다 못한 것은 못한다, 여당이나 야당, 자기 지역구 출신 국회의원에게나 여야당 간부에게 편지를 쓴다면 이 나라 정치는 달라질 게 아닌가 하는 것입니다. 그 엽서 한 장 내는 것이 뭐 그리 어렵다고 노력도 안 하니까 착하고 바른 일을 하는 사람들이, 국민이 알아주지 않기 때문에 용기를 잃게 되고, 나쁜 일 한 사람만 관대하게 봐 주니까 그대로 배짱부리고 나갈 수 있게끔 왜 이런 사회를 만들어 가고 있느냐?

이에 대해서 문제는 이제 국민의 계몽 단계가 아니라 국민이 참여의식과 용기를 내는 여하에 따라서 우리 정치가 바로 설 수도 있고 여기에서 더 큰 불행으로 떨어질 수도 있다고 보기 때문에 이제부터 모든 정치인이나 지도자들이 그 점을 국민에게 호소해서 국민을 각성시키고 우리가 선두에 서면서 국민들에게 그러한 참여의식과 용기를 갖도록 이끌어 나간다면 우리가 어째서 못살겠느냐 이겁니다.

총명하고 부지런하고 심지어 개인적으로 뛰어난 기술을 가진 게 한국 사람입니다. 이렇게 훌륭한 노동력을 가지고도 못사는 나라는 세계에서 우리뿐입니다.

우리가 남북 합치면 5천만인데 이것은 세계에서 열여섯째입니다. 남한 인구만 하더라도 세계에서 스물다섯째가 됩니다. 그러고 보면 우리는 대국 중의 대국입니다. 일본을 보더라도 일본이 자원이 풍부해서 잘삽니까? 우리보다 인구가 훨씬 더 적은 스위스라든가 덴마크라든가 스웨덴 같은 나라들은 얼마나 잘삽니까?

또 우리가 일본 사람과 비교해 볼 때 그들보다 뭐가 못났느냐 그거요. 머리가 나쁘냐 얼굴이 못생겼느냐 뭐가 못났느냐 그겁니다. 우리가 절대로 모자라는 것이 없습니다.

내가 이번에 일본 갔을 때도 그들에게 한 얘기지만 일본이 전후 27년 동안 일본 역사상 최대의 발전을 했는데 그런 폐허 속에서도 세계 3대국이라는 거창한 발전을 한 것은 그 잠깐 동안에 일본 총리 중에 영웅이 나와서 그런 것도 아니요, 위인이 나와서 그런 것도 아닙니다. 전부가 평범한 사람이 나왔고 심지어 국민이 볼 때는 죽일 놈도 나왔습니다. 그런데 여기까지 성장해 온 것은 국민의 힘이 컸다 이겁니다. 그렇다고 해서 일본 국민이 우리보다 나은 것은 없는데 그 가운데서 딱 한 가지 나은 것이 있다면 참여의식이 강했다는 것뿐입니다. 일본에 가 보니 누구누구를 더 후원하는 회, 사회주의를 더 개선하겠다는 회, 우리 지방의 임야를 더욱 발전시키는 회, 이러한 조그만 일에도 자기들 하나하나의 문제를 전부가 참여의식을 가지고 나선다는 것입니다.

이렇게, 지도자들이 나쁜 곳으로 가려야 갈 수 없게 민중의 힘을 발휘하고 있는 것입니다.

김동길 이제 결론적으로 말할 것 같으면 용감한 국민이라야 한다 하는 주장으로 돌아갈 것 같습니다.

참여도 참여하고 싶지 않아서가 아니라 용기가 부족해서 참여를 못 하는 점도 있을 테니까 말씀하신 것처럼 우리가 우수한 국민인 것도 사실이고 소질에 있어서는 어느 나라에게도 뒤떨어지지 않지만 다만 참여하려는 의욕과 참여해야 할 때에 용기를 발휘하지 않기 때문에 국가를 결국은 이 지경에 머무르게 한 것이 아니냐, 하는 생각입니다.

그렇다면 교육을 받았다고 하는 사람들이나 지도자라고 나서는 사람들은 우선 그러한 용기를 솔선수범해서 발휘해야 되지 않겠는가 그렇게 봅니다.

그래야만이 국민이 희망을 가지고 따라올 것이 아니냐, 이렇게 국민이 희망을 가지고 나갈 수만 있다면 내일은 좀 더 달라지지 않겠는가 하는 거 아닙니까?

그러면 이제 모든 문제가 자유로 귀착이 되어서 정부라 하는 것도 국민을 용감하게 키워 주도록 노력을 해야 할 것이고 그렇게 하기 위해서 정부 자신은 아프지만 최대한의 자유를 허용함으로써 지금 어려운 시국에 처해 있는 국민에게 총화의 계기를 마련해서 경제적으로 사회적으로 또는 국제적으로 당면한 이 난국을 타개할 수 있지 않은가? 그때는 국민의 대동단결이 필요한 것이지 일개 정권이 무슨 소용 있는 것일까? 국민이 다 못사는데 정권 하나만 유지해 나간다는 것 자체가 불가능한 얘기입니다.

일전에 어느 영자신문英字新聞을 보니까 북에서 제일 노리는 것은 남한이 부정부패로 썩어지는 거랍니다.

그러면 정부는 그것을 막기 위해서라도 국민에게 그것을 말할 만한 사람,

글 쓸 만한 사람에게 자유를 주어서 아무런 거리낌도 없이 비판을 받아들일 만한 그런 용기와 태도를 가진 정부다운 정부가 돼 줘야 되지 않겠는가? 그렇게 하면 국민은 용감한 국민이 되고 더욱더 참여의식을 발휘해서 우리 국가의 장래는 희망이 있지 않을까 생각합니다.

김대중 김 교수께서 마지막으로 결론 삼아 중요한 말씀을 해 주셨는데 나는 작년에 박정희 대통령하고 대결해서 대통령 선거를 치렀었지만 내 개인으로서는 그 분이 앞으로 불행해지기를 바라는 마음은 추호도 없다는 것을 천주님에게 맹세합니다.

집권하더라도 정치보복 않는다

김대중 설사 정권이 교체되어 우리가 집권하더라도 전 정권의 사람들에게 정치적으로 보복을 할 생각도 추호도 없습니다.

단지 한다면 우리가 좋은 정치를 해서 국민으로부터 더 많은 호응을 받는 차원 높은 행동을 하면 했지 절대로 보복할 생각은 없습니다.

또 우리는 이러한 중대한 시기에 박 대통령이 진정으로 바른길을 간다면 도와주고 싶다, 도와줘서 잘되는 그런 정치를 한번 보고 싶다, 그래서 우리가 정권 잡으면 더 좋은 정치하겠다 하는 것입니다. 아니 더 좋은 정치를 할 자신도 없으면서 어떻게 정권을 달라고 합니까? 또 우리가 오늘 아무리 좋은 정치를 한다 하더라도 좋은 정치란 이 좋은 정치를 토대로 해서 더 발전시킬 수 있는 거 아닙니까? 좋은 정치의 끝이란 없는 것이니까 무한히 발전시키는 것입니다.

나는 현 정권이 무엇보다도 국민에게 믿음부터 받아야 된다고 봅니다. 그런데 믿음을 받으려면 약속부터 지켜야 합니다.

지난번 선거 때 박정희 대통령의 국민에 대한 네 가지 약속을 기억하고 있습니다.

그 하나는 내가 이번에 대통령이 되면 이다음에는 절대 안 나오겠다 하는 것입니다. 이것은 그가 대통령이 되기 이전에 영구 집권을 할 의도가 없다는 것을 밝힘으로써 대통령은 모든 문제에 있어서 국민의 신임을 받을 수가 있다고 생각합니다.

국민은 사실 민주주의를 신봉하는 이상 어떠한 정권도 오래가는 것은 옳지 않다고 보고 있으며 사실도 그렇습니다.

둘째는 박정희 대통령은 내가 정권을 잡으면 고래건 송사리건 부정부패는 모조리 잡겠다고 약속하였습니다. 그러면 고래 정도 되는 놈 몇 명은 처단했어야 될 것이 아닙니까. 이렇게 윗물만 맑아지면 아랫물은 일조一朝에 맑아지는 것입니다. 그 약속을 이행하라 그겁니다.

또 박정희 대통령은 야당을 육성한다고 말했습니다. 민주주의 사회에서 야당 육성이라는 말이 적합한지 어쩐지는 모르지만 야당은 일대일로 같이 국가에 충성하고 애국하는 정당으로 취급을 해 줘야 한다는 것입니다. 헌법에까지도 정당정치를 보장한다 해 놓고 오늘날 야당에 대해서 이러한 전무후무한 박해를 가할 뿐만 아니라 정보 정치로 야당을 교란하고 야당을 파괴시키고 이래 가지고 국민이 야당에 대해서 불신하게 하는 큰 이유의 하나가 정보정치에 야당이 흔들리고 있다는 것 때문입니다. 이것은 흔들리는 야당에게도 책임이 있지만 이런 짓을 하는 정권에게도 큰 책임이 있다는 것입니다.

마지막으로 그는 후계자를 양성하겠다고 했습니다. 민주주의 국가에서 후계자란 적합한 말인지는 모르지만 하여튼 자기 정당 내에서 당내 민주주의를 허용해 가지고 공화당 내에서 지지를 받는 사람이 입후보할 수 있는 그런 경쟁할 기회를 부여해야 한다고 합니다.

그런데 지금 공화당 내 사정을 보면 박정희 씨 말에는 절대복종이요, 여기에 어떠한 거역도 용납되지 않고 개인의 어떠한 성장 발전의 노력도 하나의 반역 행위로서 옛날의 임금에 대한 역적모의 같은 취급을 받는 실정입니다. 이래 가지고는 대통령이 국민의 지지를 받을 수 없다는 것입니다.

옳은 것을 위해서 싸워 나갈 용기가 있다

김대중 동시에 용기 있는 국민에 대한 얘기가 나왔는데 처칠이 모든 도덕 중에 으뜸가는 게 용기다라고 말했는데 이것은 참으로 처칠다운 말이고 처칠만이 할 수 있는 자격이 있고 그가 일생의 체험을 통해서 한 말이다, 나는 이렇게 생각하고 있습니다.

지금 김 교수께서 우리나라 사람이 다 아시다시피 학계에 있으면서 그러한 용기를 발휘하시기 때문에 우리 국민 모두에게 존경을 받고 있습니다. 이러한 한두 분의 용기도 중요하긴 하지만 국민의 뒷받침이 없어서는 안 되겠다는 것입니다. 물론 내 자신도 대단히 외람된 말씀입니다만 생명까지도 내건 내 나름대로의 용기를 가지고 국민의 선두에 서서 싸우고 있습니다. 또 국민에게 부끄러움 없는 한 사람의 정치인으로서 자기 자신의 모든 것을 바치고 감수하면서 옳은 것을 위해서 싸워 나갈 용기를 가지고 있다고 자부하고 있습니다. 그러나 이것은 국민적인 용기가 뒷받침되지 않고 한두 사람의 용기만 가지고는 되지 않는 것입니다.

그래서 앞으로 뜻있는 사람들이 할 일은 김 교수의 말과 같이 전 국민이 발휘할 수 있는 용기의 운동에 주력해 가지고 누가 주어서 자유와 생활과 양심이 보장되는 사회를 차지한 것이 아니라 우리들의 힘으로 차지한 것이고 또 우리의 피와 땀과 눈물로 차지하는 그런 자유야말로, 그러한 생활의 보장이야말로 가장 흔들림이 없는 존귀한 것이 아니겠습니까?

하여튼 야당의 대통령 후보로서 나갔고 현재 국회의원으로서 오늘의 정치, 국민을 암흑 속에서 실망하게 만든 상태의 그 책임을 통감하는 동시에 이러한 문제를 타개해 나갈 것을 거듭 다짐하는 바입니다.

나도 오늘의 현실을 이렇게 암담하게 만든 것은 현 정권이 여유가 있고 강대해서 그런 것이 아니라 그와는 반대로 여유가 없는 말기적인 절박한 입장에 있는 약한 정권이기 때문에 그와 같이 묶어 두는 것이라 봅니다.

그렇기 때문에 우리가 괴롭고 고단할 때 이 정권도 굉장히 힘이 들 것이라는 점을 알고 있기 때문에 우리 국민은 좀 괴롭고 답답하다 하더라도 조금만 참고 견디면 우리는 능히 현실을 극복할 수 있다고 확신합니다.

김동길 이제 저 개인을 두고서는 너무나 과분한 말씀을 해 주셔서 도저히 받아들일 수는 없지만 그래도 현시점에서는 국민이 무언가 바라는 것이 있고 특별히 한국의 이러한 현실을 통해 소위 유능한 정치가를 알 수 있지 않은가 그렇게 생각을 하기 때문에, 김 의원께서는 그래도 작년에 5백여만의 많은 지지를 받은 그러한 민중의 뿌리를 늘 염두에 두시고 한국의 장래를 위해서 위대한 정치가가 되어야겠다는 포부를 가지고 나가심과 동시에 언제나 반대도 포용하면서 자기의 길을 양심적으로 정직하게 겸손하게 지켜 나감으로써 한국에도 정치가가 있다 할 정도로 역사에 남을 수 있는 먼 장래를 위해서 현실의 어려운 투쟁을 계속해 나가시기를 바라며 저도 교육계에 있는 사람으로서 목숨을 다해서 이 나라 자유민주주의의 기틀을 마련하기 위해 최선을 다하려고 생각하고 있습니다.

감사합니다.

* 이 글은 1972년 8월 11일, 『다리』지가 창간 2주년을 기념하여 당시 김대중 의원과 김동길 교수의 특별 대담을 마련, 게재했던 것이다.

한국 민주화의 길

대담 야스에 료스케
일시 1973년 7월 13일

야스에 작년(1972년) 7월 4일에 남북공동성명이 발표된 지 1년이 지났습니다. 오늘까지의 경과는 예상된 바와 같이, 남북통일에의 길이 결코 평탄하지 않음을 보여 주고 있는데, 그렇다고 하더라도 '7·4공동성명'을 정점으로 하는 이 2, 3년 동안의 북한의 움직임은, 국제적으로도 큰 주목을 받고 있습니다. 그러나 이 변동에는 두 가지 측면이 있어서 하나는 통일, 또는 남북 교류에의 움직임이지만, 다른 면에서는 남북 교류에의 움직임과 궤軌를 하나로 해서 현상적으로는 실로 불가사의한 것이지만, 한국에서는 급속하게 정치적 반동화가 진행되어 모든 면에서 억압체제가 강화되어 있습니다. 이 두드러지게 모순된 두 측면을 보고 있으면, 오랫동안 부당하게 분단되어 있던 한민족이 통일을 목표로 구체적인 움직임을 보이기 시작한 사실에 큰 기대를 갖는 만큼, 한국에 있어서의 반동화의 상황을 무시할 수 없는 점이 우리에게는 있습니다. 통일을 위해서는 과도적으로 필요한 일이라고 한국 정부는 설명하고 있지만, 인간의 자유와 정의라는 기본적인 관점에서 보건대, 이런 일이 과연 허용돼도 괜찮은가, 묵과할 수 있는 걸까 하는 생각이 듭니다.

더구나 우리가 두려워하고 있는 것은 그러한 박 정권과 일본 정부와의 유대가 점점 강화되고 있다는 사실입니다. 남북한과 일본과의 교류가 각각 촉진되어 가는 일은 좋은 일이고, 그것이 장래에는 통일된 한국과 일본과의 우호로 이어짐을 바라고 있는데, 오늘날의 한·일 관계는 그런 교류가 아니라, 박 정권이라는 특정한 정권을 지탱함에 있어서, 일본과의 유대가 강화되어 있다는 데 문제가 있습니다. 이것은 본래는 한·일조약 체제의 기본적인 골격이긴 하지만, 이런 측면이 최근에 와서 특히 강화되어 있는 것 같습니다.

그런 오늘날의 한국의 상황을 어떻게 보는가—이것은 일본인의 북한관 그 자체와 관계가 있는 것이고, 또 일본 자신이 살아가는 방법을 결정하는 전제가 된다고 나는 생각하고 있습니다.—그런 관점에서 본지(『세카이』 1973년) 5월호에서 「한국의 현상을 우려한다」는 특집을 다룬 적도 있지만, 오늘은 전부터 한국의 야당을 대표하여 박정희 정권과 싸우고 계시며, 특히 1971년의 대통령 선거에서는 박 씨와 대접전을 전개하신 김대중 씨에게 오늘날의 한국의 상황을 어떻게 보고 있는가, 또 그런 한국의 상황에서 탈피하여 한국의 민주화와 한반도 통일에의 길을 어떻게 찾으려는 생각을 가지고 계시는지 의견을 들어 보고 싶습니다.

작년 가을 박 정권이 계엄령을 선포하고 '10월유신'이라는 체제를 취했을 때, 김대중 씨는 마침 일본에 계셨습니다. 그리고 그 이후, 한국으로 돌아갈 수 없는 상황이 계속되고 있는 것으로 알고 있습니다만…….

삼엄한 억압 아래서

김대중 나는 작년 10월 11일에 도쿄에 왔습니다. 이쪽으로 온 것은 선거 때에 입은 원인 불명의 부상—그것이 정부 측에서 했다는 것이 거의 틀림없다는 증거를 나는 가지고 있지만—그때에 받은 상처를 치료를 하기 위해 온 것입니다. 지금의 한국의 정세에서는 국내에서 마음대로 치료할 수 없어서…….

야스에 현재, 10월에 계엄령이 선포된 직후에 종합잡지 『다리』의 편집고문이며 김대중 씨의 참모로 유명한 김상현 의원 등이 체포되었지요?

김대중 그렇습니다. 그래서 세 번째 치료를 하고 10월 19일에 돌아갈 생각이었지만, 10월 17일 오전 중에 후쿠다 다케오(福田赳夫) 씨에게, 또 오후에는 고노 겐조(河野謙三) 참의원 의장을 만나 보고 오니 그런 뉴스가 들어와 있었습니다. 그 이후, 나는 대통령의 조치에 단호히 반대하며, 일본과 미국을 왕복하고 있는데, 내가 한국에 돌아가면 여러 가지 위험한 일이 기다리고 있는 것도 객관적인 사실일 것입니다. 그러나 나는 금년 1월에 그런 상태라도 귀국하려고 생각했습니다. 그래서 본국에 있는 동지들에게 언더그라운드로 이 사실을 연락했는데, 본국에 있는 동지들의 생각은, 지금 내가 한국으로 돌아오면 결정적으로 생명이 위태롭다, 설사 신변의 안전이 확보되더라도 국민은 돌아온 사실조차 모른다, 또 한 가지 중요한 일은 박 정권은 현재 국민의 지지에 의해 서 있는 것이 아니라 미국의 무기와 일본의 돈으로 서 있는 것이니까 이들 두 나라로부터 원조가 방금 야스에 씨가 말씀하신 것처럼 한 정권의 연장을 위해 쓰이는 일이 없도록 양국의 지도자나 양식 있는 사람들에게 호소해 주는 것이 절대로 필요하다, 이것이 나의 동지들의 일치된 의견이었습니다. 그래서 현재, 나의 가족은 모두 한국에 있지만, 나 혼자서 일본과 미국을 왕복하고 있는 것입니다.

야스에 한국의 현상은 엄격한 보도 통제로 인해 거의 알려져 있지 않지만, 반反박 정권적인 활동에 대하여서는 상상을 초월한 억압이 계속되고 있는 것 같습니다. 전에도 말한 것 같은 야당, 즉 김대중 씨를 지지해 온 정치가나 언론인이 체포되어 있으며, 극히 최근에는 그리스도교 관계자에도 손길이 뻗어서 박형규朴炯圭 목사 등이 '내란'이라는 명목으로 체포되고 있습니다. 또한 이것은 일본의 신문에도 보도된 바 있는데, 일본에서 한국으로 돌아온 기술자인 김철우金鐵佑·철우喆佑 형제가 '북한의 간첩'이라는 상투적인 이유로 체포되고 있습니다. 대학의 연구자들도 상당수가 체포되고 있는 것 같군요.

김대중 공표되지는 않았지만 일반 학생이나 청년이라든가 언론인이나 학자 등 많은 사람이 현재 박해를 받고 있고 체포되어 있습니다.

야스에 걱정스러운 것은 종래 '반공법'이나 '간첩' 용의로 체포된 사람은 대부분이 살아남지 않았다는 것입니다. 일본에도 알려진 사람으로는 일찍이 도쿄대학에서 공부한 바 있는 김규남金圭南 씨나 국제법학자인 박노수朴魯洙 씨 등, 모두가 반공법에 의해 체포되어 국제적인 구명운동에도 불구하고 처형당했습니다. 더구나 7·4성명이라는 통일에의 획기적인 움직임이 있은 직후에, '북쪽에 간첩 행위'를 이유로 처형당한 바 있습니다.

김대중 나는 그것을 보고, 7·4성명이라는 것에 매우 어두운 장래를 느꼈습니다. 김규남 씨에 대해서는 여야당 의원의 대부분인 3분의 2가 목숨만은 살려 달라고 서명했었습니다. 저도 서명했습니다. 7·4성명이 나오고, 동족이라는 입장에서 북쪽과 손을 잡고 대화를 나누려고 한다면, 가령 확실한 북한의 간첩이라고 하더라도 목숨만은 살려 주는 것이 상식이죠. 그러나 박 정권은 그런 여론에 전혀 귀를 기울이지 않았습니다.

야스에 우리가 밖에서 보면 7·4성명이라는, 아마도 이를 어떤 입장에서 보아도 감동적인 전환이 있던 시기에, 그 새로운 길을 보장하기 위해서는 두 가지 노력이 있어야 한다는 생각이 들었습니다. 하나는 어떤 곤란한 일이 있더라도 남북 교류의 창구를 조금씩이나마 크게 해서, 남북 간의 신뢰감을 유지·확대한다는 노력, 또 하나는 한국 국내에서 종래 '반공'이라는 명목 등으로 북쪽과의 관련으로 처형되거나 체포되어 온 정치범에 대한 처우를 바꾸는 일입니다. '반공법'적인 제도를 고치거나 폐기하는 일이 본래 행하여졌어야 하지 않나 하고 생각했었습니다만…….

김대중 그것은 외국인들만 아니라, 한국 국민도 매우 이해하기 어려운 처지입니다. 나는 1971년의 선거 때, 이미 방금 말씀하신 것을 주장했습니다. 나는 7·4성명을 매우 높이 평가하면서도, 이것이 진실로 민족적 양심을 바탕으로 해서 행하여진 것이 아니라, 박정희 씨의 독재정권을 영구화하기 위한 방편에서 내놓은 의도가 짙다고 보았습니다. 그래서 공동성명이 발표된 직후인 7월 13일에, 나는 "통일이라는 명분하에 독재의 영구화를 꾀할 우려가 있다"고 내외의 기자회견에서 말한 바 있습니다만, 2월에 발표된 미국의 상원 외교위원회의 보고에도 나의 회견이 인용되고 있습니다.

야스에 정치가로서는 남북의 교류, 화해의 길을 구체적인 정책으로 제시한 것은 김대중 씨가 처음이라는 말이 있습니다. 1960년의 4월학생혁명 후에는 사회대중당 등이 남북 협상·서신 왕래·경제 교류 등을 슬로건으로 내세우고 있었지만 확실히 김대중 씨는 남북한의 화해와 교류의 방법을 보다 정책적으로 제시해 왔다고 생각합니다.

1971년의 대통령 선거에 입후보하셨을 때의 주장에는, 내가 기억하는 바로는, 남북한의 화해와 교류 및 평화 통일, 공산권 여러 나라에 대한 외교나 무역의 추진 등을 이슈로 내세웠습니다. 그것은 그 당시의 상황에서는 매우 주목할 만한 것이었습니다.

김대중 그때, 반공법과 같은 법률을 전면적으로 개폐해야 한다고 주장했습니다.

야스에 7·4성명의 정신을 실제로 보장하려면, 당연히 그런 전환이 있어야 한다고 생각했었지만, 실제에 있어서는 정반대가 되어 있습니다. 어째서 그렇게 되는 것인가 여쭈어보고 싶습니다.

박정희 독재는 어떻게 해서 가능했는가

김대중 한국의 현실을 이해하기 위해서는 박 정권이란 어떤 정권인가, 또 어떻게 해서 그런 독재가 성립됐는가를 생각해 볼 필요가 있다고 생각하지만, 그 전에 먼저 한국 국민이 그렇게도 민주주의를 열망하고, 아시아에 있어서는 일본 다음가는 높은 교육 수준을 가지고 있으면서도, 어떻게 이렇게 민주주의가 뿌리를 내릴 수 없는지, 그 원인을 찾아보아야 한다고 생각합니다.

하나는, 한국의 민주주의는 우리 스스로의 힘으로 얻어진 것이 아니라는 점에 기본적인 원인이 있습니다. 주지하는 바와 같이 영국이 그 민주주의를 획득하는 과정에서는 3백 년 이상에 걸쳐서 많은 피를 흘렸습니다. 민중이 일어나서 바스티유 감옥을 깨뜨린 행진곡이 현재의 프랑스의 국가가 되어 있습니다. 미국이 민주주의와 독립을 얻는 데는 156년이라는 세월을 필요로 했습니다. 우리들 한국인은 물론 3·1운동을 일으켰고, 광주학생독립운동도 일으켰고, 중국이나 미국에서 항일독립운동도 펼쳤습니다. 하지만 기본적으로는 연합국의 승리에 의해 증여된 민주주의와 해방이지, 스스로 충분한 대가를 치르고 쟁취한 것이 아니었습니다. 그런 민주주의를 쟁취한 역사적 전통이 없기 때문에, 민주주의를 지켜가는 주체 세력과 국민의 자각 의식이 부족한 셈이죠. 이 점이 우리에게는 기본적으로 결여되고 있는 것입니다.

둘째는, 우리는 불행하게도 지도자라는 면에서 충분하지 못했습니다. 민주주의의 성립을 위해서는 두 가지 조건, 하나는 스스로의 힘으로 쟁취한다는 것과, 또 하나는 인도의 예에서 볼 수 있듯이 뛰어난 리더십이 필요하다고 나는 생각하는데, 이런 점에서 우리는 충분하지 못했습니다. 한국에서 집권한 것은 제1대 지도자인 이승만 씨와 현재의 박정희 씨, 두 사람이 있을 뿐입니다. 그 중간에 장면 씨가 있지만, 그는 겨우 8개월밖에 정권을 유지하지 못했습니다. 따라서 한국의 정치 체질에 책임이 있는 것은 이승만 씨와 박정희 씨인데, 이들 두 사람은 모두가 국민의 의사를 존중한다는 민주주의적인 생각을 가지고 있지 않은 자기 중심적인 지도자입니다. 특히 그들의 커리어를 보면, 전반적인 한국민과는 전혀 이질적인 것을 가지고 있습니다. 이승만 씨는 조선왕조 말기부터 40년 가까이 미국에 망명해 있었으므로, 그 이후의 한국의 국민을 잘 몰랐습니다. 그의 한국에 대한 감각도 조선왕조 말기의 것이었으며, 모국으로 돌아오자 카리스마적으로 떠받들어졌으므로 점점 더 국민과 동떨어진 생각을 갖게 되었습니다. 하지만 그래도 그는 미국에서 오래 살았기 때문에, 지금의 박정희 씨에 비한다면 독재자라고는 할 수 없습니다. 언론의 자유는 상당히 보장되었고, 국회도 어느 정도는 활발하게 활동하고 있었습니다. 물론 극단적인 부정선거나 반민주적인 정치이긴 했지만, 독재자라고 하기보다는 카리스마적인 지도자였다고 해야 할 것입니다.

그런데 박정희 씨의 커리어는 아시다시피 구 만주나 일본의 육군사관학교를 나오고, 해방 후에도 줄곧 군인 생활만 하고 있습니다. 군대식 사고방식은 모든 것을 획일적으로 생각하는 점에 하나의 특징이 있다고 생각합니다만, 다양성 속에서 통일을 추구하는 민주주의의 본래의 사고방식은, 그의 눈으로 보면 모두가 혼돈으로밖에 비치지 않았던 모양이죠. 게다가 자기 개인의 영원한 집권 욕망이 겹쳐졌으므로 무서운 독재가 되어 버린 셈입니다.

야스에 직접적인 힘에 대한 신앙이 매우 강한 면은 있겠지요.

김대중 그런 사람이 정권을 잡은 지 12년이나 되고 있는 셈입니다.

셋째로 큰 원인은 미국의 정책입니다. 제2차대전 후, 많은 후진국이 미국을 민주주의의 메카처럼 생각해 왔고, 미국도 처음에는 그들 나라들에게 민주주의를 심어 주려고 노력한 것이 사실입니다.

그런데 냉전이 격화되자, 미국이 '반공'이라는 정책을 강력하게 내세우고, 반공만 하면 아무리 부패한 정권이라도, 어떤 독재정권이건, 무기를 대주고 돈을 주는 등 계속 원조를 했습니다. 반공의 목적은 본래 '민주주의를 위하여'인데도, 민주주의를 짓밟는 정권을 반공 때문에 원조했다는 잘못된 미국의 정책이, 한국에 있어서도 독재자들을 계속 고무해 왔던 것입니다.

그리고 한·일 국교 정상화가 이룩되자, 이번에는 일본이 그 미국의 잘못된 정권을 본뜨기 시작하고 있습니다. 미국은 방법이 능란하다고나 할까, 야당을 조금은 부추겨 주고, 민주주의를 보호하는 듯한 태도도 취하지만, 일본은 일방적으로 박정희 씨를 밀어주고 있습니다. 박정희 씨가 진짜 독재를 하기 시작한 것이 1969년의 '3선개헌'에 의해서인데, 그 3선개헌에 대비하여 3분의 2 이상의 국회의원을 확보하기 위해 전력을 기울인 것이 1967년의 선거였습니다. 한·일회담의 성립은 1965년, 박 정권이 거의 독재체제로 들어가고, 수습할 수 없는 부패상을 보이기 시작한 것은 한·일회담 이후입니다. 이 세 가지 문제가 한국에서의 민주주의 정착 실패의 기본 원인이라고 생각하고 있습니다.

야스에 박 정권 자체의 성격을 어떻게 보고 계시는지요.

박정희 정권, 그 세 가지 특성

김대중 박 정권의 특징은, 그것도 세 가지가 있다고 할 수 있습니다. 이 정권은 첫째 군사정권이다, 둘째로는 정보정권, 그리고 셋째는 변신이 재빠른 무원칙을 원칙으로 하는 정권이다, 이런 점을 들 수 있을 것입니다. 조금 전에도 박 정권에게는 힘이 전부라는 군인적인 체질이 강하다고 하셨는데, 군대의 발상은 적敵만 있지 라이벌(좋은 적수)이라는 것이 없습니다. 적이라는 것은 죽여 버리지 않으면 안 된다는 사고방식입니다. 언론도 야당도 모두 이를 철저하게 짓밟지 않고는 성이 차지 않는 것이 박 정권의 특징이 되어 버리고 말았습니다.

두 번째로 정보 만능의 정권이라고 했는데, 현재 정권을 지탱해 나가고 있는 사람들, 위로는 박정희, 국무총리인 김종필을 비롯해서 얼마 전에 체포된 윤필용 수도경비사령관, 청와대의 경호실장으로 상당한 힘을 가지고 있는 박종규 등이 있는데, 이들은 한결같이 정보장교 출신입니다. 정보장교라는 것은 옛날 일본의 헌병정치, 특고特高정치를 생각하면, 어떤 멘털리티(정신 상태)를 가지고 있는지 짐작이 가리라 믿습니다. 그들은 어디고 일을 정면으로 본다든가, 민중을 설득하고 손을 잡고 나가는 일은 체질적으로 할 수가 없습니다. 상대방을 보면 즉각 약점을 찾으려 하고, 그 뒤를 캐려고 합니다. 지금 그들이 국민에 대해서 하고 있는 것이 무엇인가 하면, 그 하나는 협박과 유언비어를 흘리는 일입니다. 예를 들면, 전화는 정부에 도청당하고 있으니까 조심해야 한다는 정보를 흘립니다. 그러면 국민은 전화를 거는 데도 겁을 먹고 맙니다. 또는 서울의 대학에서는 "부산의 모 대학에서 이상한 짓을 한 학생이 정보부에 끌려가서 죽도록 얻어맞았다"는 정보를 흘립니다. 그러면 서울의 대학에서는 서로가 조심하자, 조심하자 하는 공포 분위기가 퍼져 갑니다. 미국에서도 샌프란시스코에서 아무개가 이런 일을 함으로써 한국 내에 있는 가족이 크게 혼났다든가, 캐나다에서 누군가가 반정부 인사와 만나고 본국에 돌아오니 정보부로 끌려가서 지독한 고문을 당했다든가, 전혀 근거를 찾아볼 수도, 그리고 구체적인 이름도 없는 그런 소문을 여기저기서 흘리는 것입니다. 그러므로 미국이나 일본에 한국인이 오면, 여기서 전화를 걸어도 안전한가요? 하고 묻습니다. 그만큼 공포심을 심어 주는 데 성공한 셈입니다.

야스에 지난 6월 미국에서 한국의 주미 공보관장이 박정희 정권의 정보 정치 속에서 견디다 못해 『워싱턴포스트』지에 성명을 발표하고 망명한 사건이 전해졌는데, 그 전후에 미국 정부에서조차도, 한국 정부가 미국에 와서 묘한 정보 활동을 하는 것은 극히 유감스러운 일이라고 항의성명을 내고 있군요.

김대중 그것은 그 사람 혼자만의 일이 아닙니다. 내가 세인트루이스에서 한국인 그리스도교 관계의 학자들이 모인 집회에서 연설하려고 했더니, 본국의 정보부에서 간섭이 있었습니다. 또 내가 샌프란시스코에서 한국 교포들에게 연설을 하려고 했더니, 정보부의 부영사가 한국계 폭력단을 15-16명 데리고 와서, 토마토 케첩병과 달걀 등을 나한테 던지려고 하다가 경찰에 체포된 일도 있습니다. 교포들도 항의성명을 냈는데, 미국의 국무부는 세 번이나 기자회견을 하여 이런 한국 중앙정보부(KCIA)의 미국 내에서의 불법 활동에 강한 불만을 표명하고, 미국연방수사국(FBI)에 수사를 의뢰 하고 있는 것은 외교 관계에서는 이례적인 사태일 것입니다.

셋째로 재빠른 변신인데, 이것은 정말 멋지다고 표현할 수밖에 없을 정도입니다. 참으로 놀랄 만큼 전에 한 말을 뒤집지요. 예를 들면, 박정희 씨의 진퇴 문제 하나만 보더라도, 1961년 5월의 군사쿠데타 때에는 군사정권은 잠정적인 것이고, 자신들은 군대로 복귀한다고 했습니다. 그리고 1963년 2월에는 국민 앞에서 눈물을 흘리면서 손을 들고 자신들은 민정 이양에 참가하지 않겠다고 선언하고, "나 같은 불행한 군인이 다시는 생기지 않기를 바란다"고 말한 바 있습니다. 그런데 한 달도 채 되기 전인 3월 16일에는 그 말을 뒤엎고 군복을 양복으로 갈아입고 참가하고 말았습니다. 1967년의 국회의원 선거 때에는 대단한 부정선거로서, 특히 나를 낙선시키려고 대통령이 나의 선거구에서 국무회의를 열고, 더구나 "여당 의원 20명이 떨어져도 좋으니 김대중만은 낙선시켜라."라고 지시함으로써 세상을 놀라게 했습니다. 그래서 나는 대통령에게 "당신이 이렇게까지 선거에 열을 쏟고 있는 것은, 대통령 3선을 가능하게 하도록 개헌하기 위한 것이 아닌가?" 하는 공개 질문을 했는데, 이튿날 대통령은 2만 명의 관중 앞에서 "내가 3선개헌을 하려고 한다는 것은 야당의 모략이다. 나는 3선개헌은 절대로 하지 않는다"고 연설했던 것입니다. '절대로'라고 말했습니다. 이듬해인 1968년에는 현재 체포되어 있는 김상현 의원이 청와대로 가서 대통령을 만났을 때 대통령은, "만약 내가 독재를 하려고 한다면 당신들은 그에 반대하십시오. 만약 내가 3선개헌을 하려고 한다면 김상현 의원, 당신은 칼을 들고 나에게 덤비시오."라고까지 말한 바 있습니다. 그러나 1969년에는 3선개헌을 해 주지 않으면, 나는 당장 대통령을 그만두겠다고 국민을 협박해서, 결국은 헌법을 개정했습니다.

그리고 1971년의 대통령 선거 때에는 그는 군중 앞에서 눈물을 흘리면서, "나를 지지해 주십시오. 대통령으로 나서는 것은 이번이 마지막입니다."라고 연설하면서 전국을 돌아다녔습니다. 하지만, 나는 "이번에 정권 교체가 되지 않으면 반드시 총통제가 된다. 다시는 선거가 없다"고 되풀이하여 경고했습니다. 그러나 국민들은 설마 하고, 또는 약자에 대한 동정심이랄까, 눈물·호소에 약한 국민감정도 있고 해서 다시 속아 넘어간 사람도 많았던 것입니다. 그 1971년 4월부터 1년 반이 되는 작년 10월에는 '유신'이라는 이름 아래 계엄령을 선포하고 헌법을 개정하여 완전한 독재체제를 만들었던 것입니다. 목적을 위해서는 자기 자신이 한 말에 대해서 전혀 책임을 지지 않는 정권입니다.

통일 문제에서도, 그에게는 통일이 문제가 아니라, 정권 유지를 위한 국민의 열망을 악용하고 있습니다. 1960년 4월학생혁명 때에는, 국민은 이승만 정권이 무너진 것을 기뻐하면서도, 국내의 혼란에 대해서는 깊은 우려를 나타내고 있었습니다. 그래서 그 기회를 보고 나타난 군사정권은, 반공 제일주의를 내세워 '통일'을 주장하는 사람들을 체포하여 사형에 처했습니다. 그 후 박 정권은 미국이 한·일회담을 열망하고 있다면 '제2의 이완용', 즉 매국노라는 말을 들어도 좋다고 큰소리치면서, 한·일회담을 밀어붙였습니다. 미국의 지지를 얻기 위해서는 베트남으로의 출병도 강행했습니다. 이들 모두가 한국의 정권을 유지하는 가장 큰 힘이 미국의 의향이라는 판단에서 나온 것이고, 무엇보다도 먼저 정권 강화가 목적이었음은 너무나 명백합니다.

처음에 내세웠던 '민족적 민주주의'는 어디엔가 버려 버리고, 오직 일본으로부터의 자금 도입에만 매달리고, 일본과 같은 고도성장 정책을 취해 왔지만, 군인에 의한 날림 경제 건설은 대부분이 실패하고, 특히 건설이라는 미명 아래 빈부의 격차를 벌려 놓아, 일부 특권층의 사복을 채우고 헤아릴 수 없이 많은 부패를 낳게 했습니다. 그런 모순이 1971년의 대통령 선거에서 한꺼번에 쏟아져 나온 것 같습니다. 아시다시피 나는, 그때까지는 국제적으로는 이름 없는 청년이었고, 국내에서는 대통령이 될 만한 실력이 있을까 하는 의구심을 갖게 하는 존재였습니다. 그런데 선거전에 돌입하자 예측을 초월한 국민의 지지와 원조가 모였습니다. 정책에서도 선거 때의 쟁점이 된 것은 모두 야당인 내가 제시한 것이었습니다. 남북 교류, 평화 통일, 공산권 외교, 4대국에 의한 한국에서의 전쟁 억제의 보장, 또한 향토예비군의 폐지, 대중경제, 의무교육에 있어서의 수업료 등의 부담 폐지, 이런 것들이 모두 이슈가 되었던 것입니다. 다만 한 가지 정부 여당이 약속한 것으로, 국민이 일리가 있다고 들은 것은 한국과 같은 나라에서는 군대의 지지가 없으면 정권의 안정이 있을 수 없다, 군대의 지지야말로 대통령의 첫째 자격이라는 것이었습니다. 그런데 그 군대에서, 그는 나에게 졌던 것입니다. 가장 두드러진 사실은, 소위 박 정권의 친위사단이라고 할 수 있는 수도경비사령부에서 내가 승리하는 결과가 나왔습니다. 박정희 씨는 부정선거로 나를 이겼지만, 그는 사실은 졌다는 것이 국민의 상식입니다.

야스에 그 때문이라고 생각합니다. 본지 7월 호(1973년)의 「한국으로부터의 통신」도, 지난번의 계엄령 아래서의 국민투표 때, 군대 안에서 얼마나 편파적인 부정투표가 공작되었는가를 선례를 들어서 보고하고 있습니다.

김대중 나는 7월 호를 뉴욕에서 보고 흥미 있다고 생각했습니다. 그런 수

치심도 소문도 없는 선거를 치르지 않을 수 없었던 것은, 전번 선거에 군대에서 졌던 사실에 상당히 혼이 났기 때문일 것입니다.

야스에 박 정권이 남북 교류에 적극적인 자세를 보이게 된 배경에는, 국제적으로는 베트남에서의 미국의 패배와 그에 따른 냉전 구조의 붕괴 속에서의 고립감이 있겠지만, 국내적으로는 그런 벽에 부딪힘과 동시에, 종래의 뿌리 깊은, 터부시하는 시선 속에서 용감하게 내건 김대중 씨의 통일 정책 등이 국민의 지지를 받은 점을 들 수 있겠지요.

김대중 그렇습니다. 처음 선거 때 내가 앞에서 든 정책을 내세웠을 때에는, 그들은 나를 공산당이라 부르고, "김일성이 피리를 불면 김대중이 춤을 추고, 김대중이 북을 두드리면 김일성이 맞장구를 친다"고 했습니다. 그런데 4월에 선거가 끝나고, 7월에 남북적십자회담을 제안했습니다. 그래도 박 정권의 체질로는 남북 교류는 새로운 불안의 씨앗이었던 모양입니다. 12월에는 비상사태 선언을 발표하여 "북쪽으로부터의 침략이 임박했다"고 선언했습니다. 북한 인민군의 퍼레이드를 전국의 극장이나 텔레비전으로 비춰서 불안감을 조성했습니다. 김종필 총리가 비상사태 선언의 이유를 국회에서 설명했을 때에도 북쪽에 홍수가 일어나 제방을 넘어서 그 홍수가 남쪽으로 흘러내리려 하고 있다, 비상사태 선언이야말로 그 대홍수를 방지하기 위한 조치라고 말하고 있습니다. 좀 더 심한 일로는, 1972년 4월 15일은 김일성 주석의 환갑에 해당하는 날인데, 그 환갑을 서울에서 축하하기로 되어 있다고 떠들어 댔습니다. 그러나 미국에서는 우리는 그렇게 생각하지 않는다, 한국 정부와 의견을 달리한다고 공공연하게 말했으며, 우리도 절대로 있을 수 없는 일이다, 4월 15일을 기다려 보라, 그때 어느 쪽이 거짓말을 했는가를 알 수 있을 것이다라고 닦아세웠습니다. 그런 곡절을 거쳐서 7·4성명이 나왔던 것입니다.

7·4성명이 어떤 의도에서 나온 것이라고 하더라도, 나는 그 역사적 의의가 크다고 생각합니다. 7·4성명의 내용도 우리가 생각하고 있었던 것보다 훨씬 발전되어 있었습니다. 그러나 역시, 당사자의 본심은 달랐었다는 사실도 중요합니다. 국민이 통일을 열망하고, 통일을 기대하고 있는 분위기를 이용해서 계엄령을 발하고 헌법을 개정해 버렸습니다.

한편, 10월 17일(10월유신) 이라는 타이밍을 택한 것은, 미국이 대통령 선거와 베트남 휴전교섭으로 벅찰 때, 순식간에 해치운 것입니다. 이런 일에는 박정권이 매우 유능합니다.

그들이 진심으로 통일의 길을 찾으려고 하는 것이 아님을 증명하는 적절한 에피소드가 있습니다. 작년 12월 말에 김종필 총리가 트루먼 전 대통령의 국장 때문에 워싱턴으로 가서, 한국대사관에서 한국의 미국 주재기자를 모아 놓고 저녁 식사를 했을 때의 일인데 김종필 총리가 입을 열어 "북괴 놈들", "북괴 놈들" 하고 격렬하게 북쪽을 비난할 대로 비난했습니다. 그러나 그때는 '통일주체국민회의'의 선거를 하고, 통일을 위한다는 명목 아래 헌법 개정을 하고 있던 중이었으므로 기자들은 놀란 나머지, 어째서 저런 말을 하는 것이냐고 동석하고 있던 문교부(현 교육부) 장관에게 물었던 모양입니다. 문교부 장관은 "저것이 진실입니다."라고 답했어요. 그러면 현재 통일을 떠들어 대고 있는 것은 무슨 뜻이냐고 물었더니, "그것은 거짓말이고, 이것이 진짜"라고 말했습니다. 나는 그 기자들로부터 워싱턴에서 그 이야기를 들었습니다. 미국에서 돌아오는 길에 일본에 들른 김종필 씨는 민단본부로 가서 통일 따위는 꿈에도 생각지 말라고 훈화하고 있습니다. 한편, 남북 교섭을 직접 추진한 이후락 씨도 일본의 우시로쿠(後宮) 대사를 향해 "피는 물보다 진하다고 하지만, 이데올로기는 피보다도 짙다. 10년이나 20년에 통일은 있을 수 없다"고 말하고 있습니다. 우시로쿠 대사가 그것을 일본으로 돌아가 보고

한 사실이 일본의 신문에도 실려 있었습니다. 이처럼 박 정권은 반공을 내세워서 편리할 때면 반공, 통일을 내세우는 것이 편리할 때면 통일이라는 식으로 참으로 변신을 잘합니다. 유엔에서 지금까지의 한국에서 유일한 합법정권론을 버리고, 동시가입론을 내세웠는데, 이것도 내가 2년 전부터 주장하고 있는 것입니다. 하지만 이것은 일관된 정책과 이념에 바탕을 둔 것이 아니라, 아시아태평양협의회(ASPAC)의 붕괴와 세계보건기구(WHO)에서의 패배라는 사태하에서의 변신입니다. 이런 무원칙이 원칙이라는 정권이 정권을 유지시켜 온 단 하나의 절대적인 원칙은, 무슨 일이 있더라도 정권은 내놓지 않는다는 것입니다.

야스에 김대중 씨는 최근까지 미국에 머물면서 적극적인 활동을 하신 것으로 알고 있는데, 이번 2월에 나온 미국 상원 외교위원회의 보고서는 격렬한 어조로 박 정권의 압제 정치를 비판하고, 경고를 발하고 있습니다. 이 국제적으로 주목을 받은 보고서도, 한국 국민에게만은 강력한 보도 관제가 되어서, 그 내용은 전혀 알려져 있지 않은 것 같은데, 미국에서 각계 인사들과 만나 본 결과 그 반응은 어떠했는지요.

불안과 비판—미국의 박 정권관

김대중 솔직하게 말하면, 현재 미국 전토가 워터게이트 사건에 휘말려 있어서, 한국의 일 따위는 염두에도 없는 것 같습니다. 어쨌든 닉슨 정권은 생사의 기로에 서 있습니다. 그것은 정당·의회·언론, 미국 국민 모두에게 미국의 민주주의의 근본에 관계되는 문제이므로 당연한 일일 것입니다. 나는 맨스필드 민주당 상원 원내총무나 사이밍턴 의원 등 많은 사람을 만나 보았는데, 역시 머리는 워터게이트 사건으로 가득 차 있는 것 같았습니다. 휴 스콧 공화당 원내총무와 약속하고 있던 때에는, 그날 아침에 전화가 와서 워터게이트 사건 때문에 아무래도 약속을 취소하지 않을 수 없다는 그런 상황이었습니다. 그러므로 현재, 미국이 한국의 문제를 어떻게 보고 있는가를 정확하게 말하기에는 자신이 없습니다.

그러나 단 한 가지, 미국 안에 이런 생각을 가진 사람이 있다는 것은 사실인 것 같습니다. 미국의 보수적인 입장에 있는 사람들 중에는, 독재여도 어쩔 수 없다, 안정을 유지해 주기만 하면 된다는 사고방식이 있습니다. 일본에서도 흔히 말하는 안정지상론입니다. 그러나 이런 사고방식은 미국에서는 결코 메이저리티(다수)라고 생각지 않습니다. 미국인 개개인에게는 민주주의에 대한 신념이 역시 강합니다. 미국의 정치 자체에 대한 사고방식은 여러 가지가 있겠지만, 그래도 워터게이트 사건의 전개를 보더라도, 또 지난번에 있었던 『뉴욕타임스』의 베트남전쟁에 대한 비밀문서의 발표만 보더라도, 미국에서의 민주주의의 전통은 역시 탄복할 만한 일입니다. 그러므로, 미국의 정부소식통조차도 박정희 씨는 왜 그런 짓을 하는 건지, 아무리 생각해도 현재의 방식을 정당화할 이유가 없다고 생각하는 모양입니다.

그리고 다수의 양식 있는 국민은, 현재 하버드대학의 라이샤워 교수가 말하고 있는 것 같은 의견에 동조하고 있습니다. 라이샤워 교수는 지난번에 『뉴욕타임스』에 외교관으로 한국에 주재한 일이 있는 그레고리 핸더슨 교수와 연명으로 우수한 논문을 쓰고 있는데, 거기에서는 현재 박정희 씨가 하고 있는 것은 도저히 납득이 가지 않는다, 매우 위험한 방식이어서, 이제까지 미국이 한국에 걸었던 기대를 완전히 짓밟아 버리는 것이라고 언급하고 있습니다. 라이샤워 교수는 지난 7월에 일본에도 왔었는데, 프레스클럽에서의 연설에서도 그것을 강조하고 있습니다. 그런 짓을 하고 있으면, 미국에서는 머지않아, 어째서 이런 나라를 위해 우리는 3만 5천 명의 국민을 죽이고, 매년 수억 달러의 돈을 붓지 않으면 안 되었는가, 미국은 한국에서 손을 떼야 한다는 여론이 들불처럼 퍼지는 것을 막을 수 없을 것입니다. 일본의 일부 사람들은 박 정권은 일본이 대하기 쉬운 정권이라고 생각하고 있는 것 같은데, 그것은 섣부른 생각입니다. 미국이 한국에서 손을 떼면, 결국은 일본이 가장 난처해지지 않을까, 미국의 국민 여론이 굳혀진 후에 일본이 아무리 서둘러도, 때는 이미 늦습니다. 그러므로 일본이나 미국은 서로 협력해서, 한국에 민주주의가 소생할 수 있도록, 박정희 대통령을 강력하게 설득해야 한다고 경고하고 있습니다.

동시에 내가 라이샤워 씨와 보스턴 자택에서 만났을 때에는 이렇게 말하고 있습니다. 이런 것을 한국 국민은 결코 오래도록은 허용하지 않을 것입니다. 한국의 2천 년의 역사를 보면, 한국인이 곤란한 상황 속에 있더라도 어떻게 자주성과 독립을 지켜 왔는가를 알 수 있습니다.

또한 한국인은 얼마나 민주주의에 대한 열망이 높은 국민인가, 한국인은 얼마나 정치적인 의식이 높은가, 한국인은 얼마나 독재를 증오하고 있는가, 이런 것을 알지 않으면 안 됩니다. 그런 것을 당신과 나는 미국인들에게 가르쳐 주지 않으면 안 됩니다. 한국인을 태국이나 우루과이—이런 나라를 예로 드는 것은 그 국민에게 송구스러운 일이지만, 그가 그의 논문에서도 지적하고 있으므로, 나도 그 나라의 이름을 드는 것이지만—그런 나라와 같이 보면 안 된다고 말하고 있습니다.

그 밖에도 하버드대학의 코헨 교수, 전 국무차관이며 현재『포린어페어스』지의 편집장인 윌리엄 번디, 바네트 교수, 일본 전문가로 알려져 있는 컬럼비아대학의 제임스 몰리 교수, 캘리포니아대학의 스칼라피노 교수와 잭 앤더슨 교수,『뉴욕타임스』의 잔 오크스 주필, 이런 많은 사람들을 만나 보았지만, 누구 한 사람 박 대통령의 오늘날의 행동을 위험하게 보지 않는 사람은 없습니다. 그들이 한결같이 생각하고 있는 것은 설사 미국이 오늘날과 같은 상황에서 한국의 안정을 원한다 하더라도 한국민은 그것을 참아 내지 못할 것이다, 이런 상태를 오래 끌면 심한 혼란에 빠지게 된다, 한국이 혼란에 빠지면 동아시아 전체의 안정이 무너진다, 기본적으로는 이렇게 보고 있는 것입니다. 미국은 지금은 워터게이트 사건으로 벅찬 일이긴 하지만, 가령 내일이라도 한국에서 국민이 반독재 투쟁을 일으키면, 미국으로서는 올 것이 온 것이라고 이를 지지하지 않으면 안 된다는 여론으로 미국은 하루아침에 뭉칠 것입니다. 나는 거기까지 와 있다고 보고 있습니다.

야스에 그런 미국의 상황 속에서, 재미 한국인의 반反박 정권의 움직임도 활발해지고 있는 것으로 듣고 있습니다만…….

김대중 미국에는 약 17만 명의 한국인이 있습니다. 그리고 뉴욕 등지에서 통계를 내 보면, 미국인을 포함해서 한국인의 교육 수준이 가장 높다고 생각합니다. 미국 국내에서 현재 대학에서 교편을 잡고 있는 한국인은 6, 7천 명에 이릅니다. 그런 만큼 그들은 사태의 본질을 잘 알고 있습니다. 다만 이론과는 달라서 거리적으로 매우 멀고 정보도 충분치 못합니다. 그래서 작년에 내가 갔을 때에는 박 정권은 정말 통일을 이룩하려나 보다 하는 기대를 가지고 있던 사람도 있었습니다. 그러나 오늘날에는 박정희 씨가 통일을 이룩하려 한다고 생각하는 사람은 없습니다. 내가 그쪽에 가서 즉시 시작한 것이 대중 활동입니다. 워싱턴, 뉴욕, 보스턴, 시카고, 시애틀, 샌프란시스코, 세인트루이스, 댈러스 등 여러 곳에 가서, 때로는 8백 명, 9백 명, 때로는 1백 명, 2백 명이 모인 자리에서 연설하여 한국의 현상과 우리가 가야 할 길을 이야기했습니다. 압도적으로 많은 사람들이 동조해 주었습니다.

물론, 미국이나 일본에서도 마찬가지지만, 그들 중에는 한국을 왕래하지 않을 수 없는 사람도 있고, 한국에 부모나 형제가 있어서, 그 부모나 형제가 공무원으로 있으면 사정이 나쁜 면도 있습니다. 박 정권도 그런 약점을 쥐고 협박합니다.

그러므로 표면적으로는 움직일 수 없는 사람이 많은 것이 사실이지만, 마음속으로는 박정희 정권을 지지하고 있는 것은, 극소수에 지나지 않습니다. 이것은 나의 활동 결과는 절대로 아닙니다. 그들은 진짜 민주주의가 무엇인가 하는 것을 알고 있기 때문에 그런 것입니다.

미국에서는 현재 '한국에서의 반독재, 민주주의의 옹호'를 내세운 교포 신문이 세 가지 나오고 있습니다. 그 세 신문이 한국의 정보를 알리고, 방향을 알려 줌으로써 대단한 영향력을 가지고 있습니다. 캐나다나 브라질, 유럽에까지 그 신문이 갑니다. 또 미국의 신문도 『뉴욕타임스』가 나에게 기고를 청해 오거나 『워싱턴포스트』나 『크리스천사이언스모니터』 등이 나의 주장을 싣고 있습니다. 『이브닝스타』는 "박정희가 침몰 직전에 처해 있다."라고 쓴 바 있습니다. 얼마 전에 재미 공보관장이 박 정권의 압박에 견디다 못해 망명한 원인의 하나는 그 기사 때문인데 처음에는 나나 우리가 하는 일을 우습게 보고 있던 박 정권도 크게 당황하고 있는 것 같습니다.

조금 재미있는 예를 소개하면, 시카고의 일리노이 출신의 퍼시라는 공화당의 유력한 의원이 있습니다. 그는 10월사건 이후에 한국에 다녀왔는데, 그때 한국의 신문에는 그가 박정희 씨가 하는 일을 지지하고 있다고 썼습니다. 그러자 시카고에 있는 교포들 20명이 각각 자신의 주소, 이름, 전화번호를 쓰고, "우리들 택스 페이어(세금 내는 사람)는 당신을 지지하고 있는데, 당신이 그런 독재를 지지하고 있을 줄은 몰랐다."라는 내용의 연기명으로 된 편지를 보냈습니다.

퍼시 의원은 곧 답장을 보내어, 한국의 신문은 자신이 하지도 않은 말을 제멋대로 써 댔다, 그래서 대사관을 통하여 한국 측에 유감의 뜻을 표명했더니, 다음 날 다시 똑같은 기사를 실었습니다. 그러나 나는 의회에서도 이러한 한국의 독재정권에 대하여 비판적인 발언을 하고 있다, 그 카피도 있다는 것이었습니다. 그 답장을 나도 받았는데, 그런 밑바닥으로부터의 힘이 현재 미국에서 의회라든가 신문사에도 밀려들고 있습니다. 아마 그 때문이겠지요. 지금 박 정권은 매우 당황한 나머지 미국에 대한 대책을 강화하고 있습니다. 이번에 많은 국회의원을 미국으로 보낼 모양인데, 보내 보았자 특별한 효과는 없을 것입니다.

야스에 지금 하신 말씀으로, 미국의 한국에 대한 인식의 심각성을 구체적으로 알게 되었습니다. 나는 미국이 예를 들어 상원 외교위원회의 보고서에 있는 것처럼, 손바닥을 뒤집는 형태로 박 정권을 볼 자격이 있는가 하는 점에 대해서는 일단 유보해 두고 싶습니다. 다만 한 가지 분명한 것은, 박 정권이 군사쿠데타로 국민 앞에 나왔을 당시에는, 미국은 박 정권에 대하여 상당히 소극적인 자세를 취하고 있었는데, 미국의 요청을 받아들여서 박 정권이 1965년에 베트남 파병과 한·일조약을 체결함으로써, 박 정권에 대한 미국 정부의 지지는 적극적으로 전환했습니다. 그리고 오늘날, 미국의 아시아 정책의 좌절이라는 사태 속에서 또다시 박 정권과 미국의 관계는 급속하게 냉각되고 있다고 생각합니다. 그런 현상 속에서 김대중 씨는 한·미 관계에 어떤 전망을 가지고 있는지요. 그것은 한국 민주화의 구상과 연관이 있다고 생각합니다.

독재자에 대한 원조와 국민에 대한 원조

김대중 미국에 가서 내가 어떤 자세를 취했는가, 그것이 이런 독재하에 있는 우리들의 생각과 입장을 설명해 주리라고 믿습니다. 또한 이것은 일본에 대해서도 마찬가지라는 것을 일본 국민들도 알아주셨으면 합니다.

미국에 가서 많은 대학, 예를 들면 컬럼비아대학, 워싱턴대학, 미주리주립

대학, 웨스트민스터대학, 센트럴메소디스트대학, 시카고의 가톨릭계의 신학교 등에서 여러 가지 연설을 했습니다. 또한 정부·의회·언론·학자·종교계 등 많은 사람들과 이야기를 나누었습니다. 나는 어디를 가건 한결같이 다음과 같은 말을 했습니다.

"나는 당신들에게 나나 우리들 반反박 정권에 대하여 무언가 구체적인 원조를 요청하고 있는 것도 아니며, 한국의 내정에 대하여 간섭해 달라고 요구하고 있는 것도 아닙니다. 물론, 똑같이 민주주의를 신봉하는 미국 국민이 모럴 서포트(사기 앙양)해 주기를 열망할 뿐입니다. 하지만 결코 그 이상은 바라지 않습니다. 그러면 무엇 때문에 미국에 왔는가 하면, 그것은 현재 미국 일부에 퍼지고 있는 잘못된 생각을 지적함과 동시에, 무엇보다도 서로 책임의 한계를 분명히 하기 위해서 온 것입니다."

지금, 미국의 일부 사람들은 "아시아에서 민주주의를 실현하려고 한 것은 계산 착오였다. 아시아에서 민주주의는 시기상조이다."라고 흔히 말합니다. 하지만 나는 그 사람들에게 물어보고 싶습니다. 미국은 아시아에서 민주주의를 몇 년 해 보았는가. 제2차대전 후 28년밖에 되지 않았지 않은가. 미국이나 서유럽 여러 나라는 얼마나 오랜 시간이 걸렸는가. 28년으로는 시기상조가 아니지 않은가. 그리고 보다 중요한 것은, 이 28년 동안에 진정한 민주주의 세력을 시종일관 지지해 왔는가 하는 것도 반성해 볼 필요가 있습니다.

한편, 돌이켜 보면 아시아에서 현대적인 의미에서의 민주적인 체제를 만들려고 한 것은 서유럽 제국이지만, 아시아에서 민주주의의 사상적인 근원이 없었느냐 하면 그렇지도 않습니다. 중국에서는 수천 년 전부터 "순천자順天者는 흥하고, 역천자逆天者는 망한다", 그 하늘이란 무엇인가, "천심 즉 민심이다."라고 분명하게 못 박고 있습니다. 맹자와 같은 봉건 지배의 이론가조차도 방벌放伐의 이론을 주창하여, 만일 인민을 위해 봉사하지 않는 임금이 있으면, 그런 임금은 인민이 일어나서 쫓아낼 권리가 있다고 말하고 있습니다. 이들 모두가 소위 민주주의적인 정신에 이어져 있는 것입니다.

우리나라에서는 조선왕조 말기에 동학운동이 있었습니다. 서양의 그리스도교를 서학이라는 것에 대하여 동학이라고 하며, 유교·불교·선교의 셋을 합친 것으로, 19세기 말에 전봉준이라는 사람의 지도로 농민이 일어나서 전주성을 점령하고 충청도까지 밀고 올라왔습니다. 그때 그들이 내세운 것이 '인내천人乃天' (사람 즉 하늘)이라는 기치였습니다. 그리하여 그들은 노예를 해방시켰습니다. 그때까지 젊은 여성이 결혼해서 남편이 죽으면 일생 동안 과부로 지내야 했는데, 그런 바보스러운 일은 없다고 재혼을 허락했습니다. 탐관오리의 재산을 몰수하여 농민에게 나누어 주고, 토지는 균등하게 분작分作시키는 생각을 내놓는 등, 농민 중심의 개혁을 하려고 했습니다. 이 갑오년 봉기는 청일전쟁으로 일본이 개입하여 일본의 무력으로 부수어지고, 전봉준 등은 처형되고 말았습니다. 만일 일본이 개입하지 않았더라면, 그때에 민주혁명이 성공했을 것입니다. 이러한 아시아의 역사, 한국의 역사를 결코 가볍게 보아 넘겨서는 안 됩니다.

또 "일부 미국인은 과도적으로 독재가 필요하다고 말합니다. 그러나 몇 년을 과도기로 하는가, 제2차대전 후 많은 독재국가의 성립을 보았지만, 독재를 시작하고 이 기간 동안은 해도 괜찮다, 그다음에 민주주의를 하겠다는 독재자는 한 사람도 없었습니다. 그들은 멸망하는 날까지 보다 더 독재를 에스컬레이트(escalate)했던 것입니다.

그러나 그래도 아시아에서는 민주주의가 시기상조라고 해도 좋습니다. 과도적인 독재가 필요하다고 해도 좋습니다. 하지만 민주주의가 상조인지 아닌지, 과도적인 독재를 받아들일 수 있는가, 받아들일 수 없는가는, 우리 한국인이 결정할 문제입니다. 그런데 실제로는 미국의 탱크가 의사당을 점령

하고, 대학을 폐쇄하고, 신문사를 총검으로 제압하고 그것을 결정하고 있습니다. 일본의 돈이 뒤에서 이를 백업해 줍니다. 이게 도대체 무어란 말입니까? 우리는 민주주의에 대한 각성이 없고, 국민 대중이 독재자의 악질적인 선동에 놀아나서 결정한 것이라면, 그래도 좋습니다. 하지만 계엄령이 선포되고 총검 아래서 결정된 것입니다. 그러므로 한계를 분명히 하려는 것은, 미국이 원조하는 본래의 목적이 그러한 독재자를 원조하려는 것이 아니라, 참다운 한국의 국방과 국민 전체를 위한 원조라면, 본래의 목적을 위해 사용되고 민중을 탄압하기 위해 악용되지 않도록, 이것은 당신들의 책임하에 고쳐져야 합니다. 그것만 당신들이 책임을 져 준다면, 그다음 문제는 당신들의 신세를 지지 않고 우리가 하겠습니다."

이런 말을, 나는 미국인들에게 하고 돌아다녔던 것입니다. 이것은 미국인들에게는 비상한 감명과 책임감을 일깨워 주었으리라고 믿습니다. 이것이 내가 미국에 지금도, 앞으로도 체재하는 가장 큰 목적입니다. 그리고 이것은 일본의 경우에도 마찬가지입니다.

한편, 7월 6일에 미국 워싱턴의 메이플라워호텔에서 전국에서 모인 교포들과 민주회복통일촉진국민회의를 개최했습니다. 그곳에서 나는 두 가지 원칙을 제시하여, 그 원칙하에서 우리는 조직하고, 투쟁하고, 또 동지가 되는 것이라고 외쳤습니다.

하나는 우리는 박정희 독재정권을 반대하는 것이지 대한민국에 대해 반대하고 있는 것은 아니다, 우리는 제3세력도 아니고, 북한 측에 서는 것도 아니다, 어디까지나 대한민국의 입장이라는 것입니다.

또 하나는 통일운동은 어제도 오늘도 할 수 있다, 통일의 실현은 남쪽의 국토와 북쪽의 국토가 하나가 되었을 때 비로소 성취된다, 그러나 현재 남쪽을 지배하고 있는 박 정권은 통일을 이룩하려는 의사가 없는 정권임은 확실하다, 그러니까 남쪽 국민의 자유와 행복을 위해서는 물론이려니와, 통일을 실현하기 위해서도 통일에 대한 민족적 양심과 북쪽과 대등한 교섭을 할 수 있는 실력을 갖춘 민주정권을 실현시키는 것이 선결 문제입니다. 남쪽의 국토를 민주화시키는 것이 통일의 가장 큰 전제가 됩니다. '선민주 회복·후통일 실현'인 것입니다. 단, 선민주 회복이라고 해서 통일운동을 쉬는 것이 아니라, 그것은 어디까지나 강력하게 추진해 나갑니다. 통일의 측면에서 보면 민주 회복도 통일을 위한 하나의 과정인 것입니다.

이 두 가지 원칙에서 우리들은 일치하지 않으면 안 되는 것입니다.

거기다가 전 국회의원이며 서울시장이었던 김상돈, 전 서독대사였던 전규홍 박사, 전 육군준장인 최석남 장군, 동원모 박사, 이종삼 박사, 임순만 박사 등 매우 훌륭한 인물들이 모였습니다. 전 유엔대사였던 임창영 씨도 왔습니다. 그리고 만장일치로 나의 주장이 채택됨으로써 우리의 방향이 분명해졌습니다. 나는 재일 한국인들께도 같은 말을 하고 있습니다.

야스에 "선민주 회복·후통일 실현"이라는 말은, 전에 이승만 정권이나 박정희 정권이 내세웠던, "선승공·후통일"이라는 말과 대비해서 흥미 깊게 여겨집니다. 7·4공동성명의 원칙은 민주적·자주적·평화적으로 통일을 달성하려는 것이었습니다. 자주적·평화적이라고 하기 위해서는 한국에서는 민주적이고 주체적인 힘을 길러야 한다고 생각되기 때문입니다.

또한 한·미 관계의 기본적인 이념으로 제시된 것을 경의를 품고 또 한편으로는 일본인으로서는 마음에 뾰족한 그 무엇이 와 닿는 듯한 것을 느끼면서 들었습니다. 박 정권은 대중의 입장을 강조한 갖가지 슬로건 아래 군사쿠데타를 일으킨 셈인데, 그럼에도 불구하고 박 정권하 12년 동안에 빈부의 격차는 점점 확대되어 가고 있는 것 같습니다. 일본에서도 최근에 농업의 붕괴가 문제가 되고 있지만, 한국에서는 정부가 솔선하여 무슨 요일과 무슨 요일은

'쌀밥 안 먹는 날'을 실시하지 않을 수 없을 정도지요. 종래 남북한이 통일된다면, 북쪽의 공업력이나 자원과 남쪽의 농업력이 결부되어 서로 보완하게 된다고 말해져 왔는데, 오늘날의 한국 경제는 전혀 다른 상황이 되어 있는 것 같습니다. 나는 아직 한국의 현상을 실제로 보지 못했습니다. 한국의 정부 관계자나 그 밖의 분들로부터 초청을 받은 바 있기도 해서, 여유가 생기면 한국의 현상, 즉 일본과 한국이 어떻게 연관되어 있는가를 실제로 보고 싶습니다. 아무튼 한국의 농업정책의 실패는 일본 이상으로 심한 것으로 듣고 있습니다. 그런 배경의 하나로 분명히 일본의 원조 방식, 경제 진출이 관계되고 있지만, 또 한 가지는 일본의 높은 성장 방식을 그대로 이입한 박 정권의 경제 정책의 실패에 있다고 생각됩니다. 전에 '소득배증所得倍增' 정책에서 이케다(池田) 총리의 조언을 맡았던 시모무라 오사무(下村治) 씨가 여러 번 한국을 방문하고, 그의 발언이 높이 평가되었던 것을 나는 불안감을 가지고 지켜보고 있습니다. 그런 뜻에서 일본은 오늘날의 한국 경제에 대하여 이중으로 책임을 지고 있는 셈입니다.

박정희 정권과 일본

김대중 나는 일본에 대해서 무언가를 말할 때, 언제나 한 가지 열등감을 느낍니다. 자기 나라의 일도 스스로의 힘으로 해결하지 못하고, 남의 일에 대해서 어쩌구저쩌구하는 것은 매우 괴로운 일입니다. 일본이 한국에 대하여 어떤 나쁜 정책을 취하건, 우리가 그런 정책을 받아들이지 않는 태도가 있으면 문제가 되지 않으므로, 그런 점에서 나는 일본을 이러쿵저러쿵 비판하고 싶지 않은 것이 본심입니다.

일본에 있는 한국 청년들과 이야기를 나눌 때에도 내가 늘 말하는 것은, 너희들은 일본인에 대하여 과거의 일을 너무 들먹이지 말라는 것입니다. 한국인은 일본인에 대하여 우리가 한문을 전해 주었다, 불교도 전했다, 옷감 짜는 기술도 전했다, 여러 가지 기술도 전했다, 우리는 당신들에게 좋은 일만 했는데도, 당신들로부터는 나쁜 일만 당했다, 이런 바보 같은 말을 자주 합니다. 그것은 사실입니다. 그러나 그것은 바보짓에 지나지 않습니다. 일본인 가운데는 그런 것을 모르는 사람도 있지만, 알고 있는 사람은 얼마든지 있습니다. 알고 있어도 그 마음은 바뀌지 않는 것입니다. 그것을 고치려면 먼저 우리가 위대해지는 수밖에 없습니다. 우리가 훌륭한 나라를 만들면, 가만히 있어도 일본인들은 우리를 존경하고 평가하게 될 것입니다. 먼저 우리 자신이 자기 개선하려는 노력을 해야 합니다. 다른 사람들을 보고, 자신들의 주체적인 노력을 적게 해서는 안 된다는 것입니다. 그러나 이것은 우리들의 입장이지 그렇다고 해서 일본인들의 한국관은 역시 이대로가 좋다고 할 수는 없을 것이라고 생각합니다. 정당적으로 도식화해서 말하자면 자민당 정권의 주류적인 사람들의 사고방식, 재계에 있는 사람들의 사고방식은 안정 제일주의여서, 뭐니 뭐니 해도 이웃 나라는 안정되지 않으면 안 된다는 것이 모든 한국에 대한 정책의 대의명분이 되어 있다고 생각합니다. 둘째는, 소위 자민당 내의 양식파라고 일컬어지는 사람들의 사고방식, 그리고 셋째는 사회당 등 야당 세력의 견해가 있습니다. 이 세 그룹으로 나누어서 말하고자 합니다.

먼저 안정 제일주의론자에 대해서 말하고 싶은 것은 안정이란 무언가 하는 것입니다. 안정이란 것은 진짜 민주적인 여러 나라처럼 국민이 자유롭게 비판하고, 자유롭게 투표하고, 그 결과 다수파에 복종하는 것이 안정인가, 아니면 박 정권처럼 총검의 힘으로 멋대로 정하는 것이 안정인가 하는 것입니다. 만약 박 정권의 현상이 안정이라고 한다면, 그것은 한국의 정도라면 그런 탄압정치로도 인정할 수 있지 않으냐 하는 사고방식에 의한 것이라고 생각합니다. 실제로 그런 사람들의 생각에 접해 본 일도 있습니다. 그러나 이승만 대통령처럼, '국부'로 존경받는 사람이라도, 독재를 하면 국민이 일어나서 쫓아 버렸습니다. 한국에는 지방자치도 없고, 위로는 국무총리부터 밑으로는 시골 관청의 급사까지 대통령이 임명하는 셈이어서, 그들은 부정선거를 하지 않으면 목이 잘립니다. 야당에는 한 푼의 선거자금도 돌아오지 않습니다. 그런 상황에서도 재작년의 선거에서는 결국 46퍼센트를 야당 후보 앞에 발표하지 않을 수 없었습니다. 그만한 바이탈리티(힘)를 발휘한 국민에게 자유가 없어도 과연 안정할 수 있을까요. 지난 2월의 국회의원 선거에서는 인정하지 않을 수 없었으므로, 여당의 당선자를 2명이나 제명하고, 많은 여당계의 공무원을 재판에 회부했습니다. 그런 상황에서도 부정을 포함해서 여당은 38퍼센트밖에 표를 얻지 못했습니다. 이런 국민이 자유 없이도 안정이라고 할 수 있단 말인가요. 확실히 지금 한국은 표면상으로는 무덤과 같은 침묵 상태에 있습니다. 아무도 겉으로 불평을 털어놓지 않습니다. 하지만 그것은 폭풍 전의 고요인데도, 어째서 한 치 앞의 파멸을 보지 않느냐고 말하고 싶습니다.

둘째로 자민당 내의 양식파라고 일컬어지는 사람들은 북베트남에 간다든가, 북한에 간다든가, 쿠바에 간다든가 중국에 갑니다. 나는 이런 일본의 보수정당의 폭넓은 행동을 매우 존경합니다. 그러나 한편으로, 가장 가까운 이웃 나라의 민주 세력이 현재 그렇게까지 고생스럽게 싸우고 있는데도, 어째서 그 국민 또는 동지적인 민주 세력에 좀 더 관심을 가져 주지 않는가 하고 묻고 싶습니다.

셋째는 사회당을 비롯해서 각 야당이 남북한의 평화 통일을 강력하게 지지하고 있습니다. 나는 진심으로 고맙게 여기고 있습니다. 그러나 통일이라는 것은 북쪽에 1천4백-1천5백만, 남쪽에 3천2백만으로 나누어진 4천7백만이란 사람이 하나가 되는 일입니다. 그런데, 지금의 야당은 1천4백-1천5백만을 상대로 하고, 남쪽의 3천2백-3천3백만과는 이야기를 나누는 것조차 싫다는 마음처럼 보입니다. 평화 통일을 지지한다면 어째서 여기에 관심을 보이지 않느냔 말입니다. 야당이 거기에 관심을 갖지 않는 것이, 박 정권에게 얼마나 유리한 일인지, 아무리 나쁜 짓을 해도 지금의 일본 야당은 보는 것조차 더럽다는 생각에서인지, 잠자코 있고 쳐다보지도 않습니다. 박 정권은 그들이 더럽다고 생각하고 있는 것에는, 조금도 가려움을 느끼지 않습니다. 그리고 무시당함으로써, 오히려 안심하고 일본의 원조를 악용할 수 있다는 사실을 알지 않으면 안 된다고 생각합니다.

야스에 자민당 주류파를 비롯해서 야당에 이르기까지 사태를 보는 견해가 박 정권을 둘러싸고 양극으로 분해되어 있는 것 같다는 지적은 일본의 야당에도 듣기가 따끔하리라고 생각하지만, 그것은 역시 일본인의 한국관이란 문제와 관계가 있는 것 같습니다. 한국 경제 관계도 역시 단지 경제 정책상의 문제가 아니라, 거기에서 고쳐 묻고 있는 것은 일본인이 한국에 대해 어떻게 인식하느냐이며, 일본의 한국에 대한 정책에서의 기본적인 선택 방향일 것이라고 생각합니다. 그런 뜻에서 나는 1965년 성립된 한·일조약 체제가 오늘날까지 어떤 역할을 해 왔는가를 정확하게 되돌아보아야 하지 않을까 하고 전부터 생각해 왔습니다. 한국의 실상을 보고 싶은 것도 그 때문입니다.

김대중 한·일회담 때 한국인 중에도 회담 반대는 강력했지만 그 반대 속에서도 국교 자체에 대한 반대와 현재 진행하고 있는 조약의 내용이, 한국의 일본에 대한 진짜 우호와 평등한 협력으로 이어져 있지 않으니까 반대한다는 의견 차이는 있었습니다. 어느 쪽이 역사적으로 옳은가는 제쳐 놓고, 나는 후자 쪽에 속해 있었습니다. 한편 한·일회담에 전적으로 반대하는 국민들 사이에서도, 일본과 국교를 정상화하면, 우리의 경제, 생활만은 좋아지겠지만, 저 지긋지긋한 추억이 많은 일본과 지금으로서는 국교 회복을 하고 싶지 않다고 말하는 사람이 많았습니다.

한·일 경제 제휴의 참담한 실상

김대중 그런데 국교 정상화가 된 지 8년 동안 다른 것은 제쳐 놓고서라도, 경제적으로 과연 좋지 않았을 뿐만 아니라, 국민 생활도 좋아지지 않았습니다. 이것이 현실인 것입니다. 8년 동안에 한국에는 많은 공장이 세워졌습니다. 일본의 자본이 많이 들어왔습니다. 박 정권이 집권하기 전에는 한국에는 대외 부채가 거의 없었는데, 박 정권이 들어서면서 40억 달러로 부채가 늘어났습니다. 그 부채 중에서 가장 조건이 나쁜 것이 일본에서 온 차관입니다. 일본에서 온 플랜트 시설의 70-80퍼센트가 부실기업, 일본에서 말하는 도산기업이 되어 버렸다는 것을 정부가 발표한 일도 있습니다. 일본에서 온 기업이 어째서 부실기업이 되었는가, 그것은 무엇보다도 우리들의 정부가 나빴기 때문입니다. 정부가 진짜 양심적이고 유능한 경제인을 택하지 않고, 자기들에게 정치자금을 바치고, 자신들과 가까운 사람을 지정해서 이권을 주었기 때문입니다. 그들은 정치자금을 헌납하지 않으면 안 되었으므로, 처음부터 나쁜 짓을 하지 않을 수 없었습니다. 일본과 계약을 맺을 때 이중 계약을 맺어서 그 일부를 떼어먹거나 했습니다. 그러므로 처음부터 비싼 코스트가 되어 버립니다. 따라서 거기에서 생산되는 물품은 값이 비싸게 마련입니다. 예를 들면 자동차만 하더라도 일본에서는 170만 원 정도의 것이 한국에 플랜트로 들어와서 팔리는 것은 3백만 원 이상이나 됩니다. 플라스틱 공장이 일본에서 다섯 개 플랜트를 수입했지만, 그 다섯 개 모두가 쓰러지고 말았습니다. 그 플라스틱은 일본의 가격보다 배나 비쌌기 때문입니다.

얼마 전에 공식으로 밝혀진 케이스로 말하자면, 한국 알루미늄 공장이라는 것이 있는데, 이 공장에는 일본으로부터 1천2백만 달러 정도로 매입한 것이지만, 그중 54퍼센트만을 실제로 공장에 넣고, 46퍼센트는 따로 제외시켰다는 것입니다. 그러니까 그 공장에서 생산되는 알루미늄은 일본의 가격보다 60-70퍼센트 비싸질 수밖에 없었던 것입니다.

솔직히 말해서 한국에서의 부패는 전부터 있어 왔던 일이지만, 그 부패의 규모는 별로 크지 않았습니다. 그런데, 한·일 국교 정상화 이후의 한국 상층부의 부패는 그야말로 천문학적입니다. 한국의 권력 상층부의 사람으로 수백만 달러, 수천만 달러씩 축재한 사람은 얼마든지 있습니다. 그렇지 않은 사람이 오히려 이상스럽습니다. 이것은 공공연한 비밀입니다. 그들은 겉으로는 월 15만 원이나 20만 원 미만의 월급을 받고 있는 데 지나지 않습니다. 하지만 그러한 높은 지위에 몇 년만 있으면, 1억 원, 2억 원짜리 집을 갖게 됩니다. 그리고 부인의 손가락에는 3천만, 4천만 원짜리 다이아 반지가 끼워지고, 정원에는 수십만 원짜리 정원수가 수없이 심어집니다. 1층부터 2층으로 올라가는 데는 에스컬레이터까지 장치한 집도 있는 상태, 이렇게 끝을 알 수 없는 부패가 되어 버리고 말았습니다.

부패와 병행해서 한국에서는 빈부의 양극화가 급속하게 확대됐습니다. 국민은 여전히 전과 변함이 없는데, 한편으로는 재벌이 우후죽순처럼 나타났습니다. 일본의 원조는 그러한 특권 상층부와 재벌의 손에 모두 집중해 버리고 말았던 것입니다. 솔직히 말해서 일본의 경제 원조는 부분적인 효과도 있겠지만 총괄적으로 보면 독재의 강화, 부패의 조장, 빈부 양극화의 확대, 막대한 부채의 누적, 그리고 제품 가격의 비상식적인 폭등 등 마이너스 측면이 보다 강하게 나와 있는 것이 사실이라고 생각합니다. 하지만 여러 번 되풀이해서 말하는 것처럼, 이 책임의 가장 중요한 것은 박 정권의 반민주성과 반국민성에 있는 것이며, 또한 우리들 국민의 비판과 견제의 싸움이 부족했던 점에 돌려야 한다고 생각합니다. 그렇다고 해서 일본의 입장에서는 결코 이 사태에 전혀 무책임하다고 할 수는 없을 것입니다. 그리고 최근에는 이미 『타임』지에도 보도된 바와 같이, 일본 관광객의 한국 민족에 대한 모욕적인 행동, 그런 것에 의해서 사태는 점점 악화되어 갑니다. 더구나 그 관광객의 여자놀이를 정부가 조합까지 만들어서 장려하고 있습니다. 국민 측에서 보면 전혀 민족의 긍지나 양심도 없는 것처럼 보일 것입니다.

도대체 '10월유신'이라는 것이 무엇입니까. 일본이 1백 년 전에 사용한 '유신'이라는 말을 이제 와서 우리가 쓰는 것입니다. 일본에서 명치유신을 어떻게 평가하건, 적어도 우리 민족 측에서 보면, 명치유신은 한국에 대한 침략으로 이어지는 것입니다. 사이고 다카모리(西鄕隆盛)가 유신 직후, 명치 6년, 이미 '정한론征韓論'을 들고 있습니다. 그때 정한론은 패배했지만 그 당시의 정한론은 나쁘다는 것이 아니라 시기상조라고 말했을 뿐이었습니다. 그리고 청일전쟁, 러일전쟁과 명치유신 후의 발자취는 모두 조선 침략과 이어져 있는 것입니다. 그 '유신'이라는 말을 우리들 한국인이 어떻게 쓸 수 있단 말입니까. 그 말을 감히 사용하는 박 정권의 체질, 그리고 한국의 고관이 일본에 와서 겁도 없이 "마지막 믿을 곳은 일본뿐입니다. 잘 부탁합니다." 하고 말하는 자세, 이런 것을 일본의 여러분은 경멸의 눈으로 볼지도 모르겠지만, 한국의 국민은 통분의 눈으로 보고 있는 것입니다.

나는 일본의 경제 원조가 필요하지 않다든가 일본과 모든 것을 끊어 버리라고 하는 것은 아닙니다. 한·일 친선이 권력층끼리의 친선이 되어 참으로 국민과 국민의 이해로 이어지는 친선이 되고 있지 않다는 것을 지적하고 싶은 것입니다. 한국으로의 관광이 서로의 이해와 존경으로 이어지지 않고, 서로의 증오와 경멸로 이어지는 일은, 하루속히 개선되지 않으면 안 됩니다. 작년 말부터 한국에서는 일본의 투자 붐이 생겼습니다. 금년 1월부터 3월까지, 전체의 외국 투자(1억 380만 달러)의 99퍼센트가 일본입니다. 미국은 겨우 0.2

퍼센트입니다. 그중에서도 특히 눈에 띄는 것이 일본의 공해 기업이 한국으로 밀려오고 있고, 저임금 기업까지 한국에 진출해서, 한국의 허약한 중소기업을 도산으로까지 몰아넣고 있는 것입니다. 이런 것을 개선하지 않는 한, 참다운 우호와 참다운 협력은 될 수 없다고 생각합니다. 일본의 여러분이 좀 더 큰, 그리고 긴 안목으로 보면, 한국의 현상은 일본 자신에게도 큰 불행을 가져오리라 생각합니다.

최근에 일본에서 보수정치의 위기가 큰 문제가 되어 있습니다. 그리고 공산당이 급속하게 진출하고 있는 것은, 보수정치의 결함에서 반사적인 이익을 받고 있는 면이 매우 많으며, 일본의 국민이 공산주의 자체를 지지한다기보다도 자민당의 정치에 대한 반감에서 오는 투표라는 기사를 자주 읽습니다. 이것들을 읽으면서 나는 생각합니다. 지금은 "보수의 위기를 외치고 있지만, 만일 오늘날의 한국에 대한 정책을 개선하지 않고, 한국이 진짜 돌이킬 수 없는 사태에 빠져 버리면, 이번에는 일본 자체의 위기를 호소해 올 때가 옵니다. 그것도 역시 앞을 내다보지 않은 일본과 미국의 정책의 반사적인 원인에 의해서 결과되는 것이다."라고.

일본의 여러분이 자유를 원하는 것과 마찬가지로, 우리도 자유를 원하고 있음을 잊지 말았으면 합니다. 지금, 한국인은 일찍이 일본인이 군벌정치하에서 헌병이나 특고(경찰)에 시달렸던, 그 회색시대灰色時代 이상으로 혹독한 상황 속에서 고통을 당하고 있습니다. 이웃 나라에서 이만큼 국민이 고통을 당하고 있다는 것에, 일본의 여러분이 눈을 돌려서, 모럴 서포트를 해 주었으면 합니다. 한편 한국 국민이 자기의 운명을 자기의 자유에 의해서 결정하는 것처럼, 적어도 방해만은 하지 말았으면 합니다. 국민이 핍박을 받는 독재정권과 한패가 되어, 한국 국민으로부터 원망을 듣는 일만은 일본이 해 주지 말았으면 합니다. 이것이 나와 민주주의를 원하는 모든 한국 국민의 일본에 대한 절실한 요망이라는 것을 말씀드리고 싶습니다.

야스에 1971년 대통령 선거에서, 김대중 씨는 지금 싸우고 있는 것은 김대중인가 박정희인가 하는 선택이 아니다, 사실은 독재체제의 강화를 택하느냐 택하지 않느냐이며, 지금 박 정권을 쓰러뜨리지 않으면 반드시 총통제를 만들게 될 것이라고 강조하셨는데, 그 후의 사태는 불행하게도, 이 예언이 적중되고 있습니다. 정책적으로 보더라도 특히 남북 관계에 대해서는 일찍이 김대중 씨가 내건 많은 것을 지금 박 정권이 덮어놓고 시도해 보는 듯한 면도 있습니다. 그러한 선견적인 생각을 바탕으로 해서 앞으로의 전망을 알고 싶습니다.

무원칙적인 리더십과 힘에 의한 억압정책이 한국 경제의 구조적인 부패를 어디까지 덮어 둘 수 있는가, 오히려 모순을 확대시켜 갈 뿐이 아닐까 하는 생각이 드는데, 가장 큰 문제는 역시 통일 문제라고 나는 보고 있습니다. 아까도 말한 바와 같이, 지난번에 있었던 대통령 선거 때에 박 정권 측이 김대중 씨에 대하여 맹렬한 빨갱이 공격을 했습니다. 그 빨갱이 공격 속에서 김대중 씨가 내세운 것은 통일이었고, 남북 교류였습니다. 그리고 압도적으로 패배하리라고 예측되던 김대중 씨가 박정희 씨의 간담을 서늘하게 할 정도로 표도 몰아댔습니다. 한편 그 전에 있었던 대통령 선거 때에는, 반대로 야당인 윤보선 씨가 상당히 유리하리라는 예측 가운데, 마지막 단계에 이르러서 윤보선 씨 측이 박정희 씨는 공산당에 관계한 일이 있다는 빨갱이 공격을 전개했습니다. 그것이 한국 국민에게 강한 실망을 주었다고 듣고 있습니다.

김대중 바로 맞았습니다. 그때 그런 서툰 짓을 하지 않았더라면, 윤보선 씨가 승리했을 겁니다.

야스에 김대중 씨의 선거 때에는 정부 측이 빨갱이 공격을 했습니다. 반대로 윤보선 씨 때에는 야당 측이 빨갱이 공격을 했습니다. 그리고 두 가지 투표에서 나타난 결과로 볼 때, 역시 한국의 민중 속에 통일에 대한 감정과 지속적인 운동이 백본(backbone·등뼈, 기둥)으로 있다는 것을 알게 되었습니다. 그러한 통일에 대한 희망이 단순한 정권욕에 의해 좌우되는 사태가 계속해 갈 때, 한국에 어떤 사태가 발생할까요. 이것은 외부로부터의, 또는 일반적인 예측에 지나지 않지만, 김대중 씨께서는 어떻게 보고 있는지요.

역사의 법칙을 거역하는 박정희 정권

김대중 맨 먼저 말하고 싶은 것은, 바로 현재의 시점에서도, 나는 박정희 씨 개인에 대하여 조금도 원한이 없고, 증오심도, 또 복수심도 가지고 있지 않다는 사실입니다. 어쨌든 우리가 민주주의를 회복하여 정권을 잡은 후, 다행히 내가 정권을 쥔 자리에 있다면, 그때는 야스에 씨는 이를 증거로 나를 볼 수 있으리라 믿습니다. 이것은 나의 양심에 맹세해서 말할 수 있습니다. 우리나라의 조선왕조 5백 년 역사를 보더라도, 그것은 당파 간의 복수의 반복이고, 해방 후 28년의 역사도 남북 분단의 역사이며, 서로가 끔찍한 복수를 되풀이해 왔습니다. 나는 이런 불행을 되풀이하고 싶지 않습니다. 나는 지금, 박정희 씨 개인보다도 나라를 위해 그의 장래를 걱정하고 있습니다. 우리나라의 대통령은 모두가 쫓겨나서 그만두게 되는 것일까요. 이승만 대통령이 쫓겨나고 장면 씨도 쫓겨났습니다. 박정희 씨 역시 국민에 의해 쫓겨난다면, 그것은 역시 나라라는 것이 문책을 받는 것이 아닐까요. 미국은 건국된 지 2백 년도 채 되지 않지만, 조지 워싱턴 이래 토머스 제퍼슨, 링컨, 루스벨트, 케네디 등 별처럼 훌륭한 지도자를 배출하고 있습니다. 결국 국가의 역사라는 것은, 국민이 정신적으로 의지할 수 있는 지도자를 얼마나 많이 만들어 내느냐 하는 것에 크게 정해지는 것이라고 할 수 있습니다. 박정희 씨가 나쁜 인간이 되면, 그것은 박정희 씨 개인의 불행으로 끝나는 것이 아니라 우리나라 전체의 불행인 것입니다. 이것은 선거 때에도 되풀이해서 말해 온 것이지만, 불행하게도 평화적인 정권 교체는 더 이상 바랄 수 없게 되어 버리고 말았습니다.

나는 박정희 정권의 힘을 가볍게 보고 있는 것은 아닙니다. 앞에서도 말한 바와 같이 무기·돈·정보기관 등을 최대한으로 이용한 그 정권 유지 능력은 매우 높습니다. 그리고 현실에 부응해 가는 유연성도 독재정권으로는 드물게 볼 수 있을 정도입니다. 한편, 국민의 약점을 찌르고 협박한다든가, 같은 민족끼리 서로 불신 속으로 말려들게 하는 방법이라든가, 공산주의 알레르기를 이용하여 자기의 적은 모두 북쪽과 결부시키는 것처럼, 국민의 성격적인 약점을 찌르는 일에 능란합니다. 또는 한 손에는 벌꿀, 한 손에는 채찍을 들고 조종합니다. 현재 한국의 언론계나 학계의 많은 인사들이 그 수에 말려들어서, 애석하게도 절개를 굽히고 있습니다. 처음에는 채찍으로 때려 놓고, 벌꿀로 달랩니다. 듣지 않으면 다시 때리고 한 번 더 벌꿀을 내밉니다. 이것이 반복되는 사이에 어쩔 수 없이 굴복하게 되는 것입니다. 이런 능력을 결코 가볍게 보아서는 안 된다고 생각합니다.

그러나 어떤 정권도, 역사의 법칙을 거역할 수는 없으며, 국민이 원하는 것을 영원히 짓밟아 버릴 수는 없다고 생각합니다. 지금 한국 국민의 절대다수가 박정희 독재정권을 미워하고, 싫어하고, 무슨 말을 해도 믿지 않습니다. 이것은 조금도 과장하지 않은 사실입니다. 다만 할 수 없이 침묵만 지키고 있을 뿐입니다. 언제 폭발할지 알 수 없습니다. 그래서 정부는 잠시도 손을 늦출 수가 없습니다. 고려대학의 노동문제연구소 사건처럼 간첩사건으로 날조해서 처벌합니다. 최근에는 일종의 성역으로 여겨지던 종교계에까지 손을 뻗어서 탄압하기 시작했습니다. 국민 개개인의 일까지 초조한 나머지 간섭해서 못살게 굴고 있습니다. 길가에 침을 뱉어도 잡아가고, 머리를 길게 길러도 잡아가고, 미니스커트에도 눈을 빛내고 있습니다. 결혼식이나 장례식의 초대장도 낼 수 없게 되었습니다. 사람들이 모이는 것이 두렵기도 하겠죠. 그런 상태로까지 와 있습니다.

통일에 대해서는 지금은 한국 국민은 박 정권의 자세에 분명히 의구심을 가지고 있습니다. 아시다시피, 한국은 독일과는 다릅니다. 비스마르크가 프로이센 왕국을 통일한 것은 백 년 전의 일이지만, 우리는 신라의 삼국 통일이래 1천3백 년이나 지났습니다. 그동안 일본에 의해 침략당한 일은 있지만, 분단된 일은 없었던 것입니다. 그러므로 한국인에게는 통일은 생명과 마찬가지입니다. 동시에 우리 주위에는 중국·소련·일본 등 큰 나라들뿐입니다. 통일하지 않고 어떻게 살아갈 수가 있겠습니까. 이것은 국민 모두가 본능적으로 알고 있는 일입니다. 그 통일에 대해서 국민이 무엇보다도 진지한 것은 야스에 씨가 말한 대로입니다.

그 통일 문제와 박 정권의 자세에 관해서 나는 북쪽에 대해서도 한마디 하고 싶은 말이 있습니다. 북쪽도 지금은 남쪽에 진짜 민중을 대표하는 정권이 들어서서, 민족의 양심에 서서 통일을 추진하는 것이 남북이 평화 통일하는 유일한 길이라는 것을 알아주었으면 합니다. 그러므로 남쪽에 그런 민주정권이 생기는 것을 방해하는 일이 있어서는 안 됩니다. 그런 일이 이제까지 있었다든가, 없었다는 것을 말하는 것은 아닙니다. 북쪽의 행동 하나하나가 남쪽에 직접 영향을 미치게 되며, 박 정권은 그 모두를 이용하고 있는 것입니다.

나는 분명히 말해 두겠는데, 공산주의자는 아닙니다. 공산주의자가 아닌 많은 남쪽 국민을 대표하려는 입장에 있습니다. 그러나 평화 통일이라는 것은, 이데올로기가 대립해 있다고 하더라도 민족적인 입장에서 성실한 대화를 나눔으로써, 통일 전이나 통일 후에 반드시 공존의 길을 찾을 수 있으리라고 확신하고 있습니다.

야스에 맨 처음에 말씀하신 것처럼, 그런 점에서 박 정권의 통일 지향에는 기본적인 의구심을 없앨 수가 없는 것입니다. 통일을 가지고 노는 것과 같은 일이 언제까지 계속될까요?

김대중 그런 일이 방치되는 일은 있을 수 없겠죠. 박 정권한테 통일의 의사가 없다는 것은 국민이 잘 알고 있습니다. 게다가 부패나 빈부의 양극화는 점점 더 심해 가고 있습니다. 무엇을 가지고 그들이 국민으로부터 지지를 받을 수 있겠습니까. 현재 그렇게 심한 정보 정치하에서도 수백 종의 지하신문이 발행되고 있습니다. 또한 군의 내부도 안정되어 있지 않습니다. 박정희 씨가 지금 가장 믿지 못하고 있는 것이 군대라고 할 수 있습니다. 윤필용 소장 사건만 보아도 알 수 있듯이, 친위사단장을 체포하지 않을 수 없는 사태로까지 와 있습니다. 한국의 군대는 징병제도에 의한 군대입니다. 그러므로 국민군적인 성격을 가지고 있으며, 일반 국민의 감정과 떨어져 있지 않습니다. 또한 4, 5만 명의 장교들 중에도 2만 명 이상의 대학 출신자가 있습니다. 하사관이나 병사들도 전체적으로 보아서 교육 수준이 높습니다. 그러므로 지금의 독재를 진심으로 지지하고 있는 것은 극소수에 지나지 않습니다. 민주주의의 신념이 매우 높고, 국민의 심정과 일치하고 있는 것이 한국의 군대입니다. 이런 점에서는 중남미의 군대하고는 구별되어야 할 것입니다.

앞에서 든 국민투표 때의 군대 내부의 놀랄 만한 부정투표는 군의 반독재적 성격의 강도를 반증하는 무엇보다도 좋은 증거라고 생각합니다. 또 한국에서는 아시다시피, 종교계의 사람들이 국민의 사회정의와 민주주의의 선두에 서서 영향력도 강합니다. 학생이나 지식인들도 침묵을 지키면서 저항하고 있습니다. 저임금으로 억압당하고, 생존권을 빼앗기고 있는 많은 노동자들, 그들은 자유의 회복을 간절하게 열망하고 있습니다. 농민들도 새마을운동이랍시고 떠들어 대고 있지만, 그들의 주 상품인 곡물의 가격을 억제당하고 어떻게 생활의 향상을 꾀할 수 있단 말인가요. 최근에는 새마을운동으로 농촌으로 돌아온 사람들이 다시 도시로 나오기 시작하고 있습니다. 한국 국민은 반드시 때를 보아 일어서서 민주주의를 회복하리라고 나는 확신하고 있습니다.

야스에 경제구조의 모순의 확대가 그러한 국민의 말 없는 저항에 불을 지필 것이라고 생각하시는지요.

김대중 무엇이 봉기의 원인이 될 것인지는 확실히 알 수 없지만, 그것도 당연히 큰 이유가 될 것입니다. 지금 한국에서는 일부의 표면적인 발전이나 정부의 선전에도 불구하고, 기본적인 문제점은 날로 심각해지고 있습니다. 정부가 낸 그들의 발표나 통계만 보더라도 다음과 같은 것들을 지적할 수 있습니다. 금년 1년 동안 362만 톤, 2천5백만 석의 곡물을 수입하지 않으면 안 됩니다. 박정희 씨가 정권을 잡았을 때의 수입은 3백만 석이었습니다. 정부는 곡물 수입에 금년에는 4억 6천만 달러를 계정하고 있었는데, 국제 곡물 가격이 상승한 지금으로서는 5억 달러로도 그런 양을 살 수 없을 것입니다. 금년의 수출이 23억 달러인데, 그 20퍼센트가 이익이라고 보더라도 곡물의 대금이 될 수 없는 셈입니다. 금년에 갚아야 할 차관은, 원금과 이자를 합해서 8억 5천만 달러에 달하고 있습니다. 그러므로 그것을 지불하기 위해서 지금 일본이나 미국으로부터 돈을 빌려 차용금이나 이자를 지불하고 있는 상황입니다.

국민이야말로 최후의 승리자

김대중 정부는 수출이 신장했다고 크게 선전하고 있지만, 정부가 발표한 숫자에 의하면 4월 말 현재로 수출이 작년의 같은 기간에 비해 60퍼센트 신장하고 있습니다. 그러나 수입도 260퍼센트나 늘었습니다. 총자원 예산으로 보면 금년에는 수입이 30억 달러, 수출이 23억 달러로, 7억 달러의 적자를 예견하고 있었지만, 이런 추세로 가면 15억 달러 이상의 적자가 될 것입니다.

소비 면에서도 철이나 원면이나 비누도, 물자는 하나같이 부족해서 상당한 물가 상승과 품귀 현상에 있습니다. 정부는 금년 초 도매 물가의 상승률을 연 3퍼센트로 억제한다고 발표했지만, 10퍼센트로 그칠 수 있다면 다행이라고 할 수 있을 것입니다. 국민 대중의 생활이 타격을 받는 것은 당연한 일입니다. 얼마 전 미국에서, 한국에서 온 이민으로 서울의 동대문 근처의 초등학교 교사직을 맡고 있던 여성으로부터 들은 이야기인데, 그 학교에서 점심을 싸 가지고 오지 못하는 어린이가 70퍼센트에 달한다고 합니다. 그중에는 아침밥도 먹지 못하고 오는 어린이가 있다는 것입니다. 설마 하고 생각했지만, 그 후 한국의 신문을 보니, 충청북도 충주에 있는 초등학교 학생들에게 정부의 보조로 1인당 5원을 내면 점심으로 빵을 지급하기로 했다, 그런데 5원이라면 일본 돈으로 4엔인데, 그 4엔을 내지 못해서 점심 배급을 받지 못하는 어린이가 65퍼센트나 된다는 기사가 실려 있었습니다. 이런 사회가 되어 버린 것입니다.

정부는 최근, 주민세의 면세권을 8천 원으로 정했습니다. 8천 원이면 20달러, 일본 돈으로 5천2백 엔의 월수입입니다. 한국의 한 세대당 평균 가족 수는 5.5인입니다. 그렇다면 1인당 월 1천 엔이 못 됩니다. 그 1천 엔으로 먹고, 입고, 살고, 일본처럼 사회보장제도가 충분히 되어 있지 않으므로 병이 나면 자기 돈으로 고치고, 자기 돈으로 학교의 수업료를 내야 합니다. 이런 계층의 사람들이 얼마나 되느냐 하면, 전 국민의 24퍼센트, 즉 약 4분의 1입니다. 월수 2천 엔 이하의 국민이 적어도 70퍼센트 이상은 되리라고 생각합니다. 한편에서는 수백, 수십억 원의 부정 축재를 한 사람들이 현기증이 날 정도로 호화로운 생활을 하고 있습니다. 김지하의 「5적」이라는 시는 결코 가공적인 것이 아닙니다. 이런 정권이 어떻게 오래갈 수 있단 말입니까? 몇 월 며칠에 어떤 방식으로 박 정권이 쓰러질 것인가는 예언할 수 없습니다. 또한 박 정권을 결코 가볍게 보지는 않습니다. 그러나 머지않아 우리들 한국 국민은 반드시 자유와 정의를 위해 일어날 것입니다. 이것은 결코 나의 고집도 아니며, 희망적인 관측도 아닙니다. 나의 피부와 피로 느끼는 국민에 대한 신념인 것입니다. 그런 점에서 나는 현재의 상황에도 불구하고 한국의 앞날을 낙관하고 있습니다.

전에 미국에서 '댈러스 타임스 트리뷴'의 기자가 나를 만나서, 당신은 몇 살이냐고 물었습니다. 몇 살로 보이느냐고 물었더니 30세로 보인다는 것입니다.(웃음) 지금 47세가 되었다고 했더니, 깜짝 놀라면서 그렇게 젊게 보이는 원인이 무어냐고 묻기에 그 원인은 세 가지가 있다, 첫째는 잘 먹고, 둘째는 잘 자고,(웃음) 셋째는 나는 대단한 낙관주의자이기 때문이라고 말했습니다. 캄캄한 어둠 속이라도 다음 날 아침에 태양이 다시 떠오르는 것은 의심할 여지가 없습니다. 악마가 지배하는 지옥에 떨어져도 신이 있다는 것을 믿습니다. 그리고 나의 신앙은 역사인 것입니다. 나의 역사에서 정의는 절대로 패배하지 않는다는 것을 믿습니다. 또한 나에게 유일한 영웅은 국민입니다. 국민은 최후의 승리자이며, 양심의 근원입니다. 나는 이런 신념하에서 살고 있습니다라고 대답했습니다. 나의 아내를 비롯하여 아이들도, 나의 형제도, 현재 81세인 부친도 국내에 있습니다. 나의 형님은 금년 2월에 세상을 떠났지만 그 장례식에도 갈 수 없었습니다. 하지만 그것은 어쩔 수 없는 일이라고 생각하고 있습니다. 우리나라가 일본에 합병될 때, 우리의 조상에게 용기가 부족했기 때문에 백 년이 지난 지금에도 그 고통이 계승되어 있습니다. 만일 일본에 합병되지 않았더라면 국토의 분단도 없었을 것입니다. 우리는 당시의 우리의 패기가 부족했던 부친들을 원망하고 있습니다. 그러니까 지금 또다시 우리가 자손들로부터 원망을 듣는 사람이 되고 싶지는 않습니다. 현실의 혹독함 속에서 하나의 자기 위안일지도 모르지만 적어도 그런 신념으로 있습니다.

나는 5월 호 『세카이(世界)』(1973년)지에 실린 야스에 씨와 김순일金淳一씨의 대담을 읽고 많은 감명을 받았는데, 그중에 한 가지를 여기서 인용하고 싶은 것은, "한국의 국민은 12년 동안에 걸친 박 정권의 혹독한 시련 속에서 많은 교훈을 터득하여 크게 성장했다"는 대목입니다. 나도 전적으로 동감합니다. 나는 요 12년 동안에, 한국에서는 적어도 정신적으로는 민주주의가 정착했다고 생각합니다. 독재의 시련이라는 교사에 의해서, 한국 국민의 마음속에는 자유의 소중함과, 그리고 잃어버린 시간의 불행이 얼마나 큰가 하는 것이 뼛속에까지 퍼져 있습니다. 그러므로 일단 민주주의를 회복하기만 하면, 다시는 흔들리지 않는 튼튼한 나라를 만들 수 있을 것입니다. 나에게 용기를 북돋아 주고 있는 마지막 굴레는 그러한 한국 국민에 대한 신뢰인 것입니다.

여기서 예언적인 말을 경솔하게 하고 싶지는 않지만, 박정희 씨는 그 전에 있었던 대통령 선거에서 이번만 하고 물러서겠다는 말 그대로, 1975년에 대통령직을 그만두었더라면 좋았으리라고 생각합니다. 그는 헌법을 고쳐서 총통제에 의한 영구 집권화를 꾀함으로써, 오히려 1975년까지 버티지도 못하고, 더욱 비참한 결과에 빠질 공산이 큽니다. 나는 한국의 정세를 이렇게 전망하고 있습니다. 이러한 한국 국민이 현재 받고 있는 시련과 현실의 실정을 일본의 양식 있는 사람들이 올바르게 인식하여, 가능하다면 우리에게 모럴 서포트를 해 줄 것을 열망합니다. 그리고 우리의 불행을 보다 더 연장시키고 보다 더 깊어지게 하는 일만은 제거해 주었으면 합니다. 이를 일본의 여러분에게 호소하고 싶습니다.

그리고 우리가 민주정권을 회복하면, 일본과 제2의 한·일회담을 열어서 오늘까지의 잘못을 근본적으로 고쳤으면 합니다. 한·일 간의 친선이 참다운 국민과 국민의 친선이 되도록, 그리고 경제 협력도 평등 호혜의 입장에서 두 나라 국민 전체의 이익이 되도록 반드시 개선하겠습니다. 그리고 우리는 일본인들로부터 신뢰와 존경을 받을 수 있는 국가 건설과 통일을 실현할 결의입니다.

* 이 글은 김대중 도쿄 납치사건이 일어나기 전인 1973년 7월 13일, 일본의 『세카이』지 편집장인 야스에 료스케(安江良介)와의 대담으로, 『세카이』지 1973년 9월 호에 게재되었다.

김대중, 망명과 납치와 연금과……

대담 손세일

일시 1974년 12월

'김대중 납치사건', 그것은 국교 정상화 이후의 한·일 관계를 근본적으로 뒤흔들어 놓은 정치적 사건이었다. 한·미·일의 삼국 관계에 끼친 영향도 엄청나다. 뿐만 아니라 사건이 지닌 미스터리는 세계의 센세이셔널리즘의 더할 나위 없는 입방아거리가 되었다. 온갖 종류의 센세이셔널리즘의 홍수 속에서 막상 사건의 장본인인 김대중 씨의 수난이나 고통은 뒷전으로 밀린 꼴이었다.

미스터리는 아직도 풀리지 않고 있으며 따라서 사건은 한·일 양국 간의 미해결의 외교 과제로 남아 있다. 또한 누구보다도 희생자인 김대중 씨는 사건이 발생한 뒤 1년 4개월 동안 당국의 '보호조치'를 받아 왔고 아직 출국의 자유를 누리지 못하고 있다. 박 대통령은 지난 12월 한 미국 언론인과의 인터뷰에서 "납치사건은 아마 중앙정보부의 소행일 것"이라고 말했다고 한다. 사건의 전모가 언제쯤 밝혀질 수 있을 것인지는 아무도 점칠 수 없는 노릇이다. 어쩌면 우리나라의 많은 정치적 테러 사건들이 그랬듯이 먼 후일까지 밝혀지지 않은 채 정치사가政治史家들의 학문적인 구명究明 대상으로 남게 될지도 모른다.

서대문구 동교동 자택에서 당국의 '보호'를 받으면서 국내 사람들과는 거의 접촉이 금지되다시피 되어 있던 김대중 씨가 나들이를 하고 아무나 자유로이 만날 수 있게 되었다. 작년 12월에 발족한 '민주회복국민회의'에도 참여하고 있다.

외출을 했다가 약속 시간에 맞추어 귀가한 김 씨는 시멘트를 입힌 좁은 마당에서 기자를 맞았다. 다리를 약간 절고 있다. 그렇게 보아서 그런지 표정도 굳어 있어 어딘가 어색한 느낌이 든다.

국민들과 세계 여론의 성원에 감사

손세일 지금 건강 상태는 어떠십니까?

김대중 이 부분, 허리와 다리 양쪽 접촉 부분이 거북해서 보행에 좀 지장이 있어요. 의자에 앉을 때에는 괜찮은데 장판방이나 마루에 앉아 있기가 거북합니다. 의사는 지난번 선거 때의 자동차 사고에서 오는 일종의 신경통, 근육통이라고 하는데 요새는 좀 나아졌어요. 1년 넘어 치료도 제대로 못 받고 거기다가 환경에서 오는 긴장 때문에 자율신경 작용이 나빠졌어요. 긴장과 운동 부족 때문에 그렇다는 것입니다. 건강이란 육체적 건강보다도 정신적 건강이 더 중요한 것 아닙니까? 지난 1년여 동안 정신 건강을 지탱하는 데 저로서는 더 큰 고생을 했습니다. 사하로프가 말하기를 소련에 인권조사단들이 오면 제일 먼저 정신병 환자 수용소부터 가 보라고 했다는데, 사실 이런 환경 속에서 산다는 것은 자기 통제, 자기 극기가 참 어렵다는 것을 느꼈어요. 다행히 제가 자신의 신앙과 국민들과 세계 여론의 성원에 힘입어서 이 정도로 거의 정상을 유지할 수 있는 상태가 된 것을 대단히 감사하게 생각하고 있습니다.

손세일 괴한들에게 납치되어 오셔서 지난 12월 17일 연금 상태라고 할까 감시가 풀릴 동안 어떻게 지내셨는지 좀…….

김대중 낮에는 주로 국내외 신문, 잡지와 책을 읽고 간단한 운동 등으로 보냈고 거의 매일이다시피 외국 기자 또는 외국 손님들이 찾아와서 만났고…….

손세일 국제전화를 받으시느라고도……?

김대중 국제전화는 별로 없었습니다. 사건 직후 말고는.

손세일 책은 어떤 책을 읽으셨습니까?

김대중 국사 관계의 책들을 좀 읽었습니다.

손세일 구체적으로 어떤 책들입니까?

김대중 가장 최근에 읽은 것은 천관우 씨가 쓴 『한국사의 재발견』입니다. 그 밖에 이기백 교수가 쓴 『한국사신론』, 최남선 씨 역주의 『삼국유사』, 변태섭 씨의 『고려정치제도사』 같은 책들입니다.

손세일 국사 관계의 책들을 중점적으로 읽으신 특별한 이유가 있습니까?

김대중 특별한 이유라기보다 나 자신부터 과거 일제시대의 식민적인 사관을 탈피해서 우리 민족이 가진 긍정적이고 적극적인 가치를 발견해야겠다, 그래서 앞으로 정치를 하는 데 있어서 우리 민족의 오랜 역사와 원동력이라고 할까, 정신적 주류 내지 우리 민족의 특성, 이런 것을 익혀서 그런 것을 기초로 한 민족적인 정치관을 나 나름대로 정립해 보겠다는 생각으로 공부한 것이지요. 국사책 말고는 성서라든가 케네디와 처칠에 대한 책들을 읽었습니다. 그리고 내가 과거부터 경제에 관심이 있으니까 경제 관계 책도 조금 읽고…….

손세일 외출은 교회에 나가시는 일밖에는 거의 없었다지요?

김대중 네.

손세일 지난번 납치사건 때에 생명을 잃지 않았던 것은 천주님의 도움이라고 말씀하셨었는데 정말로 하느님의 존재를 믿으십니까?

김대중 지금 나 같은 정도의 신앙을 가지고 천주님의 존재를 100퍼센트 믿는다고 말하면 거짓말이겠지요. 그러나 내가 과거에 비해서 지금 하느님의 존재를 훨씬 더 강하게 믿고 있는 것은 사실입니다. 그런데 내 종교관은 예수를 믿고 천주님을 믿고 해서 천국에 가겠다는 그런 것은 아닙니다. 물론 그것도 바랍니다. 그러나 나는 현실적으로 왜 믿느냐 하면 예수께서 세상에 오셔서 행동하신 것이 우리가 본받을 가장 훌륭한 표본이기 때문에 믿는다고 얘기할 수 있어요. 예수는 정치인이 아니었지만 인권과 사회정의를 부르짖다가 마지막에는 정치범으로 몰려서 죽었습니다. 만일 그때 예수가 단순히 내세만 주장하고 영혼만 주장했으면 처형당하지 않았을 것입니다. 종교의 입장에서 한 발도 벗어난 것이 없었지만 객관적으로 볼 때 예수는 사회적으로 정치적으로 혁명가입니다.

손세일 성경 중에서 새로운 뜻을 깨닫게 되었다든가 최근에 되풀이해서 읽는다든가 하는 구절이 있습니까?

김대중 여러 군데 있지만 큰 감동을 받고 여러 번 본 것은 「마태복음」 25장입니다. 예수께서 돌아가시기 이틀 전에 자기 제자들과 사람들을 모아 놓고 이런 말을 했습니다. "내가 앞으로 머지않아서 목숨을 바치게 된다. 내가 죽어서 우리 아버지한테 갔다가 다시 심판하러 온다. 그때에는 이 세상에 산 자와 죽은 자를 전부 불러서 목자가 양과 염소를 구분하듯이 둘로 가르겠다" 고 했습니다. 양은 착한 사람이고 염소는 나쁜 사람이지요. 그래서 양들에 대해서는 "너희들은 내가 목마를 때에 물을 주었고, 배고플 때에 밥을 주었고, 여행할 때에 재워 주었고, 병들었을 때에 돌보아 주었고, 감옥에 갇혔을 때에 위문해 주었다. 그렇기 때문에 너희는 우리 아버지로부터 천국을 인계 맡아 가지고 영원한 복락을 누려라, 이렇게 말할 것이다. 그러면 너희들이 나한테 주여, 내가 언제 당신한테 물 주고 밥 주고 한 일이 있습니까 하겠지만 그러면 내가 너희들한테 대답하기를 너희가 이 세상에서 제일 작은 자에 대해서 그렇게 해 준 것이 바로 나한테 한 것이라고 할 것이다. 그리고 염소들에 대해서는 너희는 나쁜 놈들이니까 지옥 유황불 속에 가서 영원한 재앙을 받아라. 위에 말한 것과 같은 일을 나한테 안 했기 때문이다. 그러면 너희들이 내가 언제 당신한테 안 한 일이 있습니까 하겠지만, 역시 너희는 이 세상에서 제일 작은 자에게 안 한 것이 바로 나에게 안 한 것이다."라고 하겠다는 거예요. 그것을 보면 예수가 분명히 이 세상에서 헐벗고 굶주리고 가난하고 불쌍하고 짓밟힌 사람들에 대해서 봉사하는 데 투철했고 그것을 우리에게 요구하는 것입니다.

손세일 그런 취지에서 그동안 어떤 구체적인 구상이라도 해 보셨는지요?

김대중 그동안 앞으로 우리나라 우리 민족이 이런 세계의 격변 속에 어떤 좌표와 방향을 선정해서 앞으로 정치, 경제, 사회, 통일 모든 면에서 어떻게 발전시켜 나갈 것이냐 하는 데 대해 저 나름대로의 비전이라고 할까, 정책을 정리를 해 보았습니다.

손세일 원고를 쓰셨다는 말씀입니까?

김대중 아직 원고로서 완성된 것은 아니고 자료를 모으고 줄거리 메모를 하고 해 놓았습니다.

손세일 술은요?

김대중 술은 별로 못합니다.

손세일 그동안 술은 전혀 안 하셨습니까?

김대중 잠이 안 올 때에 위스키 한두 잔씩 하는 정도였어요.

납치사건의 경위

김대중 씨를 만나 물어보고 싶은 것은 무엇보다도 납치사건의 경위다. 그러나 그것에 대해 김 씨는 이미 여러 차례 얘기를 했고 그 말에 따라 한·일 양국의 수사 당국에 의해 수사가 진행되었다. 지금 수사는 벽에 부딪혀 있지만 끝난 것은 아니다.

김 씨가 말한 납치사건의 경위는 대충 이렇다. 1973년 8월 8일 오전 11시경 도일 중인 양일동 통일당 당수가 투숙하고 있던 도쿄의 그랜드팰리스호텔에 찾아가 양 당수와 김경인 의원을 만났다. 1시 반경 방문을 나서자 5명의 괴한이 그를 붙들어 복도 건너편 객실로 끌고 갔다. 거기서 마취를 당한 다음 엘리베이터를 타고 호텔 주차장으로 내려왔다. 엘리베이터에는 두 사람의 일본인이 타고 있었는데 김 씨가 "사람 살려! 나를 죽이려 한다"고 소리치자 그들은 3층에서 급히 내려 버렸다. 괴한들은 김 씨를 대기 중인 승용차에 밀어 넣고 머리를 좌석에 닿게 한 다음 눈과 입을 손으로 막았다. 차는 대여섯 시간쯤 달렸다. 오사카 방향이라고 짐작되었다. 처음 끌려간 곳은 아파트 비슷했다. 여자들의 말소리가 들렸다. 김 씨는 재갈이 물린 채 묶여 있었다. 다시 자동차로 해안까지 실려 갔다. 거기서 모터보트에 실려 큰 배로 옮겨진 다음 바다로 나갔다. 팔과 다리는 뒤로 묶이고 발에는 무거운 돌이 달리고 눈에는 스카치테이프를 붙인 위에 붕대가 감겼다. '상어 밥'이라는 말소리도 들렸다. 김 씨는 천주에게 마지막 기도를 올렸다. 갑자기 소음이 들렸다. 누가 "비행기다!"라고 소리쳤다. 신호를 보낸다고 느꼈다. 얼마 후 결박이 약간 풀리며 그를 다루는 사람들의 태도도 다소 누그러졌다. 11일 초저녁 무렵, 배는 한국의 어느 항구에 닿았다. 공업항工業港인 것으로 느껴졌다. 상륙하자 처음은 어느 초가로 옮겨졌다가 다시 양옥으로 옮겨졌다. 의사의 진료도 받았다. 이틀 뒤인 13일 밤 10시 20분쯤 붕대로 눈을 가린 채 승용차에 실려 집 근처에 내려다 놓여졌다. 괴한들은 반공 단체인 '구국동맹 행동대원'이라고 자칭했다.

손세일 무엇보다도 가장 궁금한 것은 역시 납치사건의 경위인데요. 그동안 여러 차례 말씀을 하셨습니다만, 말씀하신 것 중에 충분히 알려지지 않았다든지 스스로 의문스러운 점 같은 것이 있으면 이 기회에 다시 말씀해 주시지요.

김대중 그 점에 대해서는 특별히 말씀드릴 것이 별로 없고, 지금 시기가 저로서는 들은 얘기가 있다 하더라도 말하기가 적당치 않기 때문에 용서를 바랍니다. 다만 최근에 잭 앤더슨(미 칼럼니스트) 씨가 여기 와서 저희 집도 왔다 갔습니다마는 그 사람이 돌아가서 쓴 글을 보고 저는 상당히 충격을 받았습니다. 박 대통령께서 중앙정보부가 했다는 것을 인정했어요. 원문을 구해 읽어 보았습니다마는 그 책임을 물어서 이후락 정보부장을 파면시켰다고 합니다. 책임자까지 파면될 정도가 됐는데 왜 범인이 체포 안 되느냐, 이것은 하나의 큰 미스터리입니다. 그래 가지고 그동안에 결국 피해자인 나만 1년여를 괴로움을 받고…… 그래서 사실은 지난 12월 12일 박 대통령께 이 문제에 대한 서한을 냈습니다. 그것 때문에 그런지는 몰라도 곧 시정이 됐는데…….

손세일 시정이란 감시가 풀린 것 말입니까?

김대중 그렇지요.

손세일 법원에 내신 판사 기피신청도 같은 시기에 받아들여졌습니다만…….

김대중 판사 기피신청 수리는 별문젭니다. 제가 박 대통령에게 요구한 것은 우리 집 주변에 사무실, 위장 복덕방, 초소 같은 것을 차려 놓고 외국인 이외의 내국인은 전부 출입 금지시키고, 집 앞에 지키고 있다가 내가 어디 나가면 자동차가 미행하고 하는 사태를 시정해 달라는 것이었는데 그것은 시정이 되었습니다. 또 하나의 문제는 내가 납치되던 호텔방에서 김동운 씨의 지문이 나왔다는데 어째서 나나 양일동 씨나 김경인 씨와 대질이 없느냐 하는 것입니다.

사실은 처음에 여기에 연급돼 있을 때에 일본의 『마이니치신문』(每日新聞)에 난 사진을 가지고 왔어요. 그런데 신문에 난 사진을 가지고는 긴가민가할 때가 많았습니다. 더구나 복도에 나와서 5초도 안 돼서 잡혀 끌려갔는데 잠깐 본 사람을 사진만 가지고 틀림없다고 어떻게 말할 수 있습니까? 그렇기 때문에 내가 본 사람 중에는 이런 사람이 있었는지 없었는지 자세한 기억이 없다고 말했던 것이고 그 사람이 없었다고 단언한 것은 아니에요. 이것은 우리 정부의 명예를 위해서도 유감스럽게 생각해요. 결국 어느 때인가는 알려지고 말 일인데…….

손세일 김동운 씨의 지문 문제도 일본 측의 수사 결과의 하나였습니다만 일본 측의 수사에는 수사를 해 놓고 발표를 안 하고 있는 부분이 있다고 생각하십니까?

김대중 나는 그것이 있을 수 있다고 생각합니다.

'주권' 침해냐 '인권' 침해냐

손세일 김 선생의 납치사건에 대한 일본에서의 반응은 한마디로 주권의 침해냐, 아니냐 하는 것이었습니다. 일본의 국회에서도 그 문제로 논쟁이 많았고, 그 논쟁 과정에는 우리가 듣기에 불쾌한, 말하자면 한국에 대한 일본식의 대국주의 같은 것도 느낄 수 있었습니다만, 김 선생께서 보시기에는 어떻습니까? 역시 일본에 대한 주권 침해 사건이었다고 보십니까?

김대중 일본에서 온 사람들과 일본 기자들에게도 여러 번 얘기 했습니다마는 일본 정치인뿐만 아니라 일본 언론인들이 이 사건을 주로 집권층의 정치 행동에 초점을 두고 얘기한 것은 퍽 유감입니다. 그것은 일본 민주주의의 한계를 나타내는 것입니다. 이 사건의 더 중요한 문제는 인권 문제입니다. 인권이란 국가나 정부 이전에 인간이 이 세상에 나와, 성서적으로 얘기하면 아담과 이브가 이 세상에 나온 그때부터 존재했고, 앞으로 국가나 정부가 없어지더라도 영원히 존재할 것입니다. 인권은 시간과 공간을 초월하고 국가나 정부나 모든 것은 인권을 위해서 존재하는 것 아닙니까? 한 사람의 인권이 짓밟혔는데 그 인권은 뒤로 돌리고 일본의 주권을 문제 삼는데 일본이 참으로 민주정부라면 그런 태도는 취할 수 없을 것입니다. 또 하나는 나는 일본 정부의 합법적인 체류 허가를 가지고 일본에 있었기 때문에 일본은 당연히 자국민과 똑같이 나를 보호할 책임이 있었는데도 나를 보호하지 못했습니다. 일본 정부는 이 사건으로 인해서 한국과의 우호를 해치고 싶지 않다는 입장에서 문제를 생각하고 내 인권이라든가 일본 정부의 나에 대한 책임은 형식적으로만 다루었거든요.

손세일 일본 정부뿐 아니라 진보적이라고 하는 매스컴도 마찬가지가 아닌가 생각해요. 김 선생이 일본에 머무시는 동안 별로 관심도 나타내지 않다가 사건이 나니까 하루아침에 대大지도자처럼 말하고 있지 않습니까?

김대중 내 개인에 대한 무관심보다도 내가 일본에 있을 때에 느낀 것은 일본국민 전체가 한국에 대해서 관심이 전혀 없었습니다. 야당이라면 주로 북한에 대해서 관심을 갖고, 우리에 대해서 관심 갖는 것은 마치 야당으로서 타락된 것 같은 그릇된 생각을 가지고 있었습니다. 일본 국민 전체는 한국에 대해서는 과거 식민지 시대에 가지고 있던 멸시관에서 벗어나지 못한 채 한국에 대해 관심 갖는다는 것은 별로 자랑스러운 일도 아니고 필요한 일도 아니다, 이런 상태였습니다. 그렇기 때문에 필연적으로 나 자신에 대한 관심도 약할 수밖에 없지 않으냐, 그런 의미에서는 일본 국민과 일본 정치가 한국에 얼굴을 정면으로 돌리게 만들었다는 데 이 사건의 상당한 의미가 있었다고 생각합니다.

손세일 그 말씀을 부연하자면 한국에 무슨 야당이 있고 야당 지도자가 있느냐, 여당도 있고 야당도 있고 하는 민주정치가 한국에 있느냐 하는 잠재적인 한국 멸시 경향이라고 할 수 있겠지요.

김대중 그런 데다가 그 사람들 사고방식은 우리가 민주주의나 자유를 주장하더라도, 미국 사람들 중에도 그런 경향이 약간 있지만, 민주주의나 자유 같은 것은 자기네와 같은 일등 국민이나 필요 불가결한 것이지 한국 국민 정도면 없어도 되는 것이 아니냐 하는 거예요. 자민당 내 우파 사람들은 자유가 조금 제한되는 일은 반공과 안보를 철저히 하는 데는 어느 정도 불가피하지 않나 하는 식의 사고방식이고, 자민당 내의 좌파라든가 사회당을 위시한 기타 야당들은 한국이라면 아주 거론도 하고 싶지 않고 오직 북한에만 관심이 있다는 태도지요. 그것이 크게 시정된 것이지요.

해외 활동의 내용과 성과

손세일 납치당해 오시기까지 해외에서 하신 활동에 대해서 말도 많고 잘 알려져 있는 것 같으면서도 실은 별로 잘 알려져 있지 않은 것 같아요.

김대중 1972년 10월 나는 일본에 있었습니다. 10월 19일에 돌아올 비행기표를 예약해 놓고 10월 17일 날 오전에 후쿠다 다케오(福田赳夫) 씨를 만나고 오후에 참의원 의장 고노 겐조(河野謙三) 씨를 만나고 호텔에 돌아온 것이 세 시쯤인데 찾아온 친구가 오늘 저녁에 계엄령이 발표된다고 거의 정확한 정보를 말해 주어요. 일본 외무성 소스라고…….

손세일 그 친구분은 일본 사람이었습니까?

김대중 아닙니다. 한국 사람입니다. 그러자 다섯 시가 되니까 일본 신문사에 있는 사람이 뛰어와서 그런 얘기를 해 주고, 일곱 시가 되니까 정확해졌어요. 『니혼게이자이신문』(日本經濟新聞)인가가 석간에 보도했습니다. 여기 발표보다 빨리 나왔어요. 저는 물론 지난번 대통령 선거 기간 중에도 이번에 정권교체를 하지 못하면 우리에게는 대통령 선거가 없는 영원한 총통제 같은 시대가 온다고 되풀이해서 얘기하지 않았습니까? 그리고 선거 뒤 신민당이 9월에 효창동과 시민회관에서 각각 대회를 했지요. 그때 이면裏面 작업을 하는 것을 보고 김홍일, 양일동 두 분에게 금년 내에 뭔가 겪어야 할 것 같다는 말을 하고 일본으로 갔었습니다. 그렇기 때문에 예상 안 한 바는 아니었지만 그래도 형식이나마 헌법적인 방법으로, 삼선개헌식으로 개헌 절차를 취할 줄 알았지 계엄령을 선포해서 헌법을 정지시켜 놓고 그렇게 하리라고는 생각 못 했습니다. 제가 앞을 보지 못한 것입니다. 너무도 충격이 컸어요. 그날 저녁 잠을 못 자고 여러 가지 궁리를 하다 그다음 날 아침에 이 사태에 대해서 정면으로 비판하고 반대하는 성명을 냈지요. 그때에 모든 것을 결심하고 당분간 귀국하지 못하는 한이 있더라도 거기서 일을 해야 되겠다, 귀국해 보았자 아무 일도 할 수 없는 사정이다라고 판단했습니다. 그때에 일본에 정일형鄭一亨 박사, 양일동 씨, 송원영宋元英 씨, 지금 신민당 총재인 김영삼 씨 이런 분들이 오셨는데 그렇게 되니까 서로 이러자 저러자 할 수가 없고 각자 생각대로 되는 것 아닙니까?

손세일 그렇습니까?

김대중 자연히 그렇게 되지요. 그래서 저는 결심하고 일본에 있는 외신기자들을 만나서 소신을 얘기하고 일본 언론에 대해서도 제가 할 얘기를 하고 11월에 미국으로 갔었어요. 미국에서도 여기저기 다니면서 연설도 하고 기자회견도 하고……. 그러다가 12월 말에 미국을 출발해서 정월 초하룻날 하와이에 도착해서 귀국하려고 1973년 초사흗날 도쿄까지 왔었습니다. 도쿄와서 보니까 조윤형趙尹衡, 김상현金相賢, 이런 사람들이 구속되었더군요. 그것은 즉각적으로 나와 관련이 있다고 생각했습니다. 서울에 연락하니까 들어와 보았자 아무 일도 할 수 없고 오면 여러 가지 부작용이 생기겠으니까 당분간 들어오지 않는 게 좋겠다는 거예요. 그래서 거기에 머물게 되었습니다.

손세일 구체적으로 어떤 활동을 하셨습니까?

김대중 민주회복통일촉진국민회의를 워싱턴과 일본에 각기 본부를 만들었습니다. 지난번에 결성된 민주회복국민회의에 '통일촉진'이 더 붙은 것입니다. 미국에는 한국민주제도통일문제연구소라는 것을 따로 제가 내었어요. 그런데 제가 해외에서 한 활동 기준이라고 할까, 원칙은 두 가지였습니다. 하나는 우리는 어디까지나 대한민국의 입장이다, 우리는 중립도 아니고 물론 북쪽을 지지하는 것은 더욱 아니다, 그렇기 때문에 현 정부의 정책에 반대하는 것이지 대한민국에 반대하는 것이 아니다, 따라서 대한민국에 해가 되는 일은 절대로 할 수 없다는 것이고, 둘째는 해외에 가면 통일 문제에 대해서 환상적인 생각을 가진 사람들이 많습니다. 그래서 통일은 남한의 민주주의가 확립되어 우리가 북한과 자신 있게 대결할 수 있는 여건을 먼저 만들어야 된다, 따라서 선민주 회복 후통일 촉진先民主回復後統一促進이다. 이 두 가지 원칙을 세워야 했습니다. 또한 그동안에 미국 정부나 일본 정부의 사람들, 여야 지도자들을 많이 만났지만 언제든지 한국 문제가 나오면 그러면 원조를 끊으라는 얘기냐 하는 말이 나올 때마다 원조를 끊는 것은 찬성할 수 없다, 다만 원조가 본래의 목적대로 군사 원조는 국방에, 경제 원조는 국민의 복리에 쓰여지도록 당신네들이 책임져야 한다, 그 원조가 평화적인 국민을 억압하는 데 쓰여지거나 부패를 촉진시키는 데 쓰여지거나 하는 일은 당신네들이 책임져야 한다, 그것은 당신네 납세자들의 세금을 내는 원칙에도 벗어나는 것 아니냐, 이런 입장을 취했습니다. 언제든지 분명히 한 것은 우리의 행동에 대해서 당신들의 도덕적 성원을 바라는 것이지 결코 우리나라 내정간섭을 바라지는 않는다, 우리의 민주주의 우리의 힘으로 해야지 남이 해 주는 민주주의는 안 된다고 주장했습니다.

손세일 김 선생이 내신 한국민주제도연구소와 애쉬모어 씨가 하는 민주제도 연구회와는 어떤 관계가 있습니까? 작년 4월 말이던가요. 애쉬모어 씨가 일부러 김 선생을 만나러 오기도 했는데…….

김대중 애쉬모어 씨는 일본의 우쓰노미야 의원 소개로 내가 로스앤젤레스의 샌타바버라에 있는 그분 연구소로 가서 만나 알게 되었습니다. 아주 훌륭한 사람이고 민주제도연구소는 미국에서는 대단히 권위 있는 기관입니다. 예를 들면 시카고대학의 총장 하던 분이 거기 와서 연구부장을 하고 있어요. 내가 낸 연구소와 직접적인 관계는 없지만 간접적인 관계를 가지고 발전시키려고 했습니다. 하버드대학 라이샤워 교수가 하고 있는 동아시아연구소와도 관련을 맺어서 앞으로 미국의 포드재단이라든가 이런 재단의 도움을 받을 작정으로 추진하다가 납치되었지요.

손세일 본부는 일본에 두기로 한 것입니까?

김대중 그것도 역시 미국 본부, 일본 본부를 두기로 했었지요. 애쉬모어 소장은 제가 샌타바버라로 찾아갔을 때까지는 중국이나 일본 문제에 관심을 갖고 한국 문제에는 큰 관심이 없었다고 합니다. 아시다시피 미국에 한국 문제만의 연구기관은 거의 없습니다. 그래서 거기에 (이름을 잊었는데) 담당 책임자와 같이 만났어요. 그때부터 그분이 한국 문제에 관심을 갖게 되었고 라이샤워 교수와 연락하고 일본과 연락해서 미국에서 1973년 말이나 1974년 초에 한·미·일삼국회의, 세미나 형식을 취하되 거기에는 정계, 언론계, 학계의 사람들을 초청해서 한국 문제를 주제로 한 회의를 열기로 했었지요. 그것은 라이샤워 교수의 아이디어였어요. 나는 한국 문제만 하자고 하기는 미안해서 못 했는데 그분이 한국 문제에 집중하자고 하고 코헨 교수도 그것이 좋겠다고 해서 그 준비도 있고 해서 제가 일본에 왔던 것입니다. 그랬다가 납치당했어요.

손세일 해외에서 하신 그런 활동이 얼마나 성과가 있었다고 김 선생 스스로 생각하십니까?

김대중 제가 생각하기에는 미국에서나 일본에서는 여기서 여러분이 생각하는 것보다 더 많은 일과 성과를 혼자 힘이지만 올렸다고 생각합니다. 미국에서 일하는데 가장 큰 장애를 받은 것은 1972년 10월부터 1973년 8월 납치될 때까지 온통 워터게이트 사건으로 미국 조야朝野가 들끓고 있었던 일입니다. 에드워드 케네디 의원을 만났을 때가 11월인데 자기가 1월에 국회가 열리면 상하 양원兩院 모아 놓고 나도 출석시켜서 충분한 얘기를 하겠다, 적극 도와주겠다고 했는데 워터게이트 때문에 정신이 없어요. 맨스필드 위원장을 만났을 때에도 얘기하다가 도중에 워터게이트 때문에 말이 중단되곤 했지요.

손세일 포드 대통령은 이번에 만나 보셨습니까?

김대중 이번에는 못 만났었습니다. 그전에 그분이 원내총무 시절에 방미했을 때에 만난 일이 있습니다만.

손세일 해외 활동에서의 원칙 중의 하나가 대한민국의 입장이었다고 말씀하셨습니다만 구체적으로는 현 체제에 대한 입장이 문제가 되겠는데요. 아까 하신 말씀 중에 현 체제는 헌법적인 절차를 거치지 않았다고 하셨는데, 그러면 지금은 대한민국의 레지티머시(legitimacy·정통성)가 스톱이 된 것이라고 보십니까, 아니면 다소 변형되기는 했지만 역시 레지티머시는 계승되고 있다고 보십니까?

김대중 그것은 델리케이트한 문제입니다. 그러나 지금 결론만 얘기하면 해외에서 내가 추구하고 바란 것도 현행 헌법의 절차에 의해서 민주 회복을 하는 방향으로 나가는 것이 현재로서는 가장 현실적이다, 이렇게 생각하고 있습니다. 거기에 첨가할 것은, 나는 한 번도 대한민국의 현 정부가 불법 정부라고 해 본 일이 없습니다. 물론 정신적으로는 10월유신 자체가 합법적이라고 인정하지 않습니다. 그러나 있는 현실은 현실로서 인정 안 할 수 없다, 그래서 해외에서도, 일본에서 많은 신문이나 잡지와 대담했습니다마는 어디에서나 박정희 대통령을 꼭 박정희 대통령이라고 불렀지 그 외의 호칭으로

부른 일이 없습니다.

손세일 김 선생께서 활동을 해외에서 하신 것 자체에 대해서도 비판적인 의견이 있습니다. 비록 감옥에 가는 한이 있더라도 국내에 와서 하는 것이 떳떳한 일이 아니냐, 외국에서 정부 비난이나 하고 있다고 해서 민주 회복이 되느냐 하고…….

김대중 나는 그런 비판에 대해서 귀는 기울입니다마는 정당성은 인정할 수 없습니다. 우리는 일제시대에 독립운동도 국내에서 하다가 감옥에 간 사람도 있었고 상하이나 미국에 가서 한 사람도 있었습니다. 쑨원(孫文)도 자기의 정치적 목적 달성을 위해 해외에 망명한 일이 있습니다. 독일의 전 총리였던 빌리 브란트도 그랬습니다. 내가 우리 국민을 위해서 효과적인 방법이 이 방법밖에 없다고 생각할 때에는 해외에서도 할 수 있는 것이지 꼭 국내에서만 해야 된다고는 생각하지 않습니다. 그때 그런 판단을 한 것이 정확했고 효과적이었느냐 아니냐 하는 평을 한다면 그 평자의 자의에 맡기겠습니다. 그러나 그것이 근본적으로 틀렸다는 데 대해서는 긍정할 수 없습니다.

한국 국민은 자주성이 강하고 우수한 국민

손세일 그와 관련해서 라이샤워다, 코헨이다 하는 분들이 김 선생이나 김영삼 신민당 총재 같은 분에 대해서 퍽 우호적이고, 지원을 많이 하고 있는데 그들의 한국관이라는 것이 근본적으로 편견이 없지 않은 것 같아요. 가령 지난번 포드 대통령의 방한 때에만 하더라도 라이샤워 교수는 포드 대통령이 한국에 가서는 안 된다고 하면서, 안 되는 이유가 일본 방문의 의의를 약화시키기 때문이라는 거예요. 물론 다른 이유도 들었지만.

김대중 중요한 것은 라이샤워 교수건 코헨 교수건 그 사람들은 미국 사람이지 한국 사람이 아니라는 것입니다. 그렇기 때문에 그 사람들은 미국의 이익이 먼저지 우리의 이익이 먼저일 수 없어요. 그것은 냉엄한 사실로 알아야 됩니다. 라이샤워 교수는 근본적으로 일본 전문가고 거기에 부대적으로 한국학을 하는 분입니다. 그러나 또 라이샤워 교수가 한국 국민을 굉장히 높이 평가하고 있는 것은 사실입니다. 그 사람의 저서나 여러 군데서 한 연설에서…… 재작년 1월에 워싱턴의 존스홉킨스대학에서 연설하면서, 『뉴욕타임스』에도 그런 말을 썼습니다만, 한국 국민은 굉장히 우수한 국민이고 굉장히 자주성이 강하고 역사적으로도 어려운 여건 속에서 자기 민족을 지켰다, 한국 국민을 사대주의라고 하지만 그 사대주의라는 것은 주변의 대국 속에서 살아남는 정치적인 지혜였다, 그런 한국 국민, 교육 수준이 높은 이 국민을 우리가 다른 후진국가의 국민과 같이 생각한다는 것은 잘못이고 동시에 한국 국민은 어떤 억압정치에도 결코 오래 견디지 않는다, 그런 말을 했습니다. 지난번 대한군원對韓軍援 문제에 대한 증언 때에도 전제로서 하는 것을 보면 자기는 한국 국민과 같이 희망 있고 총명한 국민을 도와준다는 데 대해서 과거에 큰 관심을 가지고 미군이 계속 주둔하고 미국이 원조를 계속해 준 데 대해서 전폭적으로 지지해 왔다, 그러나 오늘날 너무나 우리의 기대에 어긋나는 국내 사정이 있기 때문에 이제는 우리가 과거와 같은 기대를 버릴 수밖에 없는 단계가 온 것 같다, 이런 입장에서 말을 했습니다.

손세일 지난 여름의 하원 청문회下院聽聞會에서 한 증언 말씀을 하셨는데, 한국의 인권 문제와 관련해서 라이샤워 교수가 군원을 삭감하고 철군을 하라고 한 말을 어떻게 생각하십니까? 내정간섭이라는 평도 있고 한데요.

김대중 그것에 앞서 말씀드릴 것은 미국 하원에서 라이샤워 교수의 청문회 증언이 있고 나서 에이피(AP)통신 기자가 와서 내게 질문했을 때에도 나는 군사 원조의 삭감에는 찬성할 수 없다고 했습니다. 그것이 미국에서도 크게 보도가 되고, 내가 찬성하지 않는다는 데 대해서 미국 하원 청문회에서 관심을 갖고 프레이저 소위원장이 김대중은 현 정부에 반대하는데도 불구하고 이렇게 말했다는 것은 우리에게 굉장히 인터레스팅한 것이다, 그러니 김대중의 얘기를 들어 보고 싶다……, 그래서 한국대사관을 통해 나를 미국에 오도록 초청했는데 한국 정부가 거절하지 않았습니까? 그 점에서는 라이샤워 교수와 나는 견해의 차이가 있습니다. 라이샤워 교수는 자기 나라 국회에서 남의 나라에 원조를 주지 말자 한 것이니까 미국 국민의 권리로서 얘기했다고 생각합니다. 우리 정부에 대해서 이래라저래라 한 것은 아니니까……. 동시에 나는 한국에서 현 억압정치에 대해서 반대하는 것은 라이샤워 교수하고 같지만 한국 국민이기 때문에 내 판단과 신념에서 그것을 반대했습니다. 그렇기 때문에 라이샤워 교수가 자기 나라 정부나 국회에 대해 한 말을 직접적으로 내정간섭이라고 말하기는 좀 어렵지 않을까 생각합니다.

손세일 지난 연말에 『크리스천사이언스모니터』와의 인터뷰에서 포드 대통령과 그 행정부가 안보가 첫째고 민주주의는 둘째라고 생각하는 한 그 결과는 민주주의에 대한 억압을 지지하는 것이 된다고 말씀하신 것으로 보도되었는데요. 그 예로 공동성명에서 한국의 안보나 군사적 고려에 관해서는 말하고 있지만 민주주의와 자유에 관해서는 언급이 없었던 것을 지적하셨는데, 양국 정부 간의 공동성명에서 어떤 한편의 민주주의나 자유와 같은, 말하자면 내정 문제를 언급할 수는 없지 않습니까?

김대중 과거에 한·미 간에 여러 번 공동성명이 있었는데 그런 구절, 한국이 자유세계의 일원으로서 또 한국에서 공산주의에 대해서 민주주의 발전을 미국이 지원하고 뭐한다 하는 얘기는 많이 있습니다. 내 얘기는 공동성명에 현 정부에 대해서 이래라저래라 하는 것이 빠졌다는 얘기가 아닙니다. 내가 얘기한 초점은 미국이 현재, 내 기억에는 키신저 장관이라고 생각합니다마는, 상원 외교위원회에서 한국 인권 문제에 대한 상원의원들과 미국의 정책은 안보가 첫째고 민주주의는 둘째란 말이냐고 했더니 그렇다고 대답했습니다. 미국이 그런 정책의 입장에 서 있는 한 결과적으로는 현 정부의 안보 제일주의와 일치합니다. 그렇기 때문에 억압정치를 지지하는 결과가 된다, 나는 그것이 옳지 않다는 얘기입니다. 안전이 보장하는 대상이 뭔가 있어야 하는데 그 대상은 민주주의와 자유입니다. 독재나 비민주적인 것을 지켜야 할 이유가 없지 않습니까? 그런 의미에서 보면 안보와 민주주의는 손바닥의 앞과 뒤 같은 것입니다. 안보는 민주주의를 위한 수단이지 그 자체가 목적일 수 없습니다. 목적이 상실된 수단을 아무리 강화시켜 보았자 그것은 방향이 없는 것입니다.

민주주의는 경제 발전의 원동력

손세일 안보가 지켜야 하는 대상으로서 가령 경제 발전을 강조하기도 합니다만 어떻습니까, 5·16쿠데타 후에 지금까지의 경제 성장 문제만 가지고 얘기하면……?

김대중 먼저 얘기할 것은 정부가 서구적 민주주의는 우리에게 시기상조라고 하면서 서구적 경제 발전은 우리에게 절대 필요하다고 하는 논리를 알 수 없습니다. 우리가 중학교나 고등학교만 가도 배우는데, 첫째, 유럽의 부르주아 혁명의 역사를 보면 서구적 민주주의와 서구적 경제 발전은 서로 원인이 되고 결과가 되어 왔습니다. 그런데 어째서 우리에게는 하나만 필요하고 하나는 필요하지 않으냐 말입니다. 만일 유럽의 자본가들이 자본주의를 발전시키는 데 서구적인 자유가 없었으면 도저히 이룩하지 못했을 것입니다. 좋은 예로 일본이나 독일이 과거에 군국주의나 히틀러 밑에서도 상당한 경제 발전을 이룩했지만 그 사람들이 전후에 자유 제도를 취한 이후로 그 패전의 잿더미 속에서 과거보다 더 큰 경제 발전을 이루었습니다. 지금 일본의 자유란 우리가 볼 때에는 어느 의미에서는 방종에 가까운 자유입니다. 그러나 일본의 경제 발전을 세계에서 셋째 가는 국가로 밀어 올렸습니다. 서구적 민주주의가 서구적 경제 발전의 큰 원동력은 될지언정 저해 요소는 될 수 없습니다. 서구적 민주주의란 구체적으로 자본가의 자유로운 활동, 대중의 자유로운 참여와 비판 등인데 이런 것이 보장되지 않는 경제 발전의 결과는 결국 우리 경제가…… 물론 우리 국민들의 우수한, 적어도 개발도상국가에서는 가장 우수한 인적 자원을 가지고 있어서 이 인적 자원의 덕택으로 정부가 거기에 노력을 가미해서 어느 정도 경제 발전을 이룩한 것은 사실인데 그러나 그 경제 발전은 오늘날 우리 전체 국민의 행복과는 거리가 먼 경제 발전이 되어 버렸습니다. 같은 민족이면서 서로 거리감, 단층 또는 적대감을 초래했다고 봅니다. 우리 경제는 오늘날 60-70퍼센트가 대외 예속이어서, 가령 선진 국가인 미국이나 일본에서 기침만 해도 우리는 폐병까지 걸리는 경제가 되어 버렸고 농촌은 완전히 파탄이 되고 농촌과 도시의 이중구조는 말할 수 없이 심화됐습니다.

손세일 우리나라의 경제 발전에 대해서는 다른 평가도 있는 것 같습니다. 가령 유솜(USOM·미국대외원조기관)에 와서 근무하다가 하버드대학으로 간, 지금은 어디 있는지 모르겠습니다마는, 한국 경제에 관한 책도 쓴 프린스턴 라이먼 씨가 한국 경제 발전을 칭찬하면서 그것이 가능했던 이유로서 우수한 경제 관료가 있고, 김 선생께서 말씀하시는 인적 자원이겠지요, 그런 우수한 경제 관료의 정책 입안과 군 출신 정치 지도자들의 과감한 실천력이 결합되었기 때문이라고 했는데요. 그런 견해에 대해서는 어떻게 생각하십니까?

김대중 그 평이 일면의 사실을 말해 주고 있다고 생각합니다. 인적 자원이란 것은 경제 관료뿐 아니라 노동력까지를 포함해서 얘기한 것입니다. 우리나라에서 그런 경제 관료에다가 군 출신들의 추진력이 결합돼 가지고 우수한 노동력을 구사해서 여기까지 온 것은 사실입니다. 그러나 아까 말같이 경제 건설의 본래적 목적, 본질적 의미와는 거리가 먼 기형적인 발전을 만들어 버렸다고 봅니다. 그래서 대외 예속, 도시와 농촌의 격차, 농촌 경제의 파탄, 빈부 격차, 거기에 따른 정권과 고급 관료들의 엄청난 부패, 소수 특정 재벌 위주의 경제 건설, 그 결과 지금 우리나라 부유층은 이제 세계적인 부호들이 되었습니다. 요컨대 특권층의 경제는 발전했지만 국민의 경제는 발전 안 했다, 거기에 문제점이 있습니다.

손세일 농촌 경제의 파탄이란 말씀과 관련해서, 정부가 크게 선전하고 있는 요즈음 새마을운동에 대해서는 어떻게 보십니까?

소득 증대가 없는 새마을운동

김대중 새마을운동을 시작할 때부터 내가 계속 이런 얘기를 했었습니다. 정부가 이제나마 농촌에다 눈을 돌리고 농촌의 발전에 주력하겠다는 것은 대단히 찬성한다, 그러나 현재 하고 있는 방법은 잘못된 것이다, 왜냐하면 첫째는 정부가 농민들의 소득 증대에 치중하는 것이 아니라 일종의 농촌 미화 작업에다 모든 것을 집중한다, 소득 증대가 없는 농촌의 미화는 경제적으로 확대재생산이 없이 사장死藏되는 투자가 되는 것입니다. 둘째는 새마을운동이 자조운동, 자립운동이라고 하는데 농민들의 밑에서부터 우러난 운동이 아니라 위에서부터 내려보내는 운동이다, 군청 면 직원들이 와서 오늘 이 마을에 지붕 몇 개 뜯으라고 하면 몇 개 뜯고, 여기에다 길 내라 하면 길 내고……. 그와 같이 방법에서 잘못되었을 뿐 아니라, 새마을운동은 어디까지나 정치와는 분리한 농민들의 자발적인 운동이어야 할 텐데 그렇지 못하다, 그래서 새마을운동은 지금까지 내세운 구호에 비하면 큰 성공을 했다고는 보지 않습니다.

손세일 그러나 새마을 지도자들의 성공 실례 같은 것을 보면 처음 출발은 하향식이었지만 지금은 상당히 성공하고 있는 것같이 여겨지지 않습니까?

부분적일지는 모르지만. 특히 통일벼의 수확 같은 것은…….

김대중 새마을운동이 없을 때에도 농촌에 부분적인 지도자의 성공이 있었고 그런 예는 일제시대에도 있었습니다. 단적인 예를 하나 얘기하자면 1973년 도산 미곡을 우리 정부가 80킬로그램들이 가마당 1만 1천5백 원 주고 매상했습니다. 그런데 미국 쌀은 우리 정부가 2만 원 내지 2만 2천 원을 주고 사 왔습니다. 이래 가지고 우리 농촌이 잘될 수 있습니까? 박정희 대통령이 정권을 잡았을 때에 우리나라의 양곡 수입이 3백만 석이었어요. 박 대통령이 쓴 『국가와 혁명과 나』라는 책을 보면 3백만 석씩이나 미국 잉여농산물을 들여와 가지고 우리 농촌을 파탄시켰다고 구 정권의 큰 잘못으로 질책을 했는데, 오늘날은 그 여덟 배인 2천 5백만 석을 수입합니다. 그렇기 때문에 농촌이 겉으로는 그렇게 하고 있지만 실지 의욕적으로 하고 있느냐 말입니다. 한동안 소 길러라, 한우 단지 만들어라, 양계하라, 양돈하라 하다가 이제는…… 소 한 마리에 35만 원까지 가던 것이 지금 18만 원, 17만 원으로 반 이하로 떨어졌습니다. 다만 정부가 하는 것 중에 통일벼는 큰 성과를 본 것입니다. 이것은 과거 1, 2년 실패도 있었지만 작년은 성공했어요. 그래서 통일벼가 보통 60퍼센트 내지 70퍼센트 증산하고 있습니다. 앞으로 확대시켜 나가야 할 것이고 이런 부분적인 성공은 했습니다. 그러나 새마을운동이 없더라도 종자 개량은 하는 것이에요. 문제는 새마을운동이라고 할 때에는 농민들의 자발적이고 자주적인 계획과 판단에 따라 농촌에서 운동이 일어나야 하고, 정부는 농민들에 대해서 농사를 지어라, 보리를 갈아라, 돼지를 길러라 했으면 농민들의 손해나 위험부담에 대해 책임을 져야 됩니다. 지금 정부의 농촌 투자를 보면 대기업 육성에 비하면 너무도 낮은 비율입니다. 지금 공업 생산의 증가지수는 25퍼센트에서 30퍼센트를 넘을 때가 많은데 농민 산업의 증가지수는 많이 올라가야 5퍼센트입니다. 그 5퍼센트도 원양어업 같은 것을 빼고 나면 실지 농촌 자체의 증가지수는 1, 2퍼센트입니다. 도시하고 비교해서 그 격차가 얼마나 큽니까? 지금과 같은 새마을운동 가지고는 3천만 석에 가까운 외곡을 도입해야 하는 식량난을 해결할 수 없고 또 인구의 반인 농촌에 구매력이 없어 가지고 지금처럼 수출이 안 되면 모든 생산기관이 국내에서 뒷받침을 못 받지 않습니까? 또 도시와 농촌의 문화적, 정신적 단절, 이중구조를 해결할 길이 없습니다. 그렇기 때문에 새마을운동 하겠다는 정신은 좋은데 하려면 더 과감하게 해야 합니다. 우리나라 경제에서 이 단계에서는 농업에다가 제일 중점을 두어, 농촌의 식량 증산으로 식량의 자급자족과 농민의 구매력 증가, 말하자면 농촌과 도시와의 격차 해소에 집중하는 것부터 시작해야 된다고 생각합니다.

이야기를 시작했을 때의 굳었던 표정은 완전히 가시고 제스처를 크게 써 가며 예의 속사포같이 쏟아지는 달변에 미처 질문할 틈이 없다. 간간이 "이것 보세요, 손 위원!" 해 가며.

안보에 협력 안 한 일 없다

손세일 우리 경제의 대외 예속성이라는 표현을 쓰셨는데, 오늘날의 세계 경제가 국제성을 띠게 마련이기는 합니다만 무역 의존도가 70퍼센트나 된다는 사실은 요즘과 같은 국제 경제의 격변기에는 재고해 보아야 할 문제임이 틀림없을 것 같습니다. 그와 아울러 우리나라 경제의 어려운 과제는 안보 문제와 관련되는 문제일 것 같습니다. 북으로부터의 남침 위협이 있다 없다 하는 것이 요즘 크게 논쟁이 되고 있습니다만 우선 재정 면에서도 금년도 예산 중 27.3퍼센트가 국방비 지출로 책정되어 있습니다. 군 장비 현대화나 방위산업 육성 문제 같은 것이 우리 경제의 큰 부담이 되고 있고 그 때문에 분배 문제라든가 교육 투자, 복지 문제 같은 것이 크게 제약을 받고 있는데 그 점은 어떻게 보십니까?

김대중 스웨덴은 비행기, 전차 등 모든 무기를 자기 나라에서 생산합니다. 군사 원조는커녕 무기를 다른 나라에서 사들여 와도 중립이 유지되지 않는다고 해서 전부 자기 나라에서 생산합니다. 그러면서도 또한 최고의 사회복지국가입니다. 결코 우리가 안보를 강화한다는 것과 국민 위주의 복지경제와는 절대 모순되지 않습니다. 방위산업을 육성한다 합시다. 거기에 우리 국민들이 투자할 수 있고 우리 국민들이 육성할 수 있지, 불가능한 일이 아닙니다. 문제는 우리 예산이 내가 국회에서 체험한 바로도 너무 낭비가 많습니다. 건설사업을 한다고 할 때에 예산 배정이 보통 전체 예산의 27퍼센트 내지 30퍼센트쯤 되는데 그 예산 중에 실제로 건설공사에 투입되는 것이 60퍼센트가 다 안 됩니다. 40퍼센트 이상이 중간에서 증발됩니다. 그뿐 아니라 공무원들의 출장비니 일상 소모품비니 하는 데에도 많은 낭비가 있습니다. 국민의 세금이 너무나 많이 낭비되고 있어요. 국방비 자체도 더 효과적으로 써서 안보를 강화시키고 군의 정병화精兵化를 시킬 수 있다고 생각해요. 그리고 안보란 무기만 많이 가졌다고 안 된다는 것은 중국에서 장개석 정권이 패배한 것을 보더라도 알 수 있지 않습니까? 무엇보다도 군인들을 정예군대로 만들어야 되고 그 정예군대의 뒷받침은 국민들의 왕성한 사기, 이것이 영향을 주는 것입니다. 6·25전쟁 때에 공산 침략을 격퇴하는 데도 전선과 후방이 한 정신 아래 연결됐기 때문에 그 어려운 여건 속에서도 우리 국군이 잘 싸운 것 아닙니까? 그것이 중요해요.

손세일 휴전선의 땅굴 사건을 비롯해서 작년에만도 서해안 어선 납치 사건, 동해안 경비정 격침 사건 등 북으로부터 도발 행위가 있었습니다. 이런 시기에 북에서 그런 도발 행위를 저지르는 의도가 무엇이라고 생각하십니까?

김대중 어째서 그런 일을 했는지 나도 모르겠습니다. 그러나 그것이 결과적으로는 현 정부가 국민에게 안보를 호소하는 데 정당성이라고 할까 합리성을 부여했어요. 마치 삼선개헌 할 때에 청와대 습격과 동해안 무장공비 상륙사건이 있어서 그 때문에 강 건너는 도중에 말을 바꿀 수 없다는 이론이 먹혀들어 가게 되었듯이 말입니다. 반면에 민주주의 회복 운동하는 사람들에게는 굉장히 고통스러운 불리한 사회적 분위기를 조성한 것만은 사실입니다. 그러나 그런 일이 있다고 해서 정부가 말하는 대로 지금 우리의 자유를 제한해야 할 하등의 이유가 되지 않는다고 생각합니다. 6·25전쟁 때 서울을 내놓고 부산까지 피란 갔을 때에도 그 피란 수도에서도 언론 자유가 있었습니다. 지금은 그때와 비교가 되지 않습니다. 또 1967년, 8년, 9년, 이때가 북한의 도발 건수가 지금보다 훨씬 많았는데도 비상사태 선포나 계엄령이나 긴급조치 같은 것 없이 우리 국민이 합력해서 어려움을 극복했습니다. 또 이 나라에서 지금까지 간첩을 잡는 데 정부 책임자들이 국회에서 증언하는 것을 보면 80-90퍼센트 이상이 국민의 신고로 잡는다고 했습니다. 우리가 얘기하고자 하는 것은 대한민국 건국 이래 자유당 시대를 거쳐서 삼선개헌 전까지, 혹은 1972년 10월 17일 이전까지 우리나라의 야당이건 국민이건 우리의 안보와 반공에 협력 안 한 일이 뭐 있습니까? 우리들의 비협력으로 안 된 일이 뭐 있습니까? 세계에서도 유례없이 안보와 반공에 협력한 이런 야당과 이런 국민 가지고도 더 이상 야당과 국민이 협력하지 않으면 안보를 할 수 없다고 14년이나 집권하고 있는 이 정권이 얘기한다면 이 정권 자체가 안보에 실패했다는 것을 고백하는 것밖에 안 됩니다.

손세일 안보 문제는 곧 통일 문제와 관련되게 마련인데요. 어떻습니까, 정부의 통일 정책이 김 선생이 대통령 출마하셨을 때에 제의하셨던 방향으로 가는 것 같기도 한데요. 정부의 남북 대화 추진이라든가 박 대통령의 6·23선언 등 일련의 정책을 찬성하십니까?

김대중 정부의 통일 정책은 내가 볼 때에는 외형적 입장뿐 아니라 실질적으로도 상당히 발전한 부분이 있다고 생각합니다. 아시다시피 내가 선거 때에 남북 대화를 내세우고, 한반도에 있어서의 4대국 전쟁 억제 평화 보장을 내세우고, 또 7·4공동성명 직후에 외신기자와의 회견을 통해서 남북 유엔 동시 가입을 내세웠을 때에 정부가 언제든지 극렬히 반대했고 나의 제의를 비난했었습니다. 그러나 지금 결과적으로 우리가 일치점을 가졌다는 데 대해서는 대단히 잘된 일이라고 생각합니다. 그런데 근본적으로 현재로서는 남북 간의 통일의 전망은 대단히 어둡다고 보고 있습니다. 7·4공동성명은 지나치게 앞서갔습니다.

손세일 김 선생이 선거 때에 하신 제의가 더 지나치게 앞서갔던 것 아닙니까?

김대중 내가 주장한 것보다도 너무 깊이 가 버렸다는 말입니다. 결국 실천 안 될 일을 너무 깊이 가 버렸기 때문에 지금 서로 안 할 수 있는 조건만 자꾸 거기서 파낼 수가 있게 돼 버렸습니다. 내가 제의한 것이 3단계 통일론입니다. 평화적 공존, 평화적 교류, 평화적 통일, 그 세 단계를 하나하나 밟아 가면서 착실히 해야 한다, 동시에 우리는 국민에게 이렇게 가면 통일이 틀림없다는 희망을 주는 것이 중요하지 통일이 1년, 2년 혹은 5년 빨리 오고 늦게 오는 것이 더 중요한 것이 아닙니다. 우리가 희망을 가지고 나간다면 5년도 더 기다릴 수 있고 10년도 더 기다릴 수 있습니다. 그런데 7·4공동성명을 보니까 하루 사이에…… 선거 때에 공화당이 뭐라고 했어요? 김일성이 피리를 불면 김대중이 춤을 추고 김대중이 북을 치면 김일성이 장단 맞춘다고 말하던 사람들이 하루 사이에 변했어요. 합리적인 설명도 없이 변했는데 그러더니 지금은 거의 통일이란 생각도 할 수 없는 정도의 상태로 와 버렸습니다. 나는 이렇게 생각해요. 공산주의자는 기본적으로 세계를 공산화하려는 것이 목적입니다. 북한의 공산주의자들도 한반도 전체를 공산화하려는 목적은 버리지 않고 있습니다. 공산주의자가 우리와 대화에 응하고 어떤 타협에 응하는 것은 그 길 외에는 다른 방법이 없다고 생각할 때에만 하는 것입니다. 무슨 얘기냐 하면, 우리의 역량이 크게 강화돼서 정부를 중심으로 국민들의 완전한 민주적인 단결이 이루어졌을 때에 비로소 협상에 응해 올 것입니다. 이론만 가지고는 안 돼요. 그렇기 때문에 먼저 남한에서 민주주의의 뿌리를 박고 국민의 민주적인 단결이 정부를 중심으로 확고히 이루어지면 공산주의자들은 자동적으로 협상 테이블에 성의를 가지고 나올 것이고 우리가 결과를 얻을 것입니다. 남북 간의 대화의 성공을 위해서, 통일을 위해서도 제일 중요한 것은 우리 자신의 민주주의를 회복시키는 일입니다.

국민은 이미 양당정치 택해

손세일 요즘 여러분들이, 정부 측에서는 일부라고 합니다만, 민주 회복을 말씀하시는데 그 회복되어야 할 민주주의의 모습이 어떤 것인지에 대해서는 별로 얘기들이 없는 것 같습니다.

김대중 민주주의는 우리 국민의 정신 안에 이미 정착했다고 생각합니다. 도시와 농촌을 막론하고 우리 국민의 누구에게 물어봐도 우리가 가질 수 있는 최선의 제도가 뭐냐 하면 누구든지 민주주의 정치라고 대답하리라고 생각합니다. 흔히 우리나라는 해방 이후에 민주주의를 하려고 한 것같이 알고 있지만 1919년 3·1운동 때에 이미 우리는 상하이에다 대한민국임시정부를 수립했습니다. 임시정부는 민주공화국을 표방했어요. 그 이후 60년 가까이 민주주의를 추구해 왔습니다. 다른 개발도상국가나 이웃 일본에 비하더라도 우리는 민주주의를 위해서 훨씬 많은 희생을 치렀습니다. 그러나 우리가 지금 민주주의를 원하지만 서구하고 똑같은 것을 원하는 것은 아닙니다. 이 나라에서 공산당을 합법화시키라는 사람은 아무도 없습니다. 징병제 반대하는 사람도 없습니다. 또 국민의 기본권이 침해되지 않는 범위 내에서 사회 질서를 확보하자는 데 반대하는 사람도 없습니다. 해방 후 근 30년 동안 야간 통행을 금지시켜도 큰 말썽 부리는 사람도 없습니다. 이것은 우리의 여건하에서 치안 확보에 그 현실성을 인정한 것입니다. 또 북한의 도발이 있을 때에는 어제까지 여야가 싸우다가도 하루 사이에 힘을 합쳐서 정부에 협력하고 국민도 협력해 왔습니다. 그런 것들을 볼 때에 삼선개헌 전에 갖던 자유, 그런 헌법을 갖지 못할 이유는 전연 성립 안 된다고 생각합니다.

삼선개헌 전 헌법이라면 세계에서 유례가 드물 정도로 정당정치 지향적인 헌법이었다. 헌법에 정당제도를 규정한 것은 2차대전 후 이탈리아, 독일 및 프랑스 등에서 시작된 것으로 지금도 일반적이지는 않다. 미국 헌법에도 물론 정당 규정은 없다. 그러나 헌법의 명문 규정과는 상관없이 우리나라에서는 정당정치가 발전되지 못한 것은 많은 사람들이 지적하는 바다.

손세일 민주주의를 제대로 하자면 정당제도가 문제가 되겠습니다만, 오늘날 야당은 말할 것도 없고 여당의 모습이 저렇게밖에 안 되는 이유가 어디에 있다고 보십니까?

김대중 그 문제에 앞서서 우리나라 국민의 높은 수준을 보아야 합니다. 오늘날 미국, 영국, 서독을 빼놓고는 일본, 이탈리아, 프랑스 등 선진국을 포함해서 거의 다당화 시대입니다. 우리는 해방 직후 백여 개의 정당이 난립했었습니다만 2대 국회 이후 특히 3대 국회에 들어서면서는 자유당과 민주당, 또 현 정권하에서는 공화당과 신민당, 이 양당 이외에는 국민의 표를 얻지 못했습니다. 우리 국민은 다른 여러 정당이 있음에도 불구하고 양당에다가 표를 넣어 왔다는 것은 이미 우리 국민에서도 대통령 선거 세 번, 국회의원 선거 네 번의 선거를 해 왔는데 선거 때마다 부정이 많았습니다만 그 많은 부정을 극복하고도 야당이 언제든지 총득표수가 40퍼센트 이하로 내려가 본 적이 없습니다. 이것은 우리 국민이 얼마나 높은 정치 수준을 입증한 것입니까? 그렇기 때문에 우리나라는 기본적으로 민주정치, 정당정치를 할 소지를 국민들이 보였고 그만한 성숙도를 보였다고 생각합니다. 정당이 발달 못 되는 이유는 국민에게 있는 것이 아니라 집권자와 여야당의 정치인들에게 책임이 있다고 봅니다. 그리고 현 정권은 기본적으로 일인정치一人政治 체제를 지금까지 구축해 왔기 때문에 그런 체제하에서는 정당 발전의 여지가 없습니다, 여당이건 야당이건. 거기에다 제도적으로 정당 발전이 안 된 큰 이유는 지방자치제를 실시하지 않는 것입니다. 정당이란 지방자치를 함으로써 전국 곳곳에 뿌리를 박을 수 있는데 그 뿌리를 박지 못한 채 국회라는 상부 덩어리만 있으니까 뿌리 없는 나무나 마찬가지입니다. 지방자치가 실시되어야 많은 사람이 여야 간에 정당 운영에 참여하게 되고 특히 야당은 지방에서 우수한 간부들이 양성되는데 지방에 내려가 보면 야당이란 국회의원 하겠다는 사람 빼놓고는 실업자들만 모이게 만들어요. 민주주의를 위해서 헌신하겠다는 사람도 있지만 그런 사람도 아무 희망이 없기 때문에 자연히 나중에 좌절감에 빠집니다. 도의원이나 시장 할 희망도 없어서 말이에요. 정당제도가 발전되기 위해서는 무엇보다도 중요한 것이 세 가지입니다. 하나는 집권자가 민주주의를 육성하겠다는 신념을 가지고 일해야 할 것, 둘째는 지방자치를 해야 할 것, 셋째는 정당의 정치자금이 제도화되어 가지고 정당의 경제적 독립을 시켜 줄 것, 이것만 되면 우리 국민 정도의 수준이면 충분히 정당정치가 발전해 나갈 수 있다고 생각합니다. 현재 여당이 잘 안 되는 이유에 대해서는 별 관심도 없고 흥미도 없으니까 말하고 싶지 않습니다마는 결국 현 정권하에서 엄격한 의미에서는 여당이 존재한 일이 없다고밖에 말할 수 없습니다. 정부를 감독하고 정책을 제시해서 실천시키는 것이 여당인데, 지금까지 우리나라에서는 그런 여당이 존재한 일이 없어요. 자유당도 그랬었다고 말할 수 있지만 공화당은 그보다도 더 여당답지 못하다고 생각합니다.

손세일 현재의 야당에 대해서는 어떻게 생각하십니까?

김대중 한마디로 얘기하면 그동안 야당이 국민들에게 실망을 주고 때로는 비판도 받았습니다만 김영삼 씨가 총재로 돼 가지고 단시일 내에 야당의 이미지를 많이 개선했다고 생각합니다. 그것은 높이 평가해야 된다고 봐요. 그러나 야당의 모든 구성원들이 지금 야당이 해야 할 역사적 사명을 얼마만큼 투철히 인식하고 얼마만큼 헌신할 태세가 되어 있느냐 하는 문제, 또 야당이 국민 앞에서 당을 민주적으로 운영해야 되겠지만 무엇보다도 민주적인 토론과 협의를 거친 결정에는 반드시 단결된 모습을 보여 주어야 되는데 거기에 대해서 앞으로 더 많은 유의를 해야 할 것으로 생각합니다. 그리고 정당인 이상 장차 민주 회복이 되고 정권 잡았을 때의 정책뿐 아니라 현실적으로 헌법 문제 말고도, 민주제도 회복 말고도 국민의 구체적인 인권과 생활에 관련되는 많은 국민의 공감을 받을 수 있는 정책을 마련하는 데에도 힘을 기울여야 한다고 생각합니다. 그런 모든 문제는 김 총재가 작년 8월에 취임해 가지고 불과 4개월이니까 그동안은 추락했던 야당의 이미지를 회복하고 야당에 어떤 활력을 불어넣기 위한 노력에 치중했기 때문이고 신년 들어서는 이런 문제는 하나하나 착실히 실천해 나갈 것으로 기대하고 있습니다.

손세일 민주 회복이라는 문제는 곧 현행 헌법의 개정 문제겠는데요. 그 방법에 대해서는 신민당 내에도 크게 양론이 있지 않습니까? 개헌만이 모든 것을 해결한다는 강경론이라고 할까, 급진론과, 개헌은 물론 해야 하는 것이지만 그 방법은 단계적인 정치투쟁으로 해 나가야 된다는 온건론 내지 현실론이 있는데 김 선생께서는 어느 입장이 현재의 야당으로서 취해야 할 태도라고 생각하십니까?

김대중 원칙에 있어서 개헌과 민주 회복을 해야 된다는 것은 말할 필요도 없습니다. 그 과정에 있어서 급진적 방법과 단계적 방법이 있겠고 나 자신으로는 두 가지 외에 다른 의견이 있을 수 있습니다. 그러나 내가 지금 그런 얘기를 하면 현재 신민당이 하고 있는 일에 비판하는 것 같은 오해를 받을 우려가 있기 때문에 그 점은 언급하는 것을 피하고 싶습니다.

손세일 정당제도에서 발전 조건으로 드신 세 가지 중에 이견이 있을 수 있는 것이 정치자금 문제일 것 같습니다. 나라마다 제도가 다르고 정치적 부패 문제도 정치자금과 깊은 관련이 있게 마련인데요. 김 선생께서 생각하시는 이상적인 정치자금 제도란 어떤 것입니까?

김대중 그 문제가 부패를 제거하는 데 제일 중요한 것이기 때문에 지난번 대통령 선거 때에 정책으로 내세웠습니다. 정당 운영비의 국고 부담과 선거의 공영제지요. 정당 운영비는 일정 소득 이상의 고소득층에 대해 부가세를 가해서 마련한 자원을 선거관리위원회에서 의석이라든가, 기타 합리적인 기준을 정해서 기본적으로 얼마씩 주고 그 이상은 의석 비례로 얼마씩 준다든가, 지구당에 수에 따라 준다든가, 여러 가지 기준이 있을 수 있으니까 거기에 따라 경상 운영비는 주어야 된다고 했습니다. 정당도 필요한 국가기관입니다. 정당정치를 헌법에까지 규정한 이상 정당을 육성하자고 하면서 정당을 육성할 비료는 안 주면 어떻게 합니까?

민주회복국민회의는 국민운동

납치되어 온 이후 공식 활동이 일체 없었던 김 씨는 작년 1월 27일 기독교회관에서의 '민주회복선언' 대회에 참석하여 인사말을 했고 뒤이어 12월 25

일 발족한 '민주회복국민회의'에는 18명의 고문 중의 한 사람으로 발표되었다. 그리고 민주회복국민회의가 필요로 한다면 협력을 아끼지 않겠다고 말한 것으로 보도되었다.

손세일 민주회복선언대회에서 하신 말씀 중에 보면 이 선언에 서명한 분들은 3·1운동 때의 민족대표 33인과 같은 것이라고 하셨는데요. 민주회복국민회의의 성격을 어떻게 보십니까? 창립총회에서 천명하기로는 "범국민 단체이고 비정치 단체"라고 하고 문공부에 등록하는 것도 정치단체가 아닌 사회단체로 한다고 했지만, 정부 측에서는 이미 정치단체로 규정했습니다. 선언에 참가한 서울대 문리대의 백낙청 교수에 대한 징계 처분 사유 설명서에서 민주회복국민회의가 "현 체제에 반대하고 권력 구조의 변혁을 의도한 정치운동을 위한 단체"라고 했더군요.

김대중 정치운동을 광의로 보느냐, 협의로 보느냐에 따라 견해가 다르겠지요. 정치단체의 대표적인 것이 정당인데 정당이란 그 체제하에서 정책을 내세워 가지고 정권 잡는 것이 목적 아닙니까? 현재 정당이 민주회복운동을 한다는 것은 정당 본연의 입장에서 보면 차원이 다른 것입니다. 현 체제하에서는 정당이 정책을 내세워 가지고 정권 잡을 길이 없으니까 엄격한 의미에서는 정당이 존재할 수 없습니다. 그렇기 때문에 현재 정당이 하는 민주회복운동은 정당이 존재할 수 있는 여건을 찾자는 것입니다. 정당 활동을 하고 있는 것이 아니라 정당 이전의 활동을 하고 있는 것이지요. 그렇기 때문에 정당도 일종의 국민운동을 제일의 목표로 삼게 되어 버려서 현재 신민당이나 통일당이 하는 일과 민주회복국민회의가 하는 일이 본질적으로 차이가 없어졌습니다. 그렇기 때문에 협의로 보면 민주회복국민회의도 정치 활동으로 보일 것이고 광의로 민주주의 회복이 범국민적인 과제라고 생각하는 입장에서는 국민운동이라고 보아야 하겠지요. 그러나 역시 국민운동으로 보는 것이 옳은 것은 거기에 천주교라든가 기독교라든가 학계, 문인, 법조계, 그런 데의 지도적인 분들이 많이 참가했는데 그분들이 정치가 회복되어서 민주주의가 된다고 국회의원 하겠습니까, 장관하겠습니까? 그런데 그분들이 선두에서 활동하고 있습니다. 그런 것으로 볼 때에는 정치성을 띤 국민운동으로 보는 것이 정확하지 않을까 생각합니다.

손세일 민주주의를 하자면 정당정치가 발달되어야 하고 또 지금 정당, 주로 야당들이 하고 있는 것이 엄밀한 의미의 정치운동이 아니라 국민운동이라면, 야당을 키우는 뜻에서도 야당을 중심으로 해서 그것을 지원하는 방향으로 운동을 전개하는 것이 바람직하지 않으냐, 같은 운동을 하는데 정당과는 별도로 국민회의 같은 것을 만들어 한다면 오히려 야당의 이미지를 약화시키는 결과가 되는 것이 아니냐 하는 의견도 있을 수 있는데 어떻습니까?

김대중 그것은 불가능해요. 예를 들면 김수환 추기경보고 신민당에 들어오라면 들어오겠습니까? 과거의 예를 보더라도 3대 국회에서 사사오입 개헌 이후에 호헌운동이 있었지요. 그때에도 국민의 신망을 받는 정당이 있었지만 장택상 씨를 위원장으로 해서 원내에 호헌 기구가 생기고 민주당도 거기에 들어갔습니다. 또 1958년의 국가보안법 반대 운동 때에도 각계각층의 지도자들과 함께 민주당도 일개 구성원으로 거기에 들어갔었습니다. 지난 삼선개헌 때에도 삼선개헌반대범국민투쟁위원회를 만들어서 김재준 목사를 위원장으로 했을 때에 거기에 참가했었습니다. 이런 형태는 오늘에 시작된 것이 아니라, 대한민국 헌정사를 보아 민주주의가 위기에 처하여 정당만의 문제가 아니라 범국민적인 문제라고 생각될 때에는 범국민적인 기구를 구성해서 정당과 같이 협력해 온 역사를 가지고 있습니다. 그렇기 때문에 정당이 너무 앞서면 종교인이나 문화인 등 이런 여러 분야의 사람들이 마치 자기가 정치 도구화되는 것 같은 입장이 되어서 나서기가 어렵게 됩니다.

봉사 아닌 속죄의 마음으로

손세일 1971년의 대통령 선거 유세 중 하신 말씀 중에 이번에 정권 교체가 안 되면 여러분이 직접 자기 손으로 대통령을 뽑는 일은 마지막이 될 것이다, 또는 총통제 개헌이 준비되고 있다 하는 말씀을 하셨는데, 그 말 자체가 촉발한 것이야 아니겠지만 너무 방정맞은 소리였다는 평도 없지 않은 것 같아요. 어떠십니까. 현 체제가 나오게 된 데 대한 책임감 같은 것은 안 느끼십니까?

김대중 지금 말씀하신 그런 의미보다도 적어도 1971년 선거 때 국민의 열화 같은 성원을 좀 더 조직화하고 야당이 좀 더 잘 뭉쳐서 싸워서 정권 교체를 했더라면 이런 문제가 없었을 것이라는 데 대해서 누구보다도 후보였던 나 자신이 큰 책임을 느낍니다. 그렇기 때문에 여러분들이 혹시 내가 해외에서 안전한 지대에 있었다고 생각하실지 모르지만, 도쿄에서 나를 납치하는 데도 한 달이 걸린 것은 내가 2, 3일마다 호텔을 옮겨 다녔기 때문이었습니다. 그런 정도로 신변에 위협을 느끼고 가족을 여기다 놓아두고 동가식서가숙하면서 활동을 했습니다. 더구나 이런 중대한 시련이 10월로 임박했는데도 우리는 9월달에, 당내에 어떤 작용을 받은 분자가 있었든지 간에 야당이 둘로 갈라져 따로따로 대회를 했으니 우리에게 큰 책임이 있다고 생각합니다. 그렇기 때문에 다른 사람들은 지금 민주회복운동을 하나의 봉사로서 할는지 모르지만 적어도 나나 과거 최소한도 국회의원 이상 했던 사람들은 속죄의 입장에서 민주회복운동을 해야 한다고 생각합니다.

손세일 사건 직후에 국내외 기자들에게 현재와 같은 상황에서는 정치 활동을 하실 생각이 없다고 말씀하셨는데 그 생각에는 변함이 없으십니까?

김대중 협의의 정치 활동은 할 생각이 없다는 것입니다. 현 체제하에서 내가 국회의원이 되거나 정당 활동을 할 생각은 없다는 얘기지요. 민주회복운동이 광의의 정치 활동이라 하더라도 그런 일은 하겠습니다.

손세일 지난 연말에 김영삼 신민당 총재와 만나신 뒤 자신은 하나의 '병졸兵卒'로서 민주회복 대열에 참여하고 있다고 말씀하셨고 김 총재는 김 선생이 아직도 신민당원임을 상기시켰습니다만…….

김대중 민주회복국민운동 속에 한 병졸로서 참여하겠다, 그러나 내가 현재 신민당의 당적이 있고 과거에 신민당에서 갈라져 나간 통일당에도 좋은 동지들이 많이 있지 않습니까? 그렇기 때문에 이 두 정당에 대해서 큰 관심을 가지고 있고 지난번 선거에서 선거 보이콧이라는 어려운 결단을 내린 통일사회당統一社會黨에 대해서도 경의와 관심을 가지고 있습니다. 이런 야당들의 하는 일에 대해서 내가 뭔가 도움이 될 수 있는 구체적인 케이스가 있으면 케이스 바이 케이스로 심부름이라든가는 사양하지 않겠습니다. 또 신민당의 형편이 김영삼 총재가 저렇게 애쓰고 있으니까 김 총재 중심으로 여러분들이 잘 단합해서 해 나가는 것이 낫다, 내가 거기에 개입 안 하더라도 잘해 나갈 수 있다, 나는 오히려 다른 문제에 관심을 더 가지고, 그래서 서로 관심을 갖는 중점을 바꾸어 가면서 협조하는 것이 좋다, 이렇게 생각하고 있습니다.

손세일 민주회복국민운동을 가지고 개헌이 되리라고 보십니까?

김대중 한 가지 분명한 것은 어떠한 사람도 우리 국민에게 우리가 이 여건 하에서 향유할 수 있는 가능한 최대한의 민주주의를 보장하지 않고는 이 국민을 납득시키거나 만족시킬 수 없고, 따라서 비록 억압을 통해 한때의 침묵은 얻을 수 있을지 모르지만 결코 자기들이 말하는 안정이나 국민의 능동적인 협력은 얻을 수 없다는 것입니다. 이미 우리 국민은 그런 정도는 훨씬 넘는 잘난 국민이기 때문에, 독재하기는 너무도 국민이 잘났기 때문에, 그것은 불가능하다고 나는 확신하고 있습니다. 작년에 긴급조치 1호부터 4호가 나오기까지의 사태, 특히 민청학련사건은 충격적이었습니다. 천여 명이 조사받고 그중에서 2백여 명이 사형부터 20년, 10년의 중형을 받고 옥고를 치르고 있지만 그것으로써 해결이 됐습니까? 오히려 각 분야에서 더 많은 후계자들이 생기고 있지 않습니까? 현 정부로 보아서는 그 결과는 완전히 실패입니다. 정부가 그렇게 한 것은 그 사람들을 집어넣는 데 목적이 있는 것이 아니라 조용히 하는 데 목적이 있었는데 전연 성과를 거두지 못했어요. 그것은 국민이 그만큼 잘났다는 증거입니다.

손세일 정부가 지금까지의 보호조치를 해제한 이유가 흔히 추측하듯이 미국의 어드바이스라고 보십니까?

김대중 자세히는 정부로부터 못 들었으니까 모르지만 여러 가지 복합적인 이유가 있지 않으냐 생각됩니다. 내게 와서 얘기하는 사람들의 얘기를 들으면 미국의 어드바이스도 영향이 있었을 것이고, 일본의 신내각 등장도 영향이 있을 것이고, 정부가 스스로 그렇게 해 보았자 실효가 적다는 판단도 있었을 것이고…….

손세일 반농담으로 하는 얘기로 김영삼 신민당 총재에 대한 "견제를 위해서"라는 말도 있습니다.

김대중 그것을 기대했다면 완전히 실망할 것입니다. 그런 것은 있을 수 없습니다. 내가 항상 얘기하지만 우리가 민주주의가 회복될 때까지는 동지는 있어도 라이벌은 없을 것입니다. 저번에 김 총재에게도 말했지만 김 총재나 나나 똑같은 생각입니다.

손세일 지금까지의 생애에 있어서 그동안 정치를 하시기를 잘했다고 생각하십니까?

김대중 지난번 납치될 때에 배 위에서 결박을 당해서 바다로 던져지려고 할 때에 가만히 생각해 보았습니다. 거짓말이 아니고 정말 사실입니다. 내가 이제 죽는데 내 인생이 뭐냐, 내가 태어나서 무엇을 했느냐, 내 인생이 가치가 있었느냐, 나는 가치가 있었다 하고 스스로 의심 없이 대답했습니다. 내가 이렇게 죽더라도 결코 우리 국민은 내 이 죽음을 헛되이 하지 않을 것이다, 그러면서 내 이런 인생을 다시 한번 살아도 되겠느냐, 주저 없이 다시 한번 살겠다고 했습니다, 자문자답으로. 나는 큰 공헌을 한 일은 없습니다마는 내가 정치 생활을 택한 것이 나 자신이 후회가 없을 뿐 아니라 국회의원도 몇 번 지냈고, 지난번 대통령 선거 때에는 국민들로부터 과분한 성원도 받았고, 이번 내 사건 이후로 우리 국민뿐 아니라 세계가 관심을 가지고 성원해 주고 하는 것을 생각할 때에 지금 이름도 없이 형무소에 들어가서 무기 또는 20년, 10년씩 살고 있는 사람들에 비하면 나는 그래도 정치하는 사람 중에서도 행복한 사람이라고 생각합니다.

출국으로 인권 회복해야

손세일 김 선생의 출국 문제가 국제적인 관심사가 되어 있습니다만 출국을 꼭 하셔야 됩니까?

김대중 출국 문제에 대해서는 출국을 꼭 하고 싶다든지 출국이 나에게 어떤 중요한 문제라든지 그것이 아닙니다. 이 문제에서 중요한 것은 아시다시피 나는 강제로 납치당해 온 사람이기 때문에 내 인권상 오늘 나갔다가 내일 돌아오더라도 일단은 나가야 합니다. 그것이 인권을 지키는 길입니다. 또 정부로부터 나가도 좋다는 결정을 받아서 언제든지 나갈 수 있는 여건을 만들어 놓고 안 나가는 것은 별도 문제입니다. 그러나 내가 그것을 포기한다는 것은 내 인권을 포기하는 것뿐 아니라 국내외에서, 특히 외국에서 나의 출국의 자유를 위해 많은 사람들이 애를 썼는데 그런 사람들에게 내가 지금 필요 없다고 포기한다는 것은 내 책임을 포기하는 것이 됩니다. 지금 이 시간에도 하버드대학의 초청이 유효한 것으로 알고 있습니다. 기타 문제는 제2, 제3의 문제예요.

손세일 지금이라도 나가실 수 있는 여건이라면 당장 나가시겠습니까?

김대중 정부에서 아직 구체적인 얘기가 없는데, 그렇게 되면 어떻게 하겠다는 말은 미리 하고 싶지 않습니다.

손세일 출국이 금지되고 있는 이유가 선거법 위반 협의의 재판이 계류 중이라는 것인데요. 그동안 김 선생이 제출했던 판사 기피신청이 받아들여졌습니다만 그에 대해서는 어떻게 생각하십니까?

김대중 내가 판사 기피신청을 해서 1심, 2심에서는 기각되고 대법원에서 재심 명령을 내려서 2심에서 승소한 결과가 되었는데 그 과정을 보면 이번에 법원 당국에서 내린 판결은 사법관들이 법관의 양심에 좇아서 판결을 내렸다고 믿고 있습니다.

손세일 재판이 시작되더라도 검찰 측에서 유례가 없이 많은 증인을 신청해 놓고 있어 그들이 다 받아들여지면 상당한 기간이 걸릴 수 있을 것인데요. 어떻게 전망하십니까?

김대중 정부가 재판이 끝나야 나갈 수 있다는 얘기는 뒤집어서 말하면 무제한으로, 반항구적으로 못 나가게 할 수 있다는 얘기나 마찬가지입니다. 물론 재판 과정도 복잡하게 되어서 많은 시일이 공소하면 못 나가는 것 아닙니까? 내가 유죄 받으면 내가 당연히 공소할 것이고 그러면 3심까지 과연 시일이 얼마나 걸릴지 모릅니다. 재판 중이니까 안 내보낸다고 하는 것은 정부의 구실입니다. 과거에도 나갔다가 왔습니다. 한 가지 중요한 것은 이것은 과거 대통령 직접선거와 관련된 사건인데 이제는 이미 그 선거법은 폐기되었습니다. 국회의원 선거도 과거의 국회의원 선거와 지금의 국회의원 선거와는 다릅니다. 내가 법정에서도 얘기했습니다마는 형사 처벌의 목적은 처벌 자체에 있는 것이 아니라 그런 죄를 다시 재범 안 시키는 데 목적이 있는 것 아닙니까? 대통령선거법 위반은 재범하고 싶어도 재범할 수가 없습니다. 처벌의 법익이 없어요. 대통령 선거가 끝났을 때에 박정희 대통령은 담화를 통해 자기의 라이벌이었던 야당 후보가 선전선투善戰善鬪했다고 칭찬했습니다. 그러면 대통령은 선전선투했다고 칭찬하고 그 밑의 검찰은 선거법 위반했다고 기소하면 말이 안 되지 않습니까? 정부가 내보내 주고 싶은데 재판 때문에 못 내보낸다면 공소 취하하면 되는 것입니다. 법익이 없는 재판을 계속할 필요 없이. 나는 구실이라고 생각하지만 그러나 정부로서는 법적으로 그런 말을 할 수는 있겠지요. 따라서 거기에 대해서 시비할 것도 없습니다.

여러 가지 면에서 이 나라의 전형적인 직업적 정치가의 한 사람인 김 씨의 언변은 원래 청산유수지만 오랜만에 듣는 그의 정견은 보가 터져 흐르는 호수 같은 것이었다. 질문 하나마다 한 가지 테마의 열띤 연설이 된다. 그러면서도 책잡힐 만한 말은 한마디도 않는 말솜씨에서 그의 지혜를 느낀다. 아무튼 김 씨의 거취는 앞으로의 정국에 있어 미지의 '변수'임에는 틀림없을 것 같다.

* 이 글은 『신동아』 1975년 2월 호에 게재된 것으로 전 『동아일보』 논설위원, 11대 국회의원인 손세일이 인터뷰하였다.

평화적 민주혁명이 우리의 과제

대담 강성재
일시 1975년 1월 1일

1973년 8월 내외의 이목을 집중시켰던 납치사건에서 풀려난 직후 "현 여건 아래서는 정치 활동을 하지 않겠다"고 선언하고 자택에서 '칩거'해 왔던 김대중 씨(50).

그는 물결이 높을 신춘정국新春政局부터는 어떤 형식으로든 '정치'에 참여할 것이라는 일반의 예상을 뒷받침하기라도 하듯, 벌써부터 '개헌'이니 '연합전선'이니 '투쟁'이니 하는 정치적, 전투적인 어휘들을 대화 속에 구사했다. "이 시점에서 정당은 국민운동적인 성격을 띠게 됐다"고 규정한 그로서는 이미 민주회복국민회의民主回復國民會議에 참가한 것만으로도 사실상 정치 활동을 재개한 것으로 볼 수 있다.

강성재 새해 들어 해결해야 될 긴요한 문제는 무엇이라고 보시는지?

김대중 사회의 민심民心이 순조롭게 방향을 잡아서 흘러가게 하려면 유신체제를 고집하는 현 정부의 태도와 생각을 바꾸는 것이 긴요한 일이다. 현 체제 아래서는 국민의 자유도 경제 발전도 사회정의도 구현할 수 없다고 보며 국민 전체가 능동적으로 참여함으로써 가능한 강력한 안보도 기대할 수 없다.

국민운동이 필요한 시점

김 씨는 안보 문제와 관련, 민주주의에 얘기가 미치자 막혔던 물꼬가 터진 듯 거침없이 자신의 견해를 피력해 나갔다.

김대중 안보의 중요성을 부인하지 않으며, 자유를 강조하는 사람도 안보를 등한시해서는 안 된다. 자유와 안보는 손바닥의 앞뒤와 같은 것으로 민주국가에서는 자유가 목적이고 안보는 수단이며 안보에서 자연히 안정이 결과되는 것이다. 국민들이 안정을 시킬 대상이 자유라고 생각할 때에 자신의 일처럼 적극적으로 안보에 참여하는 것이지 그 대상이 독재체제일 때는 효과적인 안보가 될 수 없다. 국민들이 총칼 들고 싸우려면 북한의 체제와는 다른 분명한 차이점을 납득시켜야 한다. 국민의 정당한 자유와 기본권을 보장하는 나라치고 공산 위협을 만든 나라는 세계에 없다.

강성재 신변 보호조치가 해제된 이후의 결과는?

김대중 하루 평균 50명가량의 인사들이 집에 찾아와 건강과 신변을 염려해 주고 말하기 어렵지만 민주 회복을 기대한다고 격려하기도 한다. 내객 중 많은 사람들이 7대 대통령 선거 당시 "이번에 정권 교체가 안 되면 선거가 없게 될 것"이라고 말했던 일을 되새기지…….

강성재 고문으로 돼 있는 민주회복국민회의에 새해부터는 어떤 형태로 참여할 계획인지?

김대중 현 정부에서 지금까지 가장 문제 삼아 왔던 대상이고 또 나의 움직임에 따라 제3자에게 영향을 미치는 어려운 환경 속에 있기 때문에 국민회의에 정신적으로 100퍼센트의 성원을 보내지만 구체적인 행동에 있어서는 국민회의가 나를 필요로 하는 정도에서 참여하겠다.

강성재 구체적인 행동이 무엇을 의미하는지?

김대중 그쪽에서 요청하면 일신의 안일을 위해 회피할 생각은 없다는 뜻이다. 민주 회복 과정에서 유념해야 될 점은 과거에 구애받지 않아야 한다고 생각한다. 따라서 극단적으로 말해서 공화당 사람도 진심으로 민주 회복 대열에 서기를 원한다면 손잡아야 될 것이고 동시에 민주 회복의 태산준령을 앞둔 이 시점에서 동지는 있어도 라이벌은 있을 수 없다. 특정인을 영웅화해서는 안 되며 팀워크로 국민 연합전선을 형성해 나가야 한다.

강성재 그러나 정부는 유신체제에의 도전을 용납지 않는다는 방침을 되풀이 천명했는데…….

김대중 우리는 어디까지나 평화적 해결을 바라고 있다. 따라서 정부가 민심의 귀추를 파악, 건설적 대화를 해야 한다. 대통령이 원한다면 국가의 운명을 놓고 허심탄회하게 토론하고 얘기해야 될 것이라고 생각한다. 이 같은 평화적인 길을 거부할 때는 금년 정국이 순탄치 못할 것으로 우려된다.

강성재 이 시대 상황을 한마디로 규정한다면…….

국민적 민주혁명의 과제

김대중 오늘의 시점은 비로소 국민적 민주혁명을 성취할 수 있느냐 없느냐의 과제가 주어진 시대라고 본다. 한국의 민주주의 하면 학생을 연상했지만 민주회복 국민선언으로 이제는 범위가 넓어진 셈이다. 그리고 우리 역사를 돌아볼 때 우리 민족은 세계 어느 민족 못지않게 민주 역량을 가진 민족인 것을 알 수 있다.

중국 대륙에 혹같이 붙어 있는 이 한반도가 어떻게 중국화中國化 안 됐는지 기적이라고 생각될 때도 있다. 이조 말엽 못난 조상 때문에 백 년의 재앙을 받고 있지만 작금 국민들은 신문을 거꾸로 볼 줄 아는 슬기마저 터득하고 있는 것 같다. 1974년의 민청학련民青學聯 사건 이후에도 제2, 제3의 저항 세력들이 나타나지 않았는가. 따라서 나는 민주 회복을 확신한다. 민주 회복이 데모나 성명 발표 등 먼 곳에만 있는 것이 아니고 한 사람이라도 붙잡고 민주를 역설하고 국민도 가까운 데서부터 민주주의를 실현해 나가야 한다고 믿는다.

5원을 가지고도 애국할 수 있는데, 공중전화를 걸어 잘한 일을 격려해 주고 잘못한 일은 질책할 수 있는 것이다. 최근 『동아일보』의 박해에 대해 전화한 통화라도 걸면 얼마나 위로가 되겠는가. 민주 회복은 거창한 데 있는 것이 아니고 비근한 것에서 얼마든지 찾을 수 있다.

강성재 오늘의 신민당에 대해 하고 싶은 말은…….

김대중 김영삼 총재가 목표를 헌정회복憲政回復으로 잡은 것은 옳은 일이다. 정권 교체라는 본래적 의미의 정당이 될 수 있는 여건의 회복에 투쟁의 초점을 맞춰야 된다.

납치 5일 만에 동교동 자택 앞길에서 묶여진 안대를 풀면서 천지광명을 되찾은 김 씨는 그 같은 생사의 고비가 한 인간으로서뿐만 아니라 정치인으로서의 그에게 많은 것을 준 것 같았다.

김대중 그 사건은 측량할 수 없는 영향을 미쳤다고 본다. 그들이 나를 배에 실었을 때 그들은 백에 하나도 의심을 안 했고 나는 죽는다는 것에 백에 하나도 의심을 안 했다. 그러나 나는 살았고 그들은 실패했다. 생사는 인간의 지혜대로 되는 것이 아님을 깨달았다. 대통령 선거 때도 그런 체험을 했지만 높은 계단을 달음박질로 뛰어올라 가듯 했던 정치 생활이었는데 이제는 평지를 가듯 여유 있고 침착하게 정진할 생각이다. 결과에 구애받지 않고 현실적으로 내가 할 수 있는 일을 차근차근 해 나가겠다.

* 이 글은 1975년 새해, 『동아일보』 강성재 기자와의 일문일답에서 암울했던 당시의 정국에 대하여 포부와 구상을 밝힌 것이다.

한국은 민주주의 나라가 되어야 한다

대담 마크스 웨스터만
일시 1983년 1월 31일

웨스터만 강제로 정치적 망명을 하게 되었는가?

김대중 한국 정부는 나의 석방에 대한 압력이 컸기 때문에 더 이상 나를 가두어 둘 처지에 있지 못했다. 한국 정부는 내가 신병 치료차 미국에 가는 데 동의한다면 나를 석방해 주겠다고 제의해 왔다. 처음 나는 그러한 제의를 수락하고 싶지 않았다. 그러나 나의 벗들이 내가 미국에서 보다 효과적으로 그리고 안전하게 치료를 받을 수 있다고 나를 설득했다.

웨스터만 당신의 석방을 두고 미국 정부는 '화해의 정신'이 현재 한국에서 나타나고 있는 표시라고 말하고 있다. 동의하는가?

김대중 한국 정부가 진정으로 사태를 개선할 생각이라면 나를 사면한 후 내가 고국에 돌아가 정치적 활동을 할 수 있도록 허용해야 한다. 그러나 나에 대한 형은 단지 중지되었을 뿐이다. 이는 화해의 정신과는 매우 멀다.

웨스터만 전두환 대통령하에서의 인권 사태는 박정희 대통령 때보다 개선되었는가, 아니면 악화되었는가?

김대중 악화되었다. 정치범들에 대한 고문의 예나 그 가혹성은 더욱 늘어났다. 언론 자유에 대한 제한도 훨씬 더 심하다. 노조가 스스로 조직하거나 정당한 항의를 할 권리도 크게 줄어들었다. 학생들과 교수들에 대한 탄압과 감시도 강화되었다. 반면 일부 긍정적인 변화가 없는 것도 아니나 이들은 모두 피상적인 것으로 구조적 탄압을 숨기는 데 목적이 있는 외양상의 변화에 지나지 않는다. 예를 들어 학생들에게 머리를 기르도록 허용되고 있으며 제복도 입지 않아도 되도록 허용하고 있다.

웨스터만 최근 한국의 재야 세력들로부터 전해지는 이야기가 별로 없다는데 재야 세력이 약해진 것은 아닌가?

김대중 전두환 장군이 집권했을 때 한국민은 충격 상태에서 새로운 정권에 대해 겁에 질린 상태에 있었다. 그래서 한국민들은 입을 닫아 버렸다. 그러나 이제 한국민들은 불평과 비판을 토로하기 시작했다. 지금의 재야 세력들은 숫자 면에서 박 정권 때보다도 못할지 모르나 대의에 대한 열성이라는 질 면에서는 더욱 강력하다. 그렇기 때문에 한국 정부는 나를 석방하는 길밖에 다른 도리가 없었다.

웨스터만 레이건 행정부는 그들의 조용한 외교가 당신을 석방하는 데 기여한 것으로 주장하고 있다. 그렇게 생각하는가?

김대중 그러한 도움이 있었는지 나는 모른다. 그러나 원칙적으로 나는 민주주의와 인권과 같은 대의가 관계되는 한은 조용한 것이 아닌 공개되고 공공연한 외교를 찬성한다. 레이건 대통령이 민주주의와 인권을 공개적으로 옹호하지 않는다면 한국민은 미국 정부가 민주주의와 인권을 옹호하고 있음을 어떻게 알겠는가?

웨스터만 전두환 대통령을 미국의 좋은 친구로 받아들이는 레이건 대통령의 동기는 무엇이라고 생각하는가?

김대중 일부 미국 지도자들은 한국의 정치적 안정이 미국의 이익을 지키는 데 필요하다고 간주하고 있다. 그러나 그들은 독재자 밑에서의 정치적 안정은 피상적이며 겉치레에 지나지 않는다는 것을 깨닫지 못하고 있는 것이다. 그들이 안정으로 간주하는 침묵은 무덤의 침묵이다.

웨스터만 미국이 한국의 인권 상황을 개선하기 위해 해야 할 일이 무엇인가?

김대중 우리가 미국에 바라는 것은 우리에게 내려진 독재적 지배를 반대하고 있음을 공개적으로 밝혀 달라는 것뿐이다. 우리는 미국의 정신적 지원을 요청한다. 미국이 군사적으로나 경제적으로 한국에 매우 깊이 개입되어 있기 때문에 그러한 지원은 매우 효과적일 것이다. 이승만 정권 말기에 민주주의를 지지하는 미국의 공개된 입장이 한국민들로 하여금 이승만 정권을 무너뜨리도록 고무했다.

웨스터만 미국이 군대를 철수시킨다고 위협해야 하는가?

김대중 그래서는 안 된다. 미군의 한국 주둔은 한반도에서 또 다른 전쟁이 발발하는 것을 막는 데 필요하다. 만일 미국이 군대를 철수한다면 한국 정부는 더욱 가혹한 탄압 통치를 실시하는 구실을 얻게 될 것이다.

웨스터만 레이건 대통령이 인권에 대한 역점을 축소시킨 결과로 한국민들 간에 미국에 대한 이미지가 크게 악화되었는가?

김대중 그러한 이미지의 악화는 카터 대통령 때 이미 시작되었다. 전두환 장군의 쿠데타는 카터 대통령이 집권하고 있을 때 일어났다. 미국 정부는 박정희 대통령의 암살이 있은 후 민주주의에 대한 한국민들의 갈망을 지지한다고 확고히 약속했었다. 그러나 실제로는 미국 정부는 아무 일도 하지 않았다. 한국의 군대가 수백 명의 국민을 학살할 때에도 미국 정부는 침묵을 지켰다. 한국군을 휘하에 장악하고 있는 미군사령관마저도 학살을 중지시킬 조처를 취하지 않았다.

한국민은 이러한 태도에 대단한 불만을 갖고 있었다. 레이건 대통령하에서 미국의 정책에 대한 한국민의 실망은 더욱 커졌다.

웨스터만 당신은 남북한의 통일을 열렬히 지지하는가? 한반도의 통일은 어떻게 실현될 수 있다고 생각하는가?

김대중 우선 한국에 민주주의가 실현되어야 한다. 한국이 국민들의 전폭적인 지지를 받을 수 있는 정부를 가졌을 때에만 북한은 한국을 강력한 상대자로 간주할 것이다. 그런 연후에라야 한국이 북한을 협상으로 유도하는 것이 보다 용이해질 것이다.

웨스터만 당신의 계획은 어떤가? 한국으로 돌아갈 것인가?

김대중 우선 얼마 동안은 병원에서 보내게 될 것이다. 그런 다음 나는 객원학자로 와 달라는 하버드대학의 초청에 대한 수락 여부를 결정하겠다. 내가 한국에 돌아갈 수 있는 가능성은 민주주의가 회복되면 매우 높아질 것이다. 그러나 만일 필요하다면 나 자신의 개인적인 안전을 희생해서라도 나는 돌아가겠다.

웨스터만 1971년 당시와 같이 다시 대통령에 출마할 수 있기를 바라는가?

김대중 현재의 나의 주요 관심은 한국민들에게 봉사하고 그들이 민주주의를 회복하도록 돕는 데 있다. 나는 내 위치에 관계없이 그와 같은 봉사를 할 작정이다.

* 이 글은 1983년 1월 31일 자 『뉴스위크』지에 실린 기사로, 1982년 12월 23일 형 집행정지로 미국에 도착한 김대중 씨를 『뉴스위크』 마크스 웨스터만 기자가 인터뷰한 것이다.

한국의 상황에 관한 김대중의 생각

대담 리처드 폴크·리처드 탠터

일시 1983년 초

미국은 제3세계의 비공산국가에서 벌어지고 있는 인권과 정치적 민주주의를 얻기 위한 투쟁에 어떻게 대응해야 할 것인가? 현재 미국에 일시적으로 거주하고 있는 김대중은 한국 민주 세력의 정치 지도자로서 이러한 투쟁에 평생을 바쳐 왔다. 이 인터뷰는 미국인과 그 지도자들의 실질적 양심에 대한 감동적인 호소문으로 해석될 수도 있다.

김대중 씨는 신병 치료를 이유로 감옥에서 석방된 뒤 1982년 12월 23일 이 나라에 도착했다. 그는 수백 명의 비무장 민간인—그들은 대부분 대학생들이었다.—이 계엄군에게 살해된 1980년의 광주항쟁을 배후에서 선동했다는 혐의로 사형 선고를 받았다. 대다수의 관측통들은 한국 정부가 거짓 증거를 '날조'하여 그에게 죄를 뒤집어씌웠다는 김대중의 주장을 인정했다. 기록을 면밀히 검토해 보면, 김대중 씨는 시위를 선동하기는커녕 실제로 시위자들에게 교전 상태와 대결을 경고하려 했다는 사실을 알 수 있다. 한국 정부가 김대중 씨를 구속한 것은 제3자의 지극히 의심스러운 자백에 근거를 두고 있다. 이 자백은 분명 고문에 의해 강요된 것이며, 그 사람은 그 후 자백을 번복하고 곧이어 자살을 기도했다.

제3세계 민족주의를 이해하는 능력이 결여된 미국

김대중은 한국에 진보적이고 민주적이며 인도적인 정부를 세우기 위하여 평생 동안 용기 있게 투쟁해 왔다. 1971년, 그는 수많은 압력을 무릅쓰고 대통령 선거에 출마하여 박정희와 겨루었으며, 그 후 다양한 정치적 비난과 그의 생명을 빼앗으려는 몇 차례의 시도에 시달리면서 그 대가를 톡톡히 치렀다. 그중에서도 가장 극적인 것은 1973년에 중앙정보부 요원들이 그를 도쿄의 한 호텔에서 강제로 납치한 사건이었다. 이 사건은 일본의 주권을 명백히 무시한 행위로서, 국제적으로 엄청난 물의를 일으켰다. 김대중 씨가 오늘날까지 살아 있는 것은 오직 세계적인 인물로서 명성을 누리고 있기 때문이다. 미국 정부는 오랫동안 다양한 방법으로 한국의 군부 지도자들을 설득하여 김대중의 생명을 구하려고 노력해 왔다.

한국의 상황은 여전히 긴장되어 있다. 전두환 정권은 반대 세력을 질식시키고 온건한 정치인들과 종교 지도자들에 대한 탄압에 의존하고 있다. 현재 활동이 금지된 신민당의 전 총재이며 정치적 입장과 도덕적인 면에서 김대중의 강력한 지지를 받고 있는 김영삼이 1983년 5월에 '무기한' 단식투쟁을 벌인 것은 한국의 상황이 얼마나 가혹한가를 보여 주는 한 가지 사례다. 김영삼은 23일 동안 음식을 거부한 뒤, 가족과 지지자들의 거듭한 간청에 따라 건강이 악화된 채 단식을 끝내고, "침대에 누워 죽기보다는 일어나 싸우겠다"고 선언했다.

김대중은 올해 하버드대학 국제문제연구소에서 객원연구원으로 일하고 있다. 그는 두 권의 책을 출판할 계획인데, 하나는 한국에서의 민주화투쟁에 관한 저술이고 또 하나는 자신의 유별난 생애에 대한 책이다. 그러나 이 인터뷰에도 밝혀져 있듯이, 그가 가장 몰두하고 있는 일은 한국인들의 투쟁이다. 이러한 헌신에는 한국에서 어떠한 위험이 기다리고 있든 간에 자기가 "도움이 된다면" 언제든지 한국으로 돌아가겠다는 각오도 포함되어 있다.

김대중은 미국 정부가 제3세계의 사회민주화를 좀 더 강력히 지지해 주기를 열렬히 바라고 있다. 그는 미국이 물려받은 유산의 이상주의적인 요소들을 굳게 믿고 있기 때문에, 워싱턴이 오랫동안 한국의 억압적인 정권을 지지해 온 것에 대하여 실망감을 감추지 못한다. 그는 베니그노 아키노가 암살당한 사건을 고려해 볼 때 레이건 대통령이 11월로 예정된 필리핀 방문을 계속 추진한다면 아시아 국가들의 정치적 운명에서 미국이 맡고 있는 역할에 대한 환멸은 더한층 심화될 것이라고 경고한다.

이 인터뷰에는 김대중의 소망과 두려움이 요약되어 있다. 그것은 모든 미국인에 대한 도전을 의미한다. 거기에는 단순히 이상에 따라 행동하는 차원을 훨씬 넘는 무언가가 포함되어 있다. 우리에게는 역사의 흐름, 그중에서도 특히 제3세계 민족주의의 거센 힘을 이해하는 능력이 결여되어 있다. 그것을 이해하지 못하면 우리는 민족자결권을 얻기 위해 전 세계에서 진행되고 있는 다양한 투쟁에서 계속 '패배자들' 편에 서게 될 것이다.

오스트레일리아의 스윈번과학기술연구소에서 사회학 및 정치학 교수로 일하고 있는 리처드 탠터(Richard Tanter)가 나와 함께 이 인터뷰에 참여했다.

폴크 아시다시피 레이건 행정부는 귀하가 석방된 것이 자기 공로라고 자부해 왔고, 전두환 정권과의 관계를 개선함으로써 한국에서의 인권 상황을 향상시키는 데 있어서 카터 행정부보다 더 많은 성공을 거두었다고 주장해 왔다. 이것은 옳은 주장인가? 아니면 귀하가 감옥에서 석방되고 형 집행이 정지된 것은 주로 한국의 국내 정치 문제였다고 생각하는가?

김대중 내 석방에 대해서는 여러 가지로 설명할 수가 있다. 전두환은 자기의 국제적 이미지를 개선하고 싶었는지도 모른다. 또는 일본으로부터 차관을 얻어 내고 싶었는지도 모른다. 아니면, 자기가 정치적 보복을 하지 않고 나를 석방할 수도 있다는 것을 미국 국민에게 보여 주고 싶었는지도 모른다. 또는 내 영향력을 줄이기 위하여 한국 국민들로부터 나를 멀리 떼어 놓고 싶어 했을 가능성도 있다. 하지만 이런 것들은 근본적인 이유가 아니다. 좀 더 그럴듯한 이유는 전두환이 우리 국민의 불만을 가라앉히고 싶어 했다는 것이다. 한국의 고위 관리들은 정부의 태도 변화를 입증하기 위하여 내 동지들을 석방하고 나를 한국에서 내보내야 한다고 결정했는지도 모른다. 물론 미국 정부의 역할을 전적으로 부인하는 것은 아니지만, 이런 의미에서 내 석방은 우리 국민이 전두환과 맞서 싸운 투쟁의 결과다. 좀 더 자세히 설명하겠다. 1980년 5월의 그 잔인한 쿠데타 이후, 많은 사람들은 자유를 쟁취하기 위한 한국 국민의 투쟁이 끝난 게 아닐까 하고 우려했다. 그러나 같은 해 말, 우리 학생들은 박정희 시절에 그랬듯이 다시 일어나 민주주의를 부르짖으며 시위를 벌였다. 이때 우리 국민은 처음으로 미국을 공공연히 비난했다. 우리 국민은 전두환 정권을 지지하는 미국의 태도에 몹시 실망했기 때문이다.

전두환의 지배체제를 강화해 준 두 차례의 쿠데타에서, 미국은 전두환 일당의 불법 행위를 가로막는 어떠한 조치도 취하지 않았다. 1979년 12월, 한·미연합군을 지휘하는 미군사령관은 한국군이 비무장지대에서 철수하는 것을 중단시키지 않았다. 전두환이 자기 상관인 참모총장을 체포하고 그의 부하들을 총으로 쏘아 죽였을 때도 미국 정부는 한마디도 하지 않았다. 미군사령관은 연합군 지휘체제를 무시한 혐의로 전두환과 그 부하들을 처벌하도록 한국 정부에 요청할 수 있는 입장이었지만, 그는 군대의 중립성을 회복하고 군의 질서를 바로잡기 위한 어떠한 조치도 취하지 않았다. 전두환은 여기서 용기를 얻었다, 전두환은 미국의 침묵이 자기 행동에 합법성을 부여했고 그것은 결국 그런 불법 행위를 계속해도 좋다는 신호라고 생각한 것 같다.

그래서 전두환은 용기를 얻어 1980년 5월에 두 번째 쿠데타를 일으킨 것이다. 한국군이 명령계통을 무시하고 광주로 파견되어 수백 명의 시민을 학살했지만, 이번에도 역시 미국은 침묵을 지켰다. 게다가 한·미연합사 사령관인 미국 장군은 한국인들을 아무 지도자나 따라가는 들쥐에 비유하여 한국 국민을 모독했다. 이런 사건들은 카터 행정부 시절에 일어난 것들이다.

레이건 대통령이 전두환을 첫 번째 국빈으로 워싱턴에 초청하고 그를 친구로서 환영했을 때, 한국인들은 큰 충격을 받았다. 미국의 역대 행정부에게 거듭 실망해 온 우리 국민은 이제 미국이 과연 우리의 친구인가 아닌가를 묻게 되었다. 기독교 신자인 몇몇 학생들이 부산의 미국문화원에 불을 지르고 또 다른 학생들이 적어도 두 차례에 걸쳐 미국 국기를 불태운 이유는 바로 그것이다. 물론 나는 그런 파괴적인 행동에는 찬성할 수 없지만, 그 학생들이 억압적인 전두환 정권에 대한 미국의 지지에 얼마나 실망했는지는 충분히 이해할 수 있다. 사태는 그런 식으로 진전되어 온 것이다. 전두환과 미국 정부는 이제 더 이상 자기들의 의도가 건설적이라는 것을 한국 국민에게 납득시킬 수 없다.

내 의견을 하나 더 덧붙이겠다. 우리 국민은 미국에 대하여 커다란 실망감을 맛보았고 특히 젊은이들 사이에서 반미 감정이 확산되어 가고 있지만, 한국 국민의 대다수는 '반미주의자'가 아니라고 나는 믿는다. 그런 반미 감정은 극소수만이 느끼고 있으며, 그것은 5월 쿠데타와 광주학살 뒤에 비로소 생겨난 새로운 현상이다.

폴크 전두환 정권은 박정희 정권조차도 시도해 보지 않은 수법을 사용하여 귀하를 체제의 가장 큰 적으로 고발해 왔는데, 그 이유는 무엇인가? 가령 전두환 정권은 왜 귀하가 광주항쟁에 책임이 있다고 믿고 싶어 했는가?

김대중 박정희 정권과 전두환 정권이 나를 제거하기 위하여 사용한 수법은 상당히 다르다. 박정희는 불법적인 암살로 나를 제거하려고 여러 번 시도했다. 예를 들면, 언젠가 한번은 내가 대중연설을 하러 가는 도중에 박정희의 앞잡이들이 교통사고로 위장하여 나를 죽이려고 했다. 그리고 1973년에도 나를 납치하여 죽이려고 했다. 한 번은 도쿄의 호텔이었고 또 한 번은 바다 위에서였다. 그러나 전두환은 공개적이고 공공연한 방법으로, 심지어는 합법적인 것처럼 보이는 방법으로 나에게서 모든 정치적 역할을 빼앗고 사실상 내 목숨까지 빼앗으려 했다는 점에서 박정희와는 달랐다.

전두환이 이런 방법을 택한 데에는 몇 가지 이유가 있다. 1979년 박정희가 암살당한 뒤, 한국 국민은 민주화의 꿈을 품게 되었다. 그 당시에는 미래의 지도자가 될 수 있는 인물이 몇 명 있었다. 나는 그때 대단히 인기가 높았다고 자부한다. 예를 들면, 계엄령이 내 연설을 듣지 못하게 금지하고 있는데도 불구하고 한 번은 3만 명, 그리고 또 한 번은 8만 명의 서울 시민이 내 연설을 들으려고 모였다. 내 고향 근처에서는 약 10만 명의 청중이 모였다. 내가 그렇게 인기가 높았기 때문에 전두환은 진상을 날조하여, 오직 나만이 그렇게 엄청난 군중을 동원할 수 있었을 거라는 이유로 내가 광주항쟁을 선동했다고 단정했다. 하지만 전두환이 어떻게 나를 제거할 수 있겠는가?

박정희가 암살된 뒤 민주주의 확립을 요구하는 목소리가 높아졌고 나는 민주화운동에서 대단히 인기 있는 지도자로 인정되었기 때문에, 전두환 정권도 나를 은밀히 제거할 수는 없었다. 그들은 또한 공산주의자라는 혐의 이외에는 어떤 범죄로도 나를 재판할 수가 없었다. 만약 그랬다가는 한국 국민이 강력한 항의를 제기했을 것이기 때문이다. 한국 국민은 공산주의를 강력히 반대하기 때문에, 한국 정부에 의해 공산주의자로 고발당한 사람은 누구나 효과적으로 제거될 수 있다. 그래서 전두환 정권은 처음에는 내가 관여한 재일단체가 공산주의 집단이며 내가 그 집단의 수괴라고 거짓 주장을 늘어놓았다. 그들은 나에게 용공분자라는 딱지를 붙여 놓고 내가 마땅히 처형되어야 한다고 주장했다. 전두환은 그렇게 사건을 날조해야만 나를 재판하여 제거할 수 있었다.

폴크 작년에 내가 한국에 갔을 때, 일부 사람들은 전두환이 귀하를 기소한 주된 이유는 귀하와 정치 폭력을 관련시킴으로써 귀하의 평판을 떨어뜨리기 위해서라고 말하고 있었다. 한국 국민은 결국 그런 속임수에 넘어가 전두환 정권의 주장을 믿게 되었는가?

대다수의 국민이 강력하게 지지

김대중 전두환 정권이 자신의 비난에 대하여 내가 어떤 식으로든 해명하는 것을 극도로 두려워하고 있다는 사실, 그리고 한국 언론이 내 이름을 보도하는 것조차 금지되어 있다는 사실은 대다수의 국민이 설사 처음에는 믿었다 할지라도 이제는 더 이상 그런 날조된 거짓말을 믿지 않으며 아직도 나를 강력하게 지지하고 있다는 것을 정부에서도 알고 있다는 뚜렷한 증거다. 물론 정부의 거짓 주장에 여전히 속고 있는 사람들도 있겠지만, 일단 언론 자유가 회복되면 그들도 역시 진실을 알게 될 거라고 나는 믿어 의심치 않는다.

박정희와 전두환에 대한 우리 국민의 태도에는 상당한 차이가 있는데, 그 점에 대해서 몇 마디 덧붙이겠다. 박정희는 군부독재자로 비난을 받았지만 상당히 많은 수의 국민들로부터 지지를 받을 만한 이유가 있었다. 우선, 그가 1961년 5월에 군사쿠데타를 일으켰을 때 우리 국민의 일부는 그를 반대하지 않았다. 그들은 당시 우리 사회의 혼란에 넌더리를 내고 있었기 때문에 박정희의 통치를 받아들였다. 박 대통령이 암살된 뒤, 우리 국민은 민주적 자유가 실현되기를 원했다. 대중집회의 자유와 언론의 자유, 그리고 정치 활동의 자유를 누리고 싶었던 것이다. 이것은 그런 자유들이 20년 동안 억압당해 왔기 때문이다. 이제 우리 국민은 박정희 군사정권이 초래한 강요된 침묵에 넌더리를 내고 있었다.

둘째로 박정희 대통령은 1972년 10월에 유신독재를 시작했지만, 1963년부터 1971년까지는 그래도 세 차례에 걸쳐 대통령 직접선거를 실시했다. 박정희가 반드시 법률에 따라 공명선거를 실시하지는 않았지만 어쨌든 그런 선거를 위한 법률적 수단은 있었던 셈이다. 그런데 전두환 정권하에서는 자유로운 직접선거를 보장해 주는 아무런 법률적 장치도 존재하지 않는다. 그래서 우리 국민은 전두환 정권의 정통성을 거의 인정하지 않는다. 마지막으로, 옳든 그르든 간에 박 대통령이 한국의 경제적 기적을 일으킨 공로자라는 주장은 일반 대중에게 널리 받아들여졌다. 그러나 전두환은 자신의 집권을 정당화해 줄 만한 그런 업적을 전혀 갖고 있지 않다.

폴크 전두환이 자기와 거래를 하자고 귀하에게 요청한 적이 있는가?

김대중 1980년 5월 17일에 내가 체포된 바로 다음 날, 광주 시민들은 여러 요구 사항들 가운데 하나로 내 석방을 주장하면서 전두환에게 대항하여 일어섰다. 전두환은 시위를 진압하려고 광주 시민들을 학살했지만, 우리 국민의 분노, 특히 광주 시민의 분노를 달래 줄 필요가 있었다. 전두환은 내가 공산주의자이며 광주항쟁의 배후 조종자라고 공공연히 비난했지만, 그런 이유 때문에 나하고 비밀협정을 맺고 싶어 했다. 내가 구속된 지 두 달 뒤인 7월 10일, 현재 전두환의 보좌관인 보안사의 고위장교가 중앙정보부에 감금되어 있는 나를 찾아왔다. 그 사람은 전두환에 대한 적극적인 반대를 포기하라고 요구하면서, 내가 동의하면 잘 봐주마고 약속했다. 그러고는 이렇게 말했다.

"당신한테는 두 가지 길밖에 없다. 죽느냐, 살아남느냐. 우리에게 협력하면 당신은 살아남을 것이다. 그러지 않으면 당신은 틀림없이 죽는다. 우리가 요구하는 것은 당신이 대통령 될 생각을 깨끗이 버리라는 것뿐이다."

그 사람은 전두환 정권이 나를 관대하게 다루려고 하는 두 가지 이유를 가르쳐 주었다. 첫째는 경쟁 지역 사이의 긴장을 누그러뜨려야 할 필요가 있었기 때문이다. 전라도와 경상도 주민 사이에는 심각한 지역감정과 경쟁의식이 존재한다. 나는 전라도 출신이고, 전두환은 박정희와 마찬가지로 경상도 출신이다. 두 번째 이유는 점점 용공적이 되어 가고 있다는 우리 학생들을 감화시키기 위하여 내 협력을 얻으려는 것이었다. 그 사람은 오직 나만이 우리 학생들을 설득하여 공산주의를 거부하게 할 만한 능력과 신뢰성을 갖고 있다고 말했다, 나는 이 '제안'에 대하여 이렇게 대답했다. "당신들은 나를 용공분자로 고발해 놓고서 이제는 우리 학생들에게 용공분자가 되지 말라고 설득할 것을 요구하고 있다. 용공분자가 어떻게 용공적인 학생들을 용공분자가 되지 말라고 설득할 수 있겠는가" 그랬더니 그 사람은 더 이상 이 문제를 논의할 필요가 없다고 말했다. 이 사건은 나에 대한 고발이 미국 국무부의 논평대로 순전히 '억지'라는 것을 분명히 입증해 주었다.

폴크 박정희의 암살 자체는 군부독재를 종식시키려는 노력과 주로 관련되어 있었는가?

김대중 그렇다. 나는 상황을 그렇게 본다. 박정희는 한국의 경제 발전에 어느 정도 공로가 있었지만, 그 경제 발전에는 두 가지의 중요한 문제점이 수반되었다. 첫째는 인플레이션을 통하여 일반 대중을 착취했다는 것이다. 그리고 둘째는 이러한 경제 발전 과정에서 생겨난 부와 소득이 지역과 소득계층에 따라 불공평하게 분배되었다는 점이다. 이러한 두 가지 문제점과 정치적 권리에 대한 억압 때문에 국민들은 전체적으로 불만을 품고 있었다.

국민에게 쏘느냐, 박정희를 쏘느냐

김대중 민주주의를 요구하는 국민의 강한 열망은 그 후 박 대통령이 암살되기 직전에 일어난 부마항쟁에서 표출되었다. 부산과 마산에서 일어난 이 봉기는 민주주의를 쟁취하기 위한 7년간의 길고도 끈질긴 투쟁의 절정이었다. 박정희를 암살한 중앙정보부장 김재규는 부마항쟁을 조사한 결과 이 봉기에 가담한 사람들이 대학생이나 가난한 노동자들만이 아니라는 것을 알았다. 그래서 그는 이번 봉기가 소수집단에 의해 일어난 것이 아니라 전체 주민의 뜻을 반영한 것이라고 박 대통령에게 보고했다. 김재규는 이렇게 주장했다. "그러므로 각하께서 중대한 개혁에 착수하지 않는다면, 그건 봉기가 확산되어 정권을 집어삼키는 것을 막을 수 없게 될 것입니다." 그러자 박 대통령은 혼란을 일으키는 사람들을 총으로 쏘아 버리라고 말했다. 따라서 김재규에게는 두 가지 길밖에 없었다. 박정희의 명령에 따라 국민에게 총을 쏘느냐, 아니면 박정희를 쏘느냐. 김재규는 박정희를 쏘는 쪽을 택했다. 이것은 국민의 투쟁이 그에게 그런 행동을 강요했다는 것을 의미한다. 그런 의미에서 박정희의 암살은 국민이 민주 회복을 위하여 반유신운동을 벌인 결과다.

한국 국민이 1952년 이후 수많은 패배와 좌절을 겪으면서도 민주주의를 위하여 그토록 끈질기게 영웅적으로 싸워 온 이유를 이해하는 것은 매우 중요하다고 나는 생각한다. 우리는 벌써 40년 가까이 북녘의 형제들과 갈라져 있고, 이것은 우리에게 깊은 좌절감을 안겨 준다. 우리는 민주주의적 권리를 가질 때에만 이런 분단을 견딜 수 있다. 북녘에는 그런 권리가 전혀 없다는 것을 우리는 알고 있다. 그곳에는 민주주의에 대한 희망이 전혀 존재하지 않는다. 민주주의는 국민의 전폭적인 지지에 힘입어 평화 통일을 실현할 수 있으리라는 강한 기대감으로 이러한 분단 상태를 견디도록 우리를 설득할 수 있다. 남쪽에 민주정부가 실현되어야만 비로소 정부가 국민의 전폭적인 지지를 누릴 수 있고, 그런 연후에야 비로소 우리는 북한이 남한을 압도할 수 없으리라는 확신을 가질 수 있다. 그렇게 되면 북한은 남한의 민주정부와 평화적인 대화를 할 수밖에 없을 것이고, 그러면 우리는 평화적인 대화와 평화 공존, 평화적인 교류를 추진하여 궁극적으로 평화 통일을 실현할 수 있을 것이다. 따라서 민주주의는 남북한 문제를 평화적으로 해결하기 위해서도 필요하다. 남북한의 갈등은 힘으로는 해결될 수 없으며 오로지 평화적인 방법으로만 가능하다.

탠터 한국의 특수한 비극은 나라의 분단이고, 귀하가 말했듯이 분단은 남북한 양쪽에 억압과 민주주의의 부재를 초래하는 것 같다. 현재 시점에서 통일에는 어느 정도의 중요성이 부여되어야 하는가?

김대중 이 시점에서는 남북한 사이에 평화를 정착시키고 그리하여 또 한 번의 전쟁을 방지하는 것이 더 중요하다. 4대 강국—미국, 소련, 일본, 중국—도 비록 그 정도는 각기 다르고 속셈도 다르지만, 한반도의 평화를 원한다고 나는 믿는다. 남북한은 40년 동안 적대 관계를 유지해 왔고 정치제도와 경제체제가 서로 다를 뿐만 아니라 국제사회가 아직도 통일된 한국을 뒷받침해 줄 수 없기 때문에, 현재 시점에서 완전한 통일은 매우 어려울 것이다. 게다가 지난 40년 동안 남북한 양쪽에서는 상당히 다른 경제적 문화적 관습이 발달되어 왔다. 그러므로 통일 노력에 서둘러 박차를 가하는 것은 현명치 못할 것이다. 현재는 평화 공존과 평화 교류를 정착시키는 것이 더 중요하다. 그렇게 함으로써 우리는 궁극적으로 느슨한 형태의 통일을 달성할 수 있고, 그런 연후에 양쪽의 합의를 바탕으로 하여 완전한 통일을 향해 꾸준히 나아갈 수 있을 것이다. 당분간은 4대 강국의 이해관계를 무시할 수가 없다. 우리는 궁극적인 통일을 지향하는 모든 노력에서 그들의 협력을 필요로 하기 때문이다.

탠터 최근 한반도와 관련된 국제 정세는 사실상 악화된 것처럼 보인다.

미·소 간의 긴장이 고조되어 가고 미국은 일본의 재무장을 강력히 요구하고 있는데, 이것은 일소관계日蘇關係와 밀접한 관련을 갖고 있다. 게다가 그 지역 전체에 걸쳐 고도로 발전된 무기체제, 특히 핵무기가 증가하고 있으며, 한국과 일본 및 미국의 밀접한 협력 관계가 발전되어 왔다. 이런 상황을 종합해 보면, 최근의 추세는 훨씬 더 적대적인 환경을 초래할 것처럼 보인다. 이런 환경 속에서 한국 국민은 자신에게 적합하지 않은 것들을 가려내도록 노력해야 한다. 이런 사태 발전은 한국에 있어서 무엇을 의미하는가?

김대중 현존하는 긴장에도 불구하고, 나는 여전히 4대 강국이 한반도에서의 전쟁 재발을 원치 않는다고 확신한다. 우선 미국은 한국을 소련이나 기타 공산주의 세력의 남침을 저지할 수 있는 반공기지로 이용하고 싶어 할지도 모른다. 그러나 미국이 한국을 북침의 근거지로 이용하려는 의도는 전혀 없다고 나는 생각한다.

둘째, 일본은 현재 소련이나 중국에 대하여 전쟁을 일으킬 만한 군사적 능력을 갖고 있지 않다. 게다가 일본은 한국과 중국, 심지어는 시베리아 개발과 관련하여 소련과도 경제 협력 관계를 맺고 거기서 많은 이익을 얻었다. 일본이 그런 이익을 계속 얻고 싶어 할 것은 분명하다. 게다가 일본 여론은 공격적인 모든 군사행동을 강력히 반대하고 있다.

셋째로 중국은 2000년까지 선진국이 되려는 목표를 달성하기 위하여, 미국과 일본의 경제 원조 및 교역에 크게 의존하고 있다. 동아시아에서 이데올로기적인 의미를 가진 전쟁이 일어나면 경제 발전을 위한 그들의 전략이 수포로 돌아갈 것은 거의 확실하다. 마지막으로 소련은 극동 지역에서 평화를 어느 정도 위협할지도 모르지만, 모스크바가 나머지 세 강대국의 뜻에 어긋나는 전쟁을 벌일 수는 없다고 나는 생각한다. 더구나 소련 군사력의 대부분은 서부전선이나 중·소 국경의 분쟁 지역 근처에 배치되어 있기 때문에, 전쟁에 필요한 추가 병력을 동쪽으로 이동시키기가 매우 어렵다. 어쨌든, 소련이 그런 전쟁에서 실제로 이득을 얻을 수 있을지 어떨지는 의심스럽다. 따라서 나는 4대 강국 가운데 어떤 나라도 적대 행위를 시작하거나 거기에 참여할 이유가 전혀 없다고 생각한다. 또한 동서 어느 진영도 한반도가 상대 진영의 영향력이나 주도권하에서 통일되는 것을 용납하려 들지 않을 것이다. 그것은 그들이 현상 유지를 더 원한다는 것을 의미한다.

그것은 또한 4대 강국으로부터 긍정적인 정치적 돌파구가 제시될 가망이 거의 없다는 것을 의미한다. 한반도는 폭발을 기다리는 사실상의 화약고라고 주장할 수도 있다. 남북한 사이에는 극심한 적대의식이 존재한다. 형식적으로 볼 때 남북한은 아직도 전쟁 상태다. 그리고 양쪽은 하나 이상의 강대국과 군사적 동맹 관계나 그 밖의 밀접한 관계를 맺고 있다. 그러나 남한과 북한 사이에는 안정된 세력균형이 존재한다. 어느 쪽도 상대방을 이길 수 없고, 양쪽을 지원하고 있는 동맹국들은 서로를 충분히 견제할 수 있을 만큼 강력하다. 따라서 한반도는 세계에서 가장 안정된 군사적 균형 상태를 이루고 있다. 안정된 세력균형이 존재할 때는 결코 전쟁이 일어난 적이 없다는 사실은 역사가 증명해 왔다. 6·25전쟁이 끝난 뒤 30년의 기간은 이러한 세력균형을 입증해 준다.

한국과 미국 및 일본 사이의 밀접한 삼각관계에 대해서도 약간 고찰해 보고자 한다. 이 세 나라 사이에는 앞으로 더욱 긴밀한 협력 관계가 맺어질지도 모르지만, 정식 동맹 관계는 수립되지 않을 것으로 예상된다. 한국 국민은 국가안보에 대단히 신중하지만, 일본과 군사적 동맹 관계를 맺는 것은 몹시 꺼린다. 일본인들도 역시 그런 동맹 관계를 꺼린다. 일본 정부나 한국 정부가 그런 동맹 관계를 모색한다면 권력을 오랫동안 유지하지 못할 것이다. 그러므로 미국은 한·미·일 삼국동맹을 원할지도 모르지만 그런 일이 일어날 가능성은 거의 없다고 나는 생각한다.

전두환을 지지하는 미국

폴크 미국과 한국 정권과의 관계에 어떤 변화가 있었는가, 아니면 본질적으로 달라진 게 없는가? 미국은 아직도 많은 영향력을 갖고 있는가?

김대중 한국에 대한 미국의 정책은 별로 달라지지 않았다고 본다. 미국은 전두환 정권의 억압통치를 완화시키고 전두환이 7년 임기를 마친 뒤 대통령직에서 물러나도록 부추기는 것을 목표로 삼고 있을지도 모르지만, 어쨌든 현재 미국의 정책은 전두환을 지지하는 것이다. 이 정책은 표면적인 변화를 가져올지도 모르지만, 우리가 원하는 것은 그게 아니다. 우리는 한국에 민주체제가 회복되기를 원한다. 현행 헌법하에서는, 그리고 현재의 정치 상황하에서는 전두환이 7년 뒤에 대통령직에서 물러난다 해도 언론의 자유와 반정부적 정치 활동과 자유로운 선거는 여전히 존재하지 않을 것이다. 대통령이 바뀐다 해도, 새로운 대통령은 제2의 전두환일 가능성이 크다. 따라서 현재의 독재체제를 폐지하고 민주체제를 회복하는 것이 가장 중요하다. 그러나 만약 민주체제가 회복된 뒤 전두환이 대통령 선거에 출마하여 승리한다면, 우리는 그를 국민이 자유롭게 선택한 지도자로 인정할 것이다. 전두환이 우리와 기꺼이 대화를 하겠다면, 그리고 민주 회복에 대한 국민의 열망을 진정으로 존중한다면 우리는 언제든지 전두환과 더불어 모든 문제를 논의할 준비가 되어 있다. 그러나 그럴 가능성은 거의 없다고 생각한다.

폴크 귀하에게 미국의 외교 정책을 재수립할 기회가 주어진다면, 귀하는 그것을 어떻게 바꾸겠는가?

김대중 여러 해 전에 영국 역사가인 아놀드 토인비가 미국인들에게 도전장을 냈다. "당신들 미국인에게 남아 있는 유일한 길은 미국 본래의 정신으로 돌아가는 것뿐이다." 이것은 내 충고이기도 하다. 미국은 모든 나라에서 대다수 국민의 뜻을 지지하는 방향으로 돌아가야 한다. 그러면 이들 나라의 대다수 국민은 그 보답으로 미국을 지지할 것이다. 미국은 민주적 전통을 갖고 있고 다수의 지배를 지지했기 때문에, 세계인들은 한때 미국을 칭찬하고 존경했다. 그런데 불행히도 최근에는 미국 정부가 반공의 대의명분을 구실삼아 베트남과 한국 등지에서 소수를 지지해 왔다. 이것은 미국뿐만 아니라 우리 자유세계를 위해서도 비극이었다.

미국이 베트남에서 인권과 민주주의를 지지했다면, 설사 베트남전쟁에서 패배했을지라도 민주주의와 인권의 수호자로서, 더 나아가 민주주의와 인권을 위한 순교자로서 칭찬과 존경을 받았을 것이다. 그리고 미국 국민은 비록 전쟁에서 패배했을지라도 민주주의와 인권을 지지했기 때문에 자부심을 느꼈을 것이다. 미국인들이 현재와 같은 좌절감에 사로잡히는 일은 결코 없었을 것이다.

미국에서는 국민이 민주적 자유를 누릴 때에만 비로소 진정한 사회적 안정이 유지되기를 기대할 수 있다. 그리고 진정한 안정이 없이는 진정한 안보도 결코 기대할 수 없다. 한국 국민은 그와 똑같은 딜레마에 직면해 있다. 미국의 많은 지도자들은 한국 문제를 다룰 때면 으레 민주주의보다 군사적 안보를 앞세우고, 한국의 안보 상황을 강조함으로써 이런 입장을 정당화시키려 한다고 우리는 생각한다. 그러나 미국도 역시 소련과의 안보 문제에 직면해 있다. 따라서 논리적으로 말하면, 미국 지도자들은 미국에서도 안보를 앞세우고 민주주의는 이차적인 문제라고 주장해야 한다. 미국인들이 이 같은 우선순위를 기꺼이 받아들인다면, 우리 한국인들도 그렇게 할 것이다.

미국은 오랜 민주주의 역사를 갖고 있지만 한국은 그렇지 못하고, 따라서 한국인들은 국가안보를 위해 억압통치를 받아들여야 한다고 당신네들은 주장할지도 모른다. 그러나 영국으로부터 독립할 당시의 미국을 생각해 보라. 국민의 교육 수준과 교양이 오늘날의 한국인들과는 비교도 되지 않을 만큼 뒤떨어져 있었는데도, 미국인들은 200년 전에 자유를 얻기 위하여 죽음을 무릅쓰고 끝까지 싸울 것을 주장했다. 이것에 비추어 볼 때, 미국이 한국에서 계속 안보를 앞세운다면 우리는 미국이 일종의 인종차별 정책을 쓰고 있다고 단정할 수밖에 없다. 미국은 이 점을 이해해야 한다. 그래야만 비로소 미국은 한국 국민의 우정을 얻을 수 있을 것이다. 그래야만 비로소 한국은 미국이 그토록 중요시하는 안보를 누리게 될 것이다. 그러므로 "민주주의가 우선이고 안보는 두 번째"여야 한다는 것에 합의하기로 하자. 미국 지도자들이 한국에서도 민주주의가 우선해야 한다는 것을 인정하지 않으면 반미 감정은 계속 확산될 것이고 우리는 베트남과 같은 운명을 피하지 못할 것이다.

미국은 제3세계 국민의 요구에 훨씬 더 많은 관심을 기울여야 한다. 미국이 현재의 심각한 문제들을 성공적으로 해결할 수 있는 길은 이것뿐이다. 제3세계 국민이 반드시 공산주의자가 되도록 운명 지어져 있는 것은 아니다. 미국이 다수의 뜻을 무시할 때에만 제3세계 국민은 공산주의 쪽으로 돌아설 것이다. 국민 대다수가 민주주의와 자유, 그리고 경제 발전을 누린다면 그들이 공산주의를 추구할 이유는 전혀 없을 것이다. 물론 안보는 더할 나위 없이 중요하다. 그러나 우리는 지켜야 할 그 무엇, 수호해야 할 무언가를 우선 가져야 한다. 그것은 곧 민주주의와 자유, 정의와 인간의 존엄성이다. 미국 지도자들은 이제라도 이 점을 인식하고 거기에 따라 행동해야 할 것이다.

폴크 그것은 매우 강력한 메시지다. 전두환 정권이 반민주적 성격을 가졌고 북한이 위협적인 존재라고 한다면, 그것은 주한 미군의 존재와 어떻게 결부되는가? 카터 대통령은 선거 유세에서 주한 미군 철수를 주장했고, 그것 때문에 국방부와 한국의 각계각층으로부터 심한 비난을 받았다. 카터는 대통령에 취임한 뒤 주한 미군 철수 계획을 포기했다. 미군이 제3세계 국가에 병력을 주둔시키고 그 나라의 군부 지도자들과 밀접한 관계를 갖고 있는데도 과연 제3세계 국가에서 민주주의를 존중할 수 있겠는가?

김대중 카터 대통령이 선거공약을 어길 수밖에 없었던 이유는 당신 말대로 국방부와 한국의 격렬한 비난 때문이기도 하지만, 가장 큰 이유는 그 정책이 시기상조라는 것을 카터가 깨달았기 때문이다. 아직은 미군을 철수시킬 시기가 아니라고 카터는 믿게 되었다. 카터는 그 사실을 인식했기 때문에 한국에서 병력을 철수하지 않았던 것이다. 주한 미군의 존재가 한국의 민주화를 어렵게 만드는지 어떤지, 또는 미군과 한국군의 밀접한 관계가 한국에서 독재정권의 유지를 간접적으로 도와주고 있는지 어떤지에 관해서 말하자면, 그런 견해를 정당화시켜 주는 몇 가지 근거가 있을 수 있다. 그러나 반드시 그렇게 될 필요성은 없다. 서독의 경우를 보면, 상당한 규모의 미군이 주둔하고 있는데도 민주주의를 실천하고 있다. 반면에 라틴아메리카나 중동 또는 아프리카 국가들을 보면, 그런 나라에는 미군이 전혀 없는데도 독재정치를 하고 있기 때문이다. 따라서 미국이나 다른 외국 군대의 존재와 독재정권 사이에는 직접적인 관계가 없다고 나는 생각한다.

북한은 절대로 남침하지 않을 것

한국에는 이 점을 입증해 주는 뚜렷한 증거도 있다. 1960년 4월, 우리 학생들이 민주혁명을 일으켰을 당시 주한 미군은 지금보다 훨씬 많았지만, 주한 미군의 존재는 학생혁명에 전혀 장애가 되지 않았다. 오히려 미군사령관의 간접적인 영향력은 한국 군대가 혁명에 대하여 중립을 유지하도록 만드는 데 크게 이바지했다. 민주주의 원칙에 대한 미군의 긍정적인 태도를 보여 주는 사례가 또 하나 있다. 1961년 5월 박정희가 군사쿠데타를 일으켰을 때, 미군사령관은 박정희의 군사쿠데타를 좌절시킬 수 있도록 허락해 달라고 윤보선 대통령에게 간청했다. 그러나 대통령의 허락을 얻어 내지 못했기 때문에 미군사령관은 박 장군의 쿠데타를 진압하지 못했다. 한국의 민주 회복은 주한 미군이 있느냐 없느냐보다는 미국의 정책에 더 많이 의존하고 있다.

미군이 주둔하는 동안 한국이 민주화되지 못하면 한국은 아마 영원히 민주화되지 못할 것이다. 미군이 한국에서 철수하면 북한의 위협에 대한 공포가 국민 전체를 사로잡을 것이고, 군사독재 정권은 이런 공포심을 충분히 이용할 것이기 때문이다. 미군이 주둔하고 있는 지금도 독재정권은 억압정치를 정당화하기 위하여 이따금 북한의 남침 가능성을 들먹이거나, 그 밖에 북한의 위협으로 간주되는 수많은 사례들을 인용하곤 한다. 최근에도 한국 국방부 장관이 미국에 왔을 때 어떤 공개연설에서 북한이 이번 여름에 남침할 가능성이 있다고 말했고, 거기에 대하여 주한 미군의 한 고위장교는 "북한은 절대로 남침하지 않을 것" 이라고 말했다.

한국 정부가 안보상의 위험을 이용하여 억압을 정당화한 사례는 수없이 많다. 예를 들면 내가 대통령 선거에 출마한 이듬해인 1972년, 박 정권은 김일성이 환갑날인 4월 15일을 앞두고 서울에서 환갑잔치를 벌일 계획을 세우고 있다고 떠들어 대면서 약삭빠른 선전 공세를 펼쳤다. 그래서 남침 위협을 특별히 경계해야 할 필요가 생겼다. 그들이 주장한 안보상의 위험은 우리 국민을 겁주려고 날조한 것이었다. 그 후 1975년 9월 9일, 북한의 노동당 창립 30주년 기념일에는 김일성이 노동당 창립 30주년 기념일을 축하하기 위하여 서울로 쳐내려올 계획이라고 박 대통령이 직접 우리 국민에게 발표했다. 거의 해마다 봄이 되면 정부는 이런 유언비어를 퍼뜨리곤 한다. "이제 풀이 자라면 북괴 공비들이 풀숲에 몸을 숨기고 쳐내려올 수 있을 것이다." 가을이 되면 정부는 "이제 겨울이 오면 남북한 사이의 임진강이 꽁꽁 얼어붙을 것이고, 그러면 북괴 인민군들이 강을 건너올 것" 이라고 말한다.

폴크 핵무기는 북한의 침략을 방어하는 데 반드시 필요한 요소인가? 미군은 만약의 침략을 저지하기 위하여 핵무기를 보유하지 않으면 한국에서의 임무 수행에 대하여 자신감을 갖지 못할 것이라고 이해되어 왔다.

김대중 나는 군사무기 전문가가 아니기 때문에 포괄적인 대답은 할 수 없다. 하지만 핵무기가 없더라도 주한 미군의 존재 자체가 북한의 침략을 단념시키기에 충분한 억제력이라고 나는 생각한다. 나는 한반도나 세계의 어느 지역에서 일어나는 어떤 종류의 핵전쟁에도 강력히 반대한다. 따라서 나는 한국 정부와 미국 정부에게 몇 가지 질문을 던지고 싶다.

첫째, 한반도에 핵무기가 있는가? 많은 사람들은 있다고 말하지만 정부에서 공식적으로 확인한 적은 한 번도 없었다.

둘째, 만약 핵무기가 있다면, 북한에 핵무기가 전혀 없다 해도 남한에 그것이 필요한가?

셋째, 핵무기가 한반도의 긴장을 더욱 고조시키고 평화적 해결을 위한 움직임을 모조리 봉쇄하고 있지는 않은가? 한국이 핵무기를 보유하고 있다면 북한도 중국이나 소련에 핵무기를 요구하거나 직접 그것을 만들 가능성은 없는가?

마지막으로, 한반도의 진정한 안보와 평화라는 견지에서 볼 때 한국에 배치되어 있는 핵무기의 존재가 애초의 기대와는 사실상 반대되는 결과를 초래하지나 않을지 묻고 싶다. 미국 정부와 한국 정부는 이러한 질문에 충실히 대답해야 할 것이다.

폴크 레이건이 한국 문제를 다루는 방식에 대하여 특별히 논평할 말이 있는가?

전두환 독재정권을 지지한 미국의 잘못

김대중 독재정권을 지지하고 안보의 중요성을 내세워 그것을 정당화한 것은 레이건 행정부의 잘못이다. 앞에서도 말했듯이, 민주주의가 없이는 아무도 한국의 진정한 안보를 기대할 수가 없다. 미국이 전두환 정권을 지지하는 이유가 안보 문제 때문만은 아닐 거라는 의혹이 우리 국민들 사이에 퍼져 있다. 또 하나의 중요한 이유는 미국의 경제적 이익을 보호하는 것이다. 독재정권은 미국이 한국에서 벌이는 경제 활동에 대한 불만이나 비판을 억누를 수가 있다. 미국 관리들이 그런 믿음을 계속 고수한다면, 그것은 너무 근시안적인 단견이라고 말할 수밖에 없다. 긴 안목으로 보면, 미국 기업인들이 순조롭게 사업을 운영하고 장기적인 계획을 세우는 데 필요한 사회 안정은 오직 민주정부만이 보장해 줄 수 있다. 민주정부하에서만이 미국 기업인들은 한국에서 사업을 하기 위해 터무니없는 뇌물을 강요당하거나 비밀거래를 할 필요가 전혀 없는 공정하고 공개적인 시장을 기대할 수 있다. 그래야만이 우리 국민은 미국인들의 기업 활동을 잘 이해하고 지지할 것이며, 그래야만이 한국인과 미국인은 상호 이익을 추구할 수 있다.

따라서 레이건 행정부는 한국 국민의 이익을 위해서만이 아니라 미국 측의 이익을 위해서라도 '조용한 외교' 정책을 재고해야 한다. 물론 경우에 따라서는 조용한 외교가 필요하다는 것은 나도 인정하지만, 민주주의와 인권에 대한 미국의 헌신을 분명히 표현하기 위해서는 조용한 외교만으로는 충분치 않다. 레이건 행정부는 내 생명을 구하고 정치범들을 석방시키고 부산 미국문화원에 방화한 젊은이들을 살리기 위해 상당한 노력을 기울였지만, 한국 국민은 아직도 백악관이 한국의 독재정권을 강력히 지지하고 있다고 생각한다. 워싱턴이 우리 국민에게 미국이 친구라는 것을 보여 주고 싶다면 민주주의와 인권을 공개적으로 강력하게 지지해야 한다. 최근 필리핀에서 베니그노 아키노 상원의원이 잔인하게 암살당한 사건은 레이건 행정부가 다수의 뜻을 존중하는 문제와 관련하여 어떤 태도를 취하고 있는가를 동아시아인들이 분명히 깨달을 수 있는 기회를 제공하고 있다. 필리핀 국민과 한국인, 그리고 그 밖의 많은 국민들은 레이건 대통령이 11월로 예정된 필리핀 방문을 실행에 옮길지 어떨지를 주의 깊게 지켜볼 것이다. 필리핀 방문은 미국이 상대국 국민의 이익보다 독재정권을 지지한다는 분명한 증거로 간주될 것이다.

미국은 한국에서 민주주의를 공개적으로 지지해야 할 뿐만 아니라, 한국 군부가 정치에 개입하지 말고 국토방위에만 전념하도록 촉구해야 한다, 이것은 군부가 중립성을 유지하고 사실상 민주주의를 지지할 수 있도록 용기를 불어넣어 줄 것이다. 나는 한국 군부에 대하여 발언권을 갖고 있는 미국 정부가 이런 적극적인 역할을 맡는 것을 지지한다. 주한미군 사령부는 한국군의 이동을 승인하는 권한을 갖고 있기 때문이다.

탠터 서울에는 귀하의 견해에 공감하고 민주화를 지지할 가능성이 있는 장군들이 있는가?

김대중 한국군의 체제는 미군을 본떠서 만들어졌기 때문에, 과거에는 정치적 중립과 민주주의를 존중했다. 군의 중립성은 '당연한 전제'로 받아들여졌다. 한국군은 공산주의와 싸우기 위한 도구로 인식되었다. 그래서 한국군 병사들은 민주주의를 지키기 위하여 군대에 들어간다. 1960년의 학생혁명 당시, 군대는 정치적 중립과 민주주의를 존중한다는 것을 보여 주었다. 그리고 비록 박정희는 처음부터 끝까지 군대를 악용했지만, 민주주의에 대한 공약은 여전히 남아 있었다.

그래서 1979년에 박정희가 암살된 뒤에도 군대는 국민과 마찬가지로 나라의 민주화와 군의 중립을 지지했다. 예를 들면, 박정희가 암살된 뒤 한국군 사령관들이 실시한 비밀투표에서는 25명의 장군들 가운데 22명이 민주 회복에 찬성했다. 그리하여 전두환은 소수파로 고립되었다. 전두환은 유신체제를 유지하고 싶어 했지만, 대다수의 장군들은 변화를 원했다. 전두환이 1979년 12월과 1980년 5월에 군사쿠데타를 일으킨 것은 그런 배경에서였다. 미국 정부가 한국군의 중립을 지지하기로 결심하고 12월의 군사쿠데타를 '기정사실'로 인정하지 않았다면, 민주주의를 지지하는 한국 장군들은 크게 용기를 얻어 군의 중립을 확보하려는 노력에 더욱 박차를 가했을 것이고, 한눈팔지 않고 국토방위 의무에만 전념할 수 있었을 것이다.

한국군이 민주주의를 존중한 사례를 또 하나 들 수 있다. 공수부대가 광주 시민들을 학살하기 위해 파견되었을 때, 그 지역에 주둔하는 사단장은 학살에 반대했다. 그는 고문을 당하고 군대에서 추방되었다. 그러나 이 이야기에는 속편이 있다. 1년 뒤인 1981년 4월에 총선거가 실시됐을 때, 광주 시민들은 이 전직 사단장에게 국회의원에 출마할 것을 요구했다. 그는 이 요청을 받아들였다. 그가 광주 지역에서 가장 인기 있는 후보자였던 것은 의심할 여지가 없다. 그러자 전두환 정권은 깜짝 놀랐다. 어느 날 이 사람이 느닷없이 불가사의하게 사라져 버렸다. 그리고 얼마 후 그는 뜻밖에도 후보를 사퇴한다는 정식 사퇴서를 제출했다. 우리는 그가 현재 어디에 있는지 모른다. 미국 정부가 정말로 한국군의 정치적 중립을 지지한다면, 대다수의 한국군 장교들은 정치적 중립과 민주주의, 그리고 순수한 국방의무에 헌신할 거라고 나는 믿는다.

폴크 한국에서 민주주의를 실현하려면 어떤 조건들이 필요한가? 귀하는 그 민주화 과정에 어떻게 참여할 것인가?

김대중 우선, 한국의 민주주의는 한국인 자신의 노력에 의해 달성되어야 한다는 것이 내 신념이다. 근본적으로 말해서, 한국 국민의 헌신과 노력과 희생이 없이는 앞으로 직면할 도전을 이기고 살아남을 수 있는 민주주의는 실현될 수 없다. 우리 국민은 계속된 독재정권에 맞서서 30년이 넘도록 격렬한 투쟁을 벌여 왔기 때문에 이제는 상당히 성숙해졌고 민주주의를 회복시켜 그것을 누릴 준비가 되어 있다.

둘째, 대다수의 한국 국민은 자기들이 군부독재를 이기고 민주주의를 회복할 수 있을 만큼 강하다고 믿고 있다. 그러나 미국이 독재정권을 지지하기 때문에 그 목표를 달성하려는 그들의 노력은 늘 저지당해 왔다. 미국이 전두환 정권을 지지하기 때문에 수많은 우리 국민—특히 민주주의 원칙과 군대의 중립을 지지해 왔던 일부 군부 지도자들—은 좌절당했고 언젠가는 민주주의가 회복될 것이라는 희망조차도 잃어버렸다. 군인들은 이제 자기들이 옳다고 믿는 것을 추구하기를 포기했고, 살아남기 위하여 군부독재자에게 굴복했다.

이런 의미에서 대다수의 한국 국민은 민주 회복이 자기들 책임이긴 하지만 장기간에 걸친 피비린내 나는 투쟁을 겪지 않고 또 미국에 대하여 공공연한 적대 행위도 하지 않고 민주주의를 회복하려면 미국의 정책 변화가 필수적이라고 생각하고 있다. 그럼에도 불구하고 미국은 계속 잘못된 정책을 고수하고 있으며, 미국 국민과 언론 매체는 인권과 민주주의를 쟁취하려는 한국 국민의 노력에 거의 관심을 기울이지 않고 있다. 우리는 민주화운동에 대한 무관심과 폴란드의 '자유노조운동'에 대한 언론 매체의 대대적인 보도를 비교해 보라.

폴크 귀하는 현재 한국 국민이 진심으로 민주주의를 추구하고 있으며 민주주의가 실현될 경우 그것이 계속 유지될 수 있다고 낙관하는가?

민주주의는 한국에 반드시 필요

김대중 지나치게 낙관하지는 않지만, 한국 국민은 역사의 이 시점에서 민주주의를 추구할 훌륭한 이유를 갖고 있다고 나는 믿는다. 한국의 민주주의는 계속 좌절당했고 지금도 장애물이 존재하고 있지만, 그럼에도 불구하고 민주주의는 한국에 반드시 필요하며 또한 가능하다. 그 이유를 다섯 가지만 지적하겠다.

첫째, 한국은 수천 년 동안 중국의 지배를 받았으면서도 자신의 주체성을 유지해 왔다. 만주족이나 몽골족 같은 민족들은 우리처럼 주체성을 지키지 못했다.

둘째, 민주주의 원칙은 한국의 전통에 깊이 뿌리박혀 있다. 예를 들면 한국의 토착종교인 동학은 "인간은 곧 하늘"이며 "인간을 섬기는 것은 곧 하늘을 섬기는 것"이라고 주장했다.

셋째, 한국인들은 지난 100년 동안의 권위주의적인 통치에 맞서서 인권과 민주주의를 끈질기게 추구해 왔다. 1894년의 동학농민혁명, 1919년의 독립운동, 1960년의 학생혁명 등이 그 본보기다.

넷째, 한국인은 교육 수준이 높고 문화적으로 세련된 민족이다. 한국인의 교육 수준과 문화 수준은 200년 전 민주혁명을 일으켰을 당시의 미국인들보다 더 높다.

다섯째, 전반적으로 커다란 영향력을 가진 기독교가 한국에 뿌리를 내리고 민주화운동을 강화해 왔다. 모든 인간은 남자와 여자를 불문하고 똑같은 권리를 갖고 있으며 모든 인간의 존엄성은 재산이나 교육 수준에 관계없이 신성불가침하다는 기독교적 신앙은 특별한 가치를 지니고 있다.

한국은 교육과 문화 면에서는 선진국이고 경제도 선진국을 향해 발전해 가고 있지만, 정치에 있어서는 아직도 후진국이다. 이것은 참을 수 없는 상황이다. 사회학적 관점에서 볼 때, 다른 분야에서 그토록 많은 발전을 이룩한 국민은 억압적인 정치체제를 오래 견디지 못한다는 것을 우리는 알고 있다.

그런 정치체제는 충분한 경제 발전을 저해한다. 경제 발전을 이룩하기 위해서는 미국이나 그 밖의 서방 사회처럼 창의력과 생명력이 있어야 한다. 최근 한국의 어떤 신문이 실시한 여론조사에 따르면, 응답자의 80퍼센트가 경제 발전을 다소 희생시켜서라도 민주화가 실현되기를 원한다고 대답했다.

한국에서 독재를 막고 민주주의를 실현하기 위해서는 국민의 헌신과 노력과 희생이 필요하다는 것을 우리는 알고 있다. 나는 한국 국민이 민주주의에 대하여 그런 입장을 취해 가는 과정에 있다고 믿는다. 최근 김영삼 씨는 단식투쟁을 통하여, 민주화운동을 위해서라면 어떠한 개인적인 희생도 기꺼이 치르겠다는 의지를 보여 주었다. 그의 단식투쟁은 전두환 정권에 통렬한 타격을 주었고, 종교 지도자들과 지식인 및 학생을 비롯한 민주 인사들과 야당 정치인들 사이에 보다 많은 협력이 이루어질 가능성을 열어 주었다. 김영삼 씨의 단식투쟁은 민주화운동에 참여한 모든 사람들 사이에 정치인의 신뢰성을 크게 회복시켜 주었다. 나는 그의 투쟁을 진심으로 지지했고, 광복절인 8월 15일에는 민주 회복을 위해 협력하고 싶다는 뜻을 밝힌 공동성명도 발표했다.

현재는 민주화운동이 민주주의를 회복시킬 수 있을 만큼 강력하지는 못하지만, 한국 국민은 사실상 두 명의 독재자를 물리치는 데 성공했다. 한국에서는 국민과 군부의 대립이 교착상태에 빠져 있다. 국민 쪽에서도 군부독재 체제를 변화시킬 만한 힘을 갖고 있지 않다.

폴크 한국의 사회발전과 경제 발전에 대해서는 어떤 견해를 갖고 있는가? 그리고 박정희와 전두환이 채택한 접근 방식은 서로 어떻게 다른가?

김대중 1971년 대통령 선거에 출마한 이후 나는 '대중 참여'라는 경제 정책을 주장해 왔다. 첫째, 나는 사회정의를 존중하고 촉진시키는 자유경제체제가 필요하며, 그것이 가장 근본적인 토대를 이룬다고 생각한다. 자유시장

체제는 선진국과 경쟁할 수 있는 고도로 발전된 경제를 이룩하는 데 반드시 필요한 기업인들의 창의성과 진취성을 북돋울 수 있다. 사회주의 체제는 경제 발전을 방해할 수 있고, 국민의 자유를 억압할 물질적인 근거를 정부에 제공해 줄 수도 있다고 나는 믿는다.

둘째, 박 정권하에서는 급속한 경제 성장이 이루어졌지만, 한국 경제는 도시와 농촌, 대기업과 중소기업, 중공업과 경공업, 수출산업체와 국내생산에 주력하는 기업, 다양한 지역, 그리고 특히 '가진 자'와 '못 가진 자' 사이에 심각한 불균형의 징후를 보였다. 게다가 인플레이션이 이러한 불균형을 더한층 심화시켰다. 전두환 정권하에서도 상황은 개선되지 않았다. 나는 그렇게 불균형한 방식으로 경제 발전을 꾀하는 것에 강력히 반대한다. 우리는 세 가지 목표를 동시에 추구해야 한다. 그것은 꾸준한 경제 성장과 균형 잡힌 경제, 그리고 경제 안정이다. 우리는 특히 '가진 자'와 '못 가진 자' 사이에 공정한 분배가 이루어지도록 노력해야 한다. 공정한 분배는 사회 안정과 경제 성장에 필수 불가결한 요소이며, 한국 경제 정책의 주요 목표가 되어야 한다.

셋째, 부의 공정한 분배를 실현하기 위해서는 미국에서처럼 대기업의 주식을 많은 국민이 소유하도록 장려할 것을 고려해야 한다. 또는 독일에서처럼 공정한 분배를 보장하고 생산성을 높이기 위하여 사업에 영향을 미치는 경영진의 결정에 노동조합이 참여하도록 권장해야 한다. 또한 정부는 현재 세입의 70퍼센트 이상을 간접세로 충당하고 있는데, 이것은 저소득층에게 무거운 부담을 안겨 주므로 직접세 제도를 강화해야 한다. 그리고 소비자 보호 문제를 체계적으로 다루어야 한다.

넷째, 기업인의 독립과 도덕성은 철저히 보장되어야 한다. 정부가 기업인들을 억압하거나 위협해서는 안 되며, 박정희나 전두환 치하에서 그래 왔듯이 정부가 원하는 대로 일하도록 강요해서는 안 된다. 정부는 기업인들이 경제 발전과 소비자의 만족, 그리고 노동자의 권리에 관심을 돌리도록 장려해야 한다. 이 같은 관심사는 오로지 부의 축적만을 추구하는 행위보다 우선해야 한다.

다섯째, 민주정부가 수립되면 한국은 외국 기업의 투자를 환영해야 한다. 외국과의 경제 협력은 한국 경제의 건전한 발전을 실현하기 위하여 장려될 것이다. 불공정 거래는 절대로 허락되지 않을 것이다. 우리는 외국 기업인들에게 공정한 대가를 보장해야 하며 그들이 한국에서 안전하고 자유롭게 활동할 권리를 철저히 보호해 주어야 한다는 것을 알고 있다.

바람직한 사회구조에 관해서 말하자면, 우리는 우선 정직하고 부지런한 사람들만이 정상에 다다를 수 있는 사회구조를 만들어야 한다. 한국 사회는 정의와 인간의 존엄성과 자유를 국민에게 보장해 줄 수 있어야 한다. 둘째, 우리는 사회복지 제도를 창설해야 한다. 그러나 부지런한 사람의 의욕을 꺾는 사회복지 제도는 지지하지 않는다. 셋째, 우리는 여성의 평등을 실현하여 동등한 기회와 '같은 일에 대해서는 같은 임금'을 보장해야 한다. 넷째는 억압받는 사람들, 특히 노동자와 영세농민과 그 밖의 저소득층의 권리를 철저히 보장해 주어야 한다.

마지막으로, 교육은 우리 사회의 초석이 되어야 한다고 나는 확신한다. 교육은 경제와 정치와 사회 전반의 건전한 발전을 촉진시켜 줄 것이다. 이런 목적을 달성하기 위해서는 정부가 국민교육을 평생 동안 지원해야 한다. 또한 정부의 교육계획은 지식을 쌓는 것만이 아니라 인격을 함양하여 개인의 도덕성을 높이는 방법을 모색해야 한다.

폴크 귀하의 투쟁은 많은 나라들의 민주화 노력에 자극제가 되어 왔다. 귀하는 박해와 고문, 그리고 생명에 대한 위협에도 굴하지 않고 꾸준히 투쟁해 왔는데, 개인적으로 어떻게 그런 역경을 견뎌 낼 수 있었는가?

국민과 정의와 인간의 존엄성을 위하여 헌신

김대중 내가 오랫동안의 역경을 견뎌 낼 수 있었던 것은 세 가지 이유 때문이다. 첫 번째 이유는 내 신앙에서 나온다. 예수님은 박해받는 사람들을 해방시키고 사회의 불의를 제거하여 지구 상에 천국을 세우기 위해 이 세상에 오셨다. 그래서 예수님은 박해받는 자로 태어나셨고, 박해받는 자의 한 사람으로 평생을 살았고, 박해받는 자들을 위해 싸웠고, 그들에게 평생을 바쳤으며, 그들을 위해 죽었다. 예수님은 자기 제자가 되고 싶은 사람은 목숨까지도 포함하여 모든 것을 희생할 각오가 되어 있어야 한다고 말씀하셨다. 기독교 신앙의 관점에서 보면 억압이 있는 곳에는 반드시 억압받는 사람들과 함께 예수님께서 계신다. 예수님께서는 자기편에 서서 짓밟힌 자들을 도우라고 우리를 부르신다. 사회적 불의가 있는 곳에서는 반드시 그런 사악함과 맞서 싸우라고 우리를 부르시는 예수님의 목소리를 들을 수 있다.

많은 기독교 교회는 오랫동안 이런 사명을 저버려 온 것 같다. 그러나 나는 주로 세계기독교교회협의회(WOC) 소속의 신교도와 천주교도가 사회정의를 다시금 강조하고 억압받는 사람들을 돕고 있는 20세기에 기독교도가 된 것이 기쁘다. 천주교회가 핵동결 같은 진보적인 정책을 지지하리라고 누가 상상이나 했겠는가? 천주교도로서의 내 신앙은 내가 이 세상에서 도망치지 않고 하느님의 뜻이 실현되도록 이 세상에 적극적으로 참여하게 만든 원동력이었다. 신앙은 나로 하여금 개인적인 사치와 안락을 포기하게 해 주었다.

내가 꿋꿋이 견딜 수 있었던 두 번째 이유는 내 역사관 때문이다. 나는 국민과 정의와 인간의 존엄성을 위해 헌신한 사람이 역사의 눈으로 볼 때 실패한 경우를 어떤 책에서도 읽어 본 적이 없다. 또한, 국민과 정의와 인간의 존엄성을 배신한 사람이 역사의 눈으로 볼 때 성공한 경우를 한 번도 들어 본 적이 없다. 내가 계속 싸울 수 있는 세 번째 이유는 삶에 대한 사랑이다. 내 삶은 반드시 의미를 가져야 한다. 그러나 고쳐야 할 필요가 있는 것들과 맞붙어 싸우지 않고 평생을 목적도 없이 허송세월한다면 내 삶은 의미를 가질 수 없다. 우리가 이 인생을 살아갈 기회는 오직 한 번뿐이고, 따라서 우리는 이 인생을 잘 살아야 한다. 한마디로 말해서 나는 내 생명을 너무나 귀중하게 여기기 때문에 내 사명을 계속 추구하지 않을 수 없다. 내 사명은 국민과 정의와 인간의 존엄성을 위하여 헌신하는 것이다. 자유도 정의도 없는 곳에서 이런 태도를 갖고 살아가는 사람은 누구나 역경에 굴하지 않고 온갖 어려움을 이겨내고 아무리 가혹한 사태 변화도 극복해 낼 각오가 되어 있어야 한다. 남이 나에게 고통을 줄 수 있을지는 모르지만, 아무도 나를 강제로 불행하게 만들 수는 없다. 결국, 내가 행복할 것이냐 불행할 것이냐를 결정할 수 있는 삶은 오직 나 자신뿐이다. 나는 내 인생이 행복했다고 생각하며, 수많은 고난에도 불구하고 기꺼이 그 인생을 다시 한번 되풀이하고 싶다.

* 이 글은 1983년 초 리처드 폴크(Richard Falk), 리처드 탠터(Richard Tanter)와의 인터뷰로 1983년 『월드폴리시저널』(World Policy Journal) 가을 호에 수록되었다.

한국 현대사가 묻는 것

대담 야스에 료스케

일시 1983년 6월

야스에 이렇게 인터뷰하게 된 것은 10년 만입니다. 다시는 뵐 수 없을 거라고 생각했었습니다. 마음속에 오가는 많은 생각 때문에 말문이 잘 열리지 않습니다.

지난 10년간은 글자 그대로 격동의 세월이었으며 한국으로서는 많은 어려움이 있었던 시대였습니다. 이러한 한국의 상황과 관련하여 우리 일본 국민들도 여러 가지를 생각하면서 이 10년을 지내 왔습니다.

이 격동의 10년은 긴 세월이기는 하지만 한편 너무 빠른 시간의 흐름이었다고도 생각됩니다. "참 긴 세월이었구나." 하고 생각되는가 하면 10년 전에 인터뷰한 것이 어제처럼 생각되기도 합니다. 제게는 남다른 감회가 있습니다.

그동안 선생님은 두 번씩이나 피살당할 뻔했습니다. 한 번은 1973년의 납치 사건, 두 번째는 1980년의 광주항쟁, 다시 1971년으로 거슬러 올라가면 대통령 선거에 출마하여 유세하는 동안(5·25총선 지원 유세) 정면으로 트럭에 충돌하여 피살당할 뻔했다고 들었습니다. 그때에 부상한 허리(고관절)가 지금도 낫지 않으신 것 같은데 이 12년 사이에 세 번씩이나 죽임을 당할 뻔한 선생님 자신의 극적인 10년간의 체험, 이것은 말할 것도 없지만, 이것이 그대로 한국에 있어서의 동動과 반동反動의 시대에 겹쳐졌습니다. 그리고 한국의 군사정권 억압체제와 이에 반항하는 민주화투쟁을 초점으로 하여서 극동 정세도 또한 동과 반동의 반복을 거듭하여 왔다고 생각합니다. 지난 10년 동안에 있었던 한국 사회의 여러 문제들 중 가장 먼저 묻고 싶은 것은 광주사태에 대해서입니다. 군인이 시민에게 저지른 포학, 저 3년 전의 일을 생각하면 지금도 솟구쳐 오르는 것이 있습니다. 선생님 심중에는 도저히 제가 상상할 수도 없는 것이 있으리라고 생각합니다.

5·18민중항쟁과 관련하여

야스에 첫째로 광주사태의 본질을 어떻게 보느냐는 점입니다. 1980년의 광주사태가 전두환 정권의 출발점이었다는 것은 누구의 눈에도 분명한 것이며 광주사태에 대하여 누가 책임을 져야 하느냐 하는 문제는 매우 뚜렷합니다. 제 생각입니다만 전두환 정권으로서는 두 가지 이유에서 광주사태가 꼭 필요했던 것이라고 생각합니다.

1979년 10월 26일에 박 대통령이 측근에 의해 암살된 형식으로 박 정권은 내부 붕괴했습니다. 박 정권이 왜 붕괴되지 않으면 안 되었는가 하는 이유는 1970년대의 한국 정치의 전개가 스스로 보여 주고 있지만, 그와 같은 박 정권이 자괴自壞된 후에 이른바 '서울의 봄'이라고 하는 6-7개월의 시기가 있었습니다. 간신히 민주적 형식으로써 대통령을 뽑을 수 있지 않을까 하는 기대가 내외에 퍼져 있었습니다. 그 예측되던 대통령 선거를 다루는 것은 신문에서는 '3김金 경쟁'이라고 쓰였습니다만, 선생님, 김영삼 씨, 김종필 씨 등이라고 중론衆論이 일치했습니다.

그러나 전두환 씨라는 사람은 그중에 들어 있지 않았습니다. 따라서 '3김

金 경쟁'이라고 하는 것을 없애 버리고 새롭게 전두환 씨라는 사람이 나오기 위해서는 정치 무대의 대전환이 필요한 것이 아니었던가, 그 대전환, 참혹한 무대의 암전暗轉이 광주사태였다고 저는 해석하고 있습니다.

또 하나는, 광주사태는 전두환 정권에 의한 사전예방제재事前豫防制裁라고도 할 수 있는 것이 아니었던가도 생각합니다. 즉 정권을 잡기 위해서는 무엇보다도 먼저 최대의 강적인 김대중 선생의 자유를 빼앗지 않으면 안 된다, 경우에 따라서는 사실 그렇게 했습니다만 생명을 빼앗지 않으면 안 된다. 그러나 김대중 선생의 생명을 빼앗는다든가, 또는 김대중 선생을 구속하려고 하면 저 박 정권의 유신체제에서도 되풀이된 것같이 민주 세력은 반드시 격렬하게 항거하여 정권과 싸울 것입니다. 그것을 사전에 제압하고 예방하기 위해서는 강한 공포심을 민중에게 줄 필요가 있었다고 저는 생각합니다.

그래서 저는 "사전예방제재事前豫防制裁"라는 모순된 말을 사용했습니다만, 항거를 하려 해도 일어설 수 없을 정도의 철저한 공격을 미리 가하지 않으면 안 된다고 생각했을 것입니다. 남녀노소를 가리지 않은 저 무참한 살육은 인간의 상상이 미치지 않는 것이었습니다.

군인들이 생각할 수 있는 그럴듯한 발상입니다만 적어도 1980년 5월부터 한 번쯤은 그들의 생각은 아주 성공했습니다. 지금은 다릅니다만 그 직후 한국의 민주 세력도 공포 속에서 침묵하지 않을 수 없었던 것 같습니다. 그리고 그 사이에 전두환 씨는 착실하게 정권을 향한 길을 닦았습니다.

이와 같이 저는 보고 있습니다만 선생님께서는 어떻게 보고 계시는지요.

김대중 5·18민주화운동을 나는 한국의 역사의 흐름에 장기적으로 잡는 것, 중기적으로 잡는 것, 그리고 마지막에는 당면當面으로 볼 수가 있다고 생각합니다. 지금 말씀하신 점은 매우 중요한 점을 지적했다고 생각합니다만 제가 말씀드리는 것을 통괄 정리하면 나의 견해가 나오리라고 생각합니다.

그리고 광주의 사건은 우리 민족의 백년래의 원망願望인 민중·민족·민주, 이 세 가지 민족적 열망을 집약하고 있다고 생각합니다.

1894년 동학혁명, 그것은 일본이 개입하여 청일전쟁으로써 동학농민혁명을 눌러 분쇄해 버렸습니다만, 그때에 10만 농민이 일어나 근대적 농민의 권리, 민중해방, 그리고 반제국주의 투쟁이라는 자기해방의 이 농민에 의한 투쟁은 로마의 노예 해방의 스파르타쿠스 투쟁이라든가, 1517년의 독일의 종교혁명에 있어서의 아나뱁티스트의 리더인 '뮌처', 그런 사람들과 비교하면 훨씬 이념적이고 역사적으로 정당한 투쟁이었다고 평가하는 연구가들도 있습니다. 그러나 동학농민혁명은 관군에게는 승리하였지만 일본군에 의하여 좌절되었습니다.

또 하나는 1919년의 여러분들이 잘 아시는 3·1독립운동, 이것도 일본의 무력에 의하여 좌절되었습니다. 그리고 이승만 씨가 국민의 기대를 저버리고 독재를 강행하고 반공과 안보를 악용해 자기의 정권을 영구정권으로 했었을 때에 국민들이 일어난 4월혁명, 그러나 이것도 그다음 해 박정희 씨에 의한 군사쿠데타로써 좌절되었습니다.

이 세 사건은 결과적으로는 모두 좌절되었습니다. 그러나 동학농민혁명의 민중, 3·1독립운동의 민족, 4월혁명의 민주, 이 민중·민족·민주의 세 가지가 박정희 씨 암살 후에 국민의 집중적인 관심으로 떠오른 것입니다. 지금이야말로 민중에 의한 민주정권을 세우고, 그 민주정권은 자유와 정의와 인간의 존엄을 실현하면서 그것을 발판으로 하여 남북의 화해와 통일을 촉진한다, 이것은 온 국민의 절실한 기대였는데 그 시기에 전두환 씨가 국민의 모든 의사와 원망願望에 등을 돌리고 역사적 요구에 역행하는 쿠데타를 일으켰습니다.

이것에 대하여 대표적으로 항의한 것이 광주 시민입니다. 물론 광주뿐만 아니었습니다. 전라도 일대의 사람들이 일어났으며, 나의 선거구인 목포에서는 3일간이나 경찰관서가 민중에 의해서 점령되었습니다. 그러나 가장 큰 희생을 치르고 가장 집중적으로 싸운 곳은 광주였습니다.

다음으로 중기적으로 본다면, 이승만 씨가 1948년에 대한민국의 대통령이 되었습니다. 그에게 주어진 두 가지 사명이 있었습니다. 우선, 일본 제국주의에서 해방된 우리 정권은 당연히 과거의 친일분자를 배제하고 독립을 위하여 싸운 사람들을 중심으로 민족적 정통정치를 세웠어야 했을 것입니다. 그런데 이승만 씨는 자기의 이익을 위하여 독립운동가를 전부 배제하고 친일파들을 중심으로 하여 정권을 세웠습니다. 민족 정통성을 파괴한 것입니다.

또 하나는 이 정권은 헌법에 규정한 대로, 민주정권이어야 함에도 불구하고 반공과 안보를 구실로 독재정권으로 시종했습니다. 이러한 이승만 씨에 대하여 국민은 1950년의 선거에서 3분의 1밖에 의석을 주지 않았습니다. 그와 같은 국민의 공세 도중에 불행하게도 6·25전쟁, 일본에서 말하는 '한국전쟁'이 일어났습니다만, 그럼에도 굴하지 않고 부산에서는 이승만을 대통령 선거가 있었던 1952년에 대통령 자리에서 끌어내리려는 투쟁이 있었습니다. 그것을 그가 무력으로 진압한 것이 소위 '부산정치파동', 이것이 중기적 전망에서 보는 제1회 실패입니다.

두 번째는, 1960년에 학생들이 4·19혁명은 성공시켰지만 정치적으로는 진공상태가 된 것을 기회로 박정희 씨가 5·16군사쿠데타를 일으켜 4월혁명을 좌절시켰습니다.

세 번째는, 박정희 씨가 장기집권을 위한 3선개헌을 강행하자, 이것은 중대한 문제라고 국민적으로 일어났을 때에 즉 1971년, 내가 대통령으로 나선 때였습니다. 그토록 국민들이 일어나고 정권 교체에 대한 열망이 나타난 일은 없었다고 합니다. 기독교 학생들을 중심으로 한 약 8천 명의 사람들이 표를 지키기 위하여 뛰어다녔습니다. 그러나 나는 유효투표의 46퍼센트를 얻었으나 결국, 또 한 번 좌절했습니다.

그러나 여기에서 박정희 씨는 두 가지를 배웠습니다. 다시는 직접선거로는 도저히 대통령이 될 수 없다는 것과, 선거 중에 나를 격렬하게 용공적이라고 공격했는데 내가 내건 통일 문제가 크게 국민의 지지를 받았다는 두 가지입니다. 거기에서 직접선거를 폐지한다, 그 대신 통일 문제로써 국민들을 현혹시켜 자신을 정당화하려고 했다, 이것이 소위 유신체제입니다.

이것을 나는 선거 중에 이번 선거에서 이기지 못하면 총통제의 시대가 온다고 예언했었는데, 실은 나는 그 전의 1970년 1월, 그러니까 2년쯤 전에 박정희 씨가 통일을 구실로 하여 독재할는지도 모른다고 말하였으며, 그 기록도 있습니다. 돌이켜 볼 때에 희한할 정도로 잘 맞았습니다.

7·4공동성명이 나온 후에도 9월 이후에 나는 서울에서 외신 기자회견에서 연설하면서 이 통일 문제를 가지고 박정희 씨가 독재정권을 꾀할는지도 모르니까 경계하지 않으면 안 된다, 우리들은 이 7·4공동성명은 지지하지만 한편 경계하지 않으면 안 된다고 했는데, 불행하게도 3개월 후에 말한 대로 유신체제로 나타났습니다. 이것은 당시의 미국 상원 외교위원회가 파견한 조사 보고서에도 인용되었습니다.

어떻든 이렇게 해서 세 번 우리 국민은 민족적 정권을 수립하는 데 좌절했습니다.

네 번째는 곧 1979년부터의 국면입니다. 재야 세력은 김영삼 씨의 신민당 총재 복귀를 지원하고 정부의 어용야당이었던 신민당을 진정한 야당의 방향으로 전환시키면서 협력하여 와이에이치(YH)투쟁을 비롯한 여러 가지 투쟁을 하면서 '부산·마산사태'까지 몰고 갔습니다. 앞에서 야스에 선생의 말씀 가운데 정정해 주시면 싶은 것이 하나 있습니다. 그것은 10월 26일의 박정희 씨 암살은 정권의 자괴自壞만을 의미하는 것은 아니라는 것입니다. 이와 같은 오랜 투쟁을 몰고 간 것을…….

야스에 말이 충분하지 못했을는지 모르겠습니다. 정권 자신이 만들어 낸 모순이 민중의 저항·비판에 의해서 확대되고, 끝내 필연적으로 붕괴할 수밖에 없었다는 의미입니다.

한국 민중의 역사

김대중 그렇습니까. 그렇다면 같습니다. 김재규 중앙정보부장이 부산에 가 보고 이것은 학생과 노동자뿐만 아니라 전 시민이 봉기할 것을 내다보고 박정희 씨에게 보고했습니다. 그러나 박정희 씨는 몇십만을 더 죽여도 괜찮으니 밀어 없애 버리라고 함으로 김재규로서는 국민을 죽이느냐, 박정희 씨를 죽이느냐의 양자택일의 입장에 섰다는 것입니다.

사실, 김재규 씨에 의한 박정희 씨 암살사건이 없었더라면 10월 29일이라고 생각합니다마는 광주에서 봉기하기로 되어 있었습니다. 그렇게 되면 일사천리로 북상했을 것입니다.

한국 사람은 길가의 잡초와 같은 국민으로서 밟으면 밟힙니다. 그러나 밟고 있는 발이 떠나면 곧 일어섭니다. 바람이 불면 눕습니다만, 결코 꺾이지 않고 다시 일어섭니다. 이것이 한국 민중의 역사입니다.

중국에 대해서도 2천 년에 걸쳐서 정치적으로, 군사적으로, 경제적으로, 종교적으로, 문화적으로, 지배되고 영향을 받으면서도, 중국을 한때 지배했던 몽골족이 지금 150만만 남고 전부 중국화되고, 만주족은 한 사람도 남기지 않고 전부 중국화되었지만, 6천만을 가진 한민족만이 작은 반도에 중국과는 다른 문화와 언어와 온갖 특색을 유지하면서 서 있습니다. 6천만이라고 하면 지금의 영국이나 프랑스와 맞먹으며, 세계의 160여 개의 나라 중에서 12번째로 큰 대국입니다. 더구나 대단한 문화 수준과 교육 수준을 가지고 있습니다. 중국이 그 주변국을 동화시킨, 전 세계에서 예가 없는 엄청난 동화력으로 볼 때 이것은 기적과 같은 것이라고 볼 수밖에 없습니다. 이것이 한국 민중의 저력입니다.

나는 이것을 '한국인의 한恨' 이라고 봅니다. 이것은 『세카이』(世界) 7월 호에 소개된 나의 강연에서 자세히 말하고 있으므로 이 이상 더 한恨에 대해서는 말하지 않으렵니다만 대한민국 수립 이후 이와 같이 네 번씩이나 실패했음에도 불구하고 아직도 한국인은 정력적으로 일어서고 있었습니다.

이곳에 와 보니 미국에 있는 우리 동포들에게는 대단한 좌절감이 있습니다. 우리들의 민주주의는 다 틀렸다, 특히 전두환 씨가 저렇게 탄압정치를 하니 이것으로 끝장이다. 이렇게 절망적으로 된 사람이 상당히 많습니다. 그래서 나는 말했습니다. 언제든지 물의 흐름의 표면만 보아서는 안 된다, 바닥을 보지 않으면 안 된다, 2천 년이나 살아남은 이 민족은 좌절하지 않는다고. 대한민국 성립 이후 지금까지 우리들은 민주정치를 완전히 쌓아 올리는 데는 실패했지만, 그러나 적어도 한국의 어떤 독재자도 자기가 원했듯이 종신 집권하는 것은 불가능했다, 한국에서는 프랑코도 안 나왔고, 살라자르도 안 나왔다, 그런 의미에 있어서 독재자도 실패한 것이다, 그것을 우리는 보지 않으면 안 된다고 말하고 있습니다.

이 한국 사람의 잡초와 같은 끈기, 더욱이 그 한국 사람의 한恨, 목적을 이루기 위해서는 좌절하면서도 희망을 버리지 아니하고 기다리면서 싸우는, 이 한국 사람들의 특성을 우리들은 밝게 보아 둘 필요가 있다고 생각합니다.

역사상에서 민족이 자기만으로는 견디어 낼 수 없는 도전에 대응하는 것을 보면 두 가지 경우가 있습니다.

하나는, 예를 들면 기원 1966년에서 1970년까지의 제1차 유대전쟁과, 135년의 제2차 유대전쟁에 있어서의 이스라엘입니다. 그와 같은 압도적인 로마 세력에 마치 계란으로 바위를 치는 듯한 저항을 함으로써 이스라엘 민족이 세계에 유랑하는 결과밖에 되지 않은 이 대응의 방법은 과연 좋은 대응이었을까.

아메리칸 인디언이 자기들의 실력으로서는 어쩔 수 없는, 무기를 가지고 침략해 온 백인들에게 대응한 것도 그렇습니다. 매우 실례되는 표현입니다만 "마치 불에 뛰어든 여름벌레 같은 대항을 했다." 만일 아메리칸 인디언이 그때 좀 더 지혜 있는 대응 방법으로 살아남았었더라면 아메리카 인디언은 오늘 미국에 있어서도 많은 인구가 되었을 것이며, 더 많은 발언권을 가질 수 있었을 것이라고 생각합니다.

이에 비해서 중국, 한국, 일본 민족은 상당히 좋은 대응을 하고 있었습니다. 중국은 몽골족이 침입했을 때에 그것을 받아들였습니다. 그러나 결코 몽골족에게 동화되지 않고 굴복하지 않았으며 끝내는 몽골족을 자기에게 동화시켰습니다. 청淸에 대해서도 마찬가지입니다.

일본인도 그렇습니다. 예를 들면 막말幕末(德川幕府末)에 그토록 양이攘夷가 일본 전국을 휩쓸고 삿초(薩長) 양번兩藩과 막말의 지사들 사이에서는 양이攘夷에 조금이라도 의념疑念을 가지면 죽임을 당하는 분위기임에도 불구하고, 그러나 사쓰에이(薩英)전쟁, 장주와 4개국 연합군의 전쟁에서 같이 실패한 후에는 반막反幕운동의 주력은 곧 한계를 깨닫습니다. 그리하여 양이攘夷를 내세우면서도 실제로는 개국의 방향으로 끌고 갔습니다. 매우 우수한 대응이었습니다.

제2차대전 후의 일본의 대응 방법을 보아도 그렇습니다. 미국 사람들은 전쟁 중에 그토록 혹독한, 이성을 잃었다고 할 일본의 반항을 보고 일본을 점령하면 대단한 반항을 받을 것이라고 생각했습니다. 그러나 미국 점령군을 받아들이고 이와 협력하면서 일본의 민주주의를 발전시킨 일본 국민의 대응 방법은 결과적으로 보아도 나는 성공하였다고 생각합니다. 물론 충분한 것은 아니지만.

일본은, 이것은 조금 실례인지는 모르겠습니다만, 실패한 후의 대응은 참 잘하는데(웃음), 이겼을 때의 대응이 아무래도…….

한국인에 대해서는 앞에서 말한 대로입니다. 한국 사람은 적어도 2천 년의 역사를 통해서 결코 자기의 본질을 버리지 않았습니다. 그리고 결코 악에게 마음으로부터 굴복하지 않았습니다. 가장 중요한 것은 희망을 버리지 않은 것입니다. 불가능하면 일시적으로 좌절한 그 희망을 품고 기다립니다. 기다리면서 무슨 틈만 있으면 머리를 들고 그것을 실현시키려고 꿈틀거립니다. 이것이 한국인의 한恨입니다.

이러한 한국인의 특성을 보지 않으면 안 됩니다. 일본이 식민지화했을 때에 한국인은 무기력하다든가, 사대주의적이라든가, 퇴영적이라든가 여러 가지로 말했지만 그것이 매우 잘못된 견해였습니다.

하물며 우리들 자신이 좌절감에 무너진다는 것은 잘못입니다. 박정희 씨가 죽음으로써 한국은 기로에 섰었는데, 실은 김재규 씨의 암살사건이 없었더라면 한국 사람은 그때 자력으로써 민주 해방이 되었을 것입니다. 그러했었더라면 전두환 씨의 집권은 있을 수 없었을 것입니다. 그런데 유신체제가 그대로 남아서 머리만이 잘려진 셈입니다. 사람은 머리를 잘리면 죽지만 조직은 머리가 잘리면 다른 머리로 갈아 붙입니다. 정권도 그렇습니다. 그리하여 전두환 씨가 제2의 머리로 나온 것입니다.

그러나 여기에서 내가 지적을 하고 싶은 중요한 것은 전두환 씨가 대통령이 되었다고 해서 군인 전부가 민주주의에 반대했다고 보는 것은 사실과 다르다 하는 것입니다. 박정희 씨가 죽은 후에 육군참모본부에서 참모총장의 주재하에 25명의 장성이 모여서 비밀투표를 했습니다. 그러니까 22:3으로 유신체제를 그만두고 민주주의로 돌아가야 할 것이라고 압도적인 다수의 장성들이 민주주의를 지지했습니다. 그 증거로는 전두환 씨가 쿠데타로서 수많은 장성들을 군에서 쫓아내지 않으면 안 되었다는 것으로도 알 수 있습니다.

전두환 씨는 보안사령부에서 나에 대한 중상을 계속하였습니다. 용공분자라는 것입니다. 야스에 씨가 잘 아시는 대로 한국에서는 특히 군부에서는 용공이라는 말만 들어도 치를 떨 정도로 반발합니다. 그와 같은 서류를 전두환 씨는 계속적으로 각 군에 돌렸습니다. 그럼에도 불구하고 내가 보는 바로는 적어도 해군과 공군은 절대로 전두환 씨에게 동조하지 않았습니다. 나는 지지했다고는 말하지 않았습니다. 그러나 그것에 현혹되지 않았다고 생각합니다. 육군 부대에서는 상당한 수의 사람들이 그렇습니다. 그 증거로 한 사람의 대장을 포함한 육군예비역 장성들이 30명 이상이나 나를 지지하는 표명을 했습니다. 그것을 문서로 냈습니다.

이러한 상황이었는데 결국 전두환 씨의 쿠데타를 도운 것은 외부 세력, 노골적으로 말하면 일본과 미국의 세력이었다고 나는 생각합니다.

박정희 씨가 죽고 얼마 안 되었는데, 미국인의 이름을 대면 곧 알 수 있는 유명한 일본과 한국 문제의 학자가 나에게 사람을 보내서 "한국의 민주주의는 지금 어려울 것이다. 왜냐하면 무엇보다도 일본이 민주화를 바라지 않고 있다"고 전해 왔습니다. 일본의 내정을 잘 알고 있으며 일본에 근무한 일도 있는 학자입니다. 무시할 수 없는 말이었습니다.

야스에 나는 거기에 한마디 덧붙이렵니다. 당시 일본 정부가 '김대중 정권'을 저지하기 위하여 적극적으로 움직였던 사실은 소식통에는 잘 알려진 일이었습니다. '3김 경쟁' 가운데 일본 정부로서는 가능하면 김종필 씨에게 정권을 잡게 하고 싶었습니다. 그러나 박정희 체제의 사람이므로 선거하면 이기기 어려울 것 같고 그렇다면 김영삼 씨로 하고 싶어 했습니다. 그 대신 김영삼 씨에게는 좀 더 우편右便으로 와 주면 했습니다. 그것을 위해서는 일본 정부도 도와주겠다, 그러나 김대중 씨만은 절대로 곤란하다, 이것이 일본 정부 주변의 생각이었습니다. 그와 같은 발언을 몇 번이고 들었습니다.

그리고 서울에서 내게 보내온 정보에는 주한 일본대사관의 움직임이 전에 없이 활발하다는 것입니다. '3선개헌' 반대 저지투쟁과 1971년 대통령 선거를 서막으로 하여 1970년대에 일관하여 전개한 한국의 민주화운동과 이에 대한 억압, 그 과정에서 주한 일본대사관과 그 주변은 하나의 특징적인 움직임을 보였습니다. 즉 미국의 대사관과 그 주변의 사람들은 박 정권을 지지하면서 한편 계속 민주 세력, 재야 세력과 접촉했던 것과는 대조적으로 일본대사관은 전혀 그런 일을 하지 않았습니다. 그런데 박 정권이 무너지자 언제 그랬느냐는 듯이 움직이기 시작했습니다. 가장 유력한 후보였던 선생님이 정권을 잡는 것을 저지하기 위하여…….

스스로 안보의 책임을 포기한 전두환 집단

김대중 아시리라고 생각합니다만 나는 1979년 6월부터 연금되어 있었는데 실은 12월 8일까지 40일 이상이나 박정희 씨가 죽었는데도 불구하고 연금을 해제하지 않았습니다. 그것은 전두환 씨, 당시의 보안사령관의 강한 간섭에 의해서였습니다.

그리고 11월 말경, 후에 전두환에게 체포된 정승화 육군참모총장(계엄사령관)이 3일간 계속하여, 처음에는 신문사의 발행인, 그다음 날은 편집간부, 그 후에는 기자들을 모아 놓고 내게 대하여 사상적 중상을 했습니다. 첫날은 심한 중상이었던 것 같습니다.

그러니까 뜻밖에도 미국대사관에서 기자들에게 "저쪽에서 오프 더 레코드로 말하니 우리도 오프 더 레코드로 말하자. 우리들은 정승화 씨의 의견에 동조하지 않는다. 아니 전혀 반대다."라고 했다는 말을 들었습니다. 다음 날부터 정승화 씨의 톤이 쑥 내려갔으며, 동시에 국회에서 나를 지지하는 야당 의원들이 국방장관에게 대들었습니다. 무슨 증거로 용공이라고 하느냐, 증거를 내놓으라고 하니까 국방장관이 사과했습니다.

12월 2일 미국대사가 나에게 사람을 보내어 당신의 연금이 곧 풀릴 터인데 그때 때를 늦추지 말고 곧 만나고 싶다고 했습니다. 나는 연금이 12월 8일에 해제되자 다음 날 연락하여 10일에 대사와 만났습니다. 의외로 대사의 관저가 아니고 대사관의 공관에서 더구나 대사실이었습니다. 그러니까 완전히 공식화해서 만났습니다. 한 시간 반쯤 서로 이야기했습니다. 대사관의 고위간부들은 전부 출석하여 이야기를 듣고 있었습니다. 그리고 내가 면회한 후에 대사관은 나와 만난 결과를 아주 성과 있는 결과였다고 과분한 표현으로써 나를 평가하면서 그 말을 신문기자들에게 흘렸습니다.

대사는 그 후 몇 번이고 나와 접촉했습니다. 그리고 모름지기 대사만은 될 수 있는 대로 온건하게 민주화가 되어 가도록 일부의 군인에게 구실을 주어 그들의 손에 정권이 넘어가지 않도록 하기를 바란다고 되풀이하여 말하고 있었습니다. 최후에는, 이것은 나중에 좀 더 자세하게 말하겠습니다만, 5월 14일에는 대사가 일부러 우리 집까지 방문하여 왔습니다. 이것도 이례적인 것이지만 저와 무릎을 맞대고 시국의 중대성에 대해서 말하고 나는 그 대사의 의견에 응하여 다음 날 국민에게 안정을 호소하는, 특히 학생들에게 호소하는 말을 하였습니다.

그리고 앞서 말한 대로 내가 체포된 바로 다음 날에 대사는 대통령과 만나서 나의 석방을 요구하였으며, 나의 구명과 출국을 도왔습니다. 물론 미국은 그렇게 하면서도 우리들의 기대에 어긋나는 많은 일을 했습니다. 그러나 한편 이런 면도 있었던 것이 사실입니다.

이에 비하면 일본 측은 아주 다르다고 할 수밖에 없습니다. 나는 그때에 일본대사와도 한 번 만났으며, 오히라(大平) 씨에게 편지도 건네고 그 회답도 받고 했습니다. 대사관 간부 중에 개인적으로 나에게 호의적인 사람이 없었다고는 말하지 않았습니다. 그러나 일본은 미국과는 상당한 차이가 있었습니다.

그만하고, 제3의 당면 문제로 전두환 씨에 의한 쿠데타와 광주사건의 이야기입니다만 그의 쿠데타는 실질에 있어서는 전해의 12월 12일이라고 보아야 할 것입니다. 전두환 정권은 큰소리로 '안보'를 강조하고 있습니다만 그들은 전방 전선에 포진한 1개 사단을 쿠데타를 위하여 후방에 끌어와서 자기의 직속상관인 참모총장을 체포하였습니다. 그 스스로가 안보의 책임을 포기했습니다.

누구든지 그렇게 생각할 줄 압니다만 나도 그때 이것은 중대한 고비라고 생각했습니다. 그래서 먼저 미국의 태도를 관망했습니다. 왜냐하면 미국의 사령관은 한국군에 대한 작전지휘권을 가지고 있으며 그들의 작전지휘권이 직접적으로 유린되었기 때문입니다. 이것으로 그들은 전두환에 대해서 어떤 태도를 취하는가, 사단장에 대해서 어떻게 하는가, 이 미국의 태도 여하에 따라 우리들의 민주화 전도의 운명이 결정되는 것으로 생각했습니다. 그런데 아무것도 하지 않았습니다. 이거 큰일 났구나 하고 생각했지요. 그 후 여러분께서 기억하시는 대로 나는 계속적으로 한국의 민주화의 전도는 매우 위태롭다고 항상 말했습니다.

그들은 5월 17일에 나를 체포했습니다만 실은 1979년 11월, 소위 명동 기독교여자청년회(YWCA) 사건에서 나를 함정에 빠뜨리려고 했습니다. 그 명동 기독교여자청년회(YWCA) 사건은 당시 중앙정보부와 보안사령부가 개입한 것입니다. 그 사건에 참가한 민주 세력이 그것을 간파하지 못한 결과가 되고 말았습니다.

야스에 예? 11월 24일 집회 말씀이지요? 소위 유신 잔당의 민주화 지연작전을 취하고 있는 것에 반대해서 모인 집회, 결혼식이라고 위장하여 모여서 대성공이었다고 일본에는 전해졌습니다만 그것은 음모였습니까?

김대중 예, 그들이 개입했었습니다. 민주 세력이 데모를 하면 군인들이 함께 협력하여 민주정권을 속히 세울 듯이 유도했습니다. 일부에서는 그 진상을 간파할 수가 없었지만 나는 그때 연금 중이었습니다. 연금 중에 집회 소식을 듣고 "이것은 이상하다"고 생각되어 근심하면서 아들을 통하여 신중하게 하도록 동지들에게 연락했습니다만 내가 직접 이야기한 것도 아니어서 충분히 협의가 되지 못하여 사건이 일어나고 말았습니다.

그런데 그 사건이 일어나자마자 그들은 민주 인사들을 일망타진 모두 체포하여 고문할 때 제일 먼저 물어본 것이 "김대중이가 너에게 무엇이라고 했는가. 어떻게 선동했는가."라는 것이었습니다. 그때 함석헌 선생은 끌려가서 그 노선생老先生이 말로 할 수 없는 모욕과 구타를 당했습니다.

나의 측근인 김상현 씨도 체포되었습니다. 그는 전 국회의원입니다만 그에 대하여 온갖 고문을 가했습니다. 그리하여 그로 하여금 불게 하려 했습니다. 김대중 씨의 지령에 의하여 나는 관여했다고. 그러나 그 자신도 관여하지 않았습니다. 어떻든 이런 모양으로 그때부터 나를 겨냥했던 것입니다.

솔직히 말해서 그들은 정권을 잡고 싶다, 그런데 장애는 김대중이다라는 것이지요. 한국에서는 반공은 만능약입니다. 용공분자라고 하면 죽여도 살인죄가 안 됩니다. 그런 분위기이니 나에게 뒤집어씌우는 죄도 그뿐인 셈입니다.

한편에서는 먼저 말한 대로 정승화 참모총장이 신문기자들에게 중상하고 한편으로는 나에게 명동사건의 죄를 밀어붙였습니다. 이것이 같은 시기입니다.—김대중은 이렇게 사상이 나쁜 데다가 지금 박정희 씨가 죽은 혼란을 틈타서 국가를 전복하려고 한다.—이러한 각본이 처음부터 짜여 있었던 것입니다. 그러나 너무도 나와 관계가 없기 때문에 할 수 없이 그때에는 체념한 것이지요.

그러나 움직임을 쭉 보고 나는 비상한 위기의식을 느꼈습니다. 내가 직접 겨냥되어 있는 것도 잘 알았습니다. 그래서 나는 12월 8일에 연금이 풀리자 곧 신민당 지도자들과 만나 속히 과도정권을 끝내고 민주선거로 접어들지 않으면 안 된다고 강하게 말했습니다.

나는 그들에게 말했습니다.—당신들은 지금 헌법 개정을 운운할 때가 아니다. 우리들은 제3공화국, 박정희 씨 밑에서 유신헌법 이전의 헌법에 반대한 일은 한 번도 없었다. 3선개헌 강행만이 반대였지 그 이상의 것은 아니었다. 또 우리들은 유신헌법 폐지를 외쳐 왔을 뿐이며 다른 것을 말하지는 않았다. 그러므로 유신헌법만 폐지하면 된다. 그것은 자동적으로 제3공화국 헌법으로 되돌아가게 되는 것이다. 그 헌법하에서 선거를 하자. 선거를 통해 국민의 의견을 충분히 듣고 그리고 새로운 민주국회에서 헌법 개정을 하자. 박정희 씨가 지명한 유정회, 그런 사람들과 같이 헌법을 개정한다는 것은 국민에게 명분이 서지 않는다. 그럴 필요도 없다. 지금 헌법 개정을 하노라면 시간을 끌게 되고 그 사이에 일부 정치군인들이 나쁜 짓을 한다. 그 틈을 주게 된다.—이와 같이 나는 설득했습니다.

신민당에서도 일단은 나의 말을 받아들였습니다. 그러나 받아들인 후에 또 한편으로 김종필 씨와 이야기하며 헌법개정위원회를 만들었습니다. 할 수 없이 신민당 원내총무를 불러서 또 발표했습니다. 당신네들이 지금 헌법 개정안을 만들고 있지만, 그것을 만들었어도 대통령이 그것을 받아들이지 않으면 아무것도 안 되는 것이 아닌가. 그러므로 우선 공화당 김종필 씨와 김영삼 씨 두 사람이 대통령과 만나 그쪽의 헌법개정안을 그대로 받아들이고 거기에다 어떤 조건을 붙여 시간을 끌게 해서는 안 된다고 권했습니다. 그는 옳은 말씀이라고 했습니다.

그리고 얼마 있으니까 정부에서 헌법안을 자기들이 만들겠다고 하지 않았습니까. 이렇게 하는 동안 시간만 경과되었습니다. 그리고 전두환 보안사령관이 중앙정보부장까지 겸했습니다.

야스에 4월이었지요.

김대중 그렇습니다. 전두환 씨는 차츰 자기의 야망을 노골화했습니다. 이것은 계엄령이 해제되어도 자기는 한국의 권력을 잡겠다는 것을 표명한 거나 다름없습니다.

야스에 지금 말씀하신 것과 관련해서 묻고 싶었던 것이 있었습니다. 한국 사람들 중에는 선생님과 김영삼 씨 사이의 비협력, 대립을 책하는 소리가 있다고도 들었습니다. 일본에서도 그와 같은 해설, 평가가 있었습니다. 그것은 저 '서울의 봄'에서 광주사태로, 희망에서 절망의 바닥에 떨어져 가는 상황에 대해서, 민주화 세력에게 책임이 있다는 것은 아니지만 민주 세력에게 신중한 태도가 필요하지 않았나 하는 비판입니다.

지금의 말씀을 들으니 군의 움직임도 벌써 보였다는 것이고, 결코 지나치게 성급했다는 것이 아닌 것 같습니다만.

김대중 일본 같은 그러한 옳지 않은 논평—우리들이 그와 같이 협력 안 하였고, 내가 여기저기서 강연을 하여 혼란을 조장하는 듯한 움직임을 한 결과 군인들에게 구실을 주지 않았는가 하는 말이지요.

야스에 예, 학생들의 행동도 5월에 접어들면서 급속하게 고조되어 갔으니까요.

예상 투표 과반수는 김대중 지지

김대중 그렇습니다. 그러나 실은 전연 그 반대였습니다. 결론부터 말하지요. 나는 거듭거듭 학생들에게 자중하도록 말해 왔습니다. 나는 연설할 때마다 지금도 데이터가 있습니다만 "절대로 질서를 지키십시오. 질서를 안 지키면 당신들은 반드시 악용될 것입니다."라고 학생들에게 엄하게 요구했습니다. 그리고 그들로부터 전면적인 지지도 받았습니다. 학생들은 매우 자중해 주었습니다. 5월까지 계속 학원 안에서는 데모를 했지만 가두에는 나가지 않았습니다. 박 대통령이 죽은 후 7개월 동안이나 계엄령 해제와 민주화 작업의 정상화를 기다렸습니다. 1960년의 4월학생혁명 때의 허정 과도내각은 3개월로써 헌법 개정에서 선거까지 깨끗이 해치웠습니다. 계엄령 없이 말입니다.

그런데 이유도 없이 계엄령은 해제하지 않고, 사태를 오래 끌지요. 전두환 씨의 야망은 노골적으로 보여지지요. 그러니까 학생들도 초조해졌습니다. 도대체 전두환 씨가 무엇 때문에 중앙정보부장을 겸임하지 않으면 안 되는 것인가, 이것이 문제였습니다. 그리고 그들은 이미 12월 12일에 전선에서 1개 사단을 명령 없이 뽑아 가지고 상관을 체포하여 군기를 파괴하는 반역 행위를 해도 아무도 처벌되지 않습니다. 오히려 그들이 권력을 잡습니다. 사태는 이미 기울어졌습니다. 이 사실을 분명히 보지 않으면 안 됩니다. 실질적인 쿠데타는 5월 17일이 아니라 전해의 12월 12일의 사건이었습니다. 그러므로 학생들에게도 초조 의식이 있었습니다.

그래서 나는 큰일이다, 이래서는 유혈을 보게 된다, 많은 젊은이들이 피살될는지도 모른다고 생각해서 제안했습니다. 기자단 앞에서 공개적으로 5자회담을 제안했습니다. 5월 11일이라고 생각합니다. 대통령과 계엄사령관과 3김 씨의 5자가 만나서 모든 시국에 관한 일을 여기에서 이야기하여 해결하자는 것이었습니다. 그것은 뜻밖에도 신문에 한 자도 게재되지 않고 계엄사령부에서 전부 지워 버렸습니다. 질서를 바란다는 사람들이 어떻게 그렇게 할 수 있겠습니까.

야스에 그것은 모르고 있었습니다.

김대중 그다음 날, 앞에서도 말한 것처럼, 14일에 글라이스틴 대사가 나의 집에 와서 그도 사태를 매우 걱정했으므로 나는 15일에 학생들에게 자중하도록 호소했습니다. 그것은 신문에 났습니다. 그날 밤 학생들은 데모를 중지했습니다.

야스에 15일 한밤중이었지요, 중지한 것은.

김대중 예, 학생들이 나의 그 호소 때문만으로 중지했다고는 생각하지 않습니다만 어떻든 나는 노력했으며 결과는 중지됐습니다. 이것으로 미루어 보아도 우리들이 조장한 것이 아니라 그들이 오히려 혼란하도록 악용한 것입니다. 우리들은 질서를 지키려고 노력하고 그 노력을 그들은 방해했습니다.

또 하나의 예는 그때 사북舍北탄광에서 노동자의 봉기가 있었습니다. 학생들의 데모가 있었습니다. 신문 검열을 받으러 간 사람들의 말을 들으면 그런 것은 언제든지 사진을 실으라고 정부는 말했다고 합니다. 기사도 선동적으로 쓰게 하고 때로는 검열관이 직접 써서 주었다고 합니다. 그리고 노동자와 학생들을 구타하는 장면은 텔레비전에서 자르고 신문사에서 철저하게 보도를 억압했습니다. 학생들이 돌을 던진다든가, 노동자가 무엇을 파괴한다든가 하는 것을 크게 클로즈업하여 싣고, 텔레비전에서는 언제든지 그것을 크게 찍고 톱에 실었습니다. 그리고 내가 그런 일을 해서는 안 된다고 하는 것은 싣지 못하게 하였습니다. 이것이 질서를 바라는 정부가 할 짓입니까. 이렇게 해서 결국 그들은 쿠데타를 완성시킨 것입니다.

또 하나 내가 지적하고 싶은 것은 야스에 씨도 소개해 주신 것처럼 3김金이 대통령 후보자였습니다. 그때는 '서울의 봄'의 분위기였으므로, 술을 마시거나 야유회에 모이거나 어디든지 모이면 예상 투표를 하는 것이 하나의 유행이었습니다. 과반수는 언제든지 저였던 것 같습니다.

집회의 이야기가 나왔습니다만 나는 집회에서 이야기하는 것을 많이 억제했습니다. 그러나 이에 정부의 음모가 노골적으로 보여진 이상 민중의 힘을 그들에게 어느 정도 보일 필요가 있다, 그래서 많은 연설 요청을 전부 거절했으나 네 건만은 수락했습니다. 그리하여 3만 또는 8만이라는 굉장한 청중이 계엄사령부의 위협에도 불구하고 모였습니다.

내가 말하고자 하는 것은 무엇인가. '3김 씨' 중에서 민중의 모임으로 보나 여론조사로서나 선거는 해 보지 않으면 모르기는 하지만, 예상만은 내가 가장 가능성 있는 사람이었습니다. 그렇다면 선거를 통하여 당선의 가능성이 있는 사람이 무엇 때문에 자기에게 손해가 될 혼란을 조장하겠습니까. 나는 맨손이고 총 한 자루도 없어요. 그런 혼란이 일어나면 무기를 가지고 있는 사람이 유리하고 맨손의 사람은 불리하다는 것을 잘 알고 있는데 왜 내가 그렇게 하겠습니까. 이것을 말하고 싶습니다.

그들이 학생데모를 내가 선동했다고 하고, 광주라든가 서울의 많은 반란 행위에 관여했다고 말하고 있으나, 나의 비서나 나의 측근에서도 누구 한 사람 데모에 나간 사람이 없어요. 데모하는 사람과 접촉한 사람도 없습니다. 그것으로 처벌된 사람도 없어요.

광주의 일로 말씀드립니다만, 정동년이라는 학생이 내 집에 와서 5백만 원을 받아 가지고 광주에 가서 폭동을 일으켰다는 것이 나의 광주사건 관여의 큰 줄거리입니다. 정이라는 청년도 사형 선고까지 받았으나 지금은 나와 같이 작년 12월에 출옥했습니다. 그런데 나는 그와 지금까지 한 번도 만나지 않았습니다. 사진도 보지 않았습니다. 그러므로 여기에 나타나도 모릅니다. 그 정동년 씨가 5백만 원을 받았다고 하는 그 금액을 결정하는 장면이 재미있습니다. 정동년 씨가 출옥하여 폭로한 것에 의하면 그는 말로 할 수 없는 고문 끝에 결국 내게서 돈을 받고 광주사건을 주모했다는 것을 인정한다고 굴복했답니다. 그리하여 금액을 결정하는 단계에 가서 조사관 왈 "1천만 원으로 할까. 아니 학생에게 1천만 원을 주었다는 것은 너무 많다. 그렇다. 깨끗하게 절반으로 꺾어서 5백만 원으로 하자. 알겠는가. 너는 김대중으로부터 5백만 원을 받은 것이다. 잘 기억해 두어."라고 했답니다. 모두 이런 식으로 조작했습니다. 일본 독자의 상식으로서는 나의 이와 같은 말을 일종의 과장으로 이해할 것입니다.

그러므로 지금 야스에 씨가 소개해 주신 비판은 상식으로 말할 수 있으나 진실은 그 반대입니다. 혼란을 조장한 것은 정권 획득의 집념에 불타는 일부 군인들이었고 결코 우리들 민간 정치가는 아니었습니다. 그들은 혼란을 일으킴으로써 비로소 구실을 얻는 것입니다.

군부에 대해서 한 가지 말하고 싶은 것은 군부의 절대다수는 전선에 배치되어 있습니다. 그들은 후방에 관심을 가질 여유조차 없습니다. 지금 한국의 군부, 군부라고 하지만 실은 이것은 서울 주변의 일부의 정보기관이라든가 그와 결탁한 일부 군인이며, 절대다수의 군부는 그렇지 않습니다. 그러나 그들이 정권을 잡으면 그들이 대통령이며, 그들이 국방장관이며, 그들이 참모총장이므로 진심으로 국방에 전념하고 싶은 사람도 그들에게 아첨하지 않으면 군부에서 쫓겨나고, 승진도 안 되고 좋은 자리도 얻을 수가 없습니다.

그들은 언제든지 "안보 안보" 하지만 한국의 안보를 가장 파괴하고 있는 것은 그들입니다. 군의 생명인 군규를 문란케 하고 상관을 체포하고, 상관을 지키는 사람을 죽이고, 지금처럼 군대의 사기를 저하시키고, 군대가 자기 본분인 국방에는 전념하지 않고 정권 획득에만 집념하고 있습니다. 지금 한국에서는 출세하려거든 아들을 육사에 넣으라고 말하고 있습니다. 젊은 장교들은 "나도 장래는 대통령"이라고 하여 국방이 아니라 정치를 말합니다.

이렇게 하여 국방에 전념해야 할 군대를 정치에 끌어들여 국방력을 약화시킨 것은 지금의 군사정권의 사람들이며, 우리들이 아닙니다. 그것을 저들은 데마고기를 써서 마치 3김 씨가 나빴던 것처럼 말하고 있는 셈입니다.

도대체 무력으로 정권을 불법 쟁취하는 군인을 3김 씨가 어떻게 막을 수 있습니까? 일부 정치군인의 그와 같은 국방을 위협하고, 군기를 파괴하고, 군의 정치적 중립을 범한 행위, 더욱이 미군사령관의 지휘권을 정면으로 유린하는 행위를 막는 실력과 권한을 가지고 있는 것은 미군사령관뿐입니다. 그것을 그는 묵인 또는 추인했습니다. 전두환에게 있어서 두려워할 것이 무엇이 있겠어요.

또 3김 씨의 대통령을 에워싼 신중한 경쟁은 국민 모두의 전례 없는 관심과 지지를 얻었습니다. 그러므로 3김 씨의 입장은 당시의 민심의 안정과 희망의 근원이었던 것입니다. 3김 때문에 정국이 혼란해지고 쿠데타가 일어난 것이 아닙니다. 그것은 학생들의 슬로건을 보아도 명백합니다. 그들의 주장은 계엄령 해제, 신현확 부총리와 전두환 장군의 해임이었습니다. 책임은 군부와 과도정권에 있었던 것입니다.

야스에 지금 선생님께서 말씀하신 몇 가지 중요한 포인트는 『세카이』(世界)의 독자들도 충분히 알고 있습니다. 예를 들면 선생님이 말씀하신 몇 개의 강연 내용, 집회의 분위기는 『세카이』에도 소개했습니다.(1980년 8월 호) 또 5월 15일의 심야에, 절정에 달한 학생들의 행동이, 지도자들의 상의하에 정연하게 해산하고 각 대열이 교가를 부르면서 자기들의 대학에 돌아간 광경은 당시의 『한국의 통신』에 실렸습니다.

김대중 그렇습니다. 말씀하신 대로입니다. 그러므로 5월 15일 밤중에 데모를 그쳤는데 5월 17일 저녁에 쿠데타를 할 이유가 없습니다. 명분이 없는 거지요.

야스에 이 광주 문제에 대해서 앞서 선생님께서는 외부 세력의 문제를 말씀하셨습니다. 이에 관해서는 저에게 보내온 편지를 소개하겠습니다. 서울의 한 지식인으로부터 1980년 말에 보내온 편지입니다. 민주 세력은 좌절의 밑바닥에 빠지고 선생님은 죽게 될 것으로 생각되는 때였습니다. 이렇게 쓰여 있습니다.

"우리들은 1945년에 광복을 맞이했습니다. 가까스로 민족의 자주적인 길이 열릴 것으로 생각했습니다. 그러나 아니었습니다. 1960년에 이승만 체제를 학생들이 넘어뜨렸습니다. 우리들은 우리의 길을 우리들의 손으로 선택할 수 있을 것으로 확신했습니다. 그리고 1979년부터의 '서울의 봄', 이번에야말로 정말 그렇게 될 것이라고 생각했습니다. 그러나 이것도 아니었습니다.

우리들 한국 사람에게 주어진 선택지選擇肢는 왜 결국은 이승만 정권이며, 박정희 정권이며, 전두환 정권 외에는 없는가, 왜 그런가. 그것은 기본적 구조에 의한 것이다. 즉 군사적인 면을 중시하여 한국을 보는 미국의 전략, 경제적 이익을 지키기 위해서는 오히려 현재와 같은 한국, 분단된 한국의 구조가 바람직하다고 생각하는 일본의 태도, 이 두 개가 변하지 않는 한 우리들에게 참다운 선택의 길은 없는 것이 아닌가."

이와 같은 비통한 편지입니다. 나는 일본인으로 이 편지를 받고 가슴이 막히는 심정이었습니다만 이 미·일의 문제에 대해서 저는 오늘의 인터뷰의 끝에서 다시 선생님에게 묻고자 합니다.

그리고 저 광주의 학살에 대해서 선생님의 마음을 알아보고 싶습니다. 광주의 시민들이 어떻게 학살되었는가, 여기에는 많은 목격자가 있었습니다. 외국 사람들도, 한국의 민주화운동에 관심을 가지고 있지 않은 사람들도, 여행자나, 여러 층의 목격한 사람이 많이 있었습니다. 일본의 신문과 텔레비전에도 생생한 광경이 전해졌습니다. 따라서 어떻게 죽어 갔는가 하는 것은 온 세계 사람이 알고 있습니다.

그러나 몇 사람 죽었는가. 이것은 지금도 밝혀지지 않았습니다. 정부는 180명이라고 마지못해 발표했습니다. 그러나 2,000여 명과 2,500명이라는 보고가 있습니다. "적어도 1,000명"이라는 보고도 있습니다. 이 비참을 생각하면 선생님에게 묻는 것을 사양하고 싶은 생각도 있습니다만 그 실정의 일단면을 들려주셨으면 합니다.

광주분들은 살아서도 죽어서도 구해 주었다

김대중 그해의 7월 10일에 중앙정보부의 지하실에 당시의 보안사령부의 고위 간부였으며 지금은 대통령의 고위 보좌관으로 있는 사람이 나를 찾아와서 나에게 협력을 요청해 왔습니다. 그리고 만일 그들과의 협력을 거부하면 반드시 죽게 된다고 하더군요. 그때에는 기소도 되지 않았는데 이미 판결을 내린 것 같은 말을 했습니다. 반드시 죽게 된다, 당신을 살려 둘 수는 없다라고.

그런 말을 하면서 돌아갈 때에 그는 신문을 보여 주었습니다. 신문을 보고 광주사건을 알았습니다. 나는 완전히 기절하지 않았지만 쇼크를 받아서 기절 상태에 들어갔습니다.

그때에는 신문에 186명이 살해되었다고 쓰여 있었습니다. 물론 나는 그 숫자를 믿지 않았지만 신문에는 광주 시민이 말한 "전두환을 추방하라"는 말을 지우고 계엄령 폐지와 김대중 석방을 부르짖었다고만 쓰여 있었습니다. 나는 큰 쇼크를 받았습니다. 그러나 그다음 순간 나는 백번을 죽어도 광주에서 죽은 사람들을 생각하여 결코 저들과 타협할 수 없다고 생각했습니다.

실은 그때 솔직히 말해서 저들과 협력은 안 하지만 앞으로 정치에서 손을 떼겠다는 조건으로 타협해 볼까 하는 유혹도 받았습니다. 죽느냐 사느냐 하는 상황이었으며 죽는 것은 둘째 치고, 저 중앙정보부의 지하실에 60일간이나 태양도 보지 못하고, 저 숨 막히는 고문의 소리가 들리는, 그리고 아침부터 밤까지 20번이고 30번이고 신문당하고, 잠잘 수도 없는 이런 상태에 놓여지면 인간은 정신적으로 약해지는 거지요.

그러나 광주사건을 알고, 나는 죽더라도 절대로 타협할 수 없다고 맹세했습니다. 그런 의미에서는 광주분들은 살아서도 나를 지원해 주었지만 죽어서도 나를 좌절에서 구해 주었지요.

그 후, 그로부터 두 번씩이나 말해 왔지만 나는 분연히 거절하고 나는 광주 사람들과 함께 죽겠다고 대답했습니다. 육군교도소에 간 후에도 다시 한번 말하러 온 것을 소장을 통하여 같은 대답을 했습니다. 그러므로 나는 재판정에서도 흉한 태도는 나타내지 않았을 것입니다. 그 하나의 기둥이 되었습니다. 광주사건이.

그러나 나는 사실은 광주사건의 전모를 전연 모르고 감옥에 내내 있었습니다. 이번에 이곳에 와서 광주의 이야기를 잡지와 책자에서 보고 볼 때마다 눈물이 나와서…… 광주 비디오가 있는데 안 보겠느냐고들 하지만 차마 볼 수가 없습니다. 말만으로도 가슴이 미어져서, 이번 처음 광주 3주년 집회에 나가서…….

야스에 워싱턴의 집회, 3천 명 이상의 사람이 모였다더군요.

김대중 케네디 의원 이하 10명 정도의 의원들과 많은 미국 인권 관계 인사들이 이 광주 3주년 기념에 이름을 연서해 주었으며, 워싱턴 시장이 메시지를 보내 주었습니다. 광주 사람들의 한恨, 이것은 세계의 많은 사람들의 한恨입니다. 그리고 지금은 한국인의 한恨일 뿐만 아니라 자유와 정의와 인간의 존엄성을 염원하는 세계의 양심 있는 모든 사람들의 한恨입니다.

광주의 한恨은 박정희 씨가 죽은 후에 한국민의 소원, 민중 · 민족 · 민주의 문제를 동시에 해결할 수 있는 그러한 민중의 시대가 좌절된 데 대한 한국인의 한恨을 지금 대표하고 있는 것입니다.

전 주한대사였던 사람과 만났더니 한국인은 광주사건을 백 년간은 잊을 수 없을 것이라고 말했습니다. 나는 백 년 정도가 아닙니다. 천 년이고 2천 년이고 이것은 잊을 수 없는 것입니다. 그리고 이 광주의 한이 금후에 어떻게 될 것인가 하면 한국인의 역사에 대한 책임, 그리고 우리 민족의 원망願望, 민중·민족·민주의 원망에 대한 헌신을 불러일으키는 원동력이 되리라고 생각합니다.

이것은 전두환 정권에 대항하는 한국 민중 마음속의 기둥이며, 용기를 불러일으키는 원인이며, 우리들의 책임감의 근원이 되리라고 생각합니다. 그러므로 광주 사람들은 죽었으나 죽지 않았습니다. 이것은 영원히 우리들 민족과 함께 살아갈 것입니다. 광주는 한국의 민주주의의 메카가 되리라고 생각하며 온 세계의 뜻있는 사람들의 기둥이 되는 그러한 곳이라고 나는 생각합니다.

그리고 광주 사람들이 얼마나 비참하게 피살되었는가. 지금까지 한국에서는 "한국의 국군은 국민에게 총을 겨누지 않는다."라는 신화가 있었습니다. 그 때문에 국군은 한국의 민중에게 사랑을 받았습니다. 그런 의미에 있어서 이것은 한국의 민중, 국군 쌍방에게 큰 상처이며 한탄입니다.

이러한 모든 것이 전두환 정권에게는 무거운 부담이 되고 있습니다. 대단한 도전으로 되어 있습니다. 전두환 정권은 이 문제를 절대로 그냥 넘어갈 수가 없습니다. 그렇다면 이것을 어떻게 하느냐, 복수를 하여 죽인 사람을 다시 죽이느냐. 이러한 일은 없으리라고 생각합니다. 한국의 그 한恨은 7월 호 『세카이』에도 소개해 주신 것처럼 목적을 이룸으로써 풀 수 있는 것이지 복수에 의해 풀어지는 것은 아닙니다. 광주 사람들의 한恨은 민주와 민족과 민중의 실현, 민주정권의 수립에 의하여, 그러한 방향으로 우리들이 걸어감으로써 광주 사람들의 한恨은 승화되고 해결되어 가는 것입니다.

이 광주의 일로서 하나 더 첨부하고 싶은 것은 군부가 결코 전부 민중의 적이 아니라는 것입니다. 이것은 앞에서도 말했습니다만 그 당시 거기에 있던 예비사단장, 소장입니다만 그는 발포를 거부했습니다. 이 때문에 그는 군에서 추방되었습니다. 광주 사람들은 그를 끌어내어 이번에 국회의원으로 내세웠습니다. 그러나 그는 다시 협박에 의하여 도중에서 후보를 그만두었습니다.

그 당시 미국의 국무장관이었던 머스키 씨와 나는 최근 만났습니다. 머스키 장관과 나는 점심을 같이하면서 "왜 카터 정권은 인권을 높이 내세우면서 한국의 민주주의가 좌절되었을 때에 그러한 태도를 취했는가?" 하고 물었습니다. 머스키 씨가 말한 복잡한 내용을 여기에서 공개할 수는 없습니다만 어떻게든 그때 미국으로서는 아프간 사건이라든가 이란 사건이라든가 대통령 선거라든가 하는 여러 가지 일이 겹쳤으며 한국의 안보에 대해서는 위험신호가 있었다는 것입니다. 내가 상상하기에는 한국에 있는 미군이, 혼란이 확대되면 북에서 침략할 것이라고 워싱턴에 보고했을 것입니다. 나는 그러한 확신을 얻었습니다. 그래서 할 수 없이 바람직한 일은 아니었지만 전두환 씨의 쿠데타를 인정했다고 말하고 있었습니다. 또 그는 사실상의 쿠데타는 12월 12일이었다고 거듭 말하였습니다. 그때 그는 장관이었습니다.

그리고 나의 의견은 어떤가 하고 그는 물었습니다. 내가 말한 것을 솔직히 말하지요. 나는 다음과 같이 말했습니다.

"나는 북에서 쳐내려온다는 것에는 동의하지 않소. 지금 전쟁이 일어나면 북은 전면 파괴된다는 것을 각오하고, 제3차 대전이 된다는 것도 각오하지 않으면 안 될 것이요. 미군이 있으며 남에는 핵이 있는데 거기에 감히 쳐들어온다고는 도저히 생각할 수 없소. 그리고 북이 한국 사람이 민주주의에 대한 열망으로 데모를 하고 독재와 싸우고 있는데, 그 혼란을 틈타 북에서 침략해오면 한국 민중의 얼마나 많은 한恨을 살 것인가 하는 것을 북은 잘 알고 있을 것이오.

그러나 국방상 어느 정도는 위협을 느낄 상황이 되리라고는 생각하오. 그렇지만 한국은 언젠가는 한번 그러한 아슬아슬한 장면을 통과하지 않으면 안 되오. 왜냐하면 한국 사람이 민주주의를 포기하지 않는 한 군부독재자와 언젠가는 한번 대결하지 않으면 안 되기 때문이오. 그들이 자발적으로 민중의 의사에 따라 민주 세력과 대화하는 것이 가장 바람직한 일이며, 나는 그것을 참으로 바라지만, 그것을 저들이 끝까지 바라지 않을 때에는 할 수 없소. 국민들과 격돌할 가능성은 피할 수가 없다고 생각하오.

당신들은, 미국은 '4월혁명' 때에 민주 세력을 지지하지 않았소. 미국은 그와 같은 일을 하면 안 되오. 당신들에게 내정간섭을 요구하는 것이 아니오. 당신들에게 우리들의 민주화를 해 주기를 바라는 것도 아니오. 다만 민주화 운동에 모럴 서포트만 하면 되오. 그런데 지금은 미국과 일본이 오히려 독재를 지원하고 있소. 우리들은 일부 군부독재자만으로도 벅찬데 미국과 일본까지 가세하고 있소. 이 때문에 지금 한국 사람은 민주 회복을 위하여 고난을 당하지 않으면 안 되게 되었소."

나는 그러한 말을 했습니다.

전두환 정권의 본질

야스에 한국의 군대가 국민에게 총을 겨눈 일이 없었다는 신화가 광주사태로써 무너졌다고 말씀하셨습니다. 확실히 이 점이 전두환 정권의 특징의 하나라고 생각합니다. 전에 이승만 체제를 학생들이 넘어뜨린 때에 학생들에게 발포한 것은 경관이었으며, 군대는 움직이지 않았다, 이것이 군에 대한 한국 국민의 신뢰가 되고 박 정권에 대한 경계를 늦추었다고 들었습니다.

그 박 정권은 그래도 명분만은 "우리들은 4·19학생혁명의 정신을 계승한다"고 내세우고, 혼란만 수습되면 자기들은 다시 군으로 돌아간다고 소위 민정 이양을 약속했습니다. 박 대통령은 자기의 저서 가운데에서도 한국 국민의 내셔널리즘을 대표하는 것은 3·1운동과 4·19학생혁명이라고 몇 번이고 쓰고 있습니다. 실제는 정권의 걸음걸이가 스스로를 나타냈던 것처럼 4·19혁명을 짓밟는 정권이었음은 처음부터 분명했지만 그럼에도 불구하고 그러한 명분을 내세웠습니다.

그런데 이번의 전두환 정권은 일찍이 민중에게 무기를 들지 않았던 군대를 보내 광주에서 살육을 범했습니다. 그리고 아직까지 전에 박 정권이 형식 일망정 내세웠던 국민적 슬로건을 내놓지 못하고 있습니다. 따라서 이것은 '픽션정권'이며 정권 기반이 약한 정권이라고 보지 않을 수 없다고 나는 생각합니다. 그러나 전 정권은 정권 기반을 못 가진 정권이지마는 얼마 동안은 강한 정권이라고 생각합니다. 그 강함은 오늘날의 한국 국민의 심리와도 관련됩니다만 직접적으로는 폭력과 미국 및 일본의 지지에 의한 것이라고 생각합니다.

지금 이 정권은 레이건 정권이 재빨리 전폭적 지원을 약속한 정권이며, 또 이에 따라서 일본 정부가 종래보다 더한층 지원을 약속하고 있습니다.

1965년의 한·일조약 체제는 미국의 강력한 요청을 받아서 일본이 미국을 대신하여 대한對韓 경제 원조를 담당하는 것으로 출발했습니다. 그런데 1970년대에 있어서는, 선생님 자신이 납치사건으로 몸소 체험하신 것처럼 일본 정부는 일관하여 박 정권을 지지하여 왔습니다. 오히려 카터 정권 초기, 미국의 한국 정책이 다소 바뀌려고 할 때에 그 옷소매를 잡아당겨 한·미 관계를 수복, 즉 박 정권을 도와주어야 한다고 일본의 역대 정부는 미국에 작용했습니다. 즉 경제적 측면이 강한 한·일 관계가 1970년대에는 정치적 유착 관계로 들어갔습니다.

지금 1980년대가 되어 레이건, 전두환, 나카소네라는 세 정권의 성격과 그리고 이 세 정권이 빠른 템포로 구체적으로 한 일들을 보아도 분명하게 알 수 있듯이 한·일 관계는 경제·정치의 유착에 더하여 군사적 일체화를 강화하려고 하고 있습니다. 분명히 한·일·미 군사동맹 체제를 만들려고 하는 때가 아닌가 하고 저는 생각합니다. 이런 상황 속에서 중핵적 역할을 하고 있는 전두환 정권을 선생님께서는 어떻게 보시는지 말씀을 듣고 싶습니다.

김대중 지금 야스에 씨가 정리한 1960년대의 경제 협력, 1970년대의 정치, 1980년대의 군사, 그것은 매우 정확한 표현이라고 생각합니다.

전두환 정권은 매우 노골적으로 국민에게 적대한 정권인 동시에 전前의 정권과는 달리 미국과 일본에 전면적으로 추종하는 정권으로 생각하지요. 왜냐하면 이것은 전두환 정권의 약함에서 오는 것이라고 나는 생각합니다. 여유가 없고 자신이 없기 때문입니다. 그 약함을 네 가지 점에서 말할 수 있다고 생각합니다.

첫째, 박정희의 1961년 쿠데타는 적은 숫자이긴 해도 일부 사람들에게 이 쿠데타는 필요한 것이었다는 이유가 있었습니다. 이 정권이 무너졌다는 흥분된 분위기의 한편으로는 학생들의 행동에서 오는 혼란과 혁신 세력의 혼란이라든가, 여러 가지 혼란에 있어서 그 민주당 정권은 강한 리더십을 발휘할 수 없다, 그러므로 무언가 강력한 정권이 필요하다는 기운이 있었습니다. 또 군사정권의 경험이 없는 한국인에게는 새로운 타입의 정권에 대한 기대와 매력도 있었습니다. 그런데 전두환 정권은 국민의 누구도 그를 집권자로 원하지 않았으며, 국민의 온 관심이 3김 씨 중에 누구인가 하는 데 집중하고 있을 때 억지로 폭력으로 정권을 잡은 것입니다. 그런 점에서는 완전히 민의에 역행한 정권입니다.

둘째, 박정희 씨는 부정선거는 했을망정 적어도 세 번이나 국민의 직선투표의 세례를 받았습니다. 박정희 씨의 제3공화국의 선거는 법률적으로는 민주적인 선거입니다. 그가 법을 지키지 않았을 뿐이지요. 그리고 1971년 선거에도 상당한 언론의 자유가 있었습니다.

그런데 전두환 씨는 법적으로 이미 비민주주의입니다. "그 헌법은 언제든지 필요하다면 정당을 해체할 수가 있다. 자기의 상대, 라이벌이 될 만한 것은 모두 법률로 정치 활동을 할 수 없도록 묶어 버렸다. 국민의 직접투표권도 빼앗았다. 선거놀이 같은 것을 하고는 그것으로 대통령 하라고 말하고 있다." 이 점이 결정적인 약점이라고 생각합니다.

셋째, 박정희 씨는 뭐라고 해도 경제 건설에 노력했습니다. 그 경제 건설의 내용은 심각한 모순이 있고, 오늘날 문제점을 많이 남기고 있으나, 어쨌든 1960, 1970년대에 걸쳐서 그는 상당한 건설을 했다, 특히 한국민에게 "하면 된다"는 자신을 주었다, 일본인들도 한국인을 쉽게 무시할 수 없게 되었다, 이런 점에서는 그는 확실히 자기 나름대로 공적이라고 주장할 수 있는 것을 가지고 있었다, 전두환 씨에게는 그런 것은 아무것도 없습니다.

넷째, 그 때문에 박정희 씨는 국민에게 미움을 받으면서도 한편으로는 확고한 지지 세력이 있었습니다. 지금 정권은 그것이 전연 없지요. 사관학교 출신의 일부 군인과 미·일 양국의 지원으로 버티고 있습니다. 그러므로 지금의 정권은 본질적으로 반민주적이라는 점에서 박정희 씨와 같은 정권이지만 그 정도에 있어서는 대단한 차이가 있습니다. 그러므로 약함을 가지고 있습니다.

그것은 이즈음의 김영삼 씨의 단식투쟁에 대한 대응을 보아서도 잘 알 수 있습니다. 김영삼 씨의 저항과 주장에 대하여 그들은 그들의 18번인 억압과 분쇄로써 해치우고 싶었을 것입니다. 그러나 목숨을 건, 그리고 단식이라는 비폭력 저항을 하는 사람을 어찌할 수 없었을 것입니다. 반면 김영삼 씨가 내세운 몇 가지 조건 중에서 거기에는 지금의 정권이 다소의 여유가 있다면 얼마든지 응할 수 있는 조건이 있었습니다. 예를 들면 정치범의 석방이라든가, 구 정치인의 정치 활동 금지의 해제라든가, 어느 정도 양보할 수 있을 것입니다. 권력을 가진 정권이 소수자에 양보한다는 것은 결코 약점이 아니라 여유입니다. 그런데도 하나도 양보할 수 없었습니다.

더욱이 부끄럽게도 김 씨의 단식 사실을 국민에게 알릴 수가 없습니다. 신문에는 "현안의 정치 사건"이라는 등 하지만 온 국민은 누구나 이것이 무엇을 의미하는지 알고 있습니다. 신문에는 23일간이나 최후까지 낼 수 없었습니다. 단식을 끝마친 후에 비로소 그동안 단식이 있었는데 "그만두었다"는 것을 발표하였습니다. 얼마나 자신 없는 정권인가, 얼마나 약한 정권인가를 잘 보여 주고 있다고 생각합니다.

그렇다고 해서, 그러면 민주주의가 간단히 회복될 수 있는가 하면 그렇지는 않습니다. 한국의 민중은 지금까지 독재자를, 이승만 씨도 박정희 씨도 성공시키지 않은 실력을 보여 왔습니다. 전 정권도 결코 안심이 안 됩니다. 그러나 그 반면 지금의 전두환 정권은 무력을 써서 국민을 억압하고, 언론을 통제하고, 선동으로 국민을 현혹하고, 반공과 안보를 이용하여 국민을 협박하고, 그것을 일본과 미국이 든든하게 받쳐 주고, 현실적으로 40억 달러를 주면서 받쳐 줍니다. 이러한 뒷받침으로 상당한 힘을 발휘하고 있습니다.

그러므로 지금의 민주 세력과 전두환 정권은 일종의 교착상태에 있다고 생각합니다. 씨름으로 말하자면 서로 맞잡고 어느 쪽도 상대를 밀수도 넘어뜨릴 수도 없는 상태가 있지요. 지금은 그러한 상태라고 봅니다. 그만한 실력은 있다고 봅니다.

야스에 저도 전두환 정권의 약점과 강점을 정확하게 보지 않으면 안 된다고 말하여 왔습니다. 그러나 일본에서는 전두환 정권은 안정되었다, 매우 성공하고 있다, 소박하다 할까, 피상적인 견해가 일반적입니다. 거기에는 오래

된 문제입니다마는 일본의 신문과 그 밖의 한국 보도의 자세에도 문제가 있습니다. 선생님은 그것에 관해서는 한 말씀도 없습니다만 저는 일본의 같은 저널리스트로서 이것을 지적하지 않을 수 없었습니다.

가장 우열한, 그리고 지탄받을 사례는 광주사태로서 선생님이 체포되었을 때에 몇 사람의 신문기자, 평론가들이 '중간 수사보고'라는 것과 장단을 맞추어 마치 김대중 선생이 국가 전복의 실행자인 것처럼 쓴 일이 있습니다.

예를 들면, 보고 온 것처럼, 광주의 시민들은 광주 방송 시설을 파괴하고 대신 북한의 방송을 듣고 그 지시대로 움직였다(웃음)는 것을 쓴 기자가 있었습니다. 동시에 그는 "김대중 씨는 분명히 전두환 체제에 대한 게릴라 투쟁을 준비했던 것은 틀림없다"고 썼습니다. 또 '중간 수사보고'에서 선생이 광주사태를 선동했다고 쓴 직후에 세 사람의 저널리스트가 거의 날짜를 같이하여 신문에서 "김대중 씨는 대중 동원의 감각이 매우 뛰어났다.", "김대중 씨만은 항상 대중 동원이라는 것을 염두에 두고……", "김대중이 한국 정치가 중에서 대중 동원과 조직을 만드는 데는 특이한 재능을 가진 정치가인 것은……" 하고 발언하고 있습니다. 기묘하게도 '대중 동원'이라는 말을 키워드로 쓰고 있습니다. 이러한 논평이 여느 때에 있었다면 괜찮았겠지요. 그러나 "김대중은 대중 동원으로 국가를 전복하려고 했다"고 군정이 몰아붙일 때에 이러한 발언을 나란히 한다는 것은 논평이 아니고 군정에 의한 조작을 사실인 양 보이게 하는 선동입니다. 그들은 사형 집행자에게 가담하려고 했습니다. 엄격히 책하여야 하리라고 생각합니다.

최근에 이르러서도 "이미 김대중이라는 정치가라든가, 3김의 레이스라고 하던 세 사람의 정치가를 국민들은 잊어버리고 있다.", "김지하를 아는 학생은 이제 없다."(웃음) 등등 몇 사람의 특파원이 쓰고 있습니다. 그리고 작년에도 금년에도 그러했습니다만 광주 2주기, 3주기에 즈음하여 어느 신문도 일치하게 쓴 것은 전두환 정권은 매우 안정되고 자신을 가지고 있다라는 것입니다. 그러고서 김영삼 씨의 일이 터지면 당황하여 이것을 쓰지 않으면 안 됩니다. 바닥에 흐르는 것을 전할 수가 없는 것이지요.

다시 말씀합니다만 저는 전두환 정권은 현실로서는 매우 강한 정권이라고 생각합니다. 그러나 본질에 있어서는 취약하다고 생각합니다. 박정희 정권조차도 가지고 있었던 형식적인, 부분적인, 정통성을 무엇 하나 가지고 있지 못합니다. 따라서 그들이 해 나가려면 여러 가지 의미에서 무원칙적인 대응을 할 수밖에 없을 것입니다. 국제 정치에 있어서도 국내에 있어서도 김대중 선생 및 민주 세력의 거점에 대한 경계와 억압, 그리고 '북의 위협', 이 두 가지를 제외하면 모든 일에 대하여 무원칙한 대응을 해 나가지 않을 수 없으리라, 저는 출발 당시부터 이렇게 보아 왔습니다.

그 무원칙성이 일본 기자들로 본다면 유연하고, 안정하고, 자신을 가진 정권인 듯이 보여진 것이 아닌가 저는 생각합니다. 예를 들면 전두환 씨의 동남아시아국가연합(ASEAN) 국가 방문은 매우 성공이었다든가, 아프리카 방문은 성공하고 있다든가, 동구 외교를 열심히 하고 있다든가, 이러한 보도가 많은데 어떤지요?

국민의 지지가 없다면 추방할 이유가 없다

김대중 예, 나는 미국에 와서도 때때로 지금 소개한 것 같은 논평을 듣습니다. 얼마 전 애틀랜타에 갔을 때도 당신은 옛날에는 지지받았지만 지금 한국 국민은 과연 어떨 것인가 하고 말하는 사람이 있었습니다.(웃음)

그리고 최근 미국의 전 주한대사와 만났더니 "당신은 마조리티를 지지하시오." 하지마는 한국의 마조리티는 도대체 누구인가, 자기가 보는 대로는 지금의 군부정권도 마조리티의 지지는 없다, 그러나 민주 세력도 마조리티의 지지는 없다, 그러니 마조리티, 마조리티라고 당신은 말하지만 알 수 없지 않은가 합니다.

그런 때에 나는 이렇게 말합니다. 내가 국민에게 지지를 받는가 못 받는가 하는 것을 주장하고 싶지는 않습니다. 다만 내가 국민의 지지가 없다고 당신은 말하지만 있지 않은가 하고 생각하는 것은 전두환 정권의 태도에 의해서 나는 그렇게 생각합니다.(웃음)

왜냐하면 내가 국민에게 지지가 없다면 전두환 정권이 나를 한국에서 추방할 이유는 없다고 생각합니다. 또 내가 여기에 와서 미국의 『뉴욕타임스』와 『워싱턴포스트』와 많은 신문이 나의 보도를 하고 있는데, 한국의 신문에는 김대중의 '김' 자도 싣는 것을 허락하지 않을 이유는 없다고 생각합니다. 국민이 나를 지지하지 않는다면 그런 것이 실려도 전두환 정권은 아무렇지도 않을 것입니다. 그리고 전두환 정권은 나에게 언제든지 귀국하고 싶거든 그렇게 하라고 말할 수 있을 것입니다. 그러나 그것을 못 하고 있습니다. 이런 것을 보면 나는 국민의 지지가 얼마간 있지 않은가 생각합니다.

그리고 또 하나, 전두환 정권의 정부 대변인의 입으로 김대중은 상당한 국민의 대표라고 인정해 주었습니다. 즉 나를 설명할 때 그들은 나에 대하여 "국민적 화해의 성취를 위하여 나를 석방한다"고 말했습니다. 만일 내가 국민에게 전연 지지되고 있지 않다면(웃음), 이 김대중을 석방하는데 왜 정부의 대변인이 공식으로 그런 것을 말하지 않으면 안 되는가, 간단합니다. 전두환 정권이 자신이 있다면 나를 지금처럼 추방하고, 귀국을 불허하고, 나의 정치권을 박탈하고, 시민권을 박탈할 까닭이 없다고 생각합니다. 나는 이렇게 말했습니다.

"마조리티의 말에 대해서도 같이 말했습니다. 한국의 마조리티가 어느 편을 지지하는지 모르겠다고 말하는데, 왜 그것이 그렇게 어렵습니까. 두 가지만 있으면 됩니다. 언론의 자유와 선거의 자유만 있으면 됩니다. 언론의 자유가 있으면 국민은 자유롭게 정보를 받아 자유롭게 의사 발표를 할 수 있게 되면 국민의 세론에 의하여 답을 알 수 있습니다. 그리고 세론으로써 알 수 없으면 투표를 하면 알 수 있습니다. 간단하지 않습니까. 우리들은 결코 우리의 민주 세력이 마조리티라고는 주장하지 않습니다. 나는 결코 전두환 씨의 군부가 마이너리티라고 주장하지 않습니다. 그 대신 언론의 자유와 선거의 자유만 있으면 됩니다. 그리하여 국민이 자유스러운 입장에서 전두환 씨를 지지하면 전두환 씨를 우리들의 정당한 대통령으로 우리들도 인정합니다. 무엇이 어렵습니까."

그렇게 말하니까 그도 그 이상 발언의 여지가 없었습니다만, 이렇게 간단한 것을 가지고 그럴듯이 이러쿵저러쿵 말하고 있습니다. 앞의 일본 매스컴의 보도도 그렇습니다. "김대중이나 3김 씨나 과거의 사람이다."라고 합니다. 그러나 그렇다면 3김 씨가 왜 지금과 같이 처우되지 않으면 안 되는가. 그 의문, 적어도 분석적으로 사물을 보는 저널리스트가 그것을 못 보고 무엇을 볼 것이냐고 나는 생각합니다.

전두환 정권이 안정되어 있다면 왜 학생들에게 대학 내에 있어서 자유스러운 토론을 허용하지 않는가. 일본은 도쿄대학이 1년간이나 휴학을 했지요. 그러한 사태가 되어도 결코 군대가 대학 안에 들어가지 않고 해결했습니다. 많은 학생들이 내부 투쟁으로 피살되는 사태까지 일어났습니다. 아사마산장 사건(淺間山莊事件)이 일어났습니다. 그러나 일본은 언제나 지금 한국이 하고 있는 것 같은 탄압은 하지 않았습니다. 그동안에 자연스럽게 민중이 세론에 의하여 수습되었을 것입니다.

최근 미국의 어떤 대학에서 연설했을 때에 이런 말을 한 사람이 있었습니다. "민주당 내각(1960년) 때에 전기 3사電機三社를 통합하는 문제로 정부의 고관이 이것은 5년이 걸릴 것이라고 말했는데, 박정희 씨가 정권을 잡자 1년 내에 그 통합이 해결되는 것을 보고 역시 강력한 정권이 필요하다고 생각했다. 이 일을 당신은 어떻게 생각하는가?" 하고 나에게 말했습니다.

그래서 나는 일본의 예를 들었습니다. "당신은 일본의 나리타공항의 건설이 끝난 후에 민주의 반대 때문에 사용할 수 있을 때까지 얼마나 걸렸는지도 모르십니까. 10년 가까이 걸렸습니다. 그러나 일본의 경제는 오늘날 세계의 모범으로 되어 있는 발전력을 가지고 있습니다. 당신은 그것을 어떻게 생각하십니까?" 라고…….

독재정권은 어떤 특수한 부분을 집중적으로 발전시키는 데는 매우 능률적입니다. 예를 들면 중국의 경제력은 지금 중진국 정도에 못 미쳤음에도 불구하고 대륙간탄도탄의 미사일을 만들 수가 있습니다. 어떠한 점에 집중하면 그와 같은 능력적인 성과를 보일 수가 있습니다. 그러나 전반적인 발전은 있을 수 없습니다. 지금 경제의 전면적 번영을 보이고 있는 것은 일본과 서독의 경우이며, 지난날의 명치유신과 히틀러 정권 시대와는 비교도 되지 않습니다. 이와 같이 말했습니다만 많은 사람들이 이와 같은 간단한 진리를 잘 못 보고 있습니다.

일본의 매스컴 말씀을 하셨습니다만 제가 한국에서 일본 특파원의 태도를 볼 때에 인사말이 아니라 몇 사람의 특파원은 참으로 훌륭했습니다. 그러나 전체적으로 일본의 특파원을 보면 정권으로부터 미움을 사서 그 지국이 폐쇄될까 전전긍긍하고 있습니다. 거기에는 본사의 책임도 있겠지요. 듣기에는 어떤 양보를 해서라도 지국만은 살아남도록 해 달라고 본사가 말한다는 것입니다. 그러나 그래서 써야 할 것을 못 쓴다면 무엇 때문에 특파인가가 생각하게 되지요.

일본의 매스컴은 중국 보도의 문제로 매우 쓰라린 경험이 있을 것입니다.

그 점, 우리들은 미국의 모든 것을 존경할 수 없다 하더라도 미국의 매스컴은 존경합니다. 일본의 매스컴도 그와 같이 존경받는 매스컴이 되어 주었으면 합니다.

한국 경제의 현상과 타개의 방향

야스에 제가 관계하고 있는 잡지에 관한 것을 칭찬해 주시기를 바라고 하는 말은 아닙니다. 일본 분이 아니므로 말씀드립니다만, 저 박 정권의 붕괴를 구체적으로 예언한 저널리즘은 일본에서는 「한국으로부터의 통신」뿐이었습니다. 「한국으로부터의 통신」이 어떻게 예언할 수 있었는가, 나는 간단하다고 생각합니다. 필자 티케이(T.K) 씨가 한국의 민주 세력 속에 몸담아 있으면서 전해 왔으므로 예언할 수 있었던 것입니다. 그리고 그 일은 바로 지금 선생님께서 말씀하신 지적을 실증하는 것이라고 생각합니다. 일본의 저널리즘 전체의 문제로 진지하게 고려해야 할 것이라고 생각합니다.

다음으로 지금 경제 문제가 나왔으므로 경제 문제에 관하여 두 가지를 묻고 싶습니다.

전 정권이 안정된 정권이라고 보도·논평하고 있는 사람들도 경제 면에 대해서는 매우 어려운 문제를 안고 있다고 말하고 있습니다. 한국 정권을 필사적으로 받치고 있는 일본의 정부 관계자도 마찬가지입니다. 또 40억 달러라는 거액의 돈이 경제 원조라는 명목으로 전두환 정권에게 주어졌지만 이 돈은 서울에 있다기보다 가스미 가세키의 돈이라고 하는 것이 옳을 것입니다. 일찍이 볼 수 없었던 형태로 일본의 재계와 기업이 한국에 진출하고 있으며, 한·일 경제 관계의 여러 차원의 회의는 한결같이 지금까지 볼 수 없었던 상황이라고 전해지고 있습니다. 이것은 당연한 것이라고 생각합니다. 그러나 그러한 경제계의 관계자들도 역시 한국 경제 상황에 대해서는 매우 심각하게 보고 있습니다. 확실히 방대한 외채를 짊어진 한국 경제는 심각하며, 전두환 정권도 동요하고 있는 듯합니다. 여쭙고 싶은 하나는 이러한 상황에 대해서 선생님께서는 어떻게 생각하시는가 하는 것입니다.

또 하나는 그 경제 위기를 어떻게 타개하는가 하는 것입니다. 한국에는 참으로 많은 과제가 있습니다. 말할 것도 없이 최대의 과제는 통일, 남북의 대화 · 교류이며, 그것을 가능하게 하기 위해서도 한국의 민주화, 그리고 경제 문제, 이것이 일관하여 한국의 중요 과제라고 생각합니다.

이 점에 대해서도 선생님은 1971년, 대통령 후보로서 상세하고 구체적인 경제 정책을 발표하신 것을 저는 보았습니다. 대충 말해서 고성장, 격차 확대의 경제에서부터 국민복지 경제로 옮겨야 한다, 이로써 한국 경제는 발전할 수 있다는 것이 선생님의 정책이었던 것으로 생각합니다만 타개를 위한 대강大綱을 가지고 계시는지요. 그 내용은 무엇인지요, 물어보고 싶습니다.

김대중 확실히 경제는 나의 경험으로도 매우 어려우며, 예견할 수 없는 면도 있지만, 그러나 경제처럼 상식적인 것은 없다고 생각합니다. 그러므로 경제는 전문적인 연구자보다 건전한 상식적 경제인이 언제든지 타당한 정책을 내어놓는 것을 우리들은 종종 보아 왔습니다.

한국의 경제가 지금 안고 있는 문제는 대체로 이러한 것입니다.

첫째는 박정희 씨가 암살되었을 때에 2백억이었던 외채가 지금 4백억(1983년 현재)으로 급증되었습니다. 금액으로는 브라질, 멕시코, 아르헨티나에 이어서 세계에서 네 번째입니다만 국민 1인당으로 치면 세계 최고입니다. 브라질은 1인당 650달러, 한국은 1천 달러를 넘고 있습니다.

이 부채에 대하여 원만한 반제 방법이 없다는 것이 문제입니다. 그러므로 지금은 돈을 꿔서 원금뿐만 아니라 그 이자까지도 갚고 있습니다. 빚이 점점 단기 고리로 악질화되어 가는 이 문제가 한국 경제의 큰 문제점이라고 생각합니다.

둘째는 수출이 문제입니다. 독재정권은 모두 그렇습니다만 한국의 수출은 정부의 강력한 뒷받침과 저임금, 노동운동의 억압으로 가능합니다. 그래서 독재정권일지라도 어느 정도의 발전은 할 수 있습니다. 그러나 어떤 수준을 넘어서 보다 고도의 기술화로 경쟁력을 붙이기에는 사회적으로 창조력과 자극이 허용되는 자유로운 분위기가 없어서는 안 됩니다. 정부의 말 한마디로 재벌의 운명이 좌우되는 곳에서는 재벌이 모험을 하거나 경제인이 큰 활동을 하는 것을 기대할 수가 없습니다. 그리고 어떤 경제인이 아무리 활동을 하고 훌륭한 아이디어를 생각해도, 정부의 후원을 받는 다른 경제인이 와서 이것을 깔아뭉개거나 빼앗는 일을 함부로 할 수 있는 사회에서는 권력과 타협하는 것만이 유리하다고 생각하게 될 것입니다.

셋째는 이것도 독재의 체질이 만들어 낸 것입니다만 한국의 경제는 크나큰 격차를 가져왔습니다.

도시와 농촌의 격차, 최근 한국에서 온 신문을 보면 서울에 한국의 돈, 62퍼센트가 집중하고 있습니다. 서울의 인구는 이미 9백만입니다. 한국의 전인구의 25퍼센트에 가깝습니다. 세계에서 한 도시에 그 나라 인구의 25퍼센트가 집중한 곳은 한국의 서울뿐입니다. 그러므로 서울은 지금 교육과 하수도, 상수도, 교통, 주택 등 굉장한 부담을 지고 있습니다. 한편 농촌에서는 피폐하고 정처도 없는 사람들이 속속 서울과 부산에 흘러들어 옵니다.

그리고 대기업과 중소기업의 격차가 큽니다. 독재정권하에서는 독재자가 관심을 가진 부분, 또는 지역만이 뚜렷하게 발전합니다. 대기업은 물론 권력을 독점하려 하고 있습니다. 그리고 중화학 공업과 경공업의 격차도 문제입니다. 한국은 아직도 경공업으로 세계의 수출 시장에서 버티어야 할 터인데 박정희 씨가 1970년대 후반의 잘못된 판단으로 중화학 공업에 정부의 투자를 집중했었지요. 그런데 해 보니까 지금 중화학 공업은 국제적으로 전연 경쟁이 되지 않아요. 지금 중화학 공업의 평균 가동은 20-30퍼센트 수준, 굉장한 적자를 내고 있습니다. 특히 무기산업이 그렇습니다.

수출산업과 내수산업의 격차도 심각합니다. 예를 들면 지금 한국이 자동차를 수출하고 있습니다만 수출하는 자동차는 손해를 보면서 수출하고 있습니다. 국내의 자동차 구매자가 그것을 전부 부담하고 있습니다. 수출을 위해서는 자동차의 유리 두께와 철판의 두께에서부터 모든 점에서 국제적인 규격에 맞지 않으면 안 되지만 국내용은 규격이 안 맞아요.

야스에 나쁜 것을 비싸게…….

전면적으로 파괴되고 있는 농촌

김대중 예, 가난한 한국 국민은 비싸고 나쁜 것을 사서 부자인 미국의 소비자에게 지원하고 있다, 이러한 꼴이 됩니다. 이러한 결함이 지금 한국 경제를 엉망으로 만들고 있습니다.

한국의 경제는 저임금과 정부의 통제로써 도달할 수 있는 수준을 이미 지났습니다. 이제부터는 이니셔티브와 창조력으로 끌어올리지 않으면 안 되는데 지금의 정부는 그것을 허용할 수가 없어요. 이것은 정부의 본질에 관련된 문제로 지금 수출이 늘어나지 않는 것은 치명적인 문제입니다. 더구나 고도기술산업의 면에서는 이와 같이 벽에 부딪히고, 종래의 분야에서는 추격당하고 있습니다. 예를 들면 중국은 지금 맹렬하게 한국을 따라붙고 있습니다. 양편으로부터 공격을 당하고 있습니다.

나는 농촌의 상황을 말하고 싶습니다. "한국의 새마을운동은 매우 잘되어 가고 있다. 이것은 아시아에 있어서 모범" 이라고들 말하고 있습니다. 이것은 대단한 착각입니다. 새마을운동이 시작한 그때부터 나는 새마을운동이 성공하기 위해서는 첫째로 농민이 수지가 맞도록 국가가 보장하지 않으면 안 된다고 했습니다. "관이 강제하는 관 주도의 운동으로써는 결코 성공할 수 없다." 이런 것을 말했는데 그와 같은 예견대로 되었습니다.

지금 농촌 경제는 전면적으로 파괴되고 말았습니다. 한국에서는 예를 들면 전답을 20-30마지기 가지고 있으면 중농 이상이었습니다. 이승만 정권 시대까지는 적어도 20-30마지기 가지고 있으면 조금만 절약하면 자식을 서울의 대학에 유학시킬 수가 있었습니다. 지금은 그렇지가 못합니다. 서울 유학이란 꿈입니다. 그러므로 이승만 시대까지는 농촌 출신이 수재여서 대학에서 언제든지 앞서고 있다고 했지만 지금은 유명한 대학에서는 농촌 출신의 학생은 학과에 한 사람이나 두 사람 정도입니다.

제가 청주교도소에 있을 때에도 거기에 농촌 출신의 교도관, 일본에서는 간수라고 합니다만, 그들에게서 들은즉 돌로 땅에 하나하나 숫자를 쓰면서 말해 주더군요. 20-30마지기를 가지고 있는 농민이 열심히 농사를 지어도 자기의 임금을 계산에 넣지 않고 겨우 본전이 될 정도라고 하더군요. 이래서는 정상적인 자녀 교육을 시킬 수 없다고 합니다.

그러므로 한국처럼 교육열이 높은 부모들은 자녀들의 교육을 위하여 서울로 갑니다. 농지를 버리고 갑니다. 그러한 농민이 상당수입니다. 그래서 농지를 맡기려 해도 맡을 사람이 없어요. 지금 농촌에 가 보면 빈집이 얼마든지 있습니다. 이것은 결코 근대화 도상의 국가의 건전한 진출이 아닙니다.

그러면 서울에 가면 살 수 있는가? 살 수 없습니다. 그러나 서울에 가서 손수레에 채소를 싣고 행상을 하더라도 서울만 가면 어떻게 해서든 자녀의 교육은 시킬 수 있다는 것입니다. 왜냐하면 돈의 63퍼센트가 서울에 있으니 돈이 있는 곳에 가지 않으면 돈을 주울 수가 없지 않겠어요. 그러나 반면 소비풍조는 농촌까지 휩쓸고 있어요. 지금 딸을 시집보내려면 부모는 전기제품만 줄잡아도 컬러텔레비전, 전기세탁기, 전기냉장고, 전기밥솥, 전기다리미 따위로 백만 원 이상의 돈을 가지고 딸의 혼사 준비를 합니다. 이런 풍조로 되었습니다. 농촌의 부채는 증가일로입니다.

그리고 네 번째 한국의 경제 문제는 부의 불균형 분배입니다. 이 문제는 가장 중요한 문제입니다. 지금 미국에 와서 보고 새삼스럽게 느끼는 것이 있습니다. 미국에서는 5억 달러쯤 가지고 있으면 그 이름이 알려질 정도의 큰 부자입니다. 100억 달러면 이것은 몇 사람도 안 될 것입니다. 그런데 지금 한국의 10대 재벌이라면 적어도 재산이 5억 달러 이상 10억 달러 내외입니다. 세계 랭킹의 100번 이내에 들어 있습니다.

미국의 지엠시(GMC)의 주주가 50만입니다. 국제전신기는 1백만입니다. 일본의 미쓰이·미쓰비시라고 해도, 옛날의 이와사키 가문과 미쓰이 가문이 그 주株의 5퍼센트도 지금은 가지고 있지 않을 것입니다. 그런데 한국의 재벌은 한 사람의 총수가 위로는 중화학 공업에서 경공업, 상사회사, 아이스크림과 기성 양복류의 판매점까지, 좌로는 증권회사, 단자회사, 보험회사, 그리고 최근에는 시중 은행까지 전부 독점하는 형편입니다. 이것은 종합 재벌이지요. 일본에도 없는 재벌일 것입니다. 그것이 단 한 사람의 것입니다.

그와 같이 부자가 된 중요한 이유로는 오로지 권력을 어떻게 다루었는가에 있습니다. 경제 내적 이유가 아니고 경제 외적 이유입니다. 따라서 나는 역시 그 가장 요점이 되는 한국 정치의 이야기를 하지 않으면 안 되겠습니다.

1952년 부산의 정치파동, 그때에는 국민 한 사람 소득이 60달러였습니다. 그러나 언론의 자유가 있었습니다. 국민이 신문을 보고 이것은 거짓말이라고 생각할 것은 하나도 없었습니다. 신문이 쓰고 싶은 것을 쓸 수가 없다고는 생각하지 않았습니다. 국민이 자기가 말을 하는데 정보원이 있는지 없는지 신경 쓰는 일이 없었습니다. 언론의 자유가 있었습니다. 지금은 없어요.

그때에는 전시였는데도 대통령을 직접선거로 뽑았습니다. 지금은 그렇지 못합니다. 그때에는 대법원이 독립을 과시했습니다. 이승만 씨에게 당시의 대법원장은 당당하게 대항했습니다. 지금 대법원은 완전히 정부의 어용기관입니다. 지금 국회는 완전히 정부의 하수기관입니다. 그때에는 야당의 자유가 있었지만 지금은 야당이 없습니다.

왜 이렇게 되었는가? 지금은 국민 일인당 소득이 1,700달러입니다. 60달러의 30배까지 증가되었습니다. 그런데 왜 이렇게 되었는가? 그 이유는 매우 간단합니다. 부가 그때에는 없었습니다. 일종의 빈곤의 평등이었습니다. 그 대신 이 전쟁이 끝나고 경제 건설을 하면 우리들에게는 모두 희망이 있다는 의미에 있어서 연대의식과 협력 관계와 상호 이해가 있었습니다. 지금은 아주 딴판이 되었습니다.

예를 들면 작년에 정부가 국회에 내어놓은 보고서에 의하면 한국 노동자의 59퍼센트가 10만 원 이하의 수입입니다. 그런가 하면 600만 달러의 집에 사는 사람도 있습니다. 이번 한국에서 대도사건이 있었지요. 정부의 고관, 그것도 경제를 다루는 최고의 책임자의 집에 도적이 들어 5억 원의 도난을 당했다고 신문은 보도했습니다. 실제로는 더 많았다고 모두들 말하고 있어요. 더욱이 그는 그 대부분을 감추고 7백만 원밖에 신고하지 않고 있습니다. 많은 장군들의 집에서도 같은 도난이 있었다고 합니다. 하지만 그것을 모두 덮어 두었다고 합니다.

국민은 이 도적을 의적 취급하고 영웅 취급하고 있습니다. 이것은 무엇을 의미하는 것일까요. 한국의 제일의 문제는 이러한 부의 극단적인 불균형한 분배이며 거기에서 생기는 국민 간의 증오입니다. 어떤 사회학자가 "빈곤은 사회 안정을 위하여 문제이다. 그러나 빈곤보다 더한 문제는 국민이 자기가 가난한 것은 부당하다고 생각하는 것이 가장 위험하다" 고 말하고 있습니다.

정의라고 하는 것은 독일의 신학자 에밀 브루너가 말하고 있습니다만 각 사람이 자기의 당연한 몫을 가지는 것이 정의입니다. 어른은 밥 한 그릇을 먹는 것이 정의이고, 어린이는 그 반을 먹는 것이 정의입니다. 자본가는 자본가의 몫을 받고 노동자는 노동자의 몫을 받으면 거기에 정의는 성립되는 것입니다. 그렇게 하면 안정이 있습니다. 그러나 노동자가 자기가 번 것의 반 이상을 자본가에게 빼앗겼다고 생각할 때에 거기에는 이미 정의가 없습니다. 정의가 없는 곳에 안정은 없습니다.

경제가 발전하면 중산계층이 늘어납니다. 중산계층이 늘어나면 자연히 민주주의의 기반이 생깁니다, 이것이 근대화의 정석定石임에도 불구하고 어찌하여 한국은 경제가 신장했음에도 민주주의는 신장되지 않는가. 왜 일견해서는 많은 중산층이 있음에도 불구하고 민주주의가 신장되지 않는가.

그 큰 이유의 하나는, 이 부의 불균형 분배에 의하여 가진 자들이 권력자와 결탁하여 그들의 부를 지키기 위하여 그 불평분자들을 억누르는 구조에 있습니다. 억누르는 구실은 안정과 반공과 국방입니다. 부자들이 자기들의 부에 대해서 도덕적인 불안을 느끼고, 사회적으로 불안을 느끼고, 그것을 지키기 위하여 인정사정없는 탄압을 요구하는 필요성을 가지고 있습니다. 그리고 정권 담당자는 그와 부패한 결탁을 하고 국민의 불만을 탄압하는 것입니다.

한국의 중산계층은 반드시 자신의 능력, 자신의 검약, 자신의 모험으로 부를 쌓는 중산계층이 아니며, 특권층 밑에서 기생적으로 어느 정도의 안정과 수입을 얻는 중산층이 오늘날 상당히 많습니다. 예를 들면 관료로서 부정한 수입에 의하여 중산계층이 된 자가 있습니다. 회사의 간부들도 그러한 과정에 있어서 정당한 월급 이외의 부수입으로 지금의 위치를 다지고 그 위치를 지켜가는 이러한 짓을 해 왔습니다. 그러므로 한국의 중산계층의 상당 부분은 기생적인 중산계층입니다. 이렇게 된 원인이 기생적인 중산계층이 책임을 져야 한다기보다, 중산계층의 불행한 상태가 어디에 근거하고 있는가를 증명하고 있습니다. 즉, 한국의 정치, 경제의 구조에 책임이 있습니다.

이런 의미에서 한국에 있어서 민주주의의 담당자는 결국 근로대중과 양심에 입각한 참으로 지식이 인격화된 그러한 인텔리겐차(intelligentsia)—물론 여기에는 학생들도 포함됩니다만—입니다. 이 두 개의 세력이 한국에 있어서 지금 정신적으로 큰 모럴 파워를 발휘하고 있는, 크리스천들의 중개에 의하여 이것이 결속되어서 민주화운동으로 나갈 수밖에 없는 상황입니다. 그들의 민주적 의지에 중산층이 뒤따라야 할 것입니다.

야스에 명쾌한 지적 가운데, 개개인의 길이 어디에 있는가 하는 것은 이미 답변한 것으로 생각합니다만 과제의 심각성을 새삼스럽게 생각하게 합니다.

한국 경제의 문제는 지금 말씀하신 것과 같이 정치구조의 문제와 떨어져서 생각할 수는 도저히 없다고 생각합니다. 또 경제 문제는 1960년대와는 달라서 박 정권하의 고성장 · 공업화의 과정을 거쳐 구조화되어 버렸습니다. 시계의 바늘을 멈추지 않고 수선할 수 없는 것과 같습니다. 그러한 가운데서 이와 같은 과제를 개선한다는 것은 참으로 어려운 것으로 생각됩니다. 앞서도 말했습니다만 현재의 한국 집권층을 지지하며 안정되어 있다고 생각하는 사람들도 이 정권으로는 경제의 개선이 매우 어려울 것이라고 일치하여 보고 있습니다.

그러나 동시에 만일 김대중 선생님을 비롯하여 민주 세력의 인사들이 정권을 담당했을 때에 과연 이 경제의 애로를 타개할 수 있을까 하는 의문을 가지고 있는 것도 사실입니다. 솔직하게 말씀해서 현 정권에 대한 의문보다 더 크다고 할 것입니다. 당면한 문제에 대하여 또는 이제부터의 문제에 대해서 시간이 없습니다만 대강만 말씀을 듣고 싶습니다.

민주주의의 근간은 국민에 의한 정부

김대중 그와 같은 의문이 악의 또는 선의에 관계치 않고 있는 듯하므로 구태여 말합니다만, 최근 이곳에 와서 앞에서 야스에 씨가 말씀하신 1971년 대통령 선거에 입후보했을 때 나의 정책발표 팸플릿을 다시 한번 읽어 보았습니다. 나는 내가 정치 활동을 시작한 후 일관하여 취해 온 "언제든지 대안 없이는 비판하지 않는다"는 생각을 관철해 왔다는 것을 그 당시의 정책발표를 보고 다시 한번 확인할 수 있었습니다. 나는 대중경제라는 생각을 주장해 왔습니다만 대중경제에 대해서도 1971년에 나는 저서를 내었습니다. 그 내용을 지금 읽어 보면 경제의 상황이 변화되었으므로 수지 따위는 바꾸어 맞추지 않으면 안 되겠지만 대강의 구상은 틀리지 않았다고 지금도 생각하고 있습니다.

나는 지금까지 경제뿐만 아니라 통일 문제에서부터 외교, 국방, 내정, 모든 문제에 대해서 대안 없이 비판한 일이 없습니다. 그리고 지금 여기에 전두환 정권의 어떤 부처의 책임자와 만나도 그에 대해서 내 나름대로 그것이 얼마나 훌륭한 것인가는 별문제로 하고, 책임 있는 대안 없이는 비판하는 부분이 아무 데도 없다고 말할 수 있습니다. 이것은 정치에 종사하는 사람이 취해야 할 당면한 책임 있는 태도라고 생각합니다.

그러한 것을 전제로 하고, 경제 타개를 위한 대강을 말하라는 야스에 씨에게 대답하겠습니다.

첫째, 경제의 목적이 무엇인가 하는 것입니다. 목적을 먼저 확인하고 그 목적에 합치하는 경제체계를 변경해 가는 것, 이것이 가장 중요합니다. 경제는 국민 전체의 물질적 생활의 향상과 그 국민 생활의 안정에 기초한 국민의 정신적 발전에 목적이 있을 것입니다. 즉 전인적인 발전의 기초를 주기 위하여 경제의 발전을 도모하는 것입니다.

그런데 지금은 소수자를 위한 경제가 되어 버렸어요. 절대다수는 아직도 의식주의 불안정에 시달리고 있습니다. 자기 자녀들의 교육의 기회도, 자신의 문화적 생활의 기회도 보장되어 있지 않아요. 이런 것을 시정하지 않으면 안 된다고 생각합니다. 소수인의 경제로부터 국민을 위한 경제로 되돌리지 않으면 안 됩니다.

둘째, 나는 자유경제를 지지하는 사람으로 결코 기업가의 적은 아닙니다. 오히려 나는 5월 17일의 쿠데타 직전의 관훈클럽에서 연설할 때에도 말한 것으로 생각합니다만…… 나는 그때에도 말한 것과 같이 민주정권하에서만 경제인도 국민으로부터 존경받고, 이 사회 건설의 중요한 한 분자로서 신뢰받을 입장에 설 수 있다는 것입니다. 그리고 나는 기업가에게 기업가의 경제윤리를 반드시 지켜 달라고 주장합니다.

일본에서는 어떤지 모릅니다만, 종종 한국에서는 기업가의 윤리라고 하면 돈을 벌어서 사회에 기부하는 것을 윤리라고 생각하고 있습니다. 미국 사람들 중에도 그런 사람들이 있습니다. 기업가란 어디까지나 돈을 모으는 사람입니다. 돈을 바르게 모아야 합니다. 바르게 모으고 바로 써야 할 것입니다.

그것이 어떤 것인가 하면, 첫째는 좋은 물건을 최저한도로 싸게 소비자에게 공급하는 것, 이것이 기업가의 제일의 책임입니다. 둘째는 노동자에 대하여 그의 생산성의 향상과 생활 안정에 필요한 만큼 정당한 임금을, 기업의 존립에 해를 미치지 않는 한도 내에서 지불한다는 것입니다. 셋째는 기업가가 자기가 얻은 이윤을 사치·환락이나 그 밖의 다른 비생산적인 분야에 쓰지 않고 그것을 재투자하여서 그 기업이 더 발전하는 기업이 될 수 있도록 사용하고, 기업의 확대재생산이 가능한 기업으로서 발전시킨다는 것입니다. 그와 같이 생산적으로 투자하는 것도 역시 윤리적 행위라고 보아야겠지요.

이것이 기업가의 3대 윤리입니다. 이것을 지키면 훌륭한 기업가입니다. 사회적으로 한 푼도 기부하지 않아도 좋습니다. 이미 소비자에게 기여했고 노동자에게 공헌하고 있습니다. 그 이상 말할 필요는 없으며, 또 이와 같은 기업의 윤리를 지키지 않으면 안 됩니다.

지금 한국의 일부 기업에 있어서는 사회 자선이 상당히 유행하고 있습니다. 그것은 눈가림입니다. 소비자에게 나쁜 물건을 비싸게 팔아 폭리를 취한다, 노동자에게는 정당한 임금을 지불하지 않는다, 그 대신의 약간의 부스러기를 자선사업에 주고 자기 양심을 위로하고 사회적으로 위장하고 있습니다.

지금 내가 든 세 가지를 다하면 민주정권하에서도 기업가로 당연히 국민으로부터 존경과 지지를 받게 될 것이며, 정부는 그 기업가를 옹호하지 않으면 안 될 것이라고 생각됩니다. 물론 그 과정에 있어서 기업가는 그 주株를 국민에게 될 수 있는 대로 분배하고 국민이 참여해서 국민적인 기업으로 안정시키는 것이 중요합니다. 지금 일본과 미국에서 하고 있는 방법을 취할 필요가 있다고 생각합니다. 그러나 그것도 정부에 의하여 강제될 것이 아니라 경제적 원리와 절차에 의해서 그렇게 되도록 해야 할 것입니다. 정부는 그것을 지원하면 됩니다.

셋째, 한국 경제를 내포적으로 발전시키는 일입니다. 보다 더 두께 있는 경영, 될 수 있는 대로 국내 자원을 활용하고, 될 수 있는 대로 한국이 가지고 있는 장점을 발전시키는 것입니다. 농업과 어업에 주력하고 중점을 두어야 합니다. 그리고 중소기업을 근대화하고 관련 기업과 함께 협업체제를 만드는 것입니다. 이와 같이 한국의 내부에 있어서 경제의 모든 것이 상호작용을 두텁게 짬으로써 안정된 경제구조로 되어야 할 것입니다. 수출에 전면 의존하여서 국제적으로 조금만 불경기가 되면 경제가 흔들흔들 동요되어서는 안 된다는 것입니다. 지금 일본이 수출에 강하다는 것은, 일본의 경제를 잘 보면 알 수 있는 것이지만, 일본 국내에 있어서 버티는 힘이 있기 때문입니다. 내포적인 경제 발전을 지향하지 않으면 안 된다고 생각합니다. 또 내포적으로 발전함에 따라서 국내경제의 각 분야가 매우 힘차게 뿌리를 뻗어 나갈 수 있습니다.

넷째, 한국은 일본과 같이 자원이 없어요. 그러므로 경제만의 입장으로서도 한국은 절대로 교육입국教育立國하지 않으면 안 됩니다. 교육에 대하여 많은 투자와 많은 진력을 하지 않으면 안 됩니다.

세계를 둘러보면 자원이 많고 국민이 행복하게 살고 있는 나라는 미국 정도입니다. 오스트레일리아도 들 수 있겠지요. 그리 많지 않습니다. 자원이 있고도 가난한 나라는 얼마든지 있습니다. 아시아에도, 중남미에도, 아프리카에도, 그러나 인력을 개발하고 국민이 가난한 나라는 하나도 없습니다. 유럽 제국, 일본, 모두 그렇습니다. 그 대표적인 예가 일본과 스위스일 것입니다. 한국도 앞으로 인력 개발에 더욱더 힘을 쏟아야 할 것입니다. 한국의 노임도 지금 오르고 있으므로 금후 고도기술산업을 따라가기 위해서는 이 일은 더욱 필요합니다.

다섯째, 외국의 기업, 외국의 투자와의 관계입니다. 외국의 투자에 대해서 무조건 이것을 식민지화라든가 매판자본이라든가 하는 식의 비난은 매우 비경제적인 말투라고 생각합니다. 지금 세계는 하나의 세계로 되어 가고 있으며, 어디에서도 무역이라든가 경제 협력 없이는 해 나갈 수 없습니다. 다만 협력을 받는 측이 그것을 자주적으로 받아들이든가, 종속적으로 받아들이든가에 따라서 달라집니다. 예를 들면 제2차대전 후 유럽의 나라들이 모두 마셜계획에 의하여 경제 원조를 받았습니다. 일본도 전후 미국의 경제 원조를 받았습니다. 그러나 유럽 여러 나라나 일본도 경제적으로 자립하여서 지금은 오히려 미국을 위협할 수 있게 되었지요. 사용하는 방법 여하에 달렸습니다.

그러므로 나는 한국 경제에 대한 일본의 협력 방법에 대해서는 매우 불만을 가지고 있지만, 언제든지 내가 말하는 것은 그 첫째 책임은 우리들에게 있다는 것입니다. 부패한 박정희 정권, 전두환 정권, 그리고 안일한 한국의 기업가들, 그 경제 내적 원인에 의한 부의 축재보다도 경제 외적 방법에 의해서 젖은 손에 좁쌀 묻히듯이 벌려고 하는 이러한 사람들의 축재 방법에 의해서 지금 많은 문제가 일어났다고 합니다.

일본의 에이(A)라는 기업이 지금 중국에 가서 물건을 팔 때와 한국에 가서 물건을 팔 때의 자세는 다르다고 생각합니다. 중국에 가서 상대방 사람들에게 뇌물을 주거나 서로 나누어 먹거나, 정치자금에 얹히거나 하면서 팔려고 하는 짓을 일본의 기업은 생각하지 않고 있다고 봅니다. 같은 기업이 한국에서 그런 짓을 하면서도 중국에서는 안 한다고 생각합니다. 그것은 받아들이는 자세가 다르기 때문입니다. 왜 우리는 그것이 안 되는가 하는 것입니다.

받아들이는 측이 바르고 엄연한 태도로 받음과 동시에 상대에 대해서 그러한 잘못된 협력의 방법은 통하지 않는다는 것을 분명하게 인식시킨다면 일본과 미국의 기업, 다른 외국의 기업도, 젖은 손에 좁쌀 묻히는 식의 대한對韓 수출은 없어질 것입니다. 그 대신 그러한 경제 협력은 필연적으로 한국 국민으로부터 감사를 받을 것이며, 평가되고, 장기적으로 안정된 것은 좋은 결과를 가져옵니다. 젖은 손의 좁쌀은 일시적으로는 좋으나, 그것은 반드시 국민으로부터 배척되고 그러한 경제 협력은 오래가지 못합니다. 반대로 장기적으로 안정된 경제 협력 관계를 이룰 수 있는 정권은 어떤 정권인가, 그것은 민주정권 외에는 없습니다. 국민을 진실하게 대표하고 국민에 의하여 감시되고, 잘못을 저지르면 국민에게 언제 쫓겨날지 모르는 국민에 의한 정부가 아니어서는 안 됩니다.

민주주의를 국민의, 국민을 위한, 국민에 의한 정부라고 하지만 근간은 국민에 의한 정부라고 생각합니다. 지금 세계에 160개의 국가가 있지만 국민주권을 구가하지 않는 나라는 없습니다. 천황 주권이라든가 왕권 신정을 말하는 나라는 없습니다. 그런 의미에서는 전부 민주국가입니다. 그러나 실질적으로 민주국가라고 불리는 나라는 30개 정도의 국가뿐이며 나머지는 국민에 의하여 좌우되는 정권이 아닙니다. 국민에 의한 정부야말로 진정한 민주주의의 진수이며 나는 옥중에서 특히 이것을 깊이 생각했습니다.

경제 개선을 위하여 다섯 가지 대강을 말했습니다만 이것을 할 수 있는 것은 참으로 민중에 의하여 선출되고, 민중에 의하여 교대되는 성격의 민주제도 이외에는 없다고 나는 생각합니다.

민중혁명의 시대

야스에 말씀이 넓고 또 원리적인 문제로 발전하였습니다. 선생님께서 옥중에서 생각하신 것을 들었습니다. 이제 지금 여기에서 생각하시는 것을 전반에 걸쳐서 듣고 싶습니다.

지금 지구사회는 여러 가지 점에서 벽에 부딪히고 있습니다. 특히 선진공업국가는 일종의 폐색상황閉塞狀況에 있다고 생각합니다. 미래의 예견하는 능력과 현상에 대신할 대안을 갖고 있지 않기 때문이겠지요. 남북 격차의 확대, 빈곤과 기아, 자원, 인구, 환경 파괴, 갖가지의 심각한 과제에 당면하면서 그 타개의 길을 지구사회의 성원 누구도 찾아내지 못하고 있습니다.

그러한 폐색상황에 있으므로 해서 세계적인 우경화 현상, 개선을 꺼리는, 개혁에 대하여 매우 신중한 보수화 현상이 확대되고 있다고 저는 생각합니다. 일본의 경우도 그렇습니다. 나카소네 총리는 세계적인 우경화를 예찬하고 높이 평가하고 있지만, 그러한 우경화가 하나의 연합을 이루고, 그것이 다른 나라의 민주주의를 억압하는 시스템을 더욱 강하게 하고 있습니다. 한·일·미 3국 체제의 현상은 바로 그것일 것입니다.

오늘날 일본의 제2차대전 후부터 최근에 이르는 급속한 군사화라는 문제 가운데서 우리들은 절실하게 느끼는 것이지만 나라가 살아가는 길, 지구사회가 살아가는 길, 미·일 관계, 한·일 관계 이런 것들은 우리들 자신의 한 사람의 살아가는 길과 깊이 관련되어 있습니다. 그것은 지구사회 전체의 폐색 상황 속에서 전후 일본의 진로가 크게 방향 전환되려고 하는 중대한 시대에 처해 있기 때문이겠지요.

처음 말씀했습니다만 이 10년은 극적인 동動과 반동反動이 되풀이되는 시대였습니다. 그 격동의 상황을 헤쳐 나오면서 지금 선생님께서는 어떻게 생각하셨는지 저는 이미 선생님의 생각을 어느 정도 알고 있음으로 해서 더욱 묻고 싶습니다. 『세카이』(世界)의 독자들도 같은 생각일 것이라고 생각합니다. 한국의 격동은 지금 제가 말씀드린 지구사회, 동시대의 인간의 살아가는 길과도 겹친다고 생각되기 때문입니다.

김대중 나와 같이 천학淺學한 사람이 말할 문제는 아닙니다만 『세카이』의 독자에 대한 책임상으로도 제가 옥중에서 독서하며 생각했던 것을 여기에 말씀드리고, 여러분들로부터 비판을 받는 저의 잘못된 점을 가르쳐 주시면 하는 것을 전제로 하고 조금 말해 보고자 합니다.

인간이 이 지구 상에 생겨서 3백만 년쯤 되었다고 합니다. 최근 탄자니아 북부에서 발굴된 인간의 뼈를 보면 3백만 년이 정설이 되어 가고 있는 듯합니다만, 이 3백만 년 동안에 5회의 혁명이 있었다고 합니다. 제1회는 유인원類人猿으로부터 인간으로 비약했다는 인간 탄생, 그리고 오랫동안 3백만 년에 걸친 정체적인 상태가 계속되고, 8천 년 내지 9천 년 전, 농업이 시작되었습니다. 농업에 의하여 처음으로 인간은 정착 생활이 시작되었습니다. 이것이 제2회의 혁명입니다.

제3회는 좀 더 나아가서 도시를 형성하기 시작했습니다. 지금으로부터 5

천 년쯤 전에 티그리스강과 유프라테스강 유역에 도시가 생겼습니다. 다시 나일강 유역과 인더스강변과 황하 유역, 이렇게 발전해 왔다고 하지요.

그다음에 있었던 것이 지금으로부터 2천5백 년쯤 전의 동방에 있어서 제자백가諸子百家, 공자孔子, 노자老子, 장자莊子, 손자孫子 이들을 포함한 제자백가가 나타난 찬란한 사상혁명의 시대, 인도에 있어서는 석가모니부처님을 비롯하여 많은 바라문婆羅門의 지도자들이 나타난 시대, 이것도 2천5백 년쯤 전입니다. 이와 같은 시대에 이스라엘 왕국과 유다 왕국에 예언자가 출현, 그리스에 있어서의 소크라테스나 플라톤 같은 위대한 철학자의 출현, 그 2, 3백 년 전에는 탈레스를 비롯한 많은 자연철학자가 나왔습니다. 이것이 제4회의 혁명입니다. 우리들은 현대인으로서 잘난 척하지만 대체로 이런 사람들의 정신의 테두리 안에서 지금도 선인들의 사상의 유산을 먹으면서 살아가고 있다고 보는 사람들도 있지요. 제5회의 혁명이 소위 17세기 이후의 기술혁명이라고 합니다.

그렇다면 오늘의 20세기를 어떻게 보는가? 이것은 나로서는 감당할 수 없는 것입니다만 경솔하다는 책망을 감수하기로 하고…….

야스에 아닙니다. 저는 꼭 듣고 싶습니다.

김대중 만일 오늘의 시대를 규정짓는다면, 그것은 저는 "민중혁명의 시대"라고 할 수 있지 않을까 보고 있습니다. 인류의 탄생 이래 네 개의 악이 있었다고 지적되고 있습니다. 하나는 노예제도, 또 하나는 인종차별, 또 하나는 착취, 또 하나는 전쟁.

인간이 인간을 노예화한다, 이것은 오늘날에는 거의 절멸해 가고 있습니다. 민족으로 노예화되었던 식민지 제도도 제2차대전 후 거의 해방되고 말았습니다. 개인적인 노예, 민족적인 노예가 모두 해방되었습니다. 물론 부분적으로는 남아 있지만 그것도 당연히 절멸될 운명에 있다고 생각합니다.

제2의 인종차별, 이것도 내가 미국에 와서 10년 전과 지금을 비교해서 흑인의 위치가 매우 향상되어 가는 것을 보고 기뻐하고 있습니다. 지금 미국의 거의 대부분의 대도시는 흑인 시장입니다. 텔레비전을 보아도 흑인 해설가가 나옵니다. 이것은 10년 전에는 생각할 수 없었던 일입니다. 인종차별은 없어지고, 없어지지 않았다 하더라도 긍정되지 않았습니다. 그러므로 남아프리카와 같은 곳은 세계의 규탄의 대상이 되고 있습니다.

제3의 인간의 착취, 이것도 이미 정당화되지 않고 있습니다. 유럽과 일본과 미국에 있어서의 노동자의 지위라든가 생활 조건이 어느 정도 개선되었는가, 이런 것을 보아서도 알 수 있다고 생각합니다. 물론 만족할 상태가 아니고 충분하지 않다고 전제하고 말입니다. 그리고 지금 중남미라든가 한국이라든가 하는 착취가 심한 나라는 결코 안정이 없습니다. 착취는 벌써 긍정되지 않는다는 증거입니다.

그런데 지금 전쟁만은 내셔널리즘과 얽혀서 정당화되고 있습니다. 어떤 나라든 적과 싸울 때에는 많이 죽인 사람이 가장 영웅입니다. 이것은 윤리적으로 볼 때 매우 부끄러운 일이지만, 그럼에도 불구하고 전쟁만은 정당화되고 있어요. 그것은 내셔널리즘과 얽혀 있기 때문에 이렇게 되는 것입니다.

내셔널리즘에는 두 가지가 있다고 생각합니다. 하나는 그 외연적外延的, 침략적인 내셔널리즘, 이것은 마땅히 규탄되어야 합니다. 그러나 자기를 지키기 위한 내셔널리즘, 한국인이 독립운동을 했다든가 아프리카 사람들이 제3세계의 권리를 위하여 궐기했다든가 하는 내셔널리즘은 긍정되어야 할 것입니다. 내셔널리즘이 지금 혼동되고 있습니다만 우리들은 외연적인 내셔널리즘과 내연적인 내셔널리즘을 엄정하게 구별하지 않으면 안 된다고 생각합니다.

그러나 크게 볼 때에 내연이건, 외연이건 내셔널리즘이란 다분히 배타적인 성격을 가지고 있으므로 각 민족의 독자적인 특징을 발전시키는 것과, 민족 자치는 조장시켜야 하겠지만 배타적인 내셔널리즘은 빨리 해소시키지 않으면 이 세계에는 참다운 평화도 없고, 인류의 협력도 없다고 생각합니다. 어떻든 불행하게도 지금은 내셔널리즘 이름 밑에 전쟁이 긍정되고 있어요. 이 악만은 극복되지 않고 남아 있습니다.

노예를 해방시킴으로 해방되는 것은 민중입니다. 인종적 편견에서부터 해방되는 것은 민중입니다. 그리고 착취, 이것은 두말할 것 없이 민중이 피해자입니다. 이와 같이 네 개의 악 중에서 세 개에 있어서는 민중이 해방이 되고 또 해방되어 가고 있습니다. 전쟁이 일어나면 역시 전쟁의 피해를 받는 것은 모두 민중입니다. 가진 자들은 전쟁으로 오히려 얻는 것이 많습니다. 평화도 민중해방에 절대로 필요한 조건입니다.

그러나 지금 전쟁이 남아 있습니다만, 이 전쟁에서도 인류는 새로운 단계에 들어가려고 하고 있습니다, 3백만 년 전에 인간이 이 세상에 생긴 이후 지금까지 말로써 문제가 해결되지 않으며 어제든지 완력으로 했습니다. 적게는 맨주먹으로 하고 크게는 전쟁이었습니다. 그것은 3백만 년간 같았습니다. 제2차대전까지 같았습니다. 그러나 핵무기의 출현과 개발로 처음으로 무력으로 문제를 해결할 수 없는 사태가 되었습니다. 일본 사람들은 불행하게도 그 최초의 피해를 받았습니다만 지금은 일본에 떨어뜨린 핵무기와는 비교가 되지 않을 정도로 놀랍게 발전했을 것입니다. 지금은 미·소가 핵전쟁으로 대결해도 양쪽이 동시에 죽게 됩니다. 따라서 이성적이면 전쟁은 할 수 없을 것입니다. 과연 지금 이성적인가 아닌가가 불안합니다.

그런 의미에서 전쟁 무용의 시대로 들어서고 있습니다. 인간의 도덕적 발전으로 무용으로 된 것이 아니라 할 수 없이 무용의 시대로 들어서고 있습니다. 기술적인 면에서 말하면 2천 년까지는 핵무기를 가지는 나라가 38개 정도로 된다는 것입니다. 그렇게 되면 이번에는 선진국뿐만 아니라 제3세계의 나라에서도 핵무기를 가지는 나라가 생기게 됩니다. 이미 무력으로 문제 해결이 안 됩니다. 결국 할 수 없이 대화로 할 수밖에 없습니다. 인간은 그렇게 밀려갈 것입니다. 이렇게 볼 때에 역사의 발전은 얼마만큼 인간의 지배를 넘어선 오묘한 섭리를 가지고 있는가 하는 것을 느낍니다만, 이 때문에 어떻든 무력에 의한 희생에서 민중은 해방되게 됩니다.

또 하나는, 지금 세계에 있는 40억의 인구가 20세기 말에는 60억, 21세기 말에는 102억이나 될 것이라고 합니다만 이 20세기에 있어서 인간의 생산능력에 의해 의식주 등 모든 분야에 있어서 인간다운 생활을 보장할 수 있는 그러한 조건을 인간이 처음 가지게 되었습니다. 지금까지 20세기 전까지는 생산능력 때문에 누군가가, 예를 들어 농민과 노동자는 빈곤하지 않을 수 없는, 또는 아프리카 사람들은 원시적 생활을 할 수밖에 없는, 그러한 생활능력밖에 없었습니다. 그러나 지금은 미·소를 비롯하여 세계의 여러 나라들이 쓰고 있는 막대한 군사비를 평화적으로 전환한다면, 내일부터라도 세계의 모든 사람들이 인간다운 생활을 할 수 있다는 그러한 희망을 가지는 시대에 들어섰습니다.

그러므로 벌써 인간은 변명할 수 없습니다. 한국에는 "가난은 나라도 못 구한다."라는 속담이 예부터 있습니다만, 지금은 나라의 힘으로 어떻게 할 수 없다는 변명은 못 하게 되었습니다. 힘도 있습니다. 아프리카와 오스트레일리아 산속에 있는 민중까지 포함해서 모든 민중이 인간다운 생활을 보장하는 인간의 능력을 처음으로 지금 가지게 되었습니다. 그러므로 이제는 핑계 댈 수가 없게 되었습니다. 민중은 금후에는 권리로서 그것을 요구할 수 있게 되리라고 생각합니다.

또 하나는 지금까지는 민중은 서로 고립되어 있었습니다. 교통과 통신과 모든 관계에서 고립되어 있었습니다. 따라서 민중 상호 간의 이해가 없었으며, 오히려 적대 관계가 있었습니다. 그러나 지금은 지구는 하나의 마을입니다. 지구촌입니다. 그것을 상징하듯이 이미 달나라에 가고 우주의 시대에 들어섰습니다. 따라서 우주 시대에 들어서면서 지구 안에서 우리들이 160개의 나라를 만들고, 국적을 달리하고, 패스포트를 가지고, 법률이 하나하나 다른, 언어가 다른, 이러한 것은 매우 반역사적이며, 반민중적이며, 반우주적 시대입니다. 세계사적인 입장에서 이것은 하나의 코미디의 재료밖에 안 될 것입니다. 세계의 민중이 정말로 기술적 수단으로 서로 하나의 동포로서 살 수 있는 조건하에 이르렀습니다.

최후로 지적하고 싶은 것은 이와 같은 기술 전 분야뿐만 아니라 이미 정치적으로 민중이 파워를 가질 수 있게 되었다는 것입니다. 20세기 초에는 영국에서 노동당이 정권을 잡았습니다. 한편 소련에서는 공산정권이 나와서 우리야말로 민중의 정권이라고 주장했습니다. 이 두 가지 사건은 20세기가 민중의 세기의 시작이라는 것을 극적으로 상징하고 있습니다. 나는 소련의 프롤레타리아트 독재가 민주주의라는 생각에는 찬성하지 않습니다. 강하게 그것을 반대합니다. 소수의 인간이 다수의 희생이 되어도 좋다는 것은 인간성을 거역하는 것이며, 역사적 요구에도 역행하는 것이라고 생각합니다. 그러나 어떻든 지금까지 소수가 다수를 지배하던 자본주의 제도에 대하여 하나의 안티테제로서 나타나 이 세계에 경고를 준 의미는 크다고 생각합니다.

그러므로 서방측이 이에 대항하여 소수의 지배를 고집하는 한 패배는 눈에 선히 보입니다. 소련 측이 말하는 것처럼 본래의 자본주의의 결정적인 약점은 소수의 행복을 위하여 다수를 희생한다는 점입니다. 만일 서방측에 있어서 소수가 지배하는 사회이기는 하지만 다수의 권리도 보장되고 그 다수가 민중의 자유로운 결정에 의하여 언제든지 지배적 지위에 자리할 수 있다는 새로운 가치관이 뚜렷한 정치철학과 정치제도로서 성립되어 간다면 소련에 대하여 이기고 지는 문제가 아니라 그것을 극복한 더한층 높은 사회로서 세계 전체의 발전에 공헌할 수 있음과 동시에 공산주의의 변화와 발전에도 도움이 될 수 있다고 생각합니다. 이와 같은 변화의 징조는 지금 서구 사회에 나타나고 있습니다.

사실 적어도 20세기 전반의 자본주의와 지금 후반의 자본주의와는 현저하게 달라지고 있습니다. 지금 자본가가 직접 지배하는 대기업은 거의 없습니다. 대기업의 회장이나 사장은 거의 주株를 가지고 있지 않습니다. 그들은 전문적인 경영자입니다. 그리고 주는 수만인, 수만의 사람에게 분배되어 있습니다. 민중적이라고까지는 못하겠으나 어떻든 많은 국민적 분배에 응하고 있습니다. 이것은 앞으로도 더욱 확대될 것입니다.

이와 같은 경제구조로 보아서는 민중시대로 나아가고 있습니다. 나는 최근 이곳에서 재미있는 이야기를 들었습니다만 이곳에 이스턴에어라인이라는 비행기 회사는 작년에 30억 달러라는 놀라운 적자를 냈다고 합니다. 그런데 델타에어라인이라는 것이 있습니다만 이것은 종업원이 주를 가지고 있는 회사인 모양입니다. 이 회사는 적자를 내지 않았다는 것입니다. 여기에는 스트라이크가 없습니다. 이스턴보다 훨씬 경영이 좋다고 합니다. 최근 이곳에 피플즈익스프레스트라는 비행기 회사가 생겨서 이 회사가 영국의 런던까지 140달러에 간다고 해서, 너무 싸서 영국에서는 당황해서 그 허가를 보류하고 있는 것 같습니다만 이것 역시 종업원들이 주를 가지고 있는 회사라는 것입니다.

이것은 일부의 현상입니다만 매우 상징적인 현상입니다. 한국에서는 종업원들이 일시적으로 관리하여 적자의 회사를 흑자의 회사로 만든 예는 얼마든지 있습니다. 결국 나중에 기업가의 손에 들어간 후에는 그러한 노동자들은 탄압되었습니다.

지금 세계는, 20세기는 전쟁의 문제로나, 생산능력의 문제로나, 교통·통신의 문제로나, 정치의 문제로나, 경제의 소유의 문제로나, 모든 점에서 민중의 시대로 들어가고 있다고 나는 생각합니다.

내가 미국에 와서 가장 통절하게 느낀 것은 미국이란 나라의 가장 큰 문제는 무엇인가 하면 철학을 상실했다는 것입니다. 철학이 없기 때문에 세계에 대해서 모럴 리더십이 없습니다. 이것은 매우 실례이기는 합니다만 일본에도 해당되고 소위 서구의 선진국 전반에 해당되는 것이라고 생각합니다.

20세기에 있어서 매우 예언적인 문화논평을 한 역사가 토인비는 언젠가 미국의 대학에서 연설을 하면서 이렇게 말했습니다.

"미국은 영국으로부터 민주주의를 배웠다. 그러나 영국이 마조리티, 다수자 지배가 된 것은 19세기 말에 디즈레일리가 노동자에게 투표권을 주었을 때이며, 그 이전에는 1688년의 명예혁명 이래 2백 년간 영국은 마이너리티 룰이었다. 그러나 미국은 영국에서 민주주의를 배운 그 직후부터 곧 다수자 지배를 시작했다. 그때에 그것은 혁명적인 것이며 대단한 모험이었다."

그러나 그것이 민주주의의 진가였습니다. 영국은 민주주의의 발명국임에도 불구하고, 세계가 영국의 민주주의를 배우지 않고 미국의 민주주의를 배우는 근본 이유가 여기에 있습니다. 그리고 미국은 제1차대전의 과정에 있어서 공산국가 소련이 우리야말로 마조리티의 편인가를 경쟁해야 할 가장 중요한, 그리고 미국의 진가를 발휘해야 할 때에 돌연 태도를 바꾸어 이번에는 마이너리티 편에 붙어 버렸습니다. 이것은 미국의 비극일 뿐만 아니라 자유세계 전체의 비극이라고 말한 것을 나는 읽은 일이 있습니다.

나는 미국 친구들에게 이러한 것을 지적하면서 다음과 같이 말하고 있습니다.

"내가 보기에는 미국을 그토록 비난했던 중국과 소련의 민중도 그러하거니와 세계의 모든 사람들은 미국에 대하여 아직도 호의를 가지고 있고 사랑하고 있다. 그러나 그것은 결코 미국의 부나 미국의 힘 때문이 아니다. 미국의 저 위대한 혁명정신, 독립정신 때문이다. 그런데 당신들은 그 보배를 지금 포기하고 있다.

카터는 대통령으로서의 실적이 좋지 않아서 4년으로 그만두었다. 그의 인권 정책이 실천에 있어서는 성공하지 못했다. 그러나 적어도 오늘의 세계에 있어서 '인권 정책은 우리나라의 외교 정책의 심장이다.' 라고 말하는 대통령은 미국 이외에는 없다. 그런 의미에 있어서 카터 씨의 그 선언과 이상은 제2차대전 후 미국이 최고로 자랑할 만한 미국의 영광이었다. 카터 씨가 실패한 것은 카터 씨의 책임도 있지만 거기에 전면적으로 협력하지 않은 미국 국민과 서구 여러 나라의 책임도 크다."

카터의 그러한 인권 정책에 대하여 7개국의 서밋 같은 데서 얼마나 냉대했습니까.

미국은 베트남, 인도지나 3국에서 실패하고, 이란에서 실패하고, 니카라과에서 실패하고, 지금 또 엘살바도르에서 실패하고 있습니다. 중남미 여러 나라에서도 좀 더 있으면 줄지어 실패할 가능성이 있습니다. 한국에서도 실패할 가능성이 있습니다. 이것을 타개할 단 하나의 길은 미국이 다수의 편에 서는 것입니다.—당신들이 마조리티를 지지하면 마조리티도 당신들을 지지할 것입니다. 그리하여 세계의 마조리티로부터 지지를 받게 되면 소련과 같은 공산국가의 위협도 자연 해소될 수 있지 않겠습니까. 그러나 당신네들이 지금처럼 반공이니 안보니 하는 구실로 소수자, 그것도 독재자, 부패한 자들, 특권계층, 이런 부류들을 지지하면 그들에 의하여 억눌린 마조리티는 할 수 없이 소련 편에 갈 것이오. 할 수 없이 공산주의 편에 붙을 것이오. 이 이치는 간단하지 않소.—나는 이렇게 말하고 있지요.

그런데 미국 친구들 중에는 나의 말에 대해서 "그 마조리티가 분명하지 않으냐"고 말하는 사람이 있었지요. 예를 들면 엘살바도르에서 선거를 하면 지금의 우익이 승리한다고 말합니다. 거기에서 내가 반문한 것은, "그렇다면 엘살바도르에 진정한 언론과 선거의 자유가 있었는가, 만일 진정한 언론과 선거의 자유가 있어서 우익이 승리했는데 엘살바도르의 국민이 우익 정권을 지지하지 않는다면, 엘살바도르 국민은 미쳤다고 해야 할 것이다, 자기는 언론의 자유와 선거의 자유를 한껏 누리면서 자기의 투표로 승리한 정권을 지지하지 않는다면 엘살바도르 국민은 머리가 이상하지 않은가, 그러나 그런 일은 있을 수 없다, 엘살바도르 국민은 건전하다, 문제는 그것이 진정한 자유선거였는가이다."라고 나는 말했습니다.

나는 지금 3백만 년 전부터의 역사를 돌아보면서 20세기를 어떻게 보느냐고 묻는다면 민중의 시대라고 말하고 싶습니다. 이 민중이라는 것은 마조리티입니다. 민중 민주주의는 인민에 의한(by the people) 데모크라시, 동시에 소수의 권리에 대한 절대적인 보장, 자본가도 군인도 포함해서 누구에 대해서도 그 권리를 수탈하지 않는다, 그리고 정당한 몫을 주는 정치의 사회, 이러한 마조리티가 사회의 정치, 경제, 모든 것을 지배하면서 그러면서도 소수의 권리를 보장한다, 그리고 소수가 언제든지 다수가 될 수 있는 가능성을 부여한다, 그러므로 모든 결정권은 민중에게 있다. 이러한 정부라면 사회가 안정되지 않는 것이 이상한 것입니다.

우리들의 책임은 이것을 한국에 있어서도 실현해 나가는 것입니다. 민중의 지지와 그 지배하에 있는 민주정부는 이 안정된 사회의 실력을 가지고 북과 대화합니다. 이와 같이 하여 북과 대화함으로써 거기에 당연히 우리들은 민족적 핏줄과 양심에 의해서 민족 화해에 접근할 수 있을 것입니다.

물론 결코 북과의 문제를 그렇게 간단하게 생각하고 있지는 않습니다. 나는 공상가는 아닙니다. 남과 북은 40년이나 이질적인 발전을 했으며, 이데올로기에 있어서 매우 다릅니다. 그러나 남과 북은 서로 협력하고 손을 잡지 않으면 안 된다는 강한 필요성이 있습니다. 쌍방이 모두 이 방대한 군사적 부담에 무제한으로 견디어 낼 수는 없습니다. 그리고 중국과 일본이라는 초강대국에 끼어서 6천만 명이 하나로 결속해도 생존의 위협을 받을 것인데, 언제까지나 분단 상태로 서로 적대하여 민족 내부에서 에너지를 낭비할 여유가 없습니다.

그리고 이 민족이 품고 있는 2천 년 이상에 걸친 한국민의 한恨, 항상 억눌려 온 한恨을 극복하고 6천만 대민족이 세계에 있어서 아시아에 있어서 정당한 대우를 받아야 한다는 민족의 한, 이 점에 있어서 우리는 공통입니다.

우리들은 우리들 주변의 지정학적 조건 때문에 어쩔 수 없는, 일본·중국 그리고 소련과 미국, 이 4대국의 관계를 리얼하게 보고 있습니다. 이 4대국은 본심으로는 한국의 통일을 바라지 않는다는 점도 있겠지요. 그러나 남북이 민족의 지혜를 발휘하여 이 4대국에 대하여 우리들이 결코 그들과 적대 관계가 되지 않는다는 것을 보장할 수 있다면, 그들은 굳이 한국의 통일이라든가 한국민의 발전을 방해하지 않으면 안 되는 이유는 없습니다.

왜냐하면 남의 배후에 있는 미·일은 반도의 남북이 하나가 되어 중·소의 편에 서게 되면 곤란할 것입니다. 또 중·소는 한반도의 남북이 하나가 되어 미 · 일 편에 서는 것도 곤란할 것입니다. 그러나 통일된 한반도 또는 협력적인 한반도의 남북 관계가 어느 편에 대하여서도 공평한 태도를 취하고 위협적이고 적대적인 태도를 취하지 않는 것이라면, 그들은 구태여 내부적인 간섭을 한다든가, 통일에 반대할 이유는 없습니다. 한편 한반도가 남북이 적대하고 불안정한 관계에 있는 것은 그들도 언제 말려들는지 모른다는 위험도 있는 것입니다. 이와 같이 한민족 전체의 이익과 4대국의 이익은 어떠한 점에서는 합치합니다. 그것을 우리들이 민족의 뛰어난 지혜를 발휘하여 현명하게 대응하지 않으면 안 됩니다.

나는 결코 남북의 통일에는 몽상을 갖지 않습니다. 그러나 절망은 더욱 하지 않습니다. 통일은 반드시 우리 민족의 지상명령으로서 실현하지 않으면 안 될 과제입니다. 이에 대해서는 나는 1971년부터 3단계의 통일안을 내놓고 있습니다.

그 제1단계는 무엇보다도 민족 상호 간에 다시 전쟁을 해서는 안 된다는 평화 공존이라는 것입니다. 핵전쟁은 어떤 일이 있더라도 피하지 않으면 안 됩니다. 절대로 반대하지 않으면 안 됩니다. 그러나 이 '핵전쟁 반대'는 국지적 반대라는 것에 그치는 것이 아닙니다. 국지적인 핵전쟁은 있을 수 없으며 있어도 반드시 그 피해는 지구적으로 파급되어 갑니다. 그리고 또 우리들은 자기 지역에만 핵전쟁이 없으면 다른 지역에서는 인류 절멸의 전쟁이 있어도 상관치 않는다는 도덕관을 가져서는 안 된다고 생각합니다. 그러므로 어떠한 전쟁이든 허용할 수 없지만 특히 핵전쟁은 어떤 지역에서도 용납해서는 안 됩니다.

다음의 평화 교류, 교류는 경제를 포함하지 않으면 안 됩니다. 서로 경제적으로도 밀접한 상호 의존 상태에 들어가면 이것은 대단한 것이라고 생각합니다. 그때에는 남북 간 쌍방에 대표부를 둡니다. 민족적 심정뿐만 아니라 남북의 현실적 필요에서도 서서히 내셔널 컨센서스가 회복되고 협력 관계가 발전해 나가는 길을 찾지 않으면 안 될 것입니다.

그리고 최후의 3단계는 평화적 통일, 그러나 이 통일도 공존적인 통일과 더욱 완전한 통일까지 그 과정은 여러 가지로 있을 수 있습니다. 중요한 것은 서로 힘에 의한 강요를 하지 않는 것이라고 생각합니다.

그리고 다시 말씀드린다면 정치·경제·문화 이 모든 것이 대중 참가의 정치, 경제, 사회 구성으로 성립된 사회, 그러면서도 그 가운데서 모든 계층의 사람들이 응분의 대우를 받고 자기의 자질을 충분히 발휘하는, 전인적인 발전이 목표가 되는 그러한 사회구조가 20세기의 한국으로서 우리들이 바라면서 걸어가야 할 길이라고 생각합니다.

야스에 감명 깊게 들었습니다. 선생님은 지금 한국을 염두에 두고 말씀하셨습니다. 그러나 예를 들어 사회주의에 있어서 진정한 민중의 사회주의가 되기 위하여 많은 희생을 내기는 하면서도 그 재검토가 1950년대부터 쭉 계속되고 있습니다.

김대중 폴란드 문제도 그렇지요.

야스에 소련의 반체제의 문제.

김대중 예, 소련의 반체제는 매우 의미가 있습니다.

야스에 그리고 일본도 그렇습니다만 1960년대부터는 환경 문제를 계기로 해서 각종 시민운동이 선진 제국에 있어서의 기성 운동 원리를 재검토하려 하고 있습니다. 의회주의에 있어서 '대표'의 의미와 절차 따위도 심각하게 검토되고 있습니다. 답은 아직 안 나왔다고 생각하지만 여러 가지 모양으로 모색되고 있습니다.

김대중 부분적으로는 이미 많은 나라에서 민중시대에 들어가고 있습니다. 이것은 결코 장래의 문제가 아니라 현실의 문제입니다. 다만 현실을 그와 같은 시각에 포착하는 시야가 아직 정돈되어 있지 않습니다. 지금 서방 제국에서는 이 시대의 성격을 민중의 차원에서 보는 철학이 없으므로 그렇게 보여지지 않습니다.

소련에는 철학이 있습니다. 우리들은 소련에는 찬성하지 않습니다만, 베트남에 있어서 소련은 철학대로 되었습니다. 즉 공산주의를 주장하고 공산주의를 지지했습니다. 그런데 미국은 민주주의를 주장하면서 민주주의를 지지하지 않고 독재지배를 지지했습니다. 그러므로 나는 미국 사람에게 "지는 것이 당연하지 않습니까?"라고 말했습니다. 소련 공산주의는 민중을 지지했으므로 공산주의를 원하는 민중은 매우 만족했습니다. 그리고 공산주의를 원치 않는 민중들도 "공산주의란 이런 것이니 할 수 없지." 하는 이해와 체념이 생겼습니다. 그러나 미국은 민주주의의 깃발을 올리면서 실제로는 독재주의에의 지지입니다. 그렇게 하면 민주주의를 바라던 민중은 절망하고 그것을 저주합니다. 처음부터 민주주의의 실현을 믿지 않았던 사람은 "보나 마나였지." 하고 냉소합니다. 소련은 자기편이 있고 소극적이기는 하나 이해가 됩니다. 미국은 자기편도 없고 이해자도 없습니다.

만일 베트남에서 미국이 지더라도—나는 그렇게 했으면 지지 않았으리라 생각합니다만—민중의 편에 서서 민주주의를 지지했더라면 세계로부터 민주주의의 순교자로 존경되고, 미국의 국민은 오히려 베트남의 패전을 세계에 자랑할 수 있게 되었으리라고 생각합니다. 베트남이야 있든 없든 미국은 있는 것입니다. 그러나 미국인의 정신이 좌절될 때에는 미국은 없습니다. 이것을 왜 지금의 미국의 지도자들은 모를까요?

지금도 계속해서 같은 짓을 하고 있어요. 특히 미국은 지금 보수화의 경향입니다. 나는 왜 그렇게 되었는지 충분히 공부하지 못했지만 하나는 민중화 시대의 일시적 정체라고 할 수 있겠지요. 역사의 진행이란 반드시 계속적 전진을 하는 것은 아닙니다. 또 하나는 이 민중의 시대에 적합한 서양 사회의 철학, 사상, 이념이 없기 때문입니다. 사상, 이념이 없으므로 가장 나태한 보수에 빠집니다. 민중은 분화구를 잃어버렸기 때문에 보수적으로 되어 버립니다. 여기에 더하여 장기의 불경기가 있었으므로 지난날의 좋았던 때를 그리워하는 사람들을 보수적인 사고로 빠뜨렸다는 이유도 있겠지요.

그러나 큰 민중시대의 흐름에서 보면 이런 것은 문제가 아닙니다. 역사에 있어서는 히틀러나 일본의 군국주의도 의미가 있는 것이지요. 저 일본의 군국주의, 히틀러의 나치즘이 있고 전쟁을 하고 패배하였으므로, 패배하면서도 철저하게 상대의 식민국가를 때렸기 때문에 영국이나 프랑스도 식민지를 가질 수가 없게 되었지요. 그리하여 식민지가 해방되었습니다. 원대한 민중의 역사라는 흐름에서 보면 반동도 의미가 있는 셈입니다.

이것은 결코 자기만족적인 생각이나 현실과 유리된 철학이나 이론의 유희가 아닙니다. 왜냐하면 나는 철학자도 아니고 인텔리도 아니기 때문입니다. 나는 맨 처음에는 실업가였으며 후에는 정치의 마당에서 두들겨 맞고, 또 두들겨 맞아 왔으므로 무슨 문제든 곧 프래그매틱(pragmatic)하게 생각합니다. 그러나 미국의 가장 큰 비극은 프래그매틱한 데만 집중하고 아이디얼리즘을 빼 버렸다는 데 있습니다. 실용주의와 이상주의는 손의 양면 같은 것으로서 언제든지 일체화하지 않으면 안 됩니다. 이상주의는 실용주의에 뒷받침되어야 하며, 실용주의는 리얼리즘에 의하여 고무되는 것입니다. 그것이 없으면 안 되는 것입니다.

일본과 미국에 진언한다

야스에 저는 방금 말씀을 들으면서 선생님께서 벌써부터 말씀해 오시던 '선민주, 후통일'의 의미가 한층 명확하게, 한층 큰 무대 위에 떠오르는 생각이 듭니다. 그것은 또 한국의 최근 10년의 의미를 돌아볼 뿐 아니라 내일을 향해 어떻게 재확인할 것인가 하는 말씀이라고 생각합니다. 1970년대의 한국의 민주화를 초점으로 하여 전개된 동과 반동의 시대였다고 처음에 말씀하셨는데 실제로 한국 국민은 많은 희생자를 내면서, 많은 좌절을 거듭하면서 한국이 어떻게 살아갈 것인가 하는 것을 스스로 밝혀 왔다고 생각합니다. 이에 따라서 일본인인 우리들은 극동의 상황에 대하여서 어떤 길을 선택할 것인가 하는 것도 한층 뚜렷하게 알려 주었습니다.

그런 의미로서는 1971년은 오늘의 문제의 프롤로그라고 할 수 있겠지요. 물론 한국 현대사는 어디에서 끊어지는 것이 아니며 오늘의 문제는 한국 근대사의 백수십 년 전부터의 모든 문제와 관련되어 있습니다만 그러나 문제를 구체적으로 바로 제출한 것이 1971년이며, 그 후부터 동과 반동이었다고 할 수 있습니다. 1971년 봄, 대통령 선거에 있어서 선생님은 한반도를 포함한 냉전 구조를 남북한이 서로 노력하여 해소해 가기 위하여 우선 한국에 있어서 내부화된 냉전 체질을 극복하지 않으면 안 된다고 하여서 여러 가지 구체적인 것을 제시하셨습니다. 말하자면 평화 통일을 위하여 구체적인 준비를 모든 영역에 있어서 보여 주셨다고 해도 과언이 아니라고 생각합니다.

평화 통일은 어떠한 입장에 있는 사람일지라도 남북의 한국인이라면 마음속에서 원하고 있습니다. 누구든지 현실을 알고 있으므로 실제로는 매우 어려울 것이라고 생각하는 사람이 많습니다. 그러나 할 수 없다고 생각하는 사람조차도 어떻게 해서든지 통일해야 한다고 생각하고 있습니다. 이와 같은 문제가 저 대통령 선거 중에서 '정책'으로서 제시되었으므로 한국 정권은 이 문제를 피할 수 없게 되었다고 생각합니다.

김대중 옳습니다.

야스에 그 전 단계, 이승만 체제에 있어서는 통일 문제, 남북 대화를 말하는 자체가 죽음을 의미하였습니다. 그러나 '4·19혁명'에 의하여, 또 "4·19혁명의 정신을 계승한다"고 형식적일망정 말했으므로 박 정권은 통일 문제를 터부로 할 수 없게 되었습니다. 나는 이것이 매우 의미가 있는 것으로 보고 있습니다. 그리고 1971년 대통령 선거를 거쳐 7·4공동성명을 맞이하였습니다. 앞에서도 말씀이 있었습니다만 그때에 선생님께서는 공동성명의 정신에는 찬성하시면서도 이것이 좌절될 것이 아닌가 하고 말씀하셨습니다. 결국 그렇게 되고 말았습니다.

그러나 현실적으로 남북한의 대표단이 서로 삼팔도선을 넘어서 왕래했다는 것은 나는 큰 변화라고 생각합니다.

김대중 그렇습니다.

야스에 이것이 1970년대에 우리들이 본 제1의 변화입니다. 그리고 1970년대에는 한국의 민주 세력은 1960년대에는 볼 수 없었던 광범한 형태로, 억압이 심하면 심할수록 더욱 힘을 강화했고, 이 민주 세력의 강화 앞에 박 정권은 붕괴했습니다. 그 한국의 민주 세력이 발휘할 한국 내에 있어서의 힘은 최종적인 승리를 아직은 거두지 못하고 있지마는, 1970년대에 드러낸 제2의 특징이라고 생각합니다.

제3의 변화는 오랫동안 국제적으로 고립된 장소에 놓여 있어서, 그 때문에 불필요하게 완고한 자세를 취할 수밖에 없었던 북한이 국제사회에서 정당한 입장을 가지게 되었다는 것입니다. 1975년의 북한의 비동맹회의 참가와 국연(UN)에의 옵서버 참가 등이 그것을 나타내고 있습니다. 이것은 극동의 긴장 완화라는 의미에서 또 앞으로 남북한의 대화를 위해서 매우 좋은 일이라고 생각합니다.

제4는 이상의 세 변화에서 자연히 나온 결과입니다만, 일본과 미국이 스스로의 대한對韓 정책의 잘못을 인정하지 않을 수 없었다는 것입니다. 일본 정부는 선생님의 납치사건 문제에 대해서 현재까지 그 잘못을 인정하지 않고 있습니다. 그러나 국민은 선생님의 납치사건 이후 '한·일 유착'이라는 말이 일시에 퍼지게 했던 대한 정책에 대해서, 또 북한과는 반대로 전연 교섭도 없이 불필요한 긴장 관계를 가지고 있는 경위를 인식하지 않을 수 없게 되었습니다. 미국 정부는 카터 대통령 때에 한때 주한 미군 철수를 정책으로 실행하려 했던 것으로 상징되는 것처럼, 제2차대전 후의 미국의 대한 정책이 시정되어야 할 것을 구체적으로 제시했습니다.

이 네 개의 뚜렷한 특징이 1970년대의 전개에 의하여 제시되고, 본래는 박 대통령의 죽음으로 새로운 서막이 열려야 했었을 것입니다. 그러나 실제로 그 다음에 준비된 것은 광주사태였습니다. 따라서 1970년대의 과제는 1980년대에 이르러서도 그대로 한국에서 계속되고 있으며 극동에 있어서도 마찬가지입니다. 이러한 가운데서 극동은 어떻게 해야 할 것인가. 앞에서 저는 광주 문제로 서울에서 보내온 한 지식인의 편지를 소개했습니다만, 선생님은 일본을 어떻게 보고 계시는지, 미국에 대해서는 어떠신지 좀 더 여쭙고 싶습니다.

김대중 한국에 있어서 1971년의 대통령 선거는 후세의 역사가가 어떻게 평가할는지는 알 수 없으나, 한국 역사상 최대의 국민의 에너지를 집중시켰다는 점에 있어서는 누구나 인정하리라고 생각합니다. 에너지를 집중시킨 큰 이유는 둘이었습니다.

하나는 국민이 처음으로 자기의 편이 후보자가 되었다는 느낌입니다. 지금까지의 후보자는 여당, 야당, 그 어느 편인가를 지지하지만 어느 편이 되어도 우리들과는 관계없는 지배층의 사람이라는 생각이었습니다. 그런데 처음으로 1971년에는 "그는 우리들의 편이다."라고 민중이 직감적으로 깨닫고, 그것에 에너지를 폭발시켰다고 말하고들 있습니다.

또 하나는, 역대의 정권이 겉으로나마 통일을 부르짖지 않은 정권은 없었습니다. 그것은 한국에 있어서 최대의 민족적인 모럴이며 슬로건이기 때문입니다. 그러나 실제는 어느 정권도 모두 통일을 원치 않는다는 것을 국민들은 알고 있었습니다. 그런데 야스에 씨께서 말씀하셨듯이 참으로 통일을 생각하는 사람이 나왔다는 것을 민중들은 느끼게 되었습니다. 이 두 가지 민중의 에너지를 집결시켰습니다.

그 반면 한국에 있어서 민중의 적대 측에 선 사람들이 처음으로 "곤란한 사람이 나왔다"는 것을 느끼게 되었다고 생각합니다.

야스에 그들은 그것을 10년 전의 8월 8일에 자기들이 입증한 셈이지요.

김대중 한편 박 정권은 민중의 시대를 맞이하는 것은 절대로 할 수 없지만, 통일은 이용해 보고 싶다고 생각했던 것이지요. 그러한 그들의 발상이 7·4공동성명으로 나왔지요. 나는 7·4공동성명을 받고 곧 머리를 흔들었습니다. "이건 지나치게 그럴듯하구먼." 하고 생각했어요. 그러므로 나는 정말로 실행할 생각이 있는가, 실행하려 해도 할 수 있겠는가 하는 의심이 있었지요.

그러나 지금 야스에 씨가 말씀하신 것처럼, 1945년부터 1972년까지 27년간 분단된 민족이 처음으로 이러한 합의를 한 것입니다. 그 내용은 대의명분에 부합되는 것이었습니다. 아무도 반대할 이유가 없어요. 그러므로 나는 그때에 신민당 내부에서 상당히 주저하는 사람들을 설득하여 선두에 서서 지지했지요. 그러나 내가 결코 현혹되지 않은 증거로는 7·4성명 9일 후에 나는 "이것을 박정희 정권은 영구 집권의 총통제 수립에 악용할 가능성이 있다"고 경고하였는데 불행하게도 그렇게 되었습니다.

나는 이 통일에 대해서 10년 전부터 '선민주, 후통일'을 주장하고 있습니다. 나는 민주정권의 최대의 목적은 통일이 아니어서는 안 된다고 생각합니다. 통일을 목적으로 하지 않는 정권은 민주정권이 아니며, 민중에 반역하는 정권이라고 생각합니다. 민주와 통일의 표양일체表樣一體입니다. 다만 '선민주, 후통일'을 말하는 까닭은 일의 중요성의 전후가 아니라, 일의 진행 순서를 말하고 있을 뿐입니다. 마치 초등학교를 졸업하고 대학에 간다는 순서입니다. 또 민주정권 이외에는 통일할 실력도 없고 통일할 민족적 양심도 없다고 나는 분명하게 보고 있습니다. 그것은 박정희 씨가 통일을 얼마나 악용했는가 하는 것을 보면 알 수 있을 것입니다.

이것은 에피소드입니다만, 지금 한국에는 국토통일원이라는 것이 있습니다. 국토통일원을 만드는 계기는 제가 했습니다. 내가 민주당의 정책위의장이었을 때에 부총리급 전담의 통일기구를 둘 것을 민주당 당수의 국회에 있어서의 기조연설에 넣어 강력히 주장했는데 이것을 정부가 받아들여서 통일기구를 만들었습니다. 그런데 저들은 뜻밖에도 '국토통일원國土統一院' 이라는 이름을 붙였습니다. 이것으로 저들의 사고방식을 알 수 있습니다.(웃음) 남북 민중의 통일이 아니라, 국토를 통일한다는 것이지요. 놓치기 쉬운 것이기는 하지만 잘 검토해 보면 그들의 생각과 바닥이 드러나 있지요. 민족 통일이라는 것은 이질적으로 발전하여 다른 이데올로기를 가진 민족 구성원이 민족적 양심과 민족 공동의 이해에 의해서 서로 대화하고 협력하여 보다 큰 대의를 위하여 민족이 하나로 묶여지는 것입니다. 그런데 이 통일의 정신을 이해하지 못하고 있지요. 어떤 정권이든 좋으니 남북이 삼팔선의 휴전선을 없애고 하나의 국토로 되기만 하면 된다는 사고, 이것은 잘못된 것입니다. 통일은 반드시 민주적 통일이 아니면 안 되는 것이며, 민중에 의한 통일이 아니어서는 안 되는 것이며, 민족의 화해와 발전을 위한 통일이 아니어서는 안 됩니다.

1970년대의 한국을 에워싼 큰 변화의 하나는, 확실히 야스에 씨가 말씀했듯이 일본과 미국의 대응입니다. 그러나 그 대응을 보면, 일본과 미국에는 공통점도 있지만 차이도 큽니다. 일본은 1969년의 3선개헌 때에, 지금은 돌아가신 가와시마(川島) 자민당 부총재가 "한국에 장기적 안정 정권이 필요하다"고 말한 것처럼, 내정간섭을 하면서 지원했습니다. 1971년에는 서울 지하철과 포항제철소 건설로 상징되는 것처럼, 한국민의 이익에 위배되는 그리고 일부의 권력자와 특권층 지지에 집중되는 경제적 유착에 시종했던 것이 일본의 경제 협력입니다. 그리고 유신체제도, 전두환의 쿠데타도, 일본은 재빨리 그것을 양해했습니다.

한국에 있어서 1970년대는 그토록 인권 문제가 격심해져서, 미국의 포드 정권까지도 그것에 대하여 거듭거듭 관심을 표명하지 않을 수 없었는데, 일본은 관심은커녕 일본의 책임하에 있는 나의 인권 문제를 너무나 무책임하게 다루었습니다. 나의 사건은 1970년대에 있어서 일본의 대한 정책을 상징적으로 나타낸 사건이라고 생각합니다. 결국 일본 정부는 한국의 민주화라든가, 한국 국민의 행복을 위한 그 어떤 일에 있어서도 적극적으로 협력한 일은 없지만, 이에 반대되는 일은 많습니다.

그러나 일본의 민중 측에서 보면 이것은 매우 다릅니다. 일본의 민중은 1970년대 이전에는 한국에 대하여 거의 관심이 없었다고 나는 생각합니다. 그러나 나의 사건을 계기로 하여 일본인의 한국에 대한 관심은 매우 달라졌습니다. 그리고 많은 일본 사람들이 한국에 대하여 연대連帶를 생각하게 되었습니다. 일본에서 정부 측과 일반 국민 측과는 매우 대조적인 반응을 보이고 있다고 나는 생각합니다.

미국은 일본과는 반대입니다. 미국 국민의 한국에 대한 관심은 1970년대에 있어서는 오히려 후퇴했을는지도 모르지요. 1950년대의 전쟁 때와 1960년대의 4·19혁명 때에 보여 준 관심과, 좋고 나쁜 것은 별문제로 하고, 1960년대에 한·일조약과, 한국군의 베트남 파견 때의 관심에 비하면 1970년대는 관심의 후퇴기로 들어서 버렸지요.

그러나 정부 측에서 보면 상징적인 변화가 있었습니다. 닉슨 정권, 포드 정권의 경우에는 키신저의 양원에서의 증언에 나타난 것처럼 "한국에 있어서는 '선안보先安保, 후민주後民主' 라고 하여 군사적 관심을 우선시켜서, 한국의 소위 유신독재에 대하여 이것을 용인하는 태도를 취하였다. 그러나 일단 카터 정권으로 바뀌자, 적어도 한국 사람이 느끼기에는, 카터는 독재를 누르기에 충분한 힘을 발휘하지 못했지만, 그는 근본정신에 있어서는 한국인의 인권과 민주주의의 투쟁에 대한 지원자임을 알았다. 포드 이래의 국무부도 인권 관계 투쟁에 대한 지원자임을 알았다. 포드 이래의 국무부도 인권 관계의 부서를 두어 때로는 강하게, 또 때로는 약하게, 인권 문제에 대하여 지지해 왔다." 그 연장 선상에 나의 생명도 구했습니다. 나는 그렇게 생각하고 있으며, 카터가 깐 이러한 궤도를 레이건도 뒤집어엎을 수가 없었습니다.

그 궤도는 지금도 이어지고 있습니다. 지금 한국인은, 레이건은 한국의 인권 문제에서 매우 관심이 빈약하다고 생각합니다만, 그 레이건 정권마저 금년의 2월에 발표된 '1982년도의 세계의 인권 문제'에 대한 국무부의 보고에서도, 일본에게는 어떤 일이 있어도 기대할 수 없는 한국에 대한 엄격한 인권 상황 비판의 보고가 나왔습니다. 이런 점에서 미국과 일본의 정부는 매우 다른 대조를 보이고 있다고 생각합니다.

나는 일본에 대해서, 또 미국에 대해서 말하고 싶은 것은 일본과 미국은 지금 한국의 국민을 택하느냐, 독재정권을 택하느냐의 두 가지 중대한 입장에 이르렀다고 생각합니다. 지금의 전두환 정권과 한국 국민 사이에는 매우 타협하기 어려운 선명한 대결이 진행되고 있습니다. 그리고 국민은, 전두환 정권을 지지하는 측이 일본이건, 미국이건, 모두 원수로밖에 느끼지 않을 수 없는 절박한 상황에 들어가고 있습니다. 세계에서 가장 친미적인 국민이라고 해 오던 한국 사람들이, 미국의 군대가 안보를 담당하고 있다는 그 나라의 국민이, 미국에 의해 해방되고, 한국전쟁 때에는 미국에 의해 지원된 국민이, 4월혁명 때 그토록 미국에 감사를 표시했던 한국민이, 지금 미국의 문화원에 방화하고, 미국 국기를 불태웠습니다. 더구나 기독교 교회가 앞장서서 미국에 대한 비판을 하고 있는 이 사태는 과거에는 상상조차 할 수 없는 일이었지요.

하물며 일본에 대한 한국 민중의 오늘의 분노와 증오가 어떤 것인가를 충분히 이런 일로도 짐작이 갈 줄 생각합니다. 일본이 한국 민중을 무시하면서 한국의 지배층과 매우 어렵게 되었다고 나는 생각합니다. 그것은 계속되어도 얼마 가지 않을 것입니다. 일본은, 지금 한국 국민을 택하느냐, 지배층을 택하느냐의 막다른 골목에 서 있다고 생각합니다.

한국 국민을 택한다, 왜 이것이 일본에게 불안한 것일까요. 역사적으로 보아도, 문화적으로 보아도, 현실적 인보 관계隣保關係로 보아도, 일본의 진정한 안보를 위해서도, 한반도에 있어서의 평화를 위해서도, 한국에 진정한 국민의 지지를 받는 안정된 정권이 들어서는 일이야말로 일본에게 얼마나 바람직한 일인가, 이것을 일본의 정부와 국민이 심각하게 생각해야 될 줄 압니다. 이렇게 함으로써 일본과 한국은 전후 처음으로 열등감도, 우월감도 없는, 상호 이해와 상호 협력, 국민적 레벨에 있어서의 상호 신뢰라는 관계가 성립될 것입니다. 바로 이웃의 한국과도 협력하지 못하는 일본이 어떻게 세계 각국과 국민적 협력을 주장할 수 있겠습니까.

보다 현실적으로 말할까요. 한국에 안정정권安定政權이 서는 것이 첫째로 일본의 평화를 위하는 것입니다. 둘째로는, 북北과 평화적으로 대화를 진행하는 남南의 정권이 서면, 소련과 중국과 일본이 관계를 진전시키는 데 외교적으로 일본에 유리하게 됩니다. 그리고 셋째로는, 국민에게 지지된 정권과, 지금까지처럼 의혹투성이가 아닌, 상호 이익이 되는 경제 협력을 해 가면 일본의 장기적 경제이익이 됩니다. 일본의 평화를 위하여, 국민의 지지를 받는 남南의 민주정권이야말로 필요한 것입니다.

만일 국민의 지지가 없는 독재정권이 계속되면, 이 독재정권은 자신의 연명을 위하여 크게 일본에 의존할 것입니다. 그리하여 반국민적인 이익을 일본에게 일시적으로 줄지도 모릅니다. 그러나 그만큼 한국민의 일본에 대한 증오와 반발은 커질 것입니다. 그러한 정권하에서는 한반도의 평화도 없고, 일본과의 진정한 경제 협력도 없습니다. 큰 안목으로 볼 때에 이처럼 일본에게 손해되는 것은 없을 것입니다

일본은 지금 바야흐로 새로운 대한 정책이 요청되고 있습니다. 그리고 그 근본적인 측면은 국민이냐 독재정권이냐 하는 것이며, 이것을 일본은 지금 재촉당하고 있다고 생각됩니다. 여기에서 일본의 태도 여하는 동남아시아와 세계의 모든 사람에게 일본은 어떤 나라인가 하는 것을 인식시키는 결정적인 테스트 케이스가 되리라고 생각합니다.

여기에 덧붙이고 싶은 것은 레이건 대통령이 오는 11월에 일본과 한국에 갑니다. 만일, 그때의 레이건 방문이 독재자를 지원하는 결과가 된다든가, 한·일·미 3국의 군사체제 강화에 주력하고 한국의 인권 개선에 아무런 공헌이 없는 것이 된다면, 한국인의 대미. 대일 감정은 큰 반발로써 나타나리라고 생각합니다. 레이건의 방한은, 한국에 있어서의 언론 자유의 부활을 위한 언론기본법의 폐지, 노동자·농민운동의 자유를 위한 법 개정, 정치범의 석방과 복권, 그리고 구 정치인에 대한 정치 활동 금지의 철폐의 조건하에서만 이루어져야 할 것입니다. 이것은 민주주의를 위한 극히 초보적인 조건입니다. 미국과 일본이 또다시 큰 잘못을 하지 않기를 바랍니다.

야스에 저는 지금 선생님의 말씀을 전면적으로 찬성하면서 듣고 있습니다만, 한편 일본인으로서 이에 대하여 응답하지 못한 점에 대하여 매우 유감스러운 기분으로 듣고 있습니다.

선생님께서는 "일본인에 대한 증오는 점점 더해 간다" 고 말씀하셨습니다. 선생님께서는 여러 가지 일에 대하여 온건하게 말씀하시는 분입니다만, 그러기에 더욱 엄하신 말씀이었습니다. 그러나 저도 사실이 그렇다고 생각합니다. 저는 일본 사람이 한국 문제에 부딪힐 때에 가장 중요한 것이 무엇인가 하면, 우리들 일본인이 진정한 의미에서 한국 민족과 마음으로부터의 화해가 될 수 있을까, 그것이 어떻게 될 수 있을까 하는 것이라고 전부터 생각해 왔습니다. 화해가 되지 않는다면 어떤 교류를 한다고 해도 그것은 인간적인 진정한 교류는 되지 못합니다.

한·일 유착韓日癒着이라고 말할 정도로 일본과 한국의 탑클래스 경제인들이, 관료, 정치가들이, 어깨동무를 꽉 짜고 있습니다. 나는 그 사람들 중의 몇 사람에게서 구체적으로 들은 일이 여러 번 있으므로 자신을 가지고 말할 수 있습니다만, 마음속으로는 아무도 서로 신뢰하지 않고 있습니다. 참으로 괴상한 관계입니다.

선생님이 광주사태 이래 옥중 생활 속에서 쓰신 서간이 있습니다. 1982년 2월이었던가요, 막내 아드님인 홍걸 군이 대학생이 되었을 때의 편지를 「한국으로부터의 통신」이 전해 주었습니다. 저는 참으로 인상 깊게 읽었습니다. "어학은 영어와 일본어를 필수로 생각해라. 일본어를 필수로 하라는 것은 잘 납득이 되지 않을는지 모르겠지만, 거기에는 이유가 있다. 첫째로, 일본은 좋든 싫든 가장 가까운 나랏일뿐 아니라 앞으로도 우리들의 운명에 지대한 영향을 줄 것이기 때문이다. 둘째로, 일본은 지금 경제를 중심으로 하여 아시아에 크게 영향을 미치고 있지만, 금후 그 영향은 더욱 커질 것이다. 어찌 우리가 이를 무시할 수 있겠는가. 셋째로, 동양 문화와 서구 문화의 관계를 어떻게 조정 통합하는가 하는 것은 너희들의 시대에 있어서 가장 중요한 문제인데, 일본은 우리들보다 몇 걸음 앞서서 그 과제를 다루고 있다……." 이와 같은 편지였었지요.

1974년에 당시의 기무라(木村) 외상이 일본의 외상으로서는 처음으로 이치에 맞는 발언들을 했습니다. 하나는 "이것은 한국 정부가 판단할 일이지만 남진의 위협이 지금 현실로 있다고 생각되지 않는다."라는 것. 또 하나는 1965년의 한·일기본조약의 제3항에 있는 "한국의 정권이 조선반도에 있어서 유일한 정당한 정권이라는 인식을 지금 우리들은 가지고 있지 않다."라고 말한 것입니다. 이것은 당연하고 또 현실적인 발언입니다. 그러나 이에 대하여 한국에서는 맹렬한 반일행동이 일어났습니다. 물론 이것이 한국 정부가 연출한 것이었다는 것은 여러 가지 보도로 드러났습니다만, 기무라 씨의 인형이 매일 불살라지고 일장기가 불살라지고 일본대사관들은 야단법석이었고, 한국에 진출한 일본 기업은 모두 불안해하던 상황이었습니다.

여름의 교과서 검정과 관련하여 반일 기운이 높아졌던 것은 작년 여름, 지금도 기억에 새롭습니다. 선생님께서는 아직 옥중에 계실 때입니다만, 이것은 1974년과는 달리 정당한 반일 행동입니다. 이것이 뒤로는 정부의 의향이 작용하고 있었던 것 같습니다만, 어떻든 한·일 관계는 이와 같이 불안정합니다. '유착'이라고 말할 정도의 '친선親善'이 이와 같이 취약한 것입니다. 나는 그때에 절실하게 생각했습니다만 앞의 선생님의 서신처럼, 그와 같이 일본에 대하여 열린 생각을 가지신 분이한·일 유착 구조 속에서 오랫동안 옥에 갇히고, 죽을 뻔도 했습니다. 그리고 한·일 유착이라고 말할 정도로 서로 어깨동무한 사람들이 전연 인간적인 신뢰 관계를 못 가지고 있습니다. 참으로 슬퍼해야 할 교착交錯이라고 생각합니다.

1970년대의 10년간에 선생님의 사건을 계기로 하여 확실히 일본 국민의 북한 문제에 대한 인식은 급속히 높아졌습니다. 저는 25년 전 처음으로 편집자가 되었을 때에 북한 문제에 관심을 가졌습니다만 그 당시 북한 문제에 대해 발언할 수 있는 기자, 평론가, 연구자는 극히 한정되어 있었습니다. 한국 문제에 관한 책은 셀 수 있는 정도밖에 없었습니다. 그러나 지금은 한국과 북한 문제에 관한 신간이 매월 몇 종씩 나오고 있습니다. 이것만으로도 대단한 변화라고 할 수 있겠지요. 그런 가운데서도 재일 한국인, 재일 북한인의 처우 문제에 대하여 많은 사람들이 진지하게 대하기 시작했습니다. 또 문화 교류의 필요와 한국어를 마스터해야 한다는 등 이러한 일을 많은 사람들이 말하고 또 그렇게 실천하고 있습니다. 그것은 모두 중요한 문제입니다.

그러나 아무리 이해하고, 문화 교류를 한다고 해도 지금의 북한 정책, 대한 정책으로 일본이 한국의 내셔널리즘과 정면으로 충돌하고 있는 한 저는 절대로 마음으로부터의 화해는 안 된다고 생각하고 있습니다. 우리들에게 제일 먼저 요구되는 것은 북한, 한국 국민의 마음속에 있는 원망願望에 맞는 정책으로 고치는 일이라고 생각합니다.

저는 1970년대에 나타난 변화의 특징으로 네 가지를 들었습니다만 또 하나의 특징은 일본이 남북한 정책을 고치려고 한다면 그 가능성은 여러 가지 있다는 것이 밝혀졌습니다.

한국 문제, 한·일 관계 문제, 한·미 관계 문제, 남북한 문제, 일본과 북한 문제, 극동을 에워싸고 있는 이 비상하게 긴장하고 있는 문제는 그 어느 하나도 일본만으로는 어떻게 할 수 없는 매우 어려운 문제인 것처럼 일본 사람들은 생각하고 있습니다.

저는 그것은 큰 오해라고 생각합니다. 1970년대에 전개된 상황을 돌아보고 안 것은 작은 개선을 하면, 그것은 큰 개선에 이어진다는 그러한 상황이 있다는 것입니다. 극히 긴장한 상태가 있으므로 해서 오히려 사소한 움직임, 작은 시그널이 효과를 가지기 쉽습니다. 예를 들어 김대중 선생님의 문제에 대하여 일본 정부가 안부를 묻는다는 것은 매우 당연하고 작은 일일는지 모릅니다. 그러나 이 시그널을 보낸다는 것이 한국의 민주 세력의 여러분들, 또는 마음속에서 민주 세력의 여러분들에게 기대를 걸고 있던 한국의 국민에게 강하고 큰 시그널이 된다고 생각합니다.

자기 나라 정치의 나쁜 점을 외국에서 말하는 것은 무의식중에서라도 자기변명에 빠지기 쉽기 때문에 피하고 싶습니다만, 참으로 일본에 대한 정책을 변경시키는 데 우리들의 힘이 없는 것이 안타깝다고 생각합니다.

한·미·일의 민주적인 국민의 연대가 필요

김대중 결국 역사를 어떻게 해석하느냐 하는 해석 여하에 따라서 긍정적인 결론도 나오고 비판적인 결론도 나옵니다. 또 어떤 사상事象도 반드시 양면이 있어서 모두가 좋지만도 않고, 모두가 나쁘지만도 않다고 생각합니다. 그러나 한·일 관계에 있어서는 민중의 측에서는 만족할 정도는 아니라 할지라도 진전했다고 나는 생각합니다. 그리고 그간의 매우 중요한 경과를 지금 지적하셨다고 생각합니다. 일본은 경제적으로 대단히 강해졌으므로, 1960년대는 경제의 힘을 휘두르고, 1970년대부터는 정치적으로 힘을 휘두르고 1980년대에는 군사적으로 힘을 휘두르지 않을까 하는 염려가 한국 사람들에게는 높아 가고 있습니다. 이러한 일본은 바라지 않는다는 것이 한국 사람들의 절실한 생각입니다. 어떠한 협력을 하든 사랑하고 신뢰할 만한 일본이 아니어서는 곤란하다, 이것은 한국뿐만이 아니라 적어도 아시아 여러 나라의 공통된 문제라고 생각합니다.

이런 의미에서 일본을 볼 때 무엇인가 염려되는 점이 역시 구체적인 근거가 있는 것이죠. 일본이 민주주의 국가라고 하면서 나의 사건이 상징하는 것처럼 한국인의 인권, 자유, 정의에 대하여 항상 무관심했을 뿐 아니라 부정적인 개입만 해 왔습니다. 일본의 그러한 태도가 우리들에게는 매우 걱정입니다. 그다음으로 나는 일본의 내정 비판이 될까 생각되어 주저하면서 말합니다만 일본의 정치는 민주국가이기는 하지만 진정한 민주주의적 국민정신에 의해서, 민주적인 윤리에 의해서 움직이고 있는가라고 생각하게 됩니다.

지금도 일본에서는 「주신구라(忠臣藏)」가 크게 유행하고 있습니다만 「주신구라」의 간판을 볼 때마다 다소 걱정이 됩니다. 아코 로시(赤穂浪士)가 훌륭한 일을 했다고는 도저히 생각할 수 없습니다. 자기들의 주군主君인 아사노 다쿠미노카미(浅野内匠頭)가 전중殿中(군주가 집정하는 곳)에서 금기로 되어 있는 칼을 뽑았으며 그것도 상대는 무기를 가지지 않은 맨몸의 노인이며 자기에게 적대하지 않는 사람을 일방적으로 참살하려고 했습니다. 그것이 다른 사람들의 방해로 실패했습니다. 그러한 불법 행위를 했기 때문에 할복을 명한 것은 장군가將軍家이며 상대의 피해자가 아니었습니다. 그러므로 아코 로시들에게 있어서 원한을 품어야 할 것은 첫째로 어리석은 자기의 군주이며, 둘째로 인정사정없는 장군가將軍家일망정, 죽을 뻔한 기라 고즈케노스케(吉良上野介)에게 원한을 품고 죽일 이유는 아무것도 없을 것입니다. 그것도 그 노인을 그렇게도 집요하게 쫓아가 죽였습니다. 그 이유는 단 하나 '의리義理'입니다.—"우리 군주에게 우리들은 의리義理가 있다. 그 주인이 기라 고즈케노스케를 죽이려고 했다. 그러므로 우리 주군의 원수는 우리들의 원수다." 그 밖에는 알 바 아니다.—무사로서 해야 할 일을 했다고 합니다. 거기에는 이성도 조리도 없습니다.

일본 사람들이 그토록 좋아하는 「주신구라」를 잘못 해석했으면 정정해 주기 바랍니다만, 지금의 일본의 정치에도 통하고 있다고 나는 생각합니다. 봉건적인 의리 관념이 강하게 정치 전반을 지배하고 있는 듯한 느낌입니다. 한국은 그 점에 있어서는 일본과 다릅니다. 예를 들면 박정희 씨가 암살된 후에 야당 가운데서 친정부였던 지도자로부터 그 지지 세력은 전부 떠났습니다. "떠나지 않으면 국민에 대하여 명분이 안 서고 선거에도 떨어질 것이니 나도 당신을 떠납니다."라고, 그야말로 한 사람의 국회의원도 안 남았습니다. 세계의 누가 보아도 한국은 아직 민주국가가 아니고 일본은 민주국가라고 하겠지만 이 정신 구조의 면에서는 한국은 일본보다 앞섰다고 생각합니다.

또 하나 일본은 부락차별(부락민이라고 하여 과거의 한국의 백정 계급과 같이 사회적 차별을 받고 있는 하층계급을 말함)을 보면 항상 생각하게 됩니다. 지금도 일본에는 부락해방동맹이 있어서 차별 철폐를 위하여 노력하고 있지요. 한국에는 똑같이 20-30년 전까지 피차별민(백정 계급)이 있었습니다. 그러나 지금은 어디를 가도 그것을 말하는 사람도 없고 관심을 가지는 사람도 없습니다. 그리고 아이들은 자기가 피차별민의 아들이라는 자각조차 없습니다. 결혼이나 취직에 아무런 관계가 없습니다. 도요토미 히데요시(豊臣秀吉)가 조선을 침공했을 때 데리고 간 도공의 자손들이 지금도 일본에 있습니다만 그 사람들이 이미 4백 년이나 경과되었는데 아직도 차별 대우를 받고 있다고 들었습니다. 그런데 조선을 침공했을 때 사야가라는 장군이 한국에 남았습니다. 그리고 한국의 왕에게 충성했으므로 왕이 그에게 김이라는 성을 주었습니다. 그 자손의 한 사람이 박정희 정권 말에 정부의 장관이었습니다. 그 사연은 신문에도 났으므로 국민은 모두 알고 있습니다. 그러나 아무도 그것을 문제 삼지 않습니다.

이러한 몇 가지 점에서 일본에 있어서의 민주정치는 정신적 토양이 우리들에게는 걱정입니다. 물론 일본보다 더 많은 걱정거리를 가지고 있는 우리들이 이렇게 말하는 것은 매우 면구스러운 일이라고 자인합니다. 그럼에도 불구하고 이렇게 말하는 것은 절실한 원망願望이기 때문입니다. 만일에 제 말에 일리가 있다면 여러분들에게 참고가 되기를 바란다는 의미에서 이것을 말하는 것입니다.

앞에서 일본의 여러분들이 지금의 한국 문화에 깊은 관심을 가지게 되었다고 말씀하셨습니다. 기쁜 일입니다. 일본이 한국에 와서 과거에 무엇을 하고, 현재 무엇을 하고 있는가 하는 점이야말로 문제의 핵심입니다. 일본 사람은 한국에 대해서 일본 정부로 하여금, 일본의 정치로 하여금 지금의 자세를 어떻게 시정해야 할 것인가라는 책임감에서 출발하여 한국을 보지 않고 "그러한 정치는 나와는 상관이 없다"는 것으로, 다만 한국의 문화적 부분만 관심을 가진다, 이것은 책임 회피이며, 뒤바뀔 염려가 있다고 나는 생각합니다. 야스에 씨가 말씀하셨듯이 일본은 정책에서 개선해야 하며, 또 개선할 수 있습니다.

이것은 미국에 대해서도 말할 수 있습니다. 얼마 전에 미국에서 있었던 앰네스티인터내셔널 총회(6월 10일 애틀랜타)에서 연설할 때도 그렇게 말했습니다. 앰네스티인터내셔널은 각국의 양심범과 한 사람 한 사람이 개별적으로 맺고 지원하고 있지요. 나의 지원은 시애틀의 챕터였습니다. 그리고 앰네스티 총회에 갔더니 많은 각 지방의 챕터분들이 "아무개 아무개를 아느냐"고 양심범들의 이름을 입에 올렸습니다. 그중에는 내가 알 수 없는 학생의 이름도 물론 있었습니다. 그것을 보고 깊은 감사를 느꼈습니다.

그러나 그분들에게 제가 감히 말한 것은 "당신들이 지원하는 상대를 정하여 그들에게 대하여 여러 가지로 지원 활동해 온 것에 마음으로부터 감사합니다. 그러한 여러분들에게 이런 말을 하는 것은 매우 거북하지만, 한국은 물론 세계 도처에 양심범이 왜 생기는가, 적어도 그 원인의 일부분은 미국 정부의 독재 지원입니다. 만일 미국 정부가 독재자를 지원 안 하고 단지 중립만 지켜 주면 지금과 같은 정치범의 수는 훨씬 줄었을 것입니다. 그런 의미에 있어서 당신들은 정치범 지원에 앞서 미국의 주권자로서, 국민으로서, 당신네들의 잘못된 독재 지원을 시정하는 것부터 시작해 주면 합니다. 또는 양쪽을 겸행해 주시기 바랍니다. 이것을 당신들에게 상기시키고 있습니다."라고 비판했습니다.

놀랍게도 그야말로 대단한 박수갈채의 반향이 있었습니다. 미국의 다른 데서도 연설하러 가면 과분하게도 기립 박수를 해 줍니다. 이것은 미국에서는 굉장한 경의를 표시하는 예절인 것 같습니다만 그렇게 긴 시간 기립 박수를 받은 일이 없습니다.

나는 일본의 여러분들에게도 일본 정부가 한국에서 무엇을 하고 있는가를 똑똑히 보아 주면 합니다. 지금 한창 한·일·미 3국의 군사체제가 화제에 오르고 있습니다만 그러한 군사체제가 아니라 한·일·미 3국만의 민주적인 연대를 하지 않으면 안 됩니다. 한국의 정권의 문제만이 아니라, 그 독재자의 뒤에 있는 일본과 미국의 문제가 끊을 수 없는 문제로 등장하고 있습니다. 그러므로 한국 문제는 일본 내부에서도 해결되지 않으면 안 되는 것이며, 미국 내부에서도 해결되지 않으면 안 됩니다.

이런 의미에 있어서 한국과 일본과 미국의 3국의 연대는 절대로 필요하다고 생각합니다. 우리들의 이 회견의 최후의 결론으로서, 1980년에 있어서 한·일·미 3국의 잘못된 군사체제에 대항하면서 한·일·미 3국의 민주적인 국민의 연대를 조성하는 것이 필요하지 않은가, 『세카이』(世界)지를 통하여 이것을 일본의 여러분들에게 호소하고 싶습니다.

야스에 좋은 조언을 주셨습니다. 감사합니다.

한국 국민이 무엇을 구하고 있는가. 『세카이』(世界) 독자는 알고 있습니다. 한국의 민주 세력이 이제부터 무엇을 해갈 것인가 하는 것도 모두 알고 있으리라고 생각합니다. 선생님께서 어떠한 생각이신지를 저는 이미 알고 있었으며, 오늘 새삼스럽게 깊이 들었습니다. 이 말씀에 대하여 최후에 한 말씀 드리겠습니다.

저는 이렇게 생각합니다. 1970년대를 통하여 한국민은 많은 희생과 고투를 강요당해 왔습니다. 한국 민주화를 위하여 헌신한 참으로 많은 사람들이 있습니다. 헤아릴 수 없는 사람들이 체포되고, 고문을 견디고, 지조를 지킨 사람, 고문으로 미친 사람도 있습니다. 항의로서 분신자살한 젊은 사람도 있습니다. 우리들은 이런 사람들에 의해서 한·일 관계와 한국 문제에 대해서 배웠을 뿐 아니라 인생의 사는 길이 어떠한 것인가 하는 것을 배웠습니다.

처음 말씀하신 것처럼, 동학농민혁명, 3·1독립운동이라는 한국 역사의 피를 계승하여 투쟁한 1970년대의 민주화운동의 과정에서 한국 국민은 참으로 뛰어난 많은 사람들을 배출했다고 생각합니다. 그리고 그 뛰어난 사람들은 뛰어났기 때문에 희생이 되어 죽지 않으면 안 되었습니다만 그것을 넘어서서 더 많은 뛰어난 인재들이 새로운 결속을 기도하려고 하고 있습니다. 그리고 그 중심에 선생님께서 계신다고 많은 사람들이 보고 있습니다. 김영삼 씨의 저항운동에 대해서도 선생님께서 다리가 불편하신데도 불구하고 데모까지 하시면서 재미 한국인의 민주화운동 선두에 서신 것을 신문에서 보았습니다. 그러한 기사를 보면서 많은 일본 사람들이 언젠가는 선생님께서 고국에 돌아가실 때를 주목하고 있다고 생각합니다. 저는 이 일의 실현을 마음으로부터 바라고 있습니다.

김대중 감사한 말씀입니다. 말씀하신 대로 1970년대의 괴로운 투쟁을 통하여 한국의 민중은 모든 분야에서 크게 성장했습니다. 물론 많은 비극적인 일도 있었습니다. 지금은 이름도 없지만 만일 그들의 정당하고 그리고 자유스러운 활동의 터가 주어지면, 지상에 나타나 국민과 함께 힘차게 바르게 걷고, 국민을 위하여 크게 공헌할 수 있는 그러한 지도자가 각 연령층과 각 분야, 즉 지식인, 노동자, 농민, 학생, 모든 분야에서 더 많이 배출되리라고 생각합니다.

이것은 지금 지하에 묻힌 보물과 같은 것이며 나도 그들을 전부는 모릅니다. 몇 사람이나 되며 얼마나 훌륭한가 하는 것은 나도 대강만 알고 있습니다. 그러므로 나 같은 사람이 세계의 주목을 받고, 마치 한국에서의 수난을 나 혼자 받은 것처럼 평가받을 때에 참으로 마음이 괴롭습니다. 그들의 많은 희생과 공로를 내가 가로챈 것 같아 언제나 마음의 안정이 없고 미안한 생각입니다.

다만 나는 나의 입장을, 희생을 굳이 사양하지 않는 제1세대여야 한다고 생각합니다. 일본에 있어서도, 어떤 국민에 있어서도 역사의 큰 전환기에는 몸을 바쳐 희생하는 세대가 없으면 안 될 것입니다. 일본의 막말幕末(幕府時代

의 말기)이 그러한 시대였습니다. 많은 유능한, 명치시대까지 살아 주었으면 하는 사람들이 얼마나 많이 죽었습니까? 사카모토 료마(坂本龍馬), 하시모토 사나이(橋本左內) , 요시다 쇼인(吉田松陰)…… 많은 분들이 그러했습니다. 그 덕분으로 명치의 시대가 있었던 것입니다. 그중에는 "저 분은 살아남지 않았으면……."(웃음) 하는 사람도 있어서 명치의 일본을 나쁘게 이끌고 간 사람도 있습니다만, 어떻든 일본 역사에 있어서 그만한 찬란한 시대를 만든 기초는 그들이 쌓았다고 생각합니다.

불행하게도 조선왕조 말기의 우리들의 선조는 일본과 같이 새로운 격동의, 변화의 시대에 몸을 바쳐 길을 여는 사람이 너무도 적었습니다. 많은 사람들이 일신의 안전만을 지키는 데 급급했습니다. 그 때문에 우리들은 그 후 백 년간을 고생하고 있습니다. 그러므로 한국의 민주주의에의 길이 이렇게 고난 속에 있는 가장 큰 제일의 원인은 미국 때문도 아니고, 일본 때문도 아닙니다. 한국의 국민 자신의 힘으로 해방을 쟁취하지 못한, 자신의 힘으로 민주정권을 수립하지 못한, 그 타력의존他力依存에 문제가 있습니다. 그 때문에 우리들은 이러한 고생을 하지 않으면 안 됩니다.

그러나 우리는 지금 착실하게 그 백 년의 대가를 지불하고 있습니다. 그리고 대가를 바치면 보답은 반드시 있으리라고 생각합니다. 1980년대에는 반드시 한국의 민주주의는 회복됩니다. 나는 그것을 예언하는 것은 아니지만 뚜렷한 확신을 가지고 있습니다.

나는 자신의 위치를, 먼저 달려서 길을 여는 역할에 있다고 생각합니다. 남북의 민족이 화해하고 진정한 민주적인 통일을 위한 길을 열고, 그리고 일본과 한국을 위한 진정하게 바른 우호의 길을 열고, 일본과 미국을 위한 길을 열고, 민주화되고 통일된 한국으로서 제3세계에 대하여 올바른 협력을 하는 일원으로서의 길을 열고 나가려고 생각합니다. 어느 정도를 할 수 있는가 하는 것은 별문제로 하고, 저의 역할은 그러한 길을 여는 것이라고 생각합니다. 그러므로 나는 어디까지나 고난의 길을 걷게 될 것입니다. 민주 회복이 된 후에 혹 어떤 부서의 말석에 내가 참가한다 하더라도 이 사명은 변함이 없으리라고 생각합니다.

그러나 나의 지금까지의 경험으로 보아 고난이 반드시 불행은 아닙니다. 남은 나에게 고난을 줄 수는 있지마는, 행복하게 되는가 불행하게 되는가 하는 것은 나 자신에게 달렸습니다. 나는 그것을 나의 체험으로 똑똑하게 깨닫고 있습니다. 나는 옥중에서 기필코 죽을 수밖에 없다고 생각한 때에도 언제든지 생각했습니다. 나는 박정희 씨와 전두환 씨를 생각하면서 "그들은 나를 투옥할 수 있었다. 나를 죽일 수도 있다. 그러나 역사에 있어서 나는 반드시 그들에 대해서 승리자가 된다" 고 마음을 다졌습니다. 왜냐하면 동서고금 어떤 역사에 있어서도 국민의 편에 선 사람, 정의의 편에 선 사람, 역사의 진행과 발걸음을 맞춘 사람이 패배자가 된 일은 절대로 없었습니다. 일본 역사나 한국 역사에도 그러한 예는 무수하게 있습니다.

지금 나는 전두환 장군에 대해서 어떤 의미로는 매우 불쌍하게 생각합니다. 그는 얼마나 마음이 불안할까, 어찌하여 그는 단 한 번밖에 없는 자신의 귀중한 인생을 저렇게 쓰고 있을까, 그는 자기가 하는 것을 국민이 어떻게 생각하고 있고 장래 역사에 어떻게 평가될까를 알고 있을까 하고, 때때로 생각하곤 합니다. 그러나 나는 결코 순교자를 의식하지는 않습니다. 나는 결코 이상주의자도 아닙니다. 나는 어디까지나 현실적인 인간입니다. 나는 어디까지나 국민을 위하여 실제로 자유를 회복하고, 정말로 통일이 실현되는 것에 협력하고자 합니다. 그리고 일본과 한국이 실질적으로 좋은 관계가 되도록 공헌하고 싶습니다. 그것을 위하여 최선을 다하겠습니다.

에리히 프롬이 지적한 것처럼 인간은 자기의 자유의사에 의하여 선택권을 가지고 있습니다. 이 점에 있어서는 만물의 영장靈長입니다. 모든 사람들이 안전을 바라고 도망칠 때에도 목숨을 걸고 위난危難에 대결해 나갈 수도 있습니다. 배가 아무리 고파도 단식투쟁을 할 수 있습니다. 돈을 산더미처럼 쌓아 놓고 유혹을 해도 그것을 일축하고 돌아보지 않을 수도 있습니다. 이렇게 인간은 자유이며 위대한 존재입니다.

그러나 인간은 한 치 앞을 내다보지 못한다는 점에서는 미물과 마찬가지입니다. 그러므로 나는 내일 어떻게 될 것인지는 모릅니다. 물론 장래에 대한 준비라든가 구상을 당연히 해야겠지만, 그렇다고 해서 결과만으로 나의 인간으로서의 생의 가치를 정한다든가 행불행을 생각하지 않습니다. 나는 나의 국민을 위하여, 내 나라의 통일을 위하여, 지금 이 시간에 어떻게 살아야 할 것인가가 최대의 관심사입니다. 그러므로 미국에 와서도 나는 우리 국민을 위하여 큰 공헌을 했다고는 생각하지 않습니다만 조금도 쉬지 않고 할 수 있는 노력은 해 왔다고 생각하고 그 점을 스스로 평가하고 감사하고 있습니다.

앞으로도 이렇게 살아가려고 생각합니다. 아무쪼록 잘 지도해 주십시오.

야스에 매우 좋은 말씀을 주셨습니다. 오랜 시간 피곤하시리라고 생각합니다. 참으로 감사합니다.

* 이 글은 당시 이와나미서점의 편집장이었던 야스에 료스케(安江良介)가 워싱턴에서 인터뷰한 것으로 『세카이』지 1983년 9월 호에 게재되었다. 이 기사는 『아사히신문』에서 1983년도에 발표된 논문 가운데 '베스트 5' 중의 하나로 천거, 발표되었다.

민주주의는 헌신과 희생으로 쟁취되어야

대담 『저널오브인터내셔널어페어스』
일시 1984년 11월

질문 귀하가 한국으로 돌아가면 20년 징역형 가운데 남아 있는 17년의 형기를 마저 치러야 할지도 모른다. 그런데 왜 귀국을 결심했으며 왜 하필이면 지금 돌아가는가?

김대중 거기에는 몇 가지 이유가 있다. 미국에 있는 동안, 나는 다행히 미국 사회의 다양한 분야에서 일하는 많은 사람들을 만날 수 있었다. 나는 미 하원의원들과 언론계 대표들, 인권 옹호가들, 그리고 여러 교회의 대표들을 만났다. 또한 내가 한국과 제3세계에 대한 미국의 정책을 크게 변화시켰다고 말할 수는 없지만 미국 관리들과 몇 차례 의미 있는 대화를 나누었다. 이렇게 다양한 미국인들을 만난 결과, 나는 지금이야말로 내가 고국으로 돌아가야 할 때라고 생각한다.

내 귀국은 현재 시점에서 우리 국민에게도 매우 중요하다. 나는 우리 국민의 고통과 투쟁에 동참해야 한다. 우리 국민의 대다수—난 90퍼센트 이상이라고 믿는다.—는 군사독재를 지지하지 않는다. 그러나 또한 그들의 대다수는 자신의 신변 안전에 대한 걱정 때문에 민주주의와 인권을 위한 노력과 투쟁에 참여하기를 꺼리고 있다. 나는 그들을 설득하여 민주 회복을 위한 노력에 참여시키고 싶다. 민주주의는 우리 국민의 헌신과 희생으로 쟁취되어야 한다. 우방국들이 우리에게 민주주의를 공짜로 건네주어서는 안 된다. 우리가 투쟁에 참여하지 않으면, 현재와 같은 상황마저도 유지하지 못하게 될 것이다. 상황은 점점 악화되어 공산주의에 유리한 상황이 될 것이다. 나는 우리 국민을 설득하여 민주화투쟁에 참여시키고 싶다, 나는 점차 극단주의로 치닫는 경향을 우려하고 있다. 이것은 용공적이고 반미적인 경향이다. 나는 이런 태도를 이해할 수 있지만, 그것이 우리 국민의 이익에 어긋나기 때문에 지지하지는 않는다. 우리는 공산주의를 용납해서는 안 된다. 우리는 미국과 일본을 친구로서 필요로 한다.

우리는 미국의 정책을 비판할지언정 미국을 우리의 적으로 삼아서는 안 된다. 미국 정부는 독재정권을 지지해 왔지만, 민주주의와 인권에도 어느 정도의 관심을 기울여 왔다. 그러나 미국의 노력은 우리의 요구를 충족시킬 만큼 강하지는 못했다. 우리는 이 나라의 모든 분야에 우리의 지지자들이 있음을 알고 있다. 우리는 그들을 무시해서는 안 되며, 그들의 중요성을 깨달아야 한다. 그러나 우리의 젊은이들과 노동자들, 그리고 일부 지식인들은 너무 성급하다. 게다가 한국의 언론은 한국의 독재정치에 대한 미국인들의 비판을 전혀 보도할 수가 없기 때문에, 그들은 미국에 우리의 지지자들이 있다는 사실조차 모르고 있다. 그래서 우리 국민은 아무것도 모른다. 한국의 언론은 미국이 북한의 임박한 남침 위협을 경고하거나 국가안보가 중요하다고 논평하거나 한국이 눈부신 경제 성장을 이룩했다고 말할 때에만 대대적으로 보도한다. 그래서 우리 국민의 절대다수는 미국에는 한국 국민의 권리를 지지하는 사람이 전혀 없으며 모든 미국인은 독재정권을 지지한다고 생각하게 되었다. 한국 국민들 사이에는 그런 오해가 널리 퍼져 있다. 나는 결코 그렇지 않다는 것을 그들에게 알려 주어야 한다. 그것이 내가 귀국하고 싶어 하는 또 하나의 이유다.

질문 귀하는 한국에서 정치 활동이 금지된 정치인 명단에 아직도 올라 있고 다시는 정치 활동에 참여하지 않겠다는 서약서에 서명도 했다. 이 같은 상황하에서, 귀국하면 어떤 종류의 역할을 하기를 바라는지 알고 싶다.

내 목표는 민주주의를 회복시키는 것

김대중 나는 결코 그런 서약서에 서명한 적이 없다. 어쨌든 나는 인권을 옹호하거나 민주 회복을 주장하는 것을 정치 활동이라고는 생각하지 않는다. 그것은 정치 활동이 아니다. 그러나 이 독재정권하에서는, 설사 정치 규제가 풀린다 해도 국회의원 선거나 대통령 선거에 참여하지는 않을 것이다. 나는 권리에 제약을 받고 있기 때문에 직접 정당을 결성하여 선거에 참여할 수는 없다. 내 주요 목표는 민주주의를 회복시키는 것이다. 민주체제가 회복된 뒤에는 나도 당연히 공직 출마를 생각해 볼 수 있다. 그러나 현재로서는 공직에 출마할 생각이 없다.

질문 한국 정부는 귀하의 귀국이 사회불안을 일으키고 그리하여 국가안보를 위협할지도 모른다고 주장해 왔다. 귀하는 이 주장에 동의하는가?

김대중 아니다. 한국 정부는 김대중이 보잘것없는 정치인이며 국민의 지지를 받지 못하고 있다고 주장해 왔다. 미국 기자나 미국 지도자들과 이야기할 때마다, 그들은 한국 국민이 김대중을 지지하지 않으므로 미국은 김대중을 무시해야 한다고 말한다. 그런데 내가 귀국하겠다고 통고하자, 그들은 내가 귀국하면 정치적 긴장을 야기시킬 거라고 말한다. 내가 보잘것없는 정치인이라면 어떻게 정치적 긴장을 야기시킬 수 있겠는가? 그건 모순이다.

나는 또한 현재의 정치적 교착상태를 질서 있고 평화롭게 해결하기 위하여 정부와의 대화를 제의하고 있다. 나는 한국에 있는 내 동지들을 설득하여 온건하고 비폭력적인 방향으로 이끌려고 애써 왔다. 내 연설에 그 증거가 있다. 내 귀국이 긴장이나 사회불안을 초래할지 어떨지는 한국 정부의 태도에 달려 있다. 한국 정부가 모든 문제를 평화적으로 해결하기 위하여 나와 대화를 한다면, 내 귀국은 오히려 사회 안정에 이바지할 것이다. 그러나 만약 그렇게 하지 않고 독재정치를 계속한다면, 내가 귀국하지 않더라도 한국에서는 긴장이 고조되어 갈 것이다.

질문 그러면 귀하는 귀국이 국가안보에 위협을 제기할 거라고는 생각하지 않는가?

김대중 국가안보는 민주주의가 있을 때에만 기대할 수 있다. 우리에게는 지켜야 할 무언가가 필요하다. 민주주의가 없으면 한국의 진정한 안보는 결코 기대할 수 없다. 우리가 그동안 겪어 온 경험이 나의 이 같은 주장을 입증해 왔다. 내가 귀국하면, 폭력을 사용하지 말고 국가안보에 커다란 관심을 기울이고 과격해지지 않도록 우리 국민을 설득하겠다. 민주주의를 회복하려면 불굴의 끈기가 필요하지만, 동시에 온건해야 한다. 이것이 어떻게 우리나라의 안보를 해칠 수 있겠는가? 현재 한국 군부는 우리나라를 지켜야 할 본연의 의무를 저버리고 정치에 개입하고 있다. 그들은 너무 허약해서, 4만 명의 주한 미군이 도와주지 않으면 우리나라의 안보를 실현하지도 못할 정도다. 도대체 군부가 왜 정치에 개입하여 우리나라의 안보를 손상시켜야 하는가? 물론 정치에 개입하는 군인은 극소수다. 그러나 그 소수의 정치군인들이 요직을 차지하고 있기 때문에, 국토방위에 충실한 대다수의 군인은 그들에게 복종하지 않을 수 없다. 그들에게 복종하지 않으면, 아무리 유능하고 본연의 의무인 국토방위에 충실하다 해도 자리를 유지할 수가 없다. 그런데 어떻게 우리 군인들의 사기가 높아지기를 기대할 수 있겠는가? 어떻게 우리 군인들이 국가안보에만 충실하기를 기대할 수 있겠는가? 지난번 군사쿠데타에서는 대령급이 핵심 분자였다. 그들은 지금 정부에서 실질적인 지도자 노릇을 하고 있다. 그들보다 계급이 높은 장군들도 그들을 존중해야 하며 이 대령급들에게 아첨까지 해야 한다.

군대는 매우 엄격한 계급제도, 즉 위계질서가 필요한데 이 위계질서가 파괴되어 가고 있다. 위계질서의 파괴와 정치적 술수가 우리 군대 내에서 점차 심화되어 가는 경향을 보이고 있다. 따라서 우리나라의 안보를 해치고 있는 것은 바로 정부 자신이다. 그들이 어떻게 나를 탓할 수 있는가? 그들이 1980년 5월에 나를 체포하기 전에, 나는 우리 학생과 국민에게 질서를 지키고 국가안보에 신경을 쓰도록 촉구하는 성명서를 여러 차례 발표했다. 그러나 우리는 계엄령하에 있었기 때문에, 전두환과 그 일당으로 구성된 계엄 당국은 질서를 지키고 폭력을 쓰지 말라는 내 요청이 신문에 보도되는 것을 막았다. 그들은 나를 체포했을 때, 내가 사회불안을 선동했다고 비난했다. 그 주장은 새빨간 거짓말이다. 미국 국무부가 나에 대한 혐의를 '억지'라고 말한 것은 바로 그 때문이다.

질문 한국 정부는 귀하의 귀국 계획에 대하여 직접적으로나 간접적으로 귀하와의 접촉을 시도했는가?

김대중 그들은 간접적으로 나와 접촉하여 귀국하지 말라고 설득해 왔다. 내가 돌아가면 다시 감옥에 집어넣겠다고 그들은 말한다.

질문 그들이 그런 의사를 어떻게 귀하에게 전달했는지 자세히 말해 줄 수 있는가?

김대중 이곳에 있는 몇몇 재미교포들과 집권당 국회의원들을 통해서 전달했다.

질문 미국 언론은 귀하에게 한국의 아키노라는 별명을 붙였다. 베니그노 아키노에 비추어 생각해 볼 때, 아키노와 귀하가 처한 상황의 유사점을 설명해 줄 수 있겠는가?

김대중 물론이다. 아키노와 나 사이에는 많은 유사점이 있다. 우리는 둘 다 독재자에 의하여 사형 선고를 받았다. 우리는 둘 다 민주주의를 신봉하며, 이곳에 2, 3년 동안 머문 뒤 미국 정부의 태도에 실망했고, 많은 위험을 예견하면서도 기꺼이 고국에 돌아가기로 결심했다. 우리에게는 많은 유사점이 있다. 그리고 우리는 둘 다 자기 나라에 민주주의가 회복된 뒤 지도자가 될 가망성이 많다고 나는 생각한다. 나는 미국이 장래에 대비하여 우리의 안전에 많은 관심을 기울여야 한다고 믿는다. 아키노의 경우에는 미국인들이 실패했다. 나는 그들이 똑같은 잘못을 되풀이하지 않기를 바란다.

그러나 내가 미국에 대하여 우리 대신 민주주의를 회복시켜 달라거나 한국 내정에 간섭해 달라고 요구하는 것은 아니다. 나는 다만 미국이 내 인권과 한국 국민의 인권에 좀 더 진지한 관심을 기울여 줄 것을 요구하고 있을 뿐이다. 그러면 나머지는 우리가 하겠다.

질문 최근 레이건 대통령은 필리핀의 군사정부가 물러나면 공산정권이 들어설 수밖에 없다고 말했다. 한국의 경우도 그러한가?

미국은 군사독재를 지지했기 때문에 실패

김대중 나는 레이건 대통령의 그 말을 듣고 큰 충격을 받았다. 그것이 레이건 대통령의 참뜻이 아니기를 바란다. 군사독재가 공산주의의 유일한 대안이라면, 우리는 도대체 어떤 점에서 민주주의가 필요하다고 주장할 수 있겠는가? 그것은 역사적 상황에 어긋난다. 미국은 중국과 베트남, 캄보디아, 라오스, 쿠바 등 모든 곳에서 공산주의의 대안으로 군사독재를 지지해 왔다. 그리고 미국은 이처럼 군사독재를 지지했기 때문에 실패했다. 공산주의가 민주주의를 성공적으로 대신한 사례가 어디 있는가?

나는 이제까지 이스라엘의 경우를 본보기로 들어 왔다. 이스라엘은 절대적인 아랍국가들에게 둘러싸여 있으면서도 강력한 국가안보를 실현하는 데 성공했다. 이스라엘의 인구는 고작 400만 명밖에 안 된다. 아랍국가들은 1억 5천만 명의 인구를 가지고 있다. 이스라엘은 높은 인플레이션으로 인하여 경제적 실패를 맛보았다. 그러나 아랍국가들은 대부분 석유를 풍부하게 생산하는 부국富國이다. 그들은 세계 각국에서 많은 무기를 사들일 수 있었지만, 이스라엘을 끝내 파멸시키지 못했다. 이스라엘과 아랍국가들의 유일한 차이점은 이스라엘에는 민주주의가 있는데 아랍국가에는 민주주의가 없다는 것이다. 이스라엘 국민의 대다수는 서구 사회가 아닌 곳에서 온 사람들이다. 그들은 이스라엘에 온 뒤에야 처음으로 민주주의를 경험했다. 그러나 그들은 민주주의를 훌륭히 실천할 수 있었다. 그들은 이스라엘을 지키기 위해 자신을 희생할 충분한 이유가 있다. 이스라엘에는 민주적 자유가 있기 때문이다. 그러나 아랍국가와 아랍인들은 그처럼 목숨을 걸고 지켜야 할 가치가 있는 것을 아무것도 갖고 있지 않았다. 그러므로 안보를 실현하기 위해서는 민주주의가 절대로 필요하다. 민주주의와 안보는 불가분의 것이다. 독재정치는 결코 공산주의의 대안이 되지 못할 것이다.

우리 한국 국민은 30여 년 전 전쟁이 일어났을 때 우리가 우리나라를 지킬 수 있다는 사실을 입증했다. 우리가 우리나라를 지킬 수 있었던 것은 민주주의를 향유하고 있었기 때문이다. 민주주의만 있다면 우리는 또 하나의 서독이 될 수 있다. 우리는 서독이 동독을 상대할 때 자신의 능력에 얼마나 큰 자신감을 갖고 있는가를 알고 있다. 민주정부가 수립되면, 우리 국민은 정부를 전폭적으로 그리고 자발적으로 지지할 것이다. 민주정부가 있는 곳에는 독립적 주권과 안보가 있을 것이다. 그러면 우리는 북한으로 하여금 오랫동안 품어 온 남한 적화 통일의 야망을 포기하도록 만들 수 있다. 북한은 그 야망을 포기할 수밖에 없다. 그러면 남북한 사이에 진지한 대화가 이루어질 것이고, 우리는 한반도의 통일을 이룩할 수 있다. 이것은 우리 국민을 위해서뿐 아니라 미국의 국가적 이익을 위해서도 필수적이다. 평화가 정착되면, 이 지역에서의 미국의 방위 부담은 크게 줄어들 것이다.

질문 귀하가 석방된 것은 주로 레이건 대통령의 '조용한 외교' 덕분이라고 일컬어져 왔다. 이 정책이 한국의 인권 상황과 민주화운동에 끼친 영향은 무엇인가?

김대중 나는 조용한 외교를 반대하지 않는다. 그러나 공개적인 외교가 동시에 이루어져야 한다고 나는 주장한다. 미국이 원칙을 분명히 밝히기 위해서는 공개적인 외교를 해야 한다. 현재 심각한 오해가 빚어지고 있다. 한국 국민은 미국 정부만이 아니라 미국인들도 독재정권을 지지한다고 믿고 있다. 미국인들은 민주주의와 인권을 지지한다는 인상을 우리 국민에게 심어 주지 못했다. 이승만 시대 말기, 특히 1960년에 이승만 정권을 넘어뜨린 학생 혁명이 일어났을 때에는 우리 국민도 미국이 민주주의와 인권을 지지한다는 것을 조금도 의심치 않았다. 혁명이 끝난 뒤 우리 국민은 미국에 깊은 감사의 뜻을 표했다. 한·미 관계는 매우 견고했다. 그런데, 지금도 미국에는 우리의 대의명분을 지지하는 사람들이 많이 있고 미국 정부도 이따금 우리의 민주적 주장을 지지해 왔는데도 불구하고, 미국은 이제 우리 국민에게 민주주의와 인권을 지지한다는 인상을 심어 주지 못하고 있다.

잘 아시다시피 한국에는 언론의 자유가 없다. 모든 신문은 정부의 통제를 받고 있다. 미국 정부는 해마다 인권 보고서를 통하여 한국의 인권 상황을 비판하지만, 한국 신문들은 그것을 절대로 보도하지 못한다. 미국의 하원의원이나 학자나 언론 매체가 독재정권을 비난해도, 한국 신문들은 그것을 보도

하지 못한다. 그래서 나는 미국의 정부 지도자들을 만났을 때, '보이스오브 아메리카' 방송과 『스타스앤드스트라이프스』지를 통하여 이런 사실을 알려야 한다고 강력히 제의했다. 미국 정부는 그렇게 하기를 망설여 왔다. 그들이 우리 국민에게 감명을 주지 못한 이유는 바로 그것이다. 미국에 대한 오해는 점점 심화되어 가고 있다. 그런 상황하에서 '조용한 외교'는 미국에 대한 우리 국민의 우정을 유지해 주지 못한다. 나는 미국 정부가 공개적인 외교를 해야 한다고 강력히 제의하고 싶다.

또한, 미국 정부가 김대중과 학생들을 석방하도록 한국 정부를 설득할 때는 한국 정부의 체면을 세워 주기 위하여 조용한 외교를 해야 한다. 그것이 더 효과적일 것이다. 따라서 공개적인 외교와 조용한 외교는 서로 병행하여 이루어져야 한다.

질문 그러면 구체적인 점에서, 한국의 민주 회복을 돕기 위해서는 미국 정부가 어떤 조치를 취해야 한다고 생각하는지, 귀하의 견해를 말해 줄 수 있는가?

김대중 아주 좋은 질문이다. 내가 요구하는 것은 두 가지뿐이다. 첫째는 아까도 말했듯이 미국 정부가 인권과 민주주의를 지지한다는 인상을 우리 국민에게 심어 주어야 한다. 그러면 나머지는 우리 힘으로 해낼 것이다. 한국에서 미국의 영향력은 막강하다. 한국에는 핵무기를 보유한 4만 명의 주한 미군이 있고, 미군사령관이 60만의 한국군을 모두 통제하며, 한국은 경제 분야에서 미국에 크게 의존해 왔다. 미국이 민주주의와 인권이라는 우리의 대의명분을 지지한다는 것을 알게 되면, 우리 국민은 크게 용기를 얻을 것이다. 특히 군대 내부의 민주 인사들과 중산층과 지식인들이 자신감을 얻을 것이다. 그렇게 되면, 우리는 전두환 정권이 평화적인 민주화를 가져오기 위하여 진지한 자세로 우리와 대화를 갖도록 만들 수 있다. 나는 미국 정부에게 또

한 가지 방법을 제안해 왔다. 즉, 경제를 지렛대로 이용하라는 제안이다. 미국은 경제적으로 한국 정부에게 영향력을 행사할 수 있는 수단을 많이 갖고 있다.

질문 구체적으로 어떤 종류의 수단인지, 분명히 말해 줄 수 있는가?

김대중 미국 정부는 한국 정부에게 많은 차관을 제공하고 있으며, 한국 수출품의 약 35퍼센트가 미국으로 수출된다. 또한, 미국이 태도를 바꾸면 일본도 그 뒤를 따를 가능성이 크다. 우리 경제의 약 70퍼센트는 미국과 일본에 의존하고 있다. 한국 정부가 기꺼이 민주주의를 발전시킨다면 미국은 교역 규모와 경제 원조 규모를 늘릴 수 있고, 그렇지 않으면 한국의 내정에 간섭하지 않고 교역 규모와 경제 원조를 줄일 수 있다. 오로지 미국만이 경제를 지렛대로 이용하여 한국의 민주주의를 도와줄 수 있다. 미국이 이 두 가지 일만 해준다면, 우리에게는 그 밖의 어떤 도움도 필요 없다. 아시아에는 많은 독재정권이 있지만, 필리핀과 한국 국민은 민주주의와 인권을 위해 줄기차게 싸워왔다. 미국은 이들 두 나라와 오랜 관계를 맺고 있다. 미국은 이들 두 나라에 군대를 주둔시켜 왔다. 미국은 이들 두 나라 국민의 우정을 몹시 필요로 하고 있다. 따라서 미국은 민주주의와 인권에 대한 그들의 열망을 존중해야 한다. 필리핀에는 과격분자들이 있고 공산주의자들이 이끄는 신인민군이 있지만, 미국이 필리핀 국민에게 감명을 준다면 그들이 공산주의자들을 지지하리라고는 생각지 않는다. 게다가 한국에는 신인민군 같은 것은 존재하지 않는다. 극소수를 제외한 모든 한국 국민은 미국에 기꺼이 우호적인 태도를 보이고 있다. 미국이 우리의 대의명분을 지지한다면, 우리는 미국을 반대하지 않을 것이다. 어떤 의미에서 우리는 독재정권을 지지하는 미국의 태도에 실망한 나머지 반미주의자가 되도록 강요받고 있다. 이것이 한국의 현실이다.

질문 귀하는 이곳에 2년간 머물면서 레이건 행정부의 관리들과 얼마나 많이 접촉했으며 어떤 직급의 관리들을 주로 만났는가? 그리고 귀하의 귀국 계획에 대한 그들의 반응은 어떠했는가? 그들이 귀하를 설득하여 그 계획을 단념시키려고 하지는 않았는가?

김대중 불행히도 나는 정부의 고위 관리들과는 만나지 못하고 서기관보만 만날 수 있었다. 우리는 비교적 친밀한 관계를 유지해 왔지만, 내가 그들을 설득하여 우리 국민의 요구에 맞도록 그들의 정책을 변화시키는 데 성공했다고는 생각지 않는다. 현재 나는 미국 정부가 서울에서 또 한 번의 아키노 사건이 일어나는 것을 결코 원치 않는다고 믿고 있다. 그러나 미국 정부가 나를 다시 감옥에 집어넣지 않도록 한국 정부를 설득하기 위하여 강력한 노력을 하고 있는지 어떤지에 대해서는 매우 회의적이다. 그 점은 나도 잘 알지 못한다.

질문 레이건 행정부의 관리들이 귀국하지 말라고 귀하를 설득하려 들지는 않았는가?

김대중 아니다. 내가 귀국하겠다는 의사를 밝혔을 때, 그들은 나를 격려해 주지도 않았고 가지 말라고 말리지도 않았다.

질문 통일이 현실적으로 가능한가? 민주주의 시작이 통일 전망에 어떤 영향을 미치리라고 생각하는가?

민주주의는 통일의 필수조건

김대중 민주주의는 통일에 없어서는 안 될 필수조건이다. 우리는 독일의 경우와는 다르기 때문에, 만약 우리나라에 민주정부가 있다면 우리는 통일을 위한 첫 번째 단계를 실현할 수 있다. 구체적으로 말해서, 민주주의가 있다면 우리는 북한으로 하여금 남한에 대한 적화 통일 야욕을 버리도록 만들 수 있고, 그러면 한반도에 평화를 정착시킬 수 있다. 그런 다음, 남북한이 일종의 연방 체제를 구성할 수 있다.

그렇게 되면 한반도에는 두 개의 독립된 공화국, 즉 남한의 민주주의 공화국과 북한의 공산주의 공화국이 공존하게 될 것이다. 이같이 느슨한 형태의 연방 체제하에서는 쌍방의 협의기구인 의회가 구성될 것이다. 그런 다음, 두 공화국은 국제연합(UN)에 가입하여 세계 각국과 교차 외교 관계를 맺을 수 있고, 그 결과 상호 교류와 초기 단계의 통일 작업이 이루어질 것이다. 남북한의 상호 신뢰가 깊어짐에 따라 연방기구에 점진적으로 권한을 양도할 수 있다. 이 과정에 성공하면, 언젠가는 우리나라의 체제를 미국 같은 연방공화국으로 바꿀 수 있다. 그렇게 되면 국제연합(UN) 내부에서 별개의 회원국으로 공존하던 남북한은 하나의 회원국이 될 것이고 교차 외교는 끝날 것이며, 우리는 이 나라를 지키기 위한 하나의 국토방위 체제와 하나의 군대를 실현할 수 있다. 그러나 이것은 먼 장래의 일일 것이다. 첫 번째 단계로서는 우선 이 연방기구를 실현시킬 수 있다.

질문 한국의 일부 관리들은 북한 당국이 남한 정부를 약화시키기 위하여 귀하를 암살하려 할지도 모른다고 넌지시 암시해 왔다. 귀하는 이 암시를 심각하게 받아들이는가?

김대중 나는 미국의 정부 관리들이 왜 그토록 쉽사리 한국 정부의 영향을 받는지 알 수가 없다. 미국의 일부 관리들은 그런 가능성에 대해 우려를 표시해 왔다. 물론 북한은 내가 한국 대통령이 되는 것을 원치 않을지도 모른다. 남한에 강력한 지도자가 이끄는 민주정부가 수립되면 그들은 남한을 적화시킬 수 있다는 희망을 단념할 수밖에 없기 때문에, 그들은 아마 남한에 민주정부가 수립되는 것을 원치 않을 것이다. 그러나 현재 상태에서 북한 공산주의자들이 나를 암살할 가능성은 조금도 없다고 생각한다. 북한이 그런 음모를 꾸미고 있다는 증거는 전혀 없다. 그것은 한국 정부가 꾸며낸 근거 없는 추측일 뿐이다.

우리는 한국 정부를 신뢰할 수가 없다. 그들은 나를 해치고 싶을 때마다 공산주의자의 위협을 여러 번 남용해 왔다. 1973년 8월 도쿄의 호텔에서 나를 납치했을 때, 처음에는 나를 욕조에 넣고 죽여서 내 시체를 토막 낼 계획이었다. 그런데 예기치 않게 내 친척 한 사람이 나타나는 바람에 나를 호텔방에서 죽일 수가 없게 되었다. 그러자 그들은 나를 바다로 데려가 내 온몸을 꽁꽁 묶고 눈과 입을 막았다. 그런 다음 내 오른쪽 팔과 왼쪽 다리에 무거운 돌멩이를 몇 개 매달아 바닷물 속으로 던져 버리려고 했지만, 뜻밖에 비행기가 나타나는 바람에 또다시 실패했다. 나는 그것이 미국 비행기였다고 믿는다. 어쨌든 그들은 첫 번째 시도가 실패한 뒤 호텔방을 떠날 때, 내가 북한 공작원들에게 납치된 것으로 믿게 하려고 호텔방에 북한 담뱃갑을 남겨 놓았다. 마르코스도 아키노를 죽여 놓고는 역시 공산주의자들의 소행으로 돌렸다. 이것은 독재자들의 상투적인 수법이다. 그들은 나쁜 짓을 저지를 때마다 공산주의자들에게 죄를 뒤집어씌운다. 한국 정부는 나를 죽이고 싶을 때마다 항상 공산주의자를 악용해 왔다. 1980년에 나에게 사형 선고를 내렸을 때, 한국 정부는 나를 용공분자라고 매도했다. 그리고 정부의 공권력은 광주 시민들이 북한 공작원들의 사주를 받았다고 선전했다. 이것은 모든 나라의 독재자들이 어떤 정치 세력을 파괴해야 할 필요가 생길 때마다 써먹는 낡은 수법이다.

북한 공산주의자들이 내가 강력해지는 것을 원치 않으리라는 것은 나도 부인하지 않지만, 현재 상태로는 북한을 의심할 이유가 전혀 없다. 북한은 설령 나를 죽이고 싶어도 죽일 수가 없다. 그들이 나를 암살하면, 세계 여론과 우리 국민도 처음에는 한국 정부를 의심할 것이다. 그러나 조만간 진상이 밝혀질 것이다. 북한은 전두환을 살인자이고 독재자이며 미 제국주의의 꼭두각시라고 끊임없이 비난해 왔다. 그러나 나에 대해서는 애국자이며 민주 지도자라고 부르면서 항상 지지해 왔다, 그들은 김대중이 대통령이 되면 기꺼이 대화를 하겠다고 말해 왔다. 그들은 정말로 그렇게 말했다. 그런데 나를 암살한다면, 이 세상에서 어떻게 체면을 유지할 수가 있겠는가? 우리 국민이 어떻게 북한을 용납할 수가 있겠는가?

질문 전두환이 주목할 만한 자유화 조치를 취할 가망성이 조금이라도 있다고 생각하는가?

정치보복의 가능성을 일소해야

김대중 글쎄, 나는 상당히 회의적이다. 그러나 전두환이 전임자인 이승만이나 박정희와 같은 운명을 당하고 싶지 않다면 자유화를 허락할 수밖에 없을 것이다. 현재 우리 국민은 상황을 바꿀 수 있을 만큼 강하지는 못하지만, 독재자에게 영원한 안전을 허락하지 않을 만큼은 강하다. 전두환이 끊임없이 약속해 온 것처럼 정말로 1988년에 기꺼이 공직에서 물러날 작정이라면, 우리 국민이 민주체제를 실현하도록 허락지 않을 이유가 전혀 없을 것이다. 그러면 우리는 두 가지를 보장하겠다. 하나는 사회 안정을 이룩하겠다는 것이고, 또 하나는 전두환과 그의 부하들이 공직에서 물러난 뒤 어떠한 정치보복도 가하지 않겠다는 것이다. 그들이 공직에서 물러나면 우리는 어떠한 정치보복도 결코 시도하지 않을 것이다.

나는 이 정부와 그 전의 독재자인 박정희에게 박해를 받아왔지만, 정치보복을 하고 싶다는 욕망은 한 번도 표현해 본 적이 없다. 나는 정치보복을 몹시 증오한다. 나는 군사법정에서 사형 판결을 받고 군법회의에서 최후진술을 할 때, 내가 죽은 뒤 민주주의가 회복되더라도 절대로 정치보복을 해서는 안 된다고 말했다. 우리는 우리 역사에서 정치보복의 가능성을 일소해야 한다. 내 사건이 정치보복의 마지막 사례가 되어야 한다.

질문 귀하는 전두환이 1988년에 정말로 물러날지에 대해서 의심을 품고 있는가?

김대중 그건 뭐라고 말할 수가 없다. 전두환이 정말로 기꺼이 물러날 작정이라면 국민에게 자유로운 선택권을 보장해야 할 텐데, 그렇게 하고 있지 않기 때문에 우리는 그의 약속을 의심하지 않을 수 없다. 설사 전두환이 1988년에 물러난다 해도, 우리 국민이 자유로운 선택권을 갖지 못한다면 멕시코에서처럼 또 다른 전두환밖에는 기대할 수가 없을 것이다. 아시다시피 멕시코에서는 6년마다 대통령이 바뀌지만, 우리는 멕시코를 민주주의 국가라고는 말하지 않는다. 우리는 멕시코를 일당 독재국가라고 부른다. 국민이 자유로운 선택권을 행사하지 못하면 진정한 정권 교체는 기대할 수 없다. 다만 한 독재자에게서 다른 독재자에게로 권력이 이양될 뿐이다. 이것은 우리 국민에게 아무런 의미도 없다.

질문 귀하는 민주주의가 어떤 예정표에 따라 도입되기를 원하며, 민주주의가 제대로 확립되어 지탱해 갈 수 있으려면 어떤 조건이 필요한가?

김대중 그것은 두 가지 사항에 달려 있다. 첫째, 우리가 한국에 대한 정책을 바꾸도록 미국 정부를 설득하여 미국이 민주주의를 지지한다는 인상을 우리 국민에게 심어 줄 수만 있다면, 우리는 1년 이내에 민주주의를 회복할 수 있다고 나는 믿는다. 이것은 미국의 태도와 밀접하게 관련되어 있지만, 거기에는 또 하나의 가능성이 있다. 우리가 우리 국민에게 용기를 불어넣어 줄 수 있다면, 그리하여 우리 국민 대다수가 민주 회복을 위해 일어선다면, 우리는 미국이 정책을 바꾸도록 만들 수 있고 군대 내부의 민주 인사들에게 자신감을 주어 정치에 지나치게 개입하지 않고 중립을 지키도록 만들 수 있다. 그러면 우리는 쉽게 민주주의를 회복할 수 있을 것이다. 민주주의를 회복하기 위해서는 이 두 가지가 필수적인 조건이다.

질문 전두환의 자유화 일정은 무엇이라고 생각하는가?

김대중 나는 전두환이 기꺼이 자유화 조치를 취하리라고는 생각지 않는다. 그는 자유화를 꺼리고 있으며 자유화를 단행할 능력도 없다. 그는 다만 미봉책만을 쓰고 있을 뿐이다. 학생과 정치범들을 석방하고, 학생과 교수들을 대학으로 복귀시킨 조치가 그것이다. 이것은 표면적인 개혁에 불과하다. 그는 자기가 원할 때마다 다시 그들을 체포할 수 있고 다시 대학에서 내쫓을 수 있다. 그는 언론 자유와 공명선거와 지방자치를 절대로 기꺼이 허락하지는 않을 것이다. 전두환은 자유노조운동을 결코 허용하지 않았다. 그가 이런 것들을 허락하기를 꺼리는 한, 그가 민주주의를 기꺼이 발전시키리라고는 믿을 수 없다. 그리고 그가 마음을 바꿀 가능성이 크다고는 생각지 않는다.

질문 한국의 인권 상황이 작년에 조금이라도 개선되었다고 생각하는가?

김대중 그것은 보는 사람의 관점에 달려 있다. 정치범 석방이나 학생과 교수들의 복교를 인권 상황의 개선이라고 한다면, 그렇게 말할 수도 있을 것이다. 그러나 그 정치범들을 체포하고 학생과 교수들을 학교에서 내쫓은 것 자체가 잘못이다. 따라서 석방과 복교 같은 조치가 인권 상황의 개선이라고는 말할 수 없다. 인권이 국민의 기본권으로 쟁취될 때에만 비로소 우리는 인권이 개선되었다고 말할 수 있다. 인권은 독재자들이 베푸는 자선이 아니다. 생명은 독재자들의 자선으로 우리에게 주어진 것이 아니다. 따라서, 어떤 의미에서는 인권 상황이 조금도 개선되지 않았다고 나는 생각한다.

전두환이 정권을 잡은 이후, 언론 자유에 대한 탄압이 극심해져 왔다. 전두환은 정권을 잡은 뒤 현재의 언론기본법을 제정했다. 이 법률에 따르면, 정부가 발행한 프레스 카드가 없는 언론인은 아무도 자기 업무를 수행할 수가 없다. 문공부(현 문화체육관광부) 장관은 어떤 언론의 보도가 우리나라의 안보를 해친다고 생각되면 언제든지 법원의 판결 없이 그 언론사를 폐쇄할 수 있다.

전두환이 정권을 잡은 이후 수백 명의 기자들이 언론사에서 쫓겨났다. 통신사 하나를 포함한 많은 지방 신문사들이 강제로 폐쇄되었다. 두 통신사는 강제로 통합되었고 그 통신사의 소유자들은 소유권을 포기하지 않으면 안 되었다. 그래서 지금 그 통신사는 정부가 관리하고 있다. 어떤 신문사도 지방에 주재기자를 파견할 수 없고, 오직 정부가 관리하는 그 통신만이 지방에 주재기자를 들 수 있다. 따라서 모든 신문사는 그 통신사의 견해를 보도해야만 한다. 박정희 조차도 이런 짓은 하지 않았다.

그들은 언론 매체를 타락시켰다. 언론사의 사주社主들은 정부와 극도로 밀착하여 정부의 적극적인 협력자가 되었다. 이제 언론사의 모든 직원들은 많은 봉급과 세금 감면 등의 형태로 엄청난 특혜를 누리고 있기 때문에 정부와 협력하고 있다. 몇몇 신문의 정치부장들은 전두환 밑에서 국회의원이 되었다. 대통령과 국무총리 및 각부 장관의 대변인들도 모두 언론계 출신이다. 한국에서는 언론이 일종의 특권계층이다. 그들은 많은 특권과 사치스러운 생활을 누리고 있다. 물론 언론 자유를 회복하고 싶어 하는 사람들도 매우 많지만, 그들에게는 힘이 없다. 전두환의 탄압하에서 언론 자유를 위해 애쓰고 싶어 하는 사람이 있다면, 당장 국가안전기획부(현 국가정보원)나 가장 힘이 센 기관인 보안사(현 국군기무사령부)로 끌려갈 것이다. 그들은 감옥에 처넣어지고, 매를 맞고, 고문당하고, 온갖 모욕을 받은 뒤 석방된다. 이 정부는 대단히 교활하다. 정부는 그들을 절대로 재판에 회부하지 않는다. 그들을 실컷 고문하고 협박한 뒤 석방해 주면서, 조사받는 동안 있었던 일에 대해서는 밖에 나가서 절대 말하지 말라고 다짐한다. 경찰과 신문기자들은 정부에 협력할 것을 맹세해야 한다. 이것이 그들의 수법이다.

질문 경제 정책에 대한 귀하의 견해는 전두환의 견해와 어떻게 다른가?

김대중 그건 매우 중요한 질문이다. 우리는 기업가와 노동자와 소비자들

사이에 이익이 균형 있게 분배되는 자유시장 체제를 지지한다. 동등하게 분배되는 것이 아니라 균형 있게 분배되어야 한다. 현재는 결코 자유시장 경제체제가 아니라 정부의 통제경제일 뿐이라고 말할 수 있다. 정부는 법률적으로나 실질적으로나 모든 선택권을 장악하고 있다. 어떤 기업인이 정부의 호의를 잃으면 1년도 못 가서 파산할 것이다. 무일푼이었던 사람도 정부의 총애만 얻으면 몇 년 사이에 실업계의 거물이 될 수 있다. 우리는 많은 증거를 갖고 있다. 어떤 기업인이 정부의 총애를 잃으면 당장 은행대출이 중지되고 세무조사가 시작될 것이다. 그는 조사를 받는 동안 협박을 받거나 고문당할 것이다. 어떤 기업인은 목숨까지 잃었다. 고문을 당하다 죽은 것이다. 그 사건은 작년에 엄청난 논란을 불러일으켰다. 따라서 한국에는 진정한 자유시장 경제체제가 전혀 존재하지 않는다. 정부의 총애를 얻는 사람들만이 실업계의 거물이 된다.

한국에서는 불과 10개의 재벌이 국민총생산(GNP)의 50퍼센트 이상을 차지하고 있다. 그리고 30개의 재벌이 국민총생산(GNP)의 73퍼센트를 차지한다. 권력과 부가 그처럼 집중되어 가는 과정에서 정부와 정당 지도자들은 엄청난 부패를 저지른다. 많은 사람들이 그렇게 믿고 있으며 증거도 있다. 최근 집권당의 제2인자가 당에서 추방되고 국회의원직을 사임했다. 그는 부정 축재를 했다는 비난을 받았다. 축재한 액수는 140억 원이라고 했지만, 모든 사람들은 그보다 훨씬 더 많다고 믿었다. 미국에서는 대통령 보좌관이 일본 잡지사로부터 70만 원을 받았다는 이유로 공직에서 쫓겨났다. 그것은 어린애 장난처럼 사소한 일이다. 한국 사람들은 아마 웃을 것이다. 그것을 어떻게 부패라고 할 수 있느냐고.

질문 민주주의가 지속적인 경제 성장과 양립할 수 있는가?

김대중 모든 기업인과 노동자와 소비자들에게 공정한 기회를 주기 위해서는 자유시장 경제체제가 필요하다. 역사적으로 말하면, 독재정권하에서는 경제 성장을 기대할 수는 있지만 부의 공정한 분배는 기대할 수 없다. 물론 소련에는 사유재산 제도가 없는데도 당과 정부의 고관들은 대단히 특권적이고 사치스러운 생활을 누리고 있다. 중국도 마찬가지고, 공산국가는 모두 그렇다. 그러나 민주주의 국가에서는 그것이 불가능하다. 레이건 대통령도 세금을 내야 하고, 부시 부통령도 세금을 내야 한다. 그들이 충분히 세금을 내지 않으면 마땅히 책임을 져야 한다. 우리는 페라로 사건과 부시 사건을 알고 있다. 그러므로 민주주의하에서는 심각한 부패가 절대로 있을 수 없고, 부의 불합리한 집중 현상도 없다.

또한, 민주정부하에서 강력한 경제 성장을 기대할 수 있겠느냐고 물을지도 모른다. 그러나 그런 본보기는 많이 있다. 서독과 일본은 제2차 세계대전 이후 민주체제를 발전시킨 뒤 눈부신 경제 성장을 이룩했다. 그들은 부의 분배를 실현해 왔다. 부의 분배가 없이는 강력하고 지속적인 경제 성장을 결코 기대할 수 없다. 많은 사람들은 일본이 노동자들에게 부를 분배함으로써 경제 성장을 촉진시킬 수 있는 건전한 기반을 유지해 왔다고 말한다. 이것은 일본이 강력한 경제 발전을 이룩할 수 있었던 하나의 요인이다. 일본에는 부의 분배가 있었다. 부의 분배는 노동자들을 만족시키기 위해서뿐 아니라 경제 성장을 유지하기 위해서도 반드시 필요하다. 그리고 그런 부의 분배를 실현하기 위해서는 민주체제가 절실히 필요하다.

질문 일본인들은 한국에서의 인권과 민주주의를 쟁취하기 위한 운동에서 어떤 역할을 맡을 수 있는가?

일본 정부는 우리의 인권과 민주주의에 관심이 없다

김대중 아주 좋은 질문이다. 우리는 미국이 독재자들을 지지하기 때문에 미국을 비난하지만, 미국과 일본이 한국의 인권과 민주화 문제를 다루는 태도에는 근본적이고 커다란 차이가 있다. 미국은 우리가 1960년에 민주주의를 실현했을 때 민주주의를 지지했다. 그리고 우리 국민은 카터 행정부가 비록 우리를 강력히 지원해 주지는 못했지만 본질적으로 민주주의를 지지한다고 믿었다. 그러나 일본은 한국의 민주주의와 인권을 결코 한 번도 지지하지 않았다.

우리는 미국을 비판하지만, 그리고 미국 정부는 독재정권을 지지하지만, 그들의 지지에는 한계가 있다는 것을 우리는 알고 있다. 그들은 인권과 민주주의에 관심을 기울이지 않을 수 없으며, 우리 한국 국민이 들고일어나 민주주의를 회복하기 위해 강력한 노력을 펼친다면 미국은 그것을 받아들일 것이다. 우리는 그렇게 믿는다. 근본적으로 말해서, 우리는 미국을 증오하지 않는다. 우리는 미국에 아직도 기대를 걸고 있다. 그러나 불행히도 우리는 일본도 미국과 같은 태도를 취하리라고는 믿을 수가 없다. 일본 정부는 우리 국민의 인권과 민주주의에 어떠한 관심도 기울인 적이 없다. 알다시피 일본은 1973년의 내 납치사건에 책임이 있었다. 나는 합법적인 신분으로 일본에 체류하고 있었다. 그런데 일본은 한국 정부가 나를 해칠 위험이 있다는 걸 알면서도 내 안전을 지키지 못했다. 내가 납치된 뒤, 일본은 두 가지 일을 해내겠다고 되풀이하며 약속했다. 첫째는 김대중이 누구에게 어떻게 납치되었는지 그 진상을 규명하겠다는 것이고, 둘째는 내가 일본으로 돌아가는 것을 허락하도록 한국 정부에 압력을 가하겠다는 것이다. 나는 불법적으로 한국에 끌려갔기 때문이다. 그러나 일본은 이 두 가지 일을 포기했다. 박정희 시절, 그래도 미국의 포드 행정부와 닉슨 행정부는 한국의 인권 탄압을 이따금씩 비난했지만, 일본 정부는 박정희 독재정권을 전폭적으로 지지했다. 박정희가 암살된 뒤 전두환이 군사쿠데타를 일으키자, 일본은 전두환을 격려해 주었다. 나는 당시 주한 미국대사였던 사람을 만났는데, 그는 내가 체포된 다음 날 대통령을 찾아가 김대중은 죄가 없다고 말하면서 석방을 요청했었다고 털어놓았다. 그러나 같은 시기에 일본의 특사는 서울에 와서 전두환을 만나 그의 군사쿠데타를 격려하고 있었다.

내가 사형 선고를 받았을 때, 일본은 한국 정부에 얼마든지 항의할 수 있는 입장이었다. 한국 정부는 일본과 미국에서의 활동을 이유로 나를 처벌하지 않겠다는 약속을 저버렸기 때문이다. 한국 정부는 나를 죽일 근거를 찾았지만 하나도 찾아내지 못했다. 그래서 그들은 내가 일본에 있을 때 반국가단체의 수괴였다는 혐의를 뒤집어씌웠다. 반국가단체의 수괴는 사형에 처한다는 법률이 있기 때문에 김대중은 틀림없이 죽을 터였다. 물론 그 혐의는 사실이 아니었다. 그러나 일본은 한마디도 항의하지 않았다. 미국은 나를 죽이지 말라고 강력하게 경고했으며 나에게 씌워진 혐의가 순전히 '억지'라고 공공연히 폭로했지만, 일본은 그렇게 하지 않았다. 미국과 일본의 태도에는 그런 차이가 있다. 그러나 내가 납치된 뒤 일본에서는 우리 국민의 인권을 지지하는 움직임이 점점 고조되어 왔다. 일본에 있는 수많은 우리 친구들이 우리 국민과의 연대감을 표현하기 위하여 단체를 조직했다. 양쪽은 밀접한 유대를 맺고 있으며, 우리는 민주주의를 지지하는 일본 국민과 한국 국민의 우호 관계와 상호 이해를 증진시키기 위해 노력하고 있다.

질문 마지막으로, 귀하의 지속적인 민주화투쟁에서 귀하의 신앙이 맡아 온 역할을 간단히 설명해 줄 수 있겠는가?

김대중 내 신앙은 나에게 많은 동기를 부여해 준다. 나는 기독교인으로서 인권과 민주주의를 위한 이 투쟁에 참여하기 위한 용기를 얻는다. 내가 정말로 옛 그리스도의 훌륭한 제자가 되기를 원한다면 억압받는 사람들 편에 서야 한다. 나는 사회의 불의와 맞서 싸워야 한다. 예수님은 몸소 그렇게 하셨고, 우리에게도 그렇게 하라고 요구하셨다. 기독교를 믿는 정치인은 억압받는 사람들이 주님의 사랑에 비추어 사회정의를 실현할 수 있도록 하기 위하여 그런 정신을 가지고 정치에 참여해야 한다. 우리는 우리의 정적政敵들에게 어떠한 보복도 시도해서는 안 된다, 기독교 신앙이 그것을 지지하지 않기 때문이다.

* 이 글은 『저널오브인터내셔널어페어스』(Journal of International Affairs)지 1985년 겨울 호에 실린 기사로 1984년 11월에 인터뷰한 것이다.

1980년대에는 이 땅에 민주주의가 온다

대담 한국 기자단

일시 1984년 11월 4일

질문 선생께서 지난 9월 초순에 대략 금년 말 중에 귀국하겠다는 결심을 양국 정부에 통보한 바 계십니다. 그 문제는 국내외적으로 상당히 중요한 문제라고 생각되어서 워싱턴에 와 있는 저희 기자단들이 선생님을 찾아뵙기로 계획을 세우고, 오늘 선생님을 뵈어서 반갑습니다.

이제 그와 관련된 몇 가지 질문을 하겠습니다. 먼저 선생님의 귀국 목적과 시기에 대해 다시 한번 말씀해 주시면 고맙겠습니다.

김대중 아직 최종적인 결정은 안 났지만 대체적인 의견들은 연초에 가는 것이 연말보다는 낫겠다, 이런 의견을 보내온 것입니다. 뿐만 아니라, 일방 1년여 전부터 유럽의 독일, 프랑스 또는 스웨덴 등의 대통령이나 국가 지도자들과 계속 연락이 있었고 또 로마 교황하고도 연락이 있었습니다. 그중에서는 많은 분들이 한번 유럽을 왔다 가도록 직접 간접으로 말씀이 있었고 최근에는 세계기독교민주당대회에서 나의 안전 귀국을 결의하면서 역시 또 초청을 했습니다. 그래서 이 문제를 위한 내 여권의 제한을 해제하도록 요청을 하고 있는데, 그것이 만일 한국 정부에 의해 받아들여지면 1월부터 2월 사이에 유럽을 다녀오게 될 가능성도 있습니다.

이 문제는 아마 이달 중순까지 최종 결론이 날 것으로 봅니다. 그리고 내가 한국에 돌아가기로 결심한 것은 처음부터 나는 여기 와서 머지않아 돌아가겠다고 약속을 했지만, 또 나의 하버드대학 수학이라든지 미국 친구들하고 접촉도 대개 끝났기 때문에 돌아갈 단계도 됐지만 무엇보다도 내가 돌아가기로 결심한 이유는 크게 두 가지입니다.

하나는, 지금 고난 속에 싸우고 있는 국내의 민주 세력, 이 동지들의 그 고난에 동참하고 이제는 가서 같이 협력해서 싸우는 것이 필요하다 이렇게 생각하는 것이 그 하나고요, 둘째는 내가 상당히 위험스럽게 느끼는 문제로서, 지금 한국 국민의 절대다수가 현 독재정치를 반대하고 있습니다. 그러나, 많은 사람들이 무력감 또는 이기주의 등에 빠져서 방관 상태에 있습니다. 이래가지고는 민주주의가 회복될 수가 없습니다. 동시에 정반대로 또 일부에는 극히 소수지만 아주 래디컬리즘(radicalism)으로 흘러가는 경향도 있습니다. 이 모두가 우리 민주주의 회복을 위해서는, 그 심정들은 이해하지만, 도움이 안 된다고 생각합니다. 그래서 내가 돌아가서 이분들과도 대화를 해서 격려하고 고무하고 또는 서로 의견 교환을 해서 우리가 같이 일치단결해서 민주 회복의 대열에 나갈 수 있도록 하고자 하는 것입니다. 하나 더 첨가해서 말씀드릴 것은, 내가 한국에 돌아가는 것은 반드시 전두환 정권과 국민의 뜻을 받들어서 우리나라의 국시인 민주주의의 방향으로, 정말로 자기들이 입으로 말하는 대로 나갈 생각이 있다면 전두환 정권과 대화를 해서 이 문제를 평화적으로 풀고 싶다, 이렇게 생각을 합니다.

지금 나의 귀국에 대해서 전두환 정권은 처음에는 맹렬히 반대하고 내가 귀국하면 체포하겠다고까지 위협을 했고 그런 상태는 아직도 변화가 없습니다. 귀국해서 과연 자유롭게 우리 국민과 접촉해서 지금 말한 그런 일을 할 수 있을는지, 아니면 결국 감옥에 가거나 연금 상태로 들어갈는지 그것은 전두환 정권 자체에서 알아서 할 일입니다.

때문에 내가 여기에 대해서는 선택권이 없습니다. 다만 내가 선택권을 가진 것은 내가 내 나라인 한국에, 내 조국에 돌아가겠다는 선택권, 그리고 어떤 고난이 있더라도 우리 국민과 같이 있겠고, 그리고 민주주의를 위해서 싸우는 우리 동지들과 같이 고난을 나누겠다는 이것은 누구도 빼앗을 수 없는 나의 선택권입니다.

나는 내 자신의 귀국 그 자체가 우리 국민에게 가장 큰 메시지가 되고 또 가장 큰 우리들의 일체화의 길이기 때문에 그 이후 내 신상에 대해서 어떻게 하느냐 이 문제에 대해서는 전두환 정권의 태도를 보고 그다음을 대처하기로 생각을 하고 있습니다.

질문 세 가지 질문을 말씀드리겠습니다. 첫째, 미국 생활 2년에 대한 선생님 스스로의 평가와 둘째, 미국의 대한국 정책과 일본의 그것과의 비교 셋째, 안보를 위해서는 독재도 필요하다는 미국의 정책과 주한 미군의 문제를 말씀해 주십시오.

김대중 미국에서 지난 2년 동안의 성과는 물론 만족할 만한 것은 못 되지만 그러나 당초에 기대하던 만큼 또 어떤 분야에서는 그 이상의 일을 우리 국민을 위해서 할 수 있었다고 생각을 하고 있습니다. 무엇보다도 미국 각계각층, 국회·언론계·종교계·인권단체 혹은 학계 등 이런 각 분야에 많은 지지자를 얻어서 그 사람들이 지금 적극적으로 한국의 민주화와 인권을 지원하는 길로 나섰다는 사실입니다. 일례를 들면 금년(1984년)에 들어서 두 번이나 수십 명의 국회의원이 한국의 민주화와 인권에 대한 서명운동을 했고, 또 최근에는 내 자신의 안전 귀국과 돌아가서의 자유 보장, 그리고 김영삼, 김종필 씨 등 99명에 대한 전면적인 정치 활동의 자유 보장을 요구하는 결의 편지,

즉 전두환 대통령에게 보내는 편지에 64명의 하원의원이 서명을 했고 지금 계속 상원의원들이 서명을 하고 있습니다. 이 사실이 단적으로 증명하고 또 그동안에 기독교교회협의회(NCC)라든가, 혹은 감리교라든가 하는 이런 교단 등에서도 내 문제에 대해서 많은 결의가 있었고 아까도 말씀드렸다시피 세계기독교민주당대회에서도 결의가 있었습니다. 또 지금 각종 인권단체, 법조단체에서 계속적으로 모임을 갖고 지원하고 있습니다. 이것은 내 개인만을 들어서 감사할 일이 아니라 우리 국가의 인권과 민주주의를 위한다는 차원에서 참으로 감사해야 할 일이라고 생각하고 있습니다.

민주주의와 안보는 절대 불가분

김대중 다음으로 내가 말씀드리고자 하는 것은 앞으로 레이건 대통령이 재선된다 하더라도 오늘이 11월 4일이니까 모레가 투표일인데 저는 재선될 가능성이 크다고 보고 있습니다만 과거와 같이 전두환 독재정치를 지지하는 일변도로 나가는 방향에 상당한 수정이 기대된다는 겁니다.

그 이유로는 첫째, 지난번 민주당대회에서뿐만 아니라 공화당대회에서까지도 한국에서의 민주주의를 지원해야 한다는 선거공약이 채택됐다는 사실입니다. 오늘날 필리핀에 있어서 미국의 독재 지지가 파탄을 초래했기 때문에 한국에서 이를 되풀이해서는 안 되겠다는 경각심이 높아지고 있습니다. 그리고 그동안에 내가 미국 백악관 또는 국무부 당국자들과도 누차 만난 결과, 이분들이 결코 한국에서의 민주주의 자체를 반대하는 것이 아니고, 다만 말하자면 안보의 입장에서 현 전두환 정권 자체에 대해서도 지지할 수밖에 없지 않으냐 하는 생각인데 이것이 전면적으로 잘못됐다는 나의 주장에 대해서 상당히 이해가 증진된 것은 분명합니다.

내가 말하기를 "우리는 6·25전쟁 때도, 북한 공산군이 남침해 오고 중국군

백만 이상이 내려왔을 때도 그 당시에 민주주의적 자유가 있었다. 언론 자유, 직접선거, 지방자치, 국회와 사법부 독립, 그렇게 자유를 향유하면서도 이 전쟁을 이겨내서 공산군을 격퇴한 것이다. 아니 오히려 그 자유가 있었기 때문에 우리 국민들은 이것을 지킬 자유를 더 절감하고 그와 같은 성과를 올린 것이다. 자유 없이 국민들은 공산당과 싸우라고만 한 결과는 중국에서, 베트남에서, 캄보디아에서, 라오스에서 혹은 쿠바에서, 도처에서 다 실패했다." 이 점을 역설했습니다.

또 "자유가 있을 때 안보가 얼마나 잘되느냐를 오늘날 이스라엘에서 보는데, 민주주의를 함으로써 민주주의를 안 하는 아랍세계에 대항해서 얼마나 이스라엘이 잘 싸워 냈느냐! 그렇기 때문에 민주주의와 안보는 절대 불가분하다. 세계에서 민주주의를 하면서 공산당에 위협받는 나라가 있는가? 세계에서 민주주의를 안 하면서 안보가 제대로 된 나라가 있는가? 그걸 우리가 보아야 한다"고 역설을 했습니다. 그 단적인 예가 서독입니다. 서독이 민주주의를 하기 때문에 얼마나 동독에 대해서 자신이 있는가. 왜 우리가 이런 성공적인 예를, 우리 자신의 30년 전 그 성공적인 예를 버리고 지금 실패한 베트남이나 필리핀의 예를 따라가야 하는가. 이것에 대해서는 누구나 공명 안 하고 납득 안 하는 사람이 없습니다. 그렇기 때문에 나는 우리 국민들이 또 재미교포들이 적극적인 노력을 하면 미국의 이런 잘못된 정책을 분명히 바꿀 수 있다는 것을 나는 말할 수 있습니다.

그다음 이유로, 미국과 일본의 정책을 볼 때 우리가 국민에게 독재를 지원한다고 비난하지만 근본적으로 미국과 일본은 큰 차이가 있습니다. 그래도 미국은 인권이나 민주주의에 관해서 계속 관심을 표명하지만 비록 우리는 만족하지 않더라도 일본은 그걸 한 번도 표명한 일이 없습니다. 또 미국은 한국에서 민주주의가 되는 것이 최선이지만 그것이 안 될 바에는 독재체제로라도 공산당을 막아야 될 것 아니냐, 이런 태도이지만 일본은 한국에서 민주주의 정부가 나오는 것 자체를 바라지 않습니다. 그걸 우리가 분명히 알아야 합니다. 그리고 미국의 언론은 완전히 독립적 입장에서 한국의 사실을 사실대로 보도하려고 노력하지만 일본의 언론은 지금 완전히 한국 정부의 비호하에서 한국 정부에 유리한 일만 보도하고 진실을 보도하지 않고 있습니다. 이런 큰 차이가 있습니다. 다만 국민의 내부에는 일본 국민이 미국 국민보다 훨씬 더 한국 문제에 대해서 관심을 많이 가지고 있는 것은 사실입니다. 이것은 우리가 큰 희망을 가질 수 있고 일본 내에 우리를 지원하는 강력한 민주인권 세력이 우리와 연대하고 있다는 것을 여러분께 말씀드릴 수 있습니다.

그리고 미군 철수 문제에 관해서 질문이 있었는데, 나는 근본적으로 미군이 한국에서 나가야 한다, 우리의 안보는 우리가 해야 한다, 이 점에 있어서는 변함이 없습니다. 다만 지금의 현실에 있어서는 오늘과 같은 상황, 즉 국민의 적극적인 지지를 받는 정부가 없는 약한 정부이기 때문에 전혀 안보 태세가 안 되어 있는데 미군이 나가면 당장에 한국 내에 일대 불안 상태가 조성됩니다. 때문에 민주정부가 수립돼서 북한과 확고한 평화 태세를 갖추면서 미군이 점진적으로 나가야 한다, 그래서 안보는 우리 국민의 힘으로 해야 하고 종국은 남북 간의 평화를 정착시켜 나가야 한다, 이렇게 생각을 하고 있습니다. 그리고 이 미군을 우리가 나가라고 하는 것에 대해서, 그것을 주장하는 사람에 대해서 절대 비난하지 않습니다. 그러나 내 입장은, 지금은 아니다, 민주정부가 수립돼서 나가는 게 옳다, 또 사실 지금 아무리 나가라고 하더라도 현 전두환 정권이 미국보고 미군 나가라고 할 이유가 없고 나가라고 할 자신도 없는 것입니다. 그렇기 때문에 결국 미군이 나가는 문제는 실제 필요성으로 보나 가능성으로 봐서 민주정부 수립 후의 일이다, 이렇게 생각을 합니다.

질문 한반도 평화에 대한 전망과 그에 관련된 통일 방안과 남북 교류 문제에 대해서 어떻게 생각하고 계시는지 말씀해 주시기 바랍니다.

김대중 먼저 말씀드리고 싶은 것은 최근에 수재 구호품이 남북 간에 오가는 것, 이것은 양쪽이 어떠한 의도에서 했건 대단히 잘된 일이다, 보낸 북한도 잘했지만 또 그것 없이도 수재민을 충분히 구제할 힘이 있는 남한에서도 이것을 받아들인 것은 참 잘한 일이다, 이렇게 생각을 합니다. 그리고 이어서 지금 적십자회담 혹은 경제회담, 스포츠회담 등이 진행되어 가는 과정에 있는데 이런 것도 진심으로 환영해 마지않습니다. 어쨌거나 우리는 정치적인 문제는 우선 해결이 어렵더라도 기타 분야에 있어서 서로 이런 접촉과 화해 교류가 이루어져야겠다, 그래서 어떤 일이 있어도 전쟁으로 끌고 가는 일이 있어서는 안 되겠다, 이렇게 생각을 합니다.

나는 물론 남한에서 북한을 침략할 리는 전혀 없고 또 북한도 이 시기에 남침할 의사가 없고 사실 능력도 없다고 보고 있습니다. 북한은 지금 중국과 소련 간의 중간적 입장이라 하지만 소련하고는 상당히 소원해졌고, 중국의 길을 하나의 참고로 해서 그런 방향으로 나가고 있는 걸로 보기 때문에 앞으로 적극적인 교류의 길로 나서겠다는 점은 사실로 봅니다. 그리고 남한과도 제한은 있지만 그런 점에서 상당한 교류를 해 나갈 거라고 보기 때문에 나는 한반도에서 전쟁의 가능성은 상당히 감소되어 가고 있다고 생각합니다.

그러나 근본적으로 내가 얘기하고 싶은 것은 한국에서의 안보와 통일을 위해서는 남한에 민주정부가 절대로 선결 조건입니다. 북한은 남한에 국민의 지지를 받지 못하는 불안정한 정권이 있는 한은 남한 공산화의 야욕을 절대 버리지 않을 것입니다. 또 버리지 않음으로써 우리의 평화는 언제나 북한의 자비심에 의존해야 하는 상태가 옵니다. 남한에 국민의 지지를 받는 정부가 섰을 때 우리는 국내에 진정한 안정을 실현할 수 있고, 국민의 전면적 지지와 안정이 있을 때 비로소 안보는 성립이 됩니다. 그렇게 되면 북한은 남침

야욕을 버리지 않을 수가 없습니다. 이때 진지한 대화가 비로소 이뤄져서 한반도에 평화가 옵니다. 이것 외에는 길이 없습니다.

통일은 뜨거운 정열과 얼음 같은 이성으로

김대중 이 통일에 대해서도 우리는 정말 뜨거운 정열과 더불어 얼음 같은 이성을 가지고 생각을 해야 합니다. 이 문제는 절대로 낭만주의적인, 혹은 민족적인 감상만 가지고 되지 않습니다. 그렇다고 통일에 대한 열망 없이 이해타산만 가지고 될 수는 없는 문제입니다. 우리에게 이런 좋은 예를 보여 주는 두 사람이 있는데, 이승만 박사와 김구 선생입니다. 이승만 박사는 냉철한 계산가였지만 그 사람은 통일할 의사가 전연 없었습니다. 김구 선생은 민족애와 통일에 대한 열망은 어떤 사람보다도 높았지만 그분은 현실적으로 통일을 할 방안을 가지고 있지 못했습니다. 김구 선생이 그때 택할 수 있는 길은 둘 중에 하나뿐이었습니다. 모스크바삼상회의를 받아들여서 그 결정에 따라 3년간의 신탁통치를 받은 후에 통일정부를 수립하느냐, 그 길 하나, 또 하나는 본인이 남한 단독정부라도 참가해서 이승만 박사같이 단독정부로서 영구분단하려는 사람을 밀어내고 자기가 정권 잡아서 이북과의 대화를 통해 통일의 길로 나아가느냐, 이 두 길 가운데 하나였던 것입니다. 그런데 그걸 둘 다 거절했어요. 신탁통치도 거절하고 남한만의 정부 수립에 참가하는 것도 거절하고 이러기 때문에 그분은 현실적인 안이 없었습니다. 이런 까닭에 통일이 안 됐습니다.

그래서 우리는 한국에서 민주정부가 서서 국민의 절대적인 지지를 받는 정부가 있을 때만 북한이 전한국全韓國 공산화의 야욕을 버리고 진지하게 평화에 응하고 통일에 응해 옵니다. 그 통일도 양쪽이 안심할 수 있을 만큼 착실하게 나아가야 합니다. 그렇지 않으면 주변 강대국의 방해라든가 혹은 양쪽 내부의 반대 세력에 의해서 뒤집힙니다. 우리는 북한을 민주화할 생각도 없지만 남한의 공산화도 절대로 용납할 수가 없습니다. 지금 북한에서 제안한 고려연방제라는 것은 미국이나 캐나다 같은 연방제이고 양쪽 정부도 일종의 지방자치적인 정부의 성격을 갖는데, 이건 현 단계로 봐서 시기상조입니다. 더구나 군대를 하나로 통합할 수가 없습니다.

그러나, 내가 제안한 것은 공화국연방제입니다. 완만한 중앙의 통일연방기구 밑에 양쪽 정부가 실질적인 두 개의 정부로서 국제연합(UN)도 가입하고 국제적으로 동시 외교도 하고 한마디로 말해서 양쪽이 합의한 만큼 차츰차츰 중앙연방으로 권리를 이양해 가지고 종국에 완전 통일을 한다, 이것이 내 안입니다. 내 안에 대해서는 프린스턴대학의 리처드 포크 같은 분도 그 내용을 읽어 보고 지금까지 남북 전체에서 한반도 통일에 대해 나온 안 중에서 가장 합리적이고 실현 가능성이 있는 안이다, 앞으로 한국 통일 문제는 결국 김대중 씨의 이 안을 중심으로 논의될 것이다, 하는 의견을 표시한 바 있습니다.

그래서 나는 내 하나의 소원은 어떻게 남한에 민주정부를 수립해서 남한 우리 국민 4천만에게 자유와 정의와 인간의 존엄성이 보장되는 사회를 만드느냐 이겁니다. 그리고 이것을 토대로 해서 이북과 대화를 해서 공존하는 통일의 길로 나아가느냐, 그래서 우리 자손들에게 전쟁의 위협도 없고 분단의 슬픔도 없는, 그리고 장래 문제는 자기들이 남북 양쪽의 민족적 화해와 의견교환에 의해서 민족적 지혜를 가지고 해결하는 길을 열어 주느냐, 이것이 내 소원이라는 것을 말씀드리고 싶습니다.

질문 김 선생님의 민주주의에 대한 의견과 한국 국민이 민주 역량이 있느냐 하는 의문에 대한 소감, 그리고 1980년 민주화 좌절에 이른바 3김 씨 또는 2김 씨에게 책임이 있다는 말에 대해서 어떻게 생각하시는지를 말씀해 주십시오.

김대중 예, 민주주의에는 여러 가지 형태가 있습니다. 대통령중심제, 내각책임제, 기타 절충제 등이 있지만 어떤 형태의 민주주의이건 적어도 민주주의라 하는 것은 국민이 그 결정권을 갖지 않으면 민주주의가 아닙니다. 때문에 링컨이 "국민의, 국민에 의한, 국민을 위한 정부"라고 민주주의를 정의했지만, 사실은 "국민을 위한, 국민의" 이것은 군더더기입니다. "국민에 의한", 즉 "By the People" 이것이 민주주의의 핵심입니다.

내가 이런 말을 지난번 필라델피아 연설에서 말했더니 거기 계셨던 어떤 대학교수가 나중에 내게 전화를 걸어 미국 정치학회에서도 최근에 민주주의의 정의를 내렸는데 "민주주의라는 것은 국민에게 선택의 자유를 주는 거다. 선택권을 주는 거다." 이렇게 했다는 것을 들었습니다.

그런데 민주주의에서 국민이 선택권을 가지는 데, 즉 주인으로 행세하는 데는 가장 핵심적인 것이 세 가지입니다.

하나는 언론 자유입니다. 언론 자유가 있어야 국민이 진실을 알고 자기 의사를 여론으로 말할 수 있습니다. 또 그다음으로는 선거 자유입니다. 선거의 자유가 있어야 국민이 주권자로서 대통령이나 자기의 국회의원이나 혹은 지방의원 등 국정에 관한 것을 자의로 결정할 수 있습니다. 그리고 민주주의에 있어서 양대 골격인 중앙의 의회제도와 더불어 지방의 지방자치가 절대적으로 필요합니다. 그런데 한국은 이 셋이 다 없습니다. 이 세 가지가 있으면 그 외 학원의 자유라든가 노동자의 문제라든가 농민의 문제라든가 소비자의 권리라든가 하는 등등의 모든 문제가 다 해결됩니다. 이 세 가지 없이는 절대로 해결이 안 됩니다. 자유선거도 지방자치 없이는 될 수가 없습니다.

최근에 엘살바도르를 보니까 그 나라 대통령이 나라가 전란 속에 있는데 지방자치를 하니까 반란군을 보고 참가하라는 말을 듣고 깜짝 놀랐습니다. 지방자치가 있어요. 대만은 1950년대부터 지방자치를 해 가지고 크게 성공하고 있습니다. 아프리카의 가나 같은 나라도 지방자치로서 시장 선거를 하고 있습니다. 30년 전에 우리도 했습니다. 그러던 것을 지금 하지 않고 있습니다. 국민소득이 2천 달러라는 나라가, 신공업국가라는 나라가 지방자치를 안 하는 데가 세계에서 어디에 있습니까?

그리고 언론 자유는 민주주의의 핵심입니다. 다 없어도 이것만 있으면 부패도 막을 수 있고 독재도 막을 수 있습니다. 그래서 민주주의에서는 이런 문제가 가장 중요하다는 것을 말씀드리고 싶고 그다음에 한국 사람들이 과연 민주 역량이 있느냐 하는 문제입니다. 그런데 우리 국민은 아까도 말했지만 이미 6·25전쟁 때 전시하에서도 민주적 자유를 향유하면서 전쟁을 치러 냈고 안보를 행할 수 있는 역량을 표시했습니다. 또 4·19혁명 때도 그 역량을 표시했습니다. 또한 박정희 씨가 암살당한 10·26사태 후에 한국 국민이 질서를 지키고 안정을 유지했습니다. 이것을 보고 내가 만난 모든 서방세계의 외교관들과 대사들이 전부 한국 국민이 이만큼 민주국민으로 성숙했다는 것을 다 인정했습니다. 그때 전두환 씨의 쿠데타 때문에 민주주의가 안 된 거예요. 또 우리가 역사적으로 볼 때도 우리 한국에서, 일본이나 유럽하고 달라서, 신라 통일 이래 고려 중기에 무신 지배의 백 년을 빼놓고는 천3백 년 동안 계속 문인 정치를 했습니다.

신라나 고려나 이조의 건국은 군인이 했지만 건국한 바로 후 문인 정치로 들어갔습니다. 또 우리나라에서 이 민주주의의 핵심인 언론이 얼마나 중요시됐는가, 예를 들어 이조시대 조광조 선생이라든가 이율곡 선생 같은 분은 "언론의 길이 막히면 나라가 망한다. 언로言路가 열리느냐 닫히느냐에 나라의 흥망이 결정된다"고 역설했습니다.

그것이 실제 정부 제도로서 보장되고 있었던 것입니다. 실례로 사간원이라든가 사헌부가 있어서 여러 가지로 임금이 잘못한 것, 정부의 관료들이 잘

못한 것을 지적하고 규탄했습니다. 만일 임금의 잘못을 보고도 사간원 관리가 말하지 않으면 그건 직무유기가 되며 배임입니다.

또 이조시대의 당파 싸움을 보더라도, 당파 싸움 그 자체는 우리가 그렇게 자랑스러운 것은 아니지만 당파 싸움이 무력을 가지고 싸우지 않고 말을 가지고 했습니다.

그뿐만 아니라 그 말의 자유를 위해서는 독약을 먹고 귀양을 가면서도 끝까지 주장을 했습니다. 이러한 일은 다른 나라 역사에선 찾아볼 수 없는 일입니다.

우리가 조선왕조 말엽의 동학을 보더라도 좋은 예를 찾을 수 있습니다. 동학정신이란 "인내천, 사람이 즉 하늘이다, 사인여천, 사람 섬기기를 하늘 섬기듯 하라." 이런 것은 우리 동학의 토착종교에서 나온 위대한 정신인 것입니다, 이건 민주주의로, 민주주의의 기본정신으로 연결될 수 있다고 생각하는 것입니다.

그래서 나는 우리 국민이 지금 민주주의 하는 데 있어서 제일 큰 문제는 많은 사람이 적극적으로 참여해서 민주 회복을 해 놓으면 한국 국민은 세계 어디에다 내놓아도 부끄럽지 않은 국민이 될 것이며 또한 민주주의를 해낼 수 있는 역량을 증명할 수 있습니다.

지금 한국의 대학 수는 세계에서 미국 다음으로 그 수적 비율이 높습니다. 미국 다음에 한국, 한국 다음에 일본, 프랑스, 독일 이런 순입니다.

그리고 아까 나온 3김 씨 혹은 김영삼 씨와 내가 그때 1980년에 서로 내부에서 싸웠기 때문에 전두환 씨가 군사쿠데타를 할 수 있었지 않으냐 이것은 전혀 이치에 맞지 않는 소리입니다. 그것은 첫째로 우리 3김 씨나 2김 씨나 서로 경쟁한 것은 사실이었지만 어떠한 폭력이나 혼란도 없었습니다. 민주주의를 할 수 있게 되니까 대통령 후보 가능성이 있는 사람들이 경쟁하는 것은 당연한 일입니다. 그러나 거기에 다소 말썽이 있었다 하더라도 그것은 어디까지나 나라 살림이나 집안 살림을 잘하자는 의견 교환이나, 의견 대립에 불과합니다. 거기에 뛰어들어 사람을 죽이고 물건을 빼앗고 하는 그런 폭력과 살인강도 행위 그것과는 동일시할 수 없습니다.

그런데 5·17쿠데타로써 그것이 좌절된 것입니다. 때문에 5·17쿠데타만 일어나지 않았으면 민주주의는 그대로 되는 것입니다, 그 쿠데타를 주동한 사람이 나쁘지 국민의 환영 속에서, 국민 앞에서 자유경쟁하겠다는, 민주주의 본질대로 하겠다는 그 사람들이 나쁘다고 할 수가 없습니다. 그렇기 때문에 이 문제는, 내가 간혹 그런 말을 듣는데 이것은 쿠데타를 일으킨 사람들이 자기네를 합리화시키기 위해서 퍼뜨린 그런 루머, 그리고 인간 심리는 뭐가 잘 안 될 때는 구실을 찾아 가지고 거기다 책임을 뒤집어씌우고자 하는 그런 심리에서 나온 말이지 진실을 말한 것은 아니라고 생각합니다.

질문 경제 문제에 관해서 묻겠습니다. 선생님께서 하버드대학교 국제문제연구소에서 연구 생활을 끝내신 직후에 「대중 참여의 경제」라는 제하의 논문을 제출하시고 그 내용이 경제 전문 교수들에게서 훌륭하다는 평을 받은 걸로 알고 있습니다. 그 내용을 중심으로 해서 선생님의 경제관, 기업인관에 대해서 말씀해 주시면 고맙겠습니다.

김대중 내가 하버드대학에 「대중 참여의 경제」라는 논문을 냈고 이번에 하버드대학 출판부에서 책으로 나오도록 합의를 보았습니다. 그 논문에 자세한 것들이 설명되어 있습니다만 이 자리에서 한마디로 요약하자면, "현재의 한국 경제는 관권 경제이기 때문에 이것을 진정한 자유경제로 전환을 해야 한다"는 것이 제 주장입니다. 현 한국 경제는 관료들이 전면적으로 지배하고 있습니다. 그 결과 외형적으로 성장 위주로만 끌고 나감으로써 국민들이 막대한 희생을 치러야만 했습니다. 특히 인플레이션으로 인한 희생을 오직 국민들이 모두 감당을 하고 있습니다.

경제는 성장과 안정과 분배의 조화가 핵심

김대중 경제는 성장과 안정과 분배, 이 셋이 어떻게 조화를 해 나가느냐에 따라 성패가 달린 것이지요. 물론 서로 어긋나는 면도 있지만, 또 서로 보완되는 관계이기 때문에 이 '조화'가 경제 정책의 핵심입니다. 그런데, 인플레이션에 의해 물가가 올라가더라도 한없이 화폐를 찍어 내고 어떻게든 외채만 빌려다가 사용하면 일단 성장은 할 수 있습니다. 불과 집권 3년 만에 2백억 부채가 4백억이 되더라도 겉으로는 성장한 것처럼 보인다 이겁니다. 그렇지만 거기서 오는 외채 부담과 국민 희생은 어떻게 하느냐 하는 문제입니다.

한국 경제는 지금 기존의 재벌 기업들이 급속히 중소기업 각 분야를 모두 독점해서 아주 비대해져 가고 있습니다. 어제 내가 알고 있는 스탠퍼드대학의 어떤 교수에게서 편지가 왔는데, 자기도 몹시 한국을 사랑한다면서 한국 문제에 여러 가지 우려되는 점을 지적하고 그중 하나로 한국 재벌의 비대 현상에 대해 커다란 우려를 내게 전해 주었습니다.

아시다시피 한국 경제는 이 재벌 경제입니다. 국민 경제가 아닙니다. 불과 열 사람의 재벌 기업이 국민총생산(GNP) 50퍼센트를 좌우하고 있고, 불과 30개의 재벌이 은행 융자의 40퍼센트를 장악하고 있습니다. 또한 전두환 씨의 집권 후에 약간 자제한 것 같아 보이던 부동산 투기나 기업 흡수 확대가 그 집권 전보다 몇 배나 더 불어났습니까? 이건 신문에 나오는 것만으로도 다 알 수 있는 사실입니다. 이렇게 해서 한국 경제는 관료와 소수 기업인의 손에 집중되어 있습니다. 미국은 제너럴모터스 같은 대기업에 50만 이상의 주주가 있습니다. 일본도 미쓰이, 미쓰비시 또는 그 외 어떤 기업도 한 사람이 50퍼센트 이상의 주식을 갖고 있지 않습니다. 그러나 우리나라는 10억 달러, 20억 달러 규모의 기업이 한 사람의 소유입니다. 이런 예는 대만에도 없고 싱가포르에도 없습니다. 우리나라와 비슷한 처지에 있는 나라 가운데서 오직 우리나라만이 이와 같은 경제구조를 가지고 있습니다. 이것은 국민의 단합과 화해에도 큰 지장을 줄 뿐만 아니라 경제에 있어서 가장 중요한 요소인 중소기업들을 총파탄으로 몰고 가는 것입니다. 그동안 참 우리 중소기업들이 눈에 안 보이게 어렵사리 지탱해 왔는데 갈수록 총파탄의 길로 치닫고 있다 이거예요. 그리고 노동자들에게 정당한 보수를 주지 않기 때문에 노동자들이 사회적으로 몰락해 가고, 정부에 대해서 반감을 갖고 이 나라 자체에 반감을 갖게 됩니다. 다시 말해서 사회불안의 요소를 증가시킨다는 사실입니다. 뿐만 아니라 경제적으로도 막대한 후퇴 요소, 즉 마이너스 요소를 형성하는 것이지요. 오늘날 일본이 저렇게 경제가 성장해 간 큰 이유는 일본에서 소위 말하는 '춘투', '추투', 즉 봄투쟁, 가을투쟁 등을 통해서 계속적으로 노동조합들이 임금을 많이 받아 낸 것 때문이에요. 그 많이 받아 낸 결과가 구매력으로 다시 재생되어 가지고 기업을 받쳐 준 덕택입니다. 일본은 분배가 효과적으로 확산되어 갔다 이거예요. 이런 예에서도 보는 바와 같이 노동자를 대우해 주고 농민의 곡가를 보장해 주는 것이 어떻게 보면 그 사람들만을 위하는 것 같지만 실제로는 기업으로 다시 되돌아오는 것입니다. 이래야만 건전한 경제가 되어 갑니다.

그런데, 한국은 구매력의 바탕이 아주 약해요. 수출에 조금만 이상이 생겨도 기업이 온통 흔들려 버립니다. 기업 자체가 아주 취약한 지반 위에 서 있다 이거예요. 이런 까닭에 대중경제를 반드시 실행해야만 하는데, 그러면 여기서 경제의 목적은 뭐냐? 한마디로 '경세제민經世濟民' 입니다. 나라를 어떻게 경영하고 백성, 즉 국민을 어떻게 구하느냐 하는 문제에서 나온 것이 '경제' 입니다. 경제의 목적은 단적으로 말씀드려서 국민 전체를 잘살게 하는 것입니다. 이를 위해서는 성장도 필요하고 또 안정도 필요하지만 분배도 이와 똑같은 차원에서 병행되어야만 합니다. 분배 없는 성장과 안정은 아무 소용이 없는 사상누각입니다. 그렇다고 해서 노동자 등 생산 현장의 국민들에게 그 사람들의 생산성 향상 이상의 분배를 해 주면 이것은 결국 인플레이션으로 연결되고 경제 파탄이 오게 돼요. 이 같은 현상은 오늘날 유럽에서 보는 겁니다. 그래서 이것도 피해야 해요. 나는 지금 중소기업의 보호도 노동자의 정당한 권리 보호도 경제적 견지에서 말씀드리는 것이에요. 물론 사회적 의미도 크고 인간적 인권적 의미도 크지만 경제적 의미에서도 절대 필요하다 하는 얘기를 내가 지금 하고 있는 것입니다. 이런 의미에서 사회민주주의가 우리가 볼 때 그 이상은 대단히 훌륭하지만 현실적으로 필요 이상의 사회보장제도를 해 가지고 결국에 가서는 인간을 태만하게 만들어 국가부담을 과중하게 늘리고 있습니다. 이렇게 해서 경제를 마비시켜 버리는데 이것이 유럽 사회보장제도의 현실입니다. 또 불필요하게 국가가 기업의 국영화를 시켜 가지고 비능률과 낭비가 마구 나오고 있어요. 지금 우리나라의 국영기업체를 보더라도 알 수 있습니다. 그러나, 국가가 경제권을 가지면 국가 자체가 독재화합니다. 공산국가가 독재할 수 있는 것은 정부가 전부 경제권을 갖고 있기 때문에 그렇습니다. 자본주의에 있어서도 또한 자본가가 과거에 횡포를 부릴 수 있었던 것은 그리고 아직도 그런 예가 많은 것은 경제권을 가지고 있기 때문에 그런 겁니다. 이런 입장에서 국가 국영 국유제도는 민주적 견지에 비추어 바람직하지 않습니다.

그래서 내 주장은, 우리나라의 경제체제를 현 관권 경제로부터 진정한 자유경제로 돌려야 한다는 겁니다. 그 자유경제는 기업인만의 자유경제가 아니라 소비자도 자유가 있어야 하고, 중소기업도 자유가 있어야 하고 노동자, 농민도 자유가 있어야 한다는 것입니다. 그런 기업이 돼야 하고 경제가 되어야만 합니다. 소수 재벌을 위한 현 관권 경제로부터 국민 경제로, 경제 정책이 전면적으로 바뀌는 것이 우리나라의 경제 문제를 해결하는 유일한 길인 것입니다. 노동자는 노동자의 몫이 있고 기업인은 기업인의 몫이 있습니다. 그 정당한 몫을 받아야 한다, 이것이 정의입니다. 정의는 결코 균일이 아닙니다. 어린아이가 밥을 반 그릇 먹는 것이 정의이고 어른은 한 그릇 먹는 것이 정의입니다. 이런 방향으로 경제를 끌고 나가야 한다, 이렇게 대중 참여의 경제 정책을 생각하고 있습니다. 자세한 것은 그 책에 들어 있고 머지않아 출판될 것입니다.

질문 선생님의 기업인관企業人觀, 그리고 기업윤리에 대해서 좀 보충 설명해 주십시오.

김대중 예, 잠깐 빠뜨릴 뻔했습니다. 나는 한국 기업인이 굉장한 비난의 대상이 되어 있지만, 어떤 의미에서는 한국 기업인은 가장 동정받을 사람이라고 생각하고 있습니다. 왜냐하면, 한국에서는 기업인이 권력하고 결탁을 하지 않으면 기업을 유지할 수가 없습니다. 아주 극단적으로 얘기하자면, 어떤 재벌도 정부로부터 미움을 받으면 1년도 채 못 되어서 기업도 빼앗기고 재산도 빼앗기고 그야말로 거지가 됩니다. 우리는 그런 예를 많이 보았습니다. 나는 얼마든지 그 이름을 댈 수 있습니다. 지난번 명성사건에서도 보다시피 1979년에 돈 3백만 원이 없어 부도를 내고 도망친 사람이 2, 3년 사이에 몇천억 원을 좌지우지하게 된 겁니다. 정부 비호만 있으면 된다 이거예요. 그렇기 때문에 기업인들은, 어떤 경우에는 재산을 얼마간 모을지는 모르지만, 완전히 정부와 권력 앞의 노예입니다. 이처럼 한국 기업인의 처지는 굉장히 참담하다 하는 생각을 갖지 않을 수 없습니다. 이러면서도 한편으로는 국민들로부터 언제든지 비난과 비판의 대상이 되고 있다 이겁니다. 아울러 기업인의 윤리에 대해서 말씀드리겠는데, 오늘날 우리나라에서 통용되는 기업인 윤리는 무슨 병원을 짓고 학교를 짓고…… 이런 것이 그 윤리라고 생각하고 있습니다. 그러나 이건 그 개인적인 윤리는 되겠지만 기업의 경제적 윤리는 결코 아닙니다. 그렇다면 기업인의 경제적 윤리는 뭐냐?

첫째는 어떻게 하면 좋은 물건을 만들어서 어떻게 하면 싼값으로 소비자에게 주느냐입니다. 둘째로는 노동자에게 기업에 공헌한 만큼의 정당한 몫을 그대로 준다, 노동자의 권리를 보장해 준다, 왜냐하면 노동자도 그 생산에 참여한 사람이기 때문에 당연히 준다는 것입니다. 그것이 또 기업인의 윤리입니다. 이다음으로는, 기업으로 나온 이윤을 자기의 사적 동기, 즉 사치라든가 낭비라든가 혹은 불필요한 곳에 쓰지 않고 다시 그것을 기업에 재투자해서 확대재생산하고 더 좋은 물건을 더 싼값으로 소비자에게 주는 거예요. 그리고 세계시장으로 뻗어 나가는 일, 이 세 가지만 실현되면 그 기업인은 국민으로부터 존경받고 칭찬받는 기업인이 되는 것입니다. 이 일만 착실히 하면 병원을 짓지 않아도 학교를 짓지 않아도 아무런 관계가 없습니다. 학교나 병원을 짓는 것은 기업인 개인의 인생관 문제이지 기업윤리와는 다른 문제입니다. 그런데 우리나라에서는 이상하게도 기업윤리가 기업인 개인의 인생관 문제와 혼동되고 있습니다. 나는 이 점을 분명히 지적할 수 있습니다.

질문 우리나라는 장차 어떤 사회로 건설되어야 하며 또 우리나라의 민족주의와 민족문화의 올바른 창달의 길은 어떠한 것인지, 선생님의 소신을 말씀해 주시면 고맙겠습니다.

희망과 조화의 사회

김대중 우리나라가 앞으로 어떤 방향으로 나가야 할 것이냐에 대해 여러 가지 의견이 많습니다마는 나는 두 가지를 말씀드리겠습니다. 하나는 우리 국민에게 희망을 주는 사회를 만들어야 한다는 것입니다. 현대 산업사회의 잘못된 특징은 '소외'와 '고독'인데 특히 우리나라는 국민이 국정 전반, 즉 경제사회 등 모든 분야로부터 소외당하고 있기 때문에 먼저 국민에게 참여의 기회를 주어야 합니다. 이를 통해서 국민을 소외로부터 해방시켜야 하고 국민을 명실공히 주인으로 대해야 한다, 이렇게 생각을 합니다. 우리나라에서는 지금 눌린 자들이 자기의 정당한 주장을 말할 수도 없을 뿐만 아니라 정당을 만들어 이 같은 주장을 관철시킬 수도 없습니다. 또한 자유선거가 보장되지 않고 있기 때문에 선거에서 이걸 반영할 길도 역시 막혀 버린 상태입니다. 이런 까닭에 눌린 자들이 스스로 눌리고 있다는 사실을 안다는 것도 중요하지만, 자기가 눌리고 억울하게 당하고 있다는 것을 호소하지 못한다는 것이, 이러한 통로가 모두 막혀 버렸다는 것이 더 중요한 문제입니다. 이렇게 되면 결국 폭발로 유도하는 길밖에는 안 되는 거예요. 이런 이유로 해서 우리가 우리의 억울함이나 짓눌림을 사회에 대해서 비록 불완전하게나마 주장할 수 있다면 일단 희망을 가질 수 있지만 우리의 불만이나 욕망을 주장할 수 없는 사회에서는 절대로 희망을 가질 수가 없습니다. 이런 사회는 뒤집으려고 달려들 수밖에 없습니다. 그리고 우리나라에 있어서 또 하나의 문제는 어떤 사람이 성공하느냐에 대한 것입니다. 우리가 자식들에게 정직해라, 부지런해라, 양심대로 살아라, 이것들은 정당하고 건전한 사회에서는 다 성공의 요건이지만 우리나라 실정에서는 이게 성공의 요건이 아니라 실패의 요건입니다. 그렇게 정직하게 양심대로 살아갔다가는 판판이 실패하기 마련입니다. 그래서 희망이 없습니다. 이런 사회에서의 이처럼 잘못된 사회 풍토는 당연히 고쳐 나가야만 합니다. 그다음으로 우리나라는 희망의 사회와 더불어 조화의 사회로 나아가야 한다는 것입니다. 한국은 지금 모든 분야에서 적대 관계, 즉 남북한의 적대 관계, 계층 간의 적대 관계, 정부와 국민 간의 적대 관계, 이와 같이 모든 게 적대 관계에 놓여 있어서 이해와 관용과 설득이 전혀 없습니다. 이것을 고쳐 나가려면 각 분야가 서로 관용과 이해, 그리고 설득이 이뤄질 수 있도록 대화의 자유, 토론의 자유, 집회의 자유가 보장되어야만 하는 것이지요. 이렇게 해서 조화의 사회를 만들어 가야 한다는 것입니다. 그리고 이것도 나중에 말씀드릴 민족문화하고도 관계가 있지만, 우리 사회가 지금까지 또 앞으로도 계속 외국 문물이 들어오는데 무조건 받아들여서도 안 되고 그렇다고 쇼비니즘의 차원에서 무조건 배척해서도 안 될 일입니다. 어느 것을 취사선택해서 받아들이느냐 하는 그 조화점을 찾아내는 데에 우리 민족의 지혜와 슬기를 발휘해야 합니다. 한국 문화는 우리가 볼 때 오랫동안 중국 문화에서 영향을 받았고 또 최근엔 서양 문화에 영향을 받았지만 우리 문화의 본질은 그대로 유지하고 있습니다. 예를 들면 한국 불교는 그 원시불교에서 상징되고 지눌 선사의 불교에서 상징되다시피 중국에서 영향을 받았지만 오히려 중국에 영향을 끼칠 정도로 독자적인 발전을 했습니다. 우리나라의 유학에 있어서도 즉 성리학에 있어서도 서화담 선생이라든가 이율곡 선생에게서 보다시피 또 퇴계의 학문 수준에서 보다시피 우리 나름대로 독자적인 발전을 해 왔고 이것이 오늘날 외국에서까지 연구의 대상이 되고 있다는 사실입니다. 내가 볼 때 우리 국민이 창출한 문화는 일종의 한恨의 문화입니다. 우리 국민은 한의 국민입니다. 내가 『옥중서신』의 서문에서도 얘기한 바와 같이 이 한이란 민중의 좌절된 소망이고 또 한이란 민중이 이처럼 좌절된 소망을 안고 그것을 이루어질 수 있는 기회를 기다리는 기다림이고 그리고 한은 결국 민중의 소망을 이루기 위해 끊임없이 앞으로 나아가는 몸부림이다, 이렇게 생각을 합니다. 사실 우리 국민은 스스로를 위로하고 격려하고 그러면서 내일을 바라보며 살 수 있었다, 이렇게 나는 믿습니다. 우리 국민은 풀잎과 같은 국민으로서 밟으면 밟히지만 밟는 발이 지나가면 다시 일어서고 바람이 오면 엎드리지만 그 바람이 지나가면 다시 불사조처럼 일어나는 강인성과 동시에 유연성을 보여 온 국민입니다. 또 우리 문화는 그것에 바탕을 두고 있는 특색을 지녔고 특히 우리 문화의 본질은 가령 탈춤이라든가 판소리라든가 이런 민중예술에 그대로 나타나 있다고 생각합니다.

이제 우리가 할 일은 그 오랜 조선왕조 시대까지의 궁정 예술, 일제 식민지적 식민사관이라든가 한민족에게 일방적으로 심어진 열등감, 여기에서 헤어나오고 또 해방 후 무조건 서구 문명만 숭상하고 받아들인 외세 추종주의에서 벗어나야 하는 중요한 시기에 서 있습니다. 이제 우리는 묻혀 있는 우리 고유문화의 보배를 되찾는 동시에 현재 우리 사회에 침투해 들어오는 서구 문명 이것을 주체적으로 조화해야 할 시기입니다. 현재 우리 교육계라든가 예술계라든가 기타 모든 분야에서 주체적 입장을 상실하고 무비판적으로 서구 문명을 추종만 하고 있는 게 사실 아닙니까? 이것을 어떻게 주체적으로 조화해서, 마치 옛날의 원효대사가 중국에서 온 불교와 우리 문화를 조화하고 지눌 선사가 그랬고 율곡 선생이 조화했듯이 우리도 어떤 방식으로 조화해서 고유문화를 계속 창출해 낼 것인가? 이게 우리 문화가 갈 길이다, 이렇게 생각을 합니다.

그리고, 민족주의에 관한 문제는 즉 이 '민족주의'라는 것은 양날을 가진 칼과 같아서 좋은 점과 대단히 위험한 점을 아울러 갖고 있습니다. 민족주의가 외연적이고 침략적으로 치달을 때는 대단히 위험합니다. 19세기 이래 세계 각국의 침략, 우리가 직접 체험한 일본의 우리나라 침략 이것이 바로 일본 민족주의의 가장 위험한 표시입니다. 그러나 이 민족주의가 내연적이고 방어적일 때는 높이 평가해야 할 일이에요. 가령 일본이 침략한 것에 대항해서 우리 자신을 지키는 데에 우리의 '민족주의'가 없었던들 민족의 본질을 지켜내지 못했을 것입니다. 인도라는 나라도 마찬가지로 인도 민족의 '민족주의'가 없었던들 그 나라가 다시 독립할 수 없었을 거예요. 20세기 후반기에 아프리카에서까지 일어난 이 세계 도처의 민족주의는 이런 의미에서 긍정적으로 평가되어야 한다고 생각을 합니다. 그러나 민족주의가 흐르기 쉬운 가장 위험한 일은 배타적인 길로 가는 것인데 이것은 우리가 앞으로 엄격히 경계해야 한다고 나는 강력히 주장을 합니다. 내가 볼 때 민족주의에 있어서 우리가 반드시 알아야 할 것은, 우리 민족은 만주족이나 몽골족이 중국으로 동화된 경우와는 달리 중국이나 일본이나 서구의 어떤 힘에도 동화되지 않고 그 본질을 지켰다는 사실, 이건 세계 역사에서 드문 일로서 자랑스러운 우리의 전통이라는 점을 늘 상기하고 잊지 말아야 한다 이거예요. 또 우리 민족은 철저한 평화 수호의 민족이었고 오늘날까지도 그러하고 힘이 있을 때에도 남을 침략한 일이 없다는 점은 정말 자랑스럽고 이게 바로 '민족주의'의 가장 올바른 표시라는 점을 꼭 알아야 합니다. 그 대신 남이 침략해 올 때는 임진왜란이라든가 병자호란이라든가 혹은 고려시대의 항몽에서 보다시피 끝까지 저항해 싸워서 민족 고유의 본질을 빼앗기거나 포기하지 않았다 하는 저항의식, 이건 우리 민족 특유의 장점인데 이 점을 우리 민족주의로 승화시켜 현재화해야 한다고 생각을 합니다. 그런데, 여기서 민족주의는 어디까지나 민주적이어야 합니다. 민주주의가 병행되지 않는 민족주의는 배타의 잘못된 방향으로 흐르게 됩니다. 민주주의가 병행될 때만이, 내 권리도 중요하지만 이웃 민족의 권리도 똑같이 중요하다는 세계주의적인 면이 거기에 뒷받침돼야만이 민족주의는 올바로 성립하는 것이지요. 그럼으로써 쇼비니즘으로 가는 것을 막을 수 있다 이거예요. 아울러 민족주의는 어디까지나 민족의 실체는 민중이라는 확고한 인식 속에서 나와야 합니다. 민족의 실체는 민중이다, 이건 부동의 사실입니다. 그렇지 않으면 민족주의의 미명하에 소수의 지배층이 민중의 이름을 팔아 악용하고 민중을 억압하는 구실밖에는 되지 않습니다. 그것이 곧 나치즘이고 일제의 군국주의입니다. 그러기 때문에 민족주의는 반드시 민주적이어야 하고 민중적이어야 한다, 이 점을 우리가 가슴 깊이 경각을 해야 한다, 이렇게 생각합니다.

질문 앞으로 예상되는 정치변화에 대해서 좀 더 말씀을 들었으면 합니다. 전두환 씨가 기회 있을 때마다 오는 1988년은 평화적인 정권 교체를 꼭 이룩하겠다 하는 공언을 누차 하면서 이른바 단임 정신을 강조했습니다.

그 점에 대한 선생님의 견해를 좀 말씀해 주셨으면 좋겠습니다. 또 당면한 문제인 오는 2월 예상되는 총선거 이후에 변화될 국내 정국에 대해서도 말씀해 주시면 고맙겠습니다. 그리고 장래 문제가 되겠습니다만 1988년에 선생님께서 집권을 하시는 그런 경우가 생길 때 많은 사람들이 이른바 정치적인 보복에 대해서 염려를 해 오고 있는 것이 사실입니다. 선생님께서는 물론 기회 있을 때마다 정치보복은 결단코 생각해 본 적도 없다는 말씀을 누누이 강조했습니다. 그렇지만 그러한 경우가 올 경우, 국민들 또는 그동안 고생을 많이 했던 민주 인사들이 선생님에게 정치적인 보복을 강요하는 그런 분위기가 조성될 때는 어떻게 대처하실지 등등에 대해서 좀 말씀해 주시면 고맙겠습니다.

국민이 주인으로서 자기 운명을 결정해야

김대중 네, 대단히 중요하고 또 흥미로운 질문인데요. 전두환 대통령이 1988년에 물러난다, 그러기를 바라지만 과연 그렇게 잘 되겠느냐 하는 데 대해서 의문을 가지고 있습니다. 그러나 그보다 더 큰 의문은 오늘과 같은 현실에서 과연 전두환 씨가 물러난다 하더라도 그것이 우리에게 무슨 의미가 있는가, 언론 자유도 없고, 선거의 자유도 없고, 지방자치도 없고, 모든 민주적 자유가 다 없는 이 가운데서 선거해 봤자 결국 중남미와 같이 집권자가 원하는 제2의 전두환 씨, 이런 사람이 나오는 것뿐입니다. 국민이 선택권을 갖지 못하는 선거라는 것은 아무런 의미가 없습니다. 극도로 얘기하면 국민이 자유롭게 선거하는 여건이라 하면 누가 나오든지 그건 우리가 받아들여야 합니다. 국민이 결정하기 때문에 국민 이상 잘난 사람은 없습니다. 전두환 씨가 한 번 하고 그만두냐 아니냐가 문제가 아니라 그런 선택권이 있느냐 없느냐가 더 중요합니다. 나는 한국은 민주화 없이는 절대로 안정이 없다고 생각합니다. 우리 국민은 벌써 그것을 하지 않을 수 없을 정도로 성숙했고 힘이 있습니다. 절대 안 됩니다. 더구나 우리가 1988년 올림픽을 성공적으로 끌고 나가려면 적어도 정도正道로 나가야 합니다. 국민이 진심으로 우리나라 정치를 마음으로부터 믿고 지지할 수 있는 그런 길로 나아가야 합니다. 그것은 언론 자유를 보장하고 선거 자유를 보장하고 지방자치를 실시해서 하는 것입니다. 동시에 현재의 독재체제를 유신독재 이전의 제3공화국 헌법으로 환원해야 합니다. 이것은 부당하게 타살된 헌법입니다. 물론 제3공화국 헌법도 박정희 씨가 당초 만들었다는 문제점이 있지만, 그러나 이건 세 번 대통령 선거를 통해서 세례를 받아 가지고 국민이 추인한 겁니다, 민주헌법으로. 그러나 나는 반드시 제3공화국 헌법 그대로 하자는 얘기는 아닙니다. 제3공화국 헌법으로 돌려 가지고, 만일 필요하면 제헌국회를 제3공화국 헌법에 의해서 선거를 해 가지고, 그 제헌국회에서 대통령중심제를 할 것인가, 내각책임제를 할 것인가, 안 그러면 어떤 헌법으로 수정할 것인가, 제헌국회가 할 수 있다, 일단은 그리스라든가 기타 그 독재에서 민주주의로 돌아간 선례대로 우리도 돌아가야 한다, 이것이 내 생각입니다. 그리고 이번 한 번만은 적어도 국민에게 자유를 줘야 한다, 국민이 누구를 뽑건, 국민이 원하는 사람을 뽑도록, 그래야 이 국민의 한이 풀리고 직성이 풀립니다. 그리고 국민이 책임을 지게 됩니다. 나는 또 국민이 책임질 만한 훌륭한 대통령을 뽑을 능력도 있지만 뽑고 나서 그 정부를 잘 지켜 나갈 능력도 있다고 보고 있습니다. 그렇기 때문에 이번엔 그걸 절대로 보장해야 합니다. 그러기 때문에 그런 조건이 없는 현재의 오는 2월 선거 같은 것은 거의 아무런 의미가 없습니다. 지금도 99명이 묶여 있고 자기들은 다 뛰면서 이 사람들은 묶어 놓고 가령 연말께 풀어 준다 할 때 어느새에 선거 준비를 하느냐 이거예요. 그나마 지금 우리나라의 선거법을 보면 전혀 선거운동의 자유가 없습니다. 개인연설 자유도 없고, 후원연설 자유도 없고, 마음대로 정부가 조작할 수 있습니다. 또 해 왔습니다, 지금까지.

필리핀에 있어서는 지금 적어도 엄연히 반체제 세력을 지지하는 신문이 있고 지난번 선거에 있어서 선거인 명부의 확인이라든가 혹은 참관이라든가 여러 가지 권리가 보장되었습니다.

한국은 그 정도의 자유도 없습니다. 그러기 때문에 현재의 선거, 오늘 국회의원 선거라는 것은 거의 의미가 없습니다. 우리가 바라는 민주주의는 그런 게 아니라 근본적으로 헌법을 민주헌법으로 환원하고, 그리고 근본적으로 국민에게 언론 자유, 선거 자유, 지방자치제를 실시하고 이렇게 해서 국민이 주인으로서 자기 운명을 결정하도록 해야 한다, 이것입니다. 우리가 말하는 것은 그다음에 지금 말씀 나온 정치보복 이야기인데, 그렇습니다. 그건 역사적으로 보나, 현실적으로 보나, 그렇게 의심할 일이 아닙니다. 우리 민족은 그렇게 정치보복을 한 민족이 아닙니다. 우리 민족성을 우리가 알 수 있는, 흥부가 부자가 되어 가지고, 자기 형한테 보복하는 것이 아니라 오히려 재산을 나누어 줍니다. 춘향이가 암행어사 출두 뒤에 춘향이 문제 갖고는 변학도한테 보복 안 합니다. 그 사람은 그 학정 때문에 봉고파직당하지 그것 때문에 보복당하지 않습니다. 토끼가 용궁에 끌려갔다 나오지만 자라한테 보복하지 않습니다. 우리 민족은 보복을 원하는 민족이 아닙니다.

해방 후에도 우리에게 그렇게 가혹하게 했던 일제들이 돌아갈 때 일본 사람들에 대해서 보복 안 했습니다. 거의 없었습니다. 4·19혁명 때 이승만 정권에 참여했던 사람들, 누가 보복당한 사람들이 있습니까? 그때 마음대로 보복할 수 있었는데 안 했습니다. 거의 없었습니다. 세계 역사에 없을 정도로 안 했습니다. 10·26사태로 박정희 씨가 죽고 말았지만 국민이 누가 보복을 주장한 사람이 있었습니까? 내가 그때 정치보복해서는 안 되고 모든 사람에 대해서 어떤 소급법을 적용해도 안 되고 정부도 차관 이하는 그대로 유능한 인재는 다 써 준다 할 때 국민은 박수로 환영했습니다. 보복한 일이 없습니다. 또 내가 지금까지 한 번도 1971년 대통령 입후보 이래 보복을 주장한 게 아니라 일관해서 보복을 반대해 왔습니다. 그것은 내가 혹은 술수로 하지 않았느냐, 이렇게 의심한다면 내가 1980년에 법정에 끌려가서 사형 선고를 받았을 때 마지막 법정에서의 최후진술, 일종의 유언인데 그때는 천의 하나도 살길이 없다고 생각될 때예요. 그때 내가 거기에 있는 우리 동지들, 공동피고와 그 가족들에 대해서 이건 내 유언인 줄 알고 여러분이 들어라, 다시는 이런 정치보복이 두 번 다시 있어서는 안 된다, 내가 볼 때는 1980년대에는 반드시 민주주의가 회복되는데, 그때 민주정부가 섰을 때 보복해서는 안 된다, 이걸로 여러분께 유언하고 싶다, 하는 얘기를 내가 법정에서 한 적이 있습니다. 많은 사람들이 내 말을 듣고 울고 나중에 애국가를 부르고 이렇게 했습니다. 또 만일 보복이 무섭다면 헌법 부칙에다가 국민투표로써 보복은 절대 있을 수 없다는 것을 넣어 줄 수 있습니다. 그러면 국민이 강요할 수 없지 않습니까. 자기네들이 투표로써 지지했는데, 그리고 국민이 결정해 놓은 것을 아니 민주화운동에 참가했던 사람이 어떻게 해서 그걸 요구할 수 있습니까. 또 지금까지 민주화운동에 참가했던 사람들이 4·19혁명이건, 10·26사태건 한 번도 보복을 주장한 일이 없지 않습니까? 그런데 왜 이번에 있다 합니까?

그렇기 때문에 그러한 기우를 가질 수도 있지만, 그것은 완전히 기우고, 이럼에도 불구하고 계속 얘기한 것은 말하자면 정권을 민주화하지 않기 위한 구실로서 하는 얘기밖에 되지 않는다, 나는 그렇게 생각합니다. 내가 진심으로 바라는 것은 전두환 씨를 포함해서 이 많은 사람들, 참 우리 국민에게 못할 일 많이 했습니다. 내 개인에게도 못할 일 많이 했습니다. 그렇지만 우리는 그것을 보복으로 푸는 게 아니라, 이 광주의 영령들, 그 한에 사무친 그 원한도 보복으로 푸는 게 아니라, 그분들이 원했던 민주화, 조국통일의 길, 이래서 우리가 주인 노릇하는 나라, 그런 나라를 만드는 방향으로 이제부터라도 현 전두환 정권 사람들이 참여해서, 그래서 말하자면 그런 방향에서 새로이 우리가 화해와 혹은 재결합의 길을 나갈 수 있도록 이걸 바라고, 나는 어느 특정인의 육체에 대한 보복이 아니라 잘못된 정치 자체를 뒤집는 것이 보복이라면, 그것이 보복이다, 민중의 좌절된 소망을 성취시키는 것이 보복이라면 보복이다, 절대 어느 인간에 대해서 인간을 미워하고, 인간을 해치는 것은, 그것은 보복이라고 할 수 없고 그것은 하나의 야만적인, 말하자면 폭행에 불과하다, 이렇게 생각한다는 것을 말씀드릴 수 있습니다.

질문 네, 이번에는 한국 민주화에 대한 선생님의 계획과 미국이 이에 미치는 영향이라든가, 또 과연 한국 군부의 정치적 중립화가 실현될 수 있을 것으로 보는지 말씀해 주십시오.

김대중 한국에 있어서 민주주의가 안 된 예를 들자면, 일부 서울 주변의 정치놀음이나 하는 군인들이 정치에 개입해서 1961년, 1980년 두 번 군사쿠데타를 했다 하는 이런 걸 들 수도 있고, 또 미국이나 일본이 잘못된 정책, 목전의 이익 때문에 독재정권을 지지해 왔다 하는 것도 들 수가 있고, 또 그간에 북한에서 일으킨 여러 가지 사건들이 남한의 민주 세력을 곤경에 빠뜨리고 독재정권으로 하여금 안보의 구실로써 독재를 강행할 수 있는, 그러한 여지를 많이 주었다 하는, 이렇게도 볼 수 있습니다. 그렇지만 나로 하여금 얘기시키면, 한국에서 민주주의가 안 된 최대의 요인은 아직은 국민 다수가 민주회복운동에 참여하지 않는 데 있다, 나는 이렇게 생각하고 있습니다. 민주주의는 백성 민民 자, 임금 주主 자, 백성이, 주인이 자기 문제에 참여하지 않는 한은 절대로 민주주의가 될 수가 없습니다. 되어도 그건 가짜입니다. 그러니까 우리가 일단 민주정부를 48년에 수립했다가도 유지를 못 한 거예요. 또 1960년에 됐다가도 국민들이 지키지 않으니까 유지 못 한 거예요. 민주주의에 참여해야 돼요.

반독재 민주 연합 전선을 형성해야

김대중 그래서 오늘날도 가장 우리가 볼 때에 민주주의 문제, 1980년 그때 모든 사람이 민주주의를 바랐어요. 군대에서도 압도적인 다수의 장성들까지 포함해서 다수의 군인들이 민주주의를 지지했어요. 그러나 민주주의가 안 됐어요. 그런데 예를 들면 그때 광주 민중이 일어섰을 때, 서울이나 부산이나 몇 군데에서 더 했으면 그대로 민주주의가 안 되겠느냐, 나는 됐다고 봐요. 그런데 광주 사람만 고독하게 싸우다 보니까 안 된 거예요. 한국의 또 예를 들면 4천만 국민 중에 백 분의 1이면 40만이고, 천 분의 1이면 4만인데, 천 분의 1이라도 한 달에 한 번 정도씩이라도 정부나 국회에 편지 보내고, 신문사에 편지 보내면서 민주주의를 요망하는 의사 표시를 하면 무시할 수 있을까. 만 분의 1인 4천 명이 한 달에 한 번 정도씩 정부나 그런 기관에 전화 걸어서, 이렇게 하면 안 된다고 말할 때 무시할 수 있을까, 나는 없다고 생각합니다.

그런데 최근의 『뉴욕타임스』나 『월스트리트저널』이라든가, 『워싱턴포스트』에 보도된 바와 같이 한국 국민의 절대다수가 현 정부의 독재정치에 지지 안 한 것은 사실이에요. 또 서울에서 국민 여론조사를 해도 80퍼센트 이상이, 한국의 신문들에 의해서만 한 것을 보더라도 민주주의를 지지하고 있어요.

심지어 경제 발전이 늦더라도 민주주의는 해야 한다고 했어요. 그러면서 왜 안 되냐, 결국 국민이 마음으로는 민주주의를 바라고, 마음으로는 독재를 싫어하지만, 말하지 않고, 행동하지 않는다 이거예요. 이 말하지 않는 사일런트-메이저리티(침묵의 다수), 미국에서는 이 사일런트-메이저리티가 정치를 좌우합니다. 왜 그러냐면 가서 투표 때 투표해 버리면 정권이 바뀝니다. 국회의원이 바뀝니다. 그러나 한국은 선거의 자유가 없기 때문에 투표가 소용없지요. 그렇기 때문에 말해야 합니다. 그런데 말을 안 합니다.

물론 위험이 있습니다. 그러나 위험 없이, 가령 익명으로 편지한다든가, 가령 익명으로 전화한다든가 그것조차 안 합니다. 결국에 그것은 참여의식이 부족하다, 주인으로서 책임감이 부족하다, 내가 아니면 이 나라는 어떻게 하느냐 하는 시민정신이 부족하다, 여기에서 이것이 민주주의에 대한 결정적인 문제가 되고 있다, 그건 재미교포도 마찬가지입니다. 70만 있는 재미교포의 백 분의 1, 7천 명만이라도 민주화운동에 적극적으로 참여해서 미국 국회라든가 미국 언론에 잘못된 대한 정책을 시정하도록 요청한다면 오늘보다 훨씬 달라질 것이 아닌가, 이렇게 생각됩니다. 내가 민주주의의, 한국에서 추진 단계에 있어서 3대 원칙을 지금까지 계속 얘기하고 있는데, 하나는 민주세력이 광범위하게 단합해야 합니다. 독재체제에 반대하면 어떤 사람도 전부 참여해야 됩니다. 과거에 공화당 했던 사람들, 박 정권에 참여했던 사람들, 좋습니다. 자유당에 참여했던 사람들, 좋습니다. 독재체제에 반대하면 전부 참여해서 반독재 민주 연합전선을 형성해야 한다, 이렇게 생각합니다. 그리고 또 하나는 비폭력주의, 간디나 마틴 루서 킹이 가는 그런 비폭력주의로 가야 합니다. 간디가 비폭력주의 한 것은 절대로 성인이기 때문만이 아니라, 그것이 압도적인 무력을 가지고, 말하자면 탄압할 수 있는 그런 권력에 대해서 구조적인 권력에 대항하는, 그래서 국민 여론과 세계 여론을 끌어들이고 많은 동정을 불러일으키면서 하는 것, 그리고 이 단기간의 폭력적 투쟁으로 전멸하는 것을 모면하면서, 말하자면 끌고 나가는 것, 일종의 도덕적인 게릴라 전술, 무력적인 게릴라 전술이 아니고 도덕적인 게릴라 전술, 이것에서 간디가 성공하고, 마틴 루서 킹이 성공한 것입니다. 또 우리나라에서 래디컬리즘, 가령 용공적이라든가 반미적이라든가 이런 것이 그 심정은 이해하지만 그것은 결국 독재정권이 우리를 분쇄하는, 가장 절호의 구실이 될 뿐만 아니라, 또 그것 자체가 우리 민족의 이익이 못 되고, 누가 남한에서 정권을 잡더라도 용공정권은 해 나갈 수 없는 것이고, 또 미국이나 일본하고 등져 가지고는 해 나갈 수 없는 것입니다. 또 우리가 알다시피 현재 미국에는 독재를 지지하는 사람도 많지만 우리 민주주의를 지지하는 것은 얼마나 많으냐 이겁니다. 당장 눈에 보다시피 64명이란, 전무후무한 이런 큰 국회의원 수가 하원만 하더라도, 상원은 아직 끝이 안 났으니까, 우리 민주주의를 지지하는 데 도장 찍지 않았느냐 이겁니다. 미국 교회가 우리의 인권과 민주주의를 얼마나 계속 지지하고 있느냐 이겁니다. 그러기 때문에 미국을 '한'으로 봐서는 안 된다 이겁니다. 레이건 정부가 독재를 지지한다고 하지만 그 레이건 대통령 자신도 한국에 와서 민주주의와 인권이, 말하자면 미국 외교의 기본정신이고 한국에서 이것이 절대 필요하다는 얘기를 하지 않느냐 이겁니다. 그러기 때문에 우리는 미국의 이익을 위해서가 아닙니다. 우리의 이익을 위해서, 전후의 일본이 얼마나 슬기롭게 미국을 다뤄 왔는가, 미국을 살아 있는 악마라고 하던 중국이 지금 미국을 어떻게 다루고 있는가, 전시의 스탈린이 자기네에게 필요하니까 미국을 어떻게 다루고 있는가, 사회주의 정부가 들어선 프랑스 미테랑 정부가 어떻게 미국을 다루고 있는가, 이런 점에 있어서 우리가 굉장히 성숙한 외교적인 자세를 가지고 미국을 다뤄야 한다, 이렇게 생각합니다. 나는 현재 그 민주 세력, 재야 민주 세력, 또 민추협에 직결된 민주정치인들뿐만 아니라, 현재 체제에 참가하고 있는 정치인들도 전면적으로, 안 되면 하다못해 부분적으로라도 이런 민주운동을 지원하는 그런 자세를 취해 주기를 바라고 단 한 사람이라도 그 민주 대열에, 말하자면 총을 겨누고 역행하는 사람이 적기를 진심으로 바라고 있습니다.

그리고 그다음에 군의 정치 중립 문제인데, 군이 정치에 개입하면 그것은 군도 망하고 나라도 망합니다. 군인이 정치하지 말라는 게 아닙니다. 군인이 정치하려면 군복을 벗고 민간인이 되어 가지고, 아이젠하워나 이런 사람같이 정당한 국민의 심판을 받아서 정치하면 우리가 얼마든지 환영할 수 있습니다. 그러나 군대의, 국민이 나라를 지키라고 준 무기와 국민이 국방을 위해 편성해 놓은 군대가 그 무력을 가지고 국민을 탄압하면서, 권력을 뺏는다는 것은 절대로 안 되는 일입니다. 그리고 이런 일 하면 군대에 대한 국민의 지지는 감소되고 국민의 지지 없는 군대는 유명무실하게 됩니다. 또 이런 짓은 어떤 결과가 되냐면 군대 자체의 국방력을 근본적으로 파괴해 버립니다. 우리가 일선에서 지금 국가안보를 위해서 헌신하고 있는 군인들, 이것은 제쳐놓고 서울 주변에서 편안히 있으면서 정치모임이나 하는 군인들이 정권을 잡아 가지고 그 사람들 앞에 일전의 국방에 충실한 사람들이 말하자면 와서 복종하고, 지지하지 않으면 자리도 유지 못 하는 상태, 또 영관급들이 혁명을 주도해 가지고, 윗사람 장군들을 지배하고 그 장군들이 영관급들을 두려워하지 않을 수 없는 이러한 상태, 군대는 위계질서가 생명인데 그래 가지고 군대가 되질 않습니다. 안보가 되질 않아요. 그런 의미에서 지금 군인이 정치개입의 피해를 최대로 받고 있는 거예요. 군인 전체라고 나는 볼 수 있습니다. 내가 여기서 분명히 얘기하는 것은 1980년 그 당시 내 체험으로 해서 3군 전체에서 군의 정치 개입을 반대하고, 민주주의를 지지한 수가 압도적으로 많았다는 걸 내가 체험으로써 입증할 수 있고, 그 당시의 3김 씨 중에 누가 당선이 되더라도 그 사람들은 국민의 결정으로서 받아들일 수 있는 준비가 있었다는 걸 나는 말할 수 있습니다. 그래서 나는 앞으로 민주정부가 섰을 때 군은 국민이 결정한 이 민주정부를 지지할 걸로 확신하고 있습니다. 또 민주정부는 정치에 개입한 그런 군인들은 엄격히 배제하고 군무에 충실하고 유능한, 말하자면 안보에 헌신하는 이런 사람의 공로와 능력에 따라서 이것을 승진시켜…… 자연히 정치에 개입하고 싶어도 할 수가 없게 해야 합니다. 과거에는 군이 정치에 개입하고, 권력을 가진 사람들이 군대를 자기 목적에 이용해 온, 이런 짓을 했습니다.

이승만 씨도, 박정희 씨도, 또 현 정부도 결국 군대를 여러 가지로, 파벌로 가르기도 하고, 지방색으로 가르기도 하고 정보기관으로 하여 감시하기도 하고, 이래 가지고 군대를 자기의 정치적 목적에 이용하여 왔습니다. 이것이 오늘날 군대를, 말하자면 얼마만큼 우리가 군대에 대해서 큰 손상을 주었는가를 반성하고 앞으로 정부는 어떤 정치인도 군은 국방이라는 본연의 목적에 충실하도록 하고 일절 정치에 개입도 하지 말게 하자면, 정치에 개입하도록, 또 정치에 이용하는 그런 일도 해서는 안 된다 하는 것을 차제에 강조하고 싶습니다.

질문 네, 다음은 좀 추상적인 질문이 될 것 같습니다만, 김 선생님의 인생관, 종교관, 세계관에 대해서 여쭤보고 싶습니다.

김대중 대단히 어렵고 막연한 문젠데, 나는 인생관이란 것은 우리가 무엇 때문에 가져야 하느냐, 그것은 우리가 우리 인생을 성공적으로 살기 위하여서 행복하게 살기 위해서 가져야 한다, 그것이 목적일 것입니다.

역사적 소명 의식을 가지고 살아야

김대중 그런데 인생에 있어서 성공이나 행복은 뭐냐, 부자가 되는 거냐, 높은 자리에 올라가는 거냐, 명예를 얻는 거냐, 그렇게 됐는데도 불행한 사람이 얼마든지 있습니다, 그러면 진정한 인생관이란 건 뭐냐? 이렇게 생각하면, 결국 자기의 인생의 삶이 자기 양심에 흡족하고 떳떳하고 자랑스럽고, 그래 가지고 죽을 때 나는 내 인생을 정말로 의미 있게 살았다, 그렇게 사는 그런 방법이 인생관의 옳은 길이 아닌가 하는 생각을 합니다.

나는 모든 사람이 다 인생의 성공자는 될 수 없다고 생각합니다. 다 사업에 성공하고, 다 고관대작이 될 수 없습니다. 그러나 모든 사람이 인생의 삶에 성공할 수 있다, 그건 뜻있게 살고 자기에게 자랑스럽게 살면 성공하는 거다, 이렇게 생각합니다. 그렇게 살기 위한 길은 무엇이냐, 나는 이웃, 그리고 역사, 우리가 처해 있는 현실에 있어서, 우리에게 요청하는 역사의 사명, 가령 한국에서 우리의 역사적 사명이 한국 국민에게 자유와 정의와 인간 존엄성을 갖다주는 민주주의라면 거기에 헌신하는 것, 우리의 사명이 두 번 다시 한국에선 동족상잔이 없는 평화를 가져오는 것이 역사적 사명이라면 거기에 헌신하는 것, 그리고 갈라진 강토를 다시 재결합시키는 것이 역사적 사명이라면 거기에 헌신하는 것, 그리고 동아시아와 세계의 평화에 공헌하고, 또 세계의 우리보다 더 어려운 사람들을 위해서 우리가 봉사하는 것이 우리들의 역사적 사명이라면 거기에 헌신하는 것, 그 역사적 소명 의식을 가지고 살고, 결국 주위의 모든 사람들을, 내 도움을 필요로 하는 사람들을 위해서 사는 것, 이럴 때 우리는 필연적으로 그들과 하나가 되고, 그들과 일체화되고 일체화가 됐을 때, 우리는 떳떳하고 자랑스럽고, 만족감을 느낄 수 있고, 자기의 양심에 내가 뜻있게 살았다는 생각을 가질 수 있다, 그렇기 때문에 무엇이 되느냐보다도 어떻게 사느냐를 중심으로 해서 하는 것이 바르게 사는 길이다, 내 일생을 남이 볼 때는 굉장히 고난스럽고, 혹은 불행하게 생각할는지 모르지만, 내 일생이 고통스러웠던 것은 사실입니다. 그것은 절대 부인할 수 없습니다. 나도 인간이기 때문에 굉장히 고통스러웠어요. 그러나 나는 내 일생을 절대로 불행하다고 생각하지 않습니다. 한국의 어떤 대통령 된 사람과도 바꾸지 않겠습니다, 어떤 재벌의 부자하고도 바꾸지 않겠습니다, 내 인생을. 나는 한국의 이 시기에 태어나서, 한국의 이런 여러 가지 어려운 여건 속에 있는 이 시기에 태어나서 내가 국민을 위해서 만 분의 1이라도 봉사할 수 있는 인생을 살려고 노력했다는 것, 내가 그렇게 살았다고 하지 않지만, 그건 참 내게 큰 행복이었고, 기쁨이었다고 생각합니다. 그래서 이렇게 바르게 사는 데 전력투구해서 사는 것, 말하자면 한 도전을 극복하면 다음 도전에 또 부딪쳐서 전력투구해서 사는, 이렇게 살기 위해서 이번에 내가 여러 가지 어려움을 알면서도 본국에 돌아가기로 결단을 내린 것입니다. 내가 이렇게 살 수 있는 데에 대해서는 내 옆에 앉아 있는 아내와 모든 가족들의 이해와 성원이 없었으면 불가능했습니다. 또 많은 우리 친척들이나 친구들이 희생되면서도 그것을 감내해 주지 않았으면 불가능했습니다. 그리고 많은 동지들, 많은 국민들이 성원하고, 협력해 주지 않았으면 나 혼자 불가능했다는 것은 두말할 것도 없습니다. 도대체 세계의 여론이라든가 여러분들이 협력하지 않았으면 내가 지금 이 시간에 살아 있지를 못할 것입니다. 그런 의미에서 나는 참 그것을 언제나 감사히 생각하고 있다는 것을 말씀드릴 수 있습니다.

난 크리스천인데, 나는 예수의 제자로서, 예수를 어떻게 보느냐, 예수는 민중의 자식으로 태어났습니다. 가난한 목수의 아들이 민중으로서 일생을 살았습니다. 민중을 위해서 일생을 살았습니다. 그리고 민중을 위해서 죽었습니다. 이것이 예수의 일생입니다. 그러면서 십자가를 지고 자기 뒤를 따라오라고 했습니다. 그렇기 때문에 진실로 우리가 예수의 제자가 되려면, 예수의 가는 길을 안 갈 수 없습니다.

예수가 이 세상에 온 목적이 무엇이냐, 예수가 「루가복음」 4장 18절에 분명히 얘기하고 있습니다. 예수가 이 세상에 온 것은 가난한 사람에게 복음을 전하고, 묶인 자에게 해방을 알리고, 그리고 눈먼 자를 보게 하고, 그리고 억눌린 자에게 자유를 주기 위해서 왔다고 그랬습니다. 아주 분명히 얘기하고 있습니다, 그렇기 때문에 우리보고 자기 제자가 되려면 십자가를 지고 따라오라고 했어요. 피할 길이 없습니다. 예수님을 믿는 사람으로서는.

예수는 물론 병자도 고치고, 배고픈 사람에게 기적도 일으켜서 먹여 주었습니다. 또 개인의 영혼 구원에도 노력했습니다. 그러나 예수가 결국은 처형당하게 되는 원인은 예수의 사회 구원에 대한 참여, 예수가 그 당시 안식일을 악용하고 정결제를 악용하고, 성전 봉물을 악용해서 착취하는, 그 당시 지배계급들, 사두가이파, 바리사이파에 대해서 그 위선적인 하느님의 이름 아래서 거짓으로 백성을 억압하고, 안식일과 정결제가 백성을 위해서 만든 것인데, 이제는 백성을 묶는, 말하자면 동아줄로서 쇠고리로서 백성을 억압하고 있는 겁니다.

성전에 봉헌하는 것을 착취하는 것, 이런 체제에 대해서 저항하다가, 그 당시가 신정정치이기 때문에, 말하자면 그런 종교 지배 계층에 대한 반대는 바로 정치적 반대입니다. 로마 정부란 것은 치안 유지와 세금만 걷었지 모든 것을 그 당시의 사제들인, 말하자면 바리사이파와 사두가이파에게 맡겼던 것입니다.

여기에 예수는 민중의 권리를 위해서 저항해서 싸우다가 정치범으로 몰려서 예수는, 정치에 전혀 개입하지 않았지만, 정치범으로 죽어 갑니다.

우리가 정교 분리를 얘기하는데, 그때 언제든지 예수의 이 문제를 생각합니다. 정교 분리라는 것은 중세 모양으로 교회가 직접 정치에 관여해서 정치적 지배를 하고 정치적으로 투쟁하는 것을 해서는 안 된다는 것이지 교회가 정치에 대해서 말을 해서는 안 된다는 것이 아닙니다. 교회는 하느님의 사랑의 차원에서 하느님의 정의의 차원에서 정치에 대해서 말해야 합니다. 왜냐하면 정치가 백성들의 권리를 다 좌우합니다. 노동자가 권리를 보장받냐, 못 받냐, 백성들이 정당한 인권보장을 받냐, 못 받냐, 전부 하느님의 창조물인 이 경제적 부가 몇 사람에게 가느냐, 그것도 정치에 따라서 결정됩니다. 그렇기 때문에 교회는 하느님의 사랑의 차원에서 하되, 다만 정치에 참여하기 위해서라든가 특정 정당을 지원하기 위해서 하는 건 안 됩니다.

그것을 안 한다는 것이 정교 분리지, 교회가 정치에 대해서 하느님의 사랑의 입장에서, 정의의 입장에서, 말하지 않는다는 얘기는 아닌 것입니다. 그렇기 때문에 그것을 회피하는 교회는 내 신앙의 차원에서 볼 때는, 이것은 진정한 크리스천의 교회가 아니다, 이렇게 생각합니다. 그리고 내가 이것을 강조하고 싶은 것은 불교건, 힌두교건, 유교건, 또 지금 이슬람교건, 모든 종교 안에는 진리가 있다는 사실입니다. 또 여러 종교들이 전부, 일어날 때 보면 기독교와 마찬가지로 눌린 자, 억압받는 자의 편에 서 가지고 일어났습니다.

이슬람교도 그 당시에는 억압받는 사람들이, 말하자면 코레이시족의 지배층에 반항해서 마호메트를 중심으로 일어났습니다. 그렇기 때문에 마호메트가 박해를 받았습니다.

부처님이 불교를 선포할 때 그 당시의 바라문 지배하에서의 엄격한 계급차, 여기에 저항해서 부처님은 일체중생의 평등을 주장했습니다.

지금은 우리가 그 소리를 보통으로 듣지만, 그 당시 인도의 법률도 있지만, 그 철저한 계급 차이, 처음에는 인간 취급도 받지 못한 사회에서 지금부터 2천5백 년 전에 모든 사람이 평등하다는 그것이 얼마나 큰 혁명인가, 맑스주의에 의한 공산주의 주장보다도, 어떤 의미에서는 더 혁명적인 입장입니다. 그리고 부를 가진 자에 대해서도, 너희들이 부를, 없는 자에게 희사, 희사란 말이 거기서 나왔는데 나눠 주지 않으면 부에 집착한 사람은 내세에 악의 축생으로 태어난다고 말한 것이 얼마나 큰 그 당시의 사회정의의 주장인가, 이런 면은 불경에 말할 수 없이 많습니다.

보살, 보살, 하는데 보살이란 것은 무엇이냐 하면, 보살이란 것은 그 의미가 자기는 완전히 부처님이 된, 성불이 됐지만, 일체중생이 모두 구원될 때까지는 이 극락세계로 가지를 않고 자기도 모든 사람과 같이 고난을 가지고, 다시 말하면 구제받지 못한 민중과 끝까지 같이 있겠다, 그래 가지고 다 구원되고 나서 자기는 마지막에 구원받겠다, 이것이 보살의 정신인 것입니다.

또 공자의 유교도 그렇습니다. 유교란 것은 지금으로 봐서는 봉건제도, 반동적이라고 이야기하지만 유교가 그 당시 나올 때 주나라는 노예제도의 시대입니다. 아직도 노예제도 시대였어요. 그 당시 노예제도란 것은 자식을 낳아도 내 자식이 아니고, 농사를 지어도 전부 다 뺏기고 이런 것이 노예제도입니다. 우리가 미국의 노예제도도 보지 않습니까? 그런데 공자가 봉건제도를 주장하고 나선 것은 자식을 낳으면 내 자식이고, 농사를 지으면 일부 조세를 납부하면 나머지는 내 것이다 하는 것입니다. 그리고 노예제도의 시대에 있어서 귀족들 마음대로 하던, 지배체제로부터 법치주의, 관료적인, 말하자면 제도에 의한 지배, 그리고 국민들을 속여서 뇌쇄라든가, 그런 방향으로 끌고 가는 것을 현실 사회의 정치가 바로 돼서 국민의 행복이 보장돼야 한다는 이런 방향으로 주장하는, 이런 공자의 주장은 굉장히 혁명적이었다는 것을, 또 그것이 준 민중에 대한 혜택이 얼마나 컸다는 것을 우리는 알아야 한다는 것입니다.

그래서 나는 모든 종교 속에서는 다 진리가 있으며 또 진리가 없이 눌린 민중의 편에 서 있지 않던 종교는 다 도중에 없어져 버렸습니다. 그래서 앞으로 한국에서는 기독교도, 이런 불교라든가 유교 진리를 가지고 있는 종교들과 같이 협력해서 현실 사회, 즉 이 세상을 천국으로 만들고, 이 세상을 살기 좋은 극락세계로 만드는 그런 방향으로 나아가야 한다, 이렇게 생각합니다.

민중이 주인이 되어야 하는 세계

김대중 그리고 마지막으로 세계관 문제인데, 이것도 굉장히 장황한 문제고, 또 내 한정된 지식으로 다 말씀드릴 순 없으나 참고로 해서 몇 마디 말씀드리면, 나는 "오늘날 세계는 이 민중이 주인이 되어야 하는 세계다."라고 봅니다.

이 세계는 지금까지 다섯 번 혁명을 겪었다고 그러는데 지구가 이 세상에 나서 45억 년쯤 됐고 지구에 생물이 생겨서 한 35억 년 됐고 그리고 원숭이 종류 비슷한 데서 인간으로 해서 휴먼 스페시가 나온 것이 지금으로부터 2백만 년 전에, 현재까지의 고고학상으로서는 탄자니아의 북부에서 나왔다, 이렇게 돼 있습니다. 그러나 오늘날 우리 인종이 호모사피엔스, 이것이 나온 것은 5만 년 전에, 그전 것은 전부 없어지고 다시 나왔습니다. 왜 그렇게 없어졌는지, 그것은 지금 잘 모릅니다. 여하간에 그러한 그 인간 탄생, 이것이 첫째 혁명입니다. 그다음에 지금부터 만 년 전에 떠돌아다니던, 채집 생활을 하든가, 목축 생활을 하던 인간이 농업으로 정착했습니다.

이것이 농업 경제가 시작됐다고 하는 두 번째 혁명이고, 그리고 세 번째는 지금으로부터 4, 5천 년 전에 티그리스·유프라테스강이라든가 혹은 나일강이라든가 혹은 인더스강이라든가 혹은 황하강, 차츰 이렇게 4, 5천 년 전부터 시작했는데 도시문명이 발전됐다는 것입니다.

그리고 네 번째는 지금으로부터 2천5백 년 전후에서 중국에서 제자백가, 공자, 노자, 장자 등 모두 이와 같은 사상가들이 나오고 인도에서 부처님을 위시한 바라문의 사상가들이 나오고, 또 희랍에서 탈레스를 위시한 철학자들이, 소크라테스, 플라톤까지 나오고, 그리고 이스라엘에서는 예언자들, 이런 사람들이 예레미아라든가, 엘리아라든가 이사야라든가, 모두 이렇게 나왔다는 것입니다.

기이하게도 동서양 간에 지금으로부터 2천 년에서부터 2천5백 년 사이에 그렇게 모든 사상가들이 나왔어요.

오늘날 인류가 지금 뭐라고 말하지만 아직도 2천5백 년 전 그 사상의 찌꺼기를 지금도 우리가 먹고살고 있다, 그렇게 얘기할 수 있습니다.

그리고 다음에 다섯 번째 혁명은 16, 17세기부터 나온 기술혁명으로서 오늘까지 지금 기술혁명이 압도적으로, 특히 20세기 후반기에는 새로운 대대적인 기술혁명 시대로 들어와 있습니다. 그런데 이러한 과정에서 지금 20세기를 얘기하자면 민중혁명의 시대다, 이렇게 볼 수 있습니다.

지금까지 민중은 역사 발전의 동력이고 경제 발전의 동력인데 한 번도 주인 노릇을 못 했습니다. 그러나 20세기에 들어와서 민중이 이제 주인 노릇 하는 시대로 들어가고 있습니다.

예를 들면 유럽에서 지금 과거에 가장 하층계급이었던 노동자 자식들이 장관도 되고 대통령도 되고 총리도 되고 있습니다. 맑스주의를 우리가 지지는 하지 않지만 맑스주의도 민중의 시대를 주장하고 나온 것만은 틀림없습니다.

또 2차대전까지 식민지 지배하에서 그중 착취를 당했던 아시아·아프리카 국가들, 이런 사람들이 전부 일제히 해방이 되어서 자기 나라를 찾고 이제는 사회계층 내에서의 해방을 쟁취하는 단계로 지금 들어가고 있습니다. 이렇게 볼 때 민중들이 해방되어 가고 있다, 그리고 또 민중에 대해서 괴롭혔던 것, 인류의 4대 죄악이라고 하는 인간을 노예화하는 것, 인간을 착취하는 것, 인종차별 하는 것, 이것은 지금 거의 사라져 가고, 사라져 가지 않더라도, 부당한 것으로 지적을 받고 있습니다. 이것이 20세기 들어와서 처음입니다. 그 전에는 그것이 당연한 것입니다. 또 그다음에 하나, 4대 악 중에 하나 남아 있는 것이 전쟁인데 이 전쟁만이 지금 문제로 남아 있는데 이것이 마지막으로 우리가 해결해야 할 문제다, 이렇게 생각하고 있습니다. 그래서 결국 노예제도하의 노예도 민중이고, 착취될 때 착취당하는 것도 민중이고, 인종차별 때 인종차별 받는 것도 민중인데, 이런 민중이 해방되어 가고 있다, 이렇게 우리가 지적할 수 있습니다.

그리고 지구적인 입장에서 볼 때는 지금까지 각기 민족별로 갈라져서 아직도 160개의 민족국가가 있지만, 이미 교통이라든가, 통신이라든가, 이런 것은 지구를 하나로 만들었습니다. 그리고 다른 우주 세계로 가는 단계로까지 이르러서 지금 20세기는 민중이 격리되어 있던 것이 하나의 지구에서 머지않아서 같은 지구인으로 지구촌의 사람으로 살 수 있는 그런 것을 우리가 내다보고 그걸 꿈으로만 생각할 수 없는 시대가 오고 있다 하는 것을 우리가 말할 수 있는 것입니다. 그리고 우리가 여기서 하나 강조할 것은 과거에는 많은 가난한 사람들, 이런 사람들의 생활이 빈곤했습니다. 그런 시절 우리가 흔히 하는 말은 "가난은 나라도 구제 못 한다"는 말입니다.

사실 20세기 전반까지는 인간의 생산능력이 한계가 있어서 모든 사람이 완전히 물질적으로 충족하게 살 능력이 없었습니다. 그러나 20세기 후의 오늘의 생산능력은 만일 오늘 세계가 미·소 양국을 중심으로 해서 쓰고 있는 막대한 군비를, 경제 분야를 겨냥한다면 좀 과장해서 말하면 내일부터라도 저 아프리카나 오스트레일리아 산골에 있는 모든 사람을 포함해서 세계의 모든 사람의 의식주가 적어도 정상적으로 해결될 수 있는 인간의 생산능력을 가지고 있습니다.

이것이 처음으로 인간이 이룩한 우리들의 위업입니다. 이러한 것은 오늘날 세계로서 우리가 내다볼 때 결국 우리가 마음먹고 정치만 바꾸면 민중은, 말하자면 행복한 세상을 살 수 있는 그런 단계로 왔다, 그렇기 때문에 내가

20세기의 후반은 민중혁명의 시작이다, 이렇게 얘기를 하는 것입니다.

그러나 여기에 또 위험도 많습니다. 오늘날 물질적으로 우리가 모든 세계 사람들이 다 만족하게 살 만큼 성장한 반면에, 또 처음으로 인간이 무력을 가지고 핵무기를 가지고 우리를 다 죽일 수 있는 정도의 그런 무력도 발견했습니다. 다 죽이는 게 아니라 다섯 번 죽일 정도의 핵무기를 가지고 있고 그것도 부족해서 지금 이 시간도 계속해서 만들고 있습니다. 어떻게 보면 이것은 광기입니다. 미친 짓이고, 지금도 그렇습니다. 그래서는 안 된다는 사람이 오히려 비현실적이고, 그래야 된다는 사람이 현실적인 사람으로 되어 있습니다.

오늘의 현실은 이것을 우리가 막을 수 있는가, 우리가 전환시킬 수 있는가 하는 것이 우리들이 부딪힌 큰 질문 중의 하나입니다.

자! 하느님은, 또 이 세계는 다 행복하게 살 수 있는 충분한 물질을 주었는데, 이 물질을 가지고 다 행복하게 살겠느냐, 아니면 다 죽겠느냐 하는 질문을 우리가 받고 있습니다.

또 역사는 우리에게 우리 모두가 한 나라로서 말하자면 한 지구촌으로서 같이 살 수 있는 그런 수송수단과 통신수단과 모든 방법을 주었는데, 그렇게 살 거냐, 앞으로도 계속 각자가 갈려져서, 서로 민족주의니 뭐니 해 가지고 서로 죽이고, 말하자면 배척하고 착취하고, 이렇게 살 거냐 하는 그런 질문을 우리가 받고 있습니다. 그렇기 때문에 우리는 과거에는 변명이 됐지만, 이제는 변명도 할 수 없는 그러한 단계에 와 있다, 좋은 면도 압도적이지만 나쁜 면도 압도적이다, 이것이 오늘날 우리가 살고 있는 시대인데 이것을 뚫고 나가는 길은 우리 한 사람 한 사람이 자기의 주체성을 확립하고 그래 가지고 자기가 주인으로서의 의식, 주인으로서의 권리뿐 아니라 책임감을 느낄 수 있는 그러한 자기의 전인적 완성, 인간 완성, 이것을 해 나가면서 아까 말한 바와 같이 우리의 삶의 목적이 자기의 이기적 동기가 아니라 이웃과 살기 좋은 사회, 어떻게 하면 천국을 만들고 극락을 만드는 데 바칠 수 있는가, 그래 가지고 나 혼자만의 행복이 아니라 이웃과 같이 행복이 되는 그런 사회를 만들 수 있는가 하는 그런 우리들의 인간혁명과 인간의 질적인 향상 없이는 이 문제는 해결될 수 없다, 이렇게 생각하고 있습니다.

질문 네, 다음은 질문이 아니라 당부의 말씀을 드리고자 하는데요. 국내 또는 국외에 계시는 동포 여러분들께 하실 말씀이 있으시면 이 기회를 통해서 한 말씀 해 주시기를 바랍니다.

국민에게 봉사하는 길

김대중 나는 다시 한번 여기 이 자리를 빌려서 말씀드리고자 하는 것은 그동안 제가 여러 가지 어려움을 겪을 때 저와 저의 가족과 또 주위의 모든 동지들을 성원해 주신, 그 성원이 없으면 도저히 유지할 수 없을 정도로 큰 성원을 주신 국내에 있는 4천만 동포 여러분께 감사드리고 또 해외에서 내 목숨을 살리고 내 안전을 위해서 노력을 많이 해 주었을 뿐 아니라 내가 여기 온 2년 동안도 여기서 따뜻이 보살펴 준 미국과 캐나다 동포 여러분들께 진심으로 감사를 드립니다. 내가 여러분께 말씀을 드릴 수 있는 것은 나는 내가 지금 가는 길이 내가 지금 바르게 살고, 또 우리 국민의 한 사람으로서 국민에게 봉사하는 길이기 때문에 가는 것이지만, 나는 또 반드시 이 길이 성공하는 길이기 때문에 간다는 것을 강조하고 싶습니다. 그것은 내가 잘나서가 아니라 우리 민족이 잘났기 때문에 성공한다 그것입니다.

우리 민족은 한때 중국 천지와 세계를 지배하던 몽골이 오늘날 130만만 남겨 놓고 전부 중국화될 때 우리 민족만은 6천만이 한반도에 지금 남아 있습니다. 만주족이 전부 청나라 3백 년 후에 중국화될 때 우리는 한반도에 엄연히 6천만, 세계 열두 번째의 대국입니다. 남한만 하더라도 세계의 열일곱 번째의 대국입니다. 그래 가지고 우리의 독자성을 유지하면서, 오늘날 세계 사람이 놀라울 정도의 경제적 발전을 해 나가는 그러한 능력, 세계에서 미국 둘째가는 높은 진학률을 보이는 그런, 말하자면 교육열을 갖는 그런 발전하는 민족으로서 지금 남아 있습니다. 절대 아전인수가 아닙니다. 우리는 이승만 씨도, 박정희 씨도 결코 프랑코나 사라잘같이 영구 집권하지 못하도록 도중에 좌절시켰습니다.

오늘날 전두환 정권도 국민의 뜻에 복종해서 태도를 바꾸지 않으면 결코 영원히 집권하지 못할 것이라는 것을 내가 분명히 말할 수가 있습니다. 또 우리는 남북 6천만의 통일, 이것은 참 어려움을 겪고 있지만 이것은 우리 민족의 역량과 염원으로서 아까 말같이 뜨거운 정열과 냉철한 이성을 겸비하면서 해 나간다면 반드시 성취할 수 있다, 이렇게 믿고 있습니다.

나는 오늘날 한국 민족이 처해 있는 처지, 이것은 어떻게 보면 세계의 모든 문제점을 우리가 집약해서 안고 있습니다. 한국은 세계에서 사상이 공산주의와 민주주의 이 동서 관계의 아주 처연한 대립의 총집합장입니다. 두 나라로 갈라져 있습니다. 두 체제의 나라로 갈라져 있습니다. 만일 한국에서 이 문제가 해결된다면 세계의 동서 문제의 해결에 하나의 모범이 될 것입니다. 또 한국에 있어서는 지금 세계의 4대국, 세계의 운명을 좌우하는 미국, 소련, 중국, 일본 등 세계의 가장 큰 4대국이 한반도를 둘러싸고 있습니다. 4대국에 이렇게 둘러싸여 있는 나라는 세계에서 한국밖에 없습니다. 동남아시아에도 없고, 아프리카에도 없고, 유럽에도 없고, 라틴아메리카에도 없습니다. 우리가 지도를 보면 압니다. 만일 여기서 이 4대국과의 관계를 조정하면서 한반도의 평화와 통일을 성취한다면 4대국 문제가 어떻게 서로 대립 속에서 조화의 길로 나아갈 수 있는가 하는, 그 해결의 실마리를 한국에서 제공할 수 있습니다.

그렇기 때문에 내가 1971년 대통령 선거에 나갔을 때 한반도에서 4대국이 평화 보장에 협력해야 한다는 것을, 그때 안으로 낸 적이 있습니다만 끊어졌습니다. 또 한국은 알다시피 제3세계의 나라이고, 2차대전 후에 처음으로 해방된, 과거 식민지였습니다.

그 한국이 선진 국가들이 지배하는 경제·정치적 국제사회 관계 속에서 진출해 가지고 지금 세계가 괄목할 만한 방향으로 나가고 있습니다. 한국 민족이 그 역량을 보이고 있습니다. 만일 우리가 국민과 일체가 될 수 있는 국민의 에너지를 제대로 집약하고, 그리고 국민의 전면적 지지를 받을 수 있는 민주정부가 섰다면 오늘날 한국은 훨씬 더 좋은 상태에 가 있을 것입니다.

여하간에 한국은 이제 세계의 남북 관계에 있어 북쪽은 산업화되고, 남쪽은 개발도상의 나라에 있어 남쪽의 남북 관계에 있어 하나의 대표적인 존재입니다. 그렇기 때문에 한국이 남북 문제를 어떻게 해결해야 하느냐 하는 것은 하나의, 또 세계의 남북 문제 해결의 모범이 됩니다. 이런 의미에서 우리는 어떻게 하면, 고통스럽기도 하지만, 어떻게 보면, 가장 자랑스러운 시기에 가장 보람 있는 시기에 태어난 것입니다. 또 한국이 세계에서 그 대표입니다. 절대 아전인수가 아니라 내가 지금 설명하는 것을 보면 알 수 있습니다. 거기다가 세계는 지금 아시아의 시대로 들어오고 있습니다. 2차대전으로서 유럽의 식민지 시대가 끝났기 때문에 여러분, 결국은 이제는 아시아 시대로 양보하고 있고 이미 미국도 작년부터는 아시아·태평양 기구와의 교역이 유럽과의 교역보다도 더 많습니다. 이제는 세계가 아시아의 시대인데 이 아시아 시대에서 지금 한국이 6천만의 대민족이 하루속히 통일하고 하루속히 화해해서 내부에서 탕진하고 있는 이 에너지와 물질적 이 낭비를 극복하고 태평양으로 진출해 나간다면 우리는 장래가 양양하다, 그러나 한 가지 얘기할 것은 아시아 시대에 있어서 경쟁자는 일본만 아니다, 지금 역사학자들은 또는 문명 비평가들은 21세기 가면 인도와 중국이 일본에 못지않은 경제로 등장할 거라고 합니다. 그러기 때문에 우리는 좋은 기회도 만났지만 강력한 도전자도 가지고 있습니다. 그래서 이런 의미에서도 우리들은 말하자면 정신을 바로 세워서 우리가 발전과 삶의 길로 가느냐, 정체와 패배의 길로 가느냐 하는 기로에 서 있는데 이것을 극복하는 길은 오직 민주주의입니다. 민주정부가 섰을 때만 국민의 전면적인 집합을, 협력과 단합을 가져올 수 있고 안녕을 가져올 수 있습니다. 민주정부 섰을 때만, 이미 말했듯이 남북 간의 화해와 평화를 가져올 수 있습니다. 그리고 통일의 방향으로 의미 있게 나갈 수 있습니다. 민주정부 없이는 이 모든 게 되지 않습니다. 그래서 이 민주화에 우리 국민과 해외교포가 총집결해서 참여해야 합니다. 미국에 와 있는 교포들은 어떤 의미에서는 한국 민주화운동에서 소외됐지만 말입니다. 어떤 의미에서는 한국의 오늘날 독재정치를 지탱하고 있는 것이 미국의 잘못된 정책이고 미국으로 인해서 민주주의가 지금 한국에서 회복되지 않고 있습니다. 미국이 지지하니까 일본이 따라가고, 미국과 일본이 지지하니까 군부 내의 민주 세력들, 군의 중립을 염원하는 세력들이 좌절되고 중산층 인텔리들이 좌절됩니다. 그렇기 때문에 미국의 정치를 바꾸는 것이 한국 민주화의 최대의 길이기 때문에, 어떤 의미에서는 미국에 있는 동포들은 가장 의미 있는, 가장 중요한 자리에 와 있다고 할 수 있습니다. 미국의 국회의원, 미국의 여론을 미국의 동포들이 움직여야 합니다. 캐나다도 그렇고 유럽에 있는 우리 동포들도 응분의 참여를 기여해야 합니다. 유럽의 힘은 아직도 강합니다. 그래서 나는 그런 것을 호소하는 동시에 지금 고난 속에 있는 노동자, 농민, 그리고 중소기업, 억압받는 사람들에 대해서 마음으로부터 위로와 격려의 말을 보내고 싶습니다. 우리는 절대로 좌절하지 말고, 절대로 자포자기하지 말고, 절대로 성급하지 말고, 우리가 고난스러울 때는 우리를 억압하고 있는 세력들도 고통스럽다는 것을 우리는 알아야 합니다. 그래서 우리가 좀 더, 이미 말한 대로 총단합하고, 비폭력 투쟁을 하고, 그리고 말하자면, 극단주의를 배격한 건전한 투쟁의 길로 나가면 머지않아 우리는 우리의 목적을 달성할 수 있다는 것을 말할 수 있습니다.

동시에 내가 여기서 강조하고 싶은 것은 우리 민주 세력들은 절대로 자본가의 적이 아닙니다. 자본가를 증오하지 않습니다. 기업인들이 이미 말한 대로 그런 기업윤리를 갖고 참여할 때 우리는 그 사람들을 지지하고, 그 사람들을 보호하고, 그리고 그 사람들이 참으로 권력의 노예로부터 해방되는 것을 도와줄 것입니다. 그렇기 때문에 기업인들도 민주정부 아래에서만 참된 자기들의 인격을 회복할 수 있다 하는 것을 내가 말하고 싶습니다.

이제 최후로 한 가지 더 첨가하고 싶은 것은 지식인들에 대해서입니다.

내가 지난번에 하버드대학에서 하버드대학 총장 데릭 복 박사가 우리 국제문제연구소에 와서 세미나를 할 때, 내가 그분한테 질문한 일이 있습니다.

도대체 제3세계, 우리 한국을 포함해서 미국 하버드나 예일 같은 일류 대학들, 여기 와서 공부하고 돌아간 사람들의 대부분이 미국에서, 민주주의 나라에서 높은 교육을 받고, 박사를 받아 가지고 돌아왔는데도, 돌아가서는 결국 독재자의 편에 섭니다. 민주주의와 정반대의 편에 서고, 그리고 소수에게 부를 집중시키는, 지금 미국을 돕는 그런 경제 정책을 지원하고, 그리고 백성들한테 그럴듯한 언론으로 백성들을 바보로 만들고 하는 이런 게 그들의 사고인데 이걸 어떻게 생각하느냐 하고 내가 말한 일이 있습니다. 내가 여러분께 얘기하고 싶은 것은 지식인은 한국에서, 세계 어느 나라보다도 많은 존경을 받아왔습니다. 그러나 진정한 지식인이란 것은 단순히 지식을 상대방 수요에 따라서 상품같이 파는 그런 지식상인이 아니라, 자기가 말한 지식에 자기가 전 책임을 지면서, 인격을 걸고 심지어 목숨까지 걸면서 그 지식의 진리를 지키는 사람이 진정한 지식인입니다.

우리 역사에서 그런 아주 좋은 예가 있습니다. 성삼문이나 신숙주, 다 같이 세종대왕에게 총애를 받고, 집현전 학자로서 아주 우수한 학자들이었습니다.

그런데 세종대왕 밑에서 똑같이 공헌하던 사람들이었는데, 그렇게 태평성대에는 똑같이 보였는데 막상 세조가, 수양대군이 단종을 죽이고 불의하게 정권을 빼앗으려고 할 때, 그건 불충이고 불효인데, 또 이조시대의 모처럼 세워 가는 유교윤리를 전면적으로 파괴하는 이조의 건국 국기를 뒤집는 일인데, 여기에 대해서 성삼문은 자기의 배운 지식이 인격화되었기 때문에 목숨을 걸고 싸웠습니다.

신숙주는 과거에는 그렇게 안 보였는데 이제 보니까 그건 상품이었어요. 그렇기 때문에 세종대왕이 동이라는 상품을 요구할 때는 동을 팔았지만, 수양대군이 서라는 상품을 요구할 때는 서를 판다 이거예요. 그래서 그건 지식상인이란 걸 나타냈습니다.

오늘날 많은 학자들이 얼마나 많은 언론인들이 이런 지식상인 노릇을 하고 있는가, 그래 가지고 우리 국민들을 실망시키고, 우리 국민에게 슬픔을 주고 있는가, 지식인들이 크게 반성을 해야 한다고 생각합니다. 지식인이 존경받고, 지식인이 자기에 대해서 사랑을 가질 때는 그 지식의 진리를 목숨을 걸고는, 그런 길로 나아가야 합니다.

나는 우리 국민이나 재미교포들한테 얘기하고 싶은 것은, 우리가 안중근 의사, 윤봉길 의사, 이런 분들이 목숨을 바치고 20대, 30대에 이 세상을 떠났습니다. 그러나 그분들은 국민을 위해서 살고, 정의를 위해서 살고, 그리고 역사의 가는 길과 같이 살았기 때문에, 영생을 하고 있습니다. 우리는 지금도 그 사람들을 존경하고 있습니다. 우리가 그분들과 똑같이 그렇게 죽지는 못

할망정, 또 우리가 고난 속에 참여는 못 할망정, 적어도 우리가 할 수 있는 응원을 해야 하는 것 아닌가. 하물며 안중근이나, 윤봉길 의사의 반대편에 서서 제3, 제4, 제5의 안중근, 윤봉길 이런 사람을 내지 않으면 안 될 그런 불행한 사회를 만드는 데 가담하는 일은 있어서는 안 될 것이라 말씀드리면서, 마지막으로 의미 있게 살아야 한다고 강조하고 싶습니다.

우리는 누구나 다 인생을 성공할 수 없지만, 인생을 삶에 성공하도록 해야 합니다. 그것은 무엇이 되기 위해서보다도 어떻게 사느냐를 중심으로 해서 살아야 합니다. 그러기 위해서는 내 양심과 이웃과 역사에 충실하게 우리가 살아야 합니다. 그래서 '행동하는 양심'이 돼야 하고 행동하지 않는 양심은 악의 편이라는 것을 다시 우리가 명심해야 합니다, 이것을 우리 국민과 해외에 있는 교포들에게 호소하며 내 말을 마치고 싶습니다.

* 이 글은 1984년 11월 4일, 워싱턴에서 한국 기자단과 가진 인터뷰 내용이다.

김대중, 지금은 정권 쟁취의 단계 아니다

대담 여영무

일시 1985년

1980년 계엄 당국에 의해 내란음모죄로 사형 선고를 받았던 김대중 씨가 1년 1개월 동안의 미국 생활을 마치고 지난 2월 8일 귀국했다. 서울 마포구 동교동 178의 1 옛집에서 부인 이희호 여사와 장남 홍일 씨와 함께 살고 있다. 1962년부터 23년간 살아온 비교적 낡은 집이었다. 열두 아궁이에서 연탄을 때는데도 목욕탕, 화장실, 난방 모든 것이 시원치 않아 불편하다고 김 씨는 불만을 토로했다. 집을 팔고 딴 데로 이사를 하려 해도 집 살 사람이 없다고 했다. 이런 사정은 김 씨 집 부근 집도 마찬가지.

얼마 전까지만 해도 김 씨 집 주변을 삼엄하게 둘러쌌던 경찰 초소들은 모두 철거되었지만 주변이 어쩐지 살벌하고 어수선하기만 했다. '김대중', 그는 과연 한국 현대사의 풍운아인가.

어쨌든 그의 이름은 1960-80년대 어느덧 한국 야당 탄압사와 주요 정치 사건들의 동의어처럼 굳어져 가고 있다.

김 씨는 1971년 신민당 대통령 후보로 박정희 대통령에게 도전, 90여만 표 차로 패배했지만 해방 후 야당 후보로서는 대권大權 고지에 가장 아슬아슬하게 접근했었다.

그칠 날이 없는 탄압과 핍박과 수난

1973년 '김대중 납치사건', 이로 인한 한·일 간의 긴장과 두 나라 정부의 정치 회오리, 1976년 3·1절 때 김 씨를 중심으로 한 '민주구국선언'과 이로 인한 투옥, 가택 연금, 1980년 '5·17' 후 '김대중 내란음모사건', 투옥, 1982년 형 집행정지, 도미渡美 등 김 씨 주변에는 늘 탄압과 핍박이 이어졌고 큰 사건들이 그칠 날이 없었다.

1985년 '2·12총선' 나흘 전 미국에서 돌아왔다. 신민당이 지역구 50석이라는 많은 의석을 얻어 제1야당으로 부상한 데도 김 씨로 인한 '배후의 바람'을 무시할 수 없다.

그는 지난 3월 6일 마지막 남은 14명의 정치 피규제자에서 해금되던 날 동교동으로 찾아간 김영삼 씨와 감격의 포옹을 하면서 5년 만의 극적인 해후를 했다. 두 사람은 비록 1970년대 구 신민당 40대 기수 경쟁자였지만 앞으로 손잡고 민주화를 위해 노력하겠다고 다짐했다. 김대중 씨는 김영삼 씨와의 협력은 민주 회복이 되는 그날까지 추호도 흔들림이 없을 것이라고 강조했다. 정말 그럴까.

미국에서 돌아온 지 한 달 남짓 된 김대중 씨를 동교동 자택에서 만나 얘기를 나눠 보았다.

여영무 1971년도 김 선생이 신민당 대통령 후보로 전국 선거 유세를 할 때 취재했습니다만 그러니까 15년 만에 만나게 된 셈입니다. 그때보다도 오히려 건강이 더 좋아지신 것 같습니다. 오히려 연세는 높아졌는데 얼굴빛도 더 좋고요. 미국 체재 기간 동안 건강에 많이 유의하고 치료도 잘하신 모양이죠.

김대중 1971년 대통령 선거가 끝나고 국회의원 지원 유세 다닐 때 목포-광주 사이에서 트럭이 내 차를 들이받아 나를 깔아 죽이려고 했던 사고가 있었어요. 그때 양쪽 허벅지 관절을 다쳤고 그 후 치료를 잘못 받아서 고관절하고 소켓 표면이 망가졌어요. 통증은 없지만 자유롭게 온돌방에 앉지를 못해요. 그리고 다리를 꼬고 앉는 것이 잘 안 됩니다. 여기 서울대학병원에서 1년 감금되어 있을 때 의사가 자꾸 수술해야 된다 그러데요. 저번에 미국 갈 때도 사실은 수술할 각오를 하고 갔지만 미국 병원에서 진찰해 보니까 다른 데는 다 좋고 다친 데는 수술하여도 더 좋아지지 않으니까 하지 말라고 해서 안 했습니다.

여영무 신문에는 병명이라고 할까 치료하는 것이 관절염으로 돼 있던데…….

김대중 그건 잘못된 것이고 의학명이 고관절변형증입니다.

여영무 고관절변형증, 아주 긴 병명인데 그것 말고는 건강에 이상이 없는 거죠. 머리칼도 흰머리 하나 없이 새까맣고 60세라고 보기에는 너무 젊고 아주 건강해 보입니다.

김대중 네, 병은 없어요. 아주 정밀 검사를 해 봤으니까요.

여영무 기호품은 어떻습니까? 술이나 담배라든가…… 그리고 특별한 건강 유지법이라도 있습니까?

김대중 술은 별로 안 마시는데 밤에 자기 전에 위스키 조금 마시는 정도고, 담배는 과거 파이프 담배를 많이 피웠지만 미국서 끊었어요. 미국에서는 지금 담배 피우는 사람이 천대받아요. 남 눈치 봐야 하고 해서 그렇게 해 가면서까지 담배 피울 필요 없다 싶어 끊어 버렸어요. 한 30년 이상 피우던 건데. 그리고 제일 좋아하는 기호품은 커피인데 나는 하루에 커피 일곱 잔에서 여덟 잔씩 마셔요. 청주교도소 있을 때 그렇게 커피가 먹고 싶어서 커피를 사다 먹게 해 달라고 간청해도 끝내 거절당했어요. 건강 비결은 역시 폭음 폭식이

나 밤을 새우지 않는 등 무리를 않는 것입니다. 과욕을 부리지 말고 항상 마음을 편안하게 갖는 것이 중요합니다. 나는 다행히 소화가 잘되고 아무 데서나 잠을 잘 자기 때문에 건강이 잘 유지되는 것 같습니다.

출국 비행기 안에서 형 집행정지 통고받아

여영무 귀국할 때는 미국 내셔널에어포트에서 노스웨스트 타고 오셨더군요. 가실 때도 또 노스웨스트였고, 특별한 이유라도 있습니까?

김대중 올 때는 자유로 노스웨스트 탔지만 갈 때는 완전히 타의예요. 속아서 탔습니다. 노스웨스트 기피하는 것은 아니지만 '저 사람들'(전두환 정권)이 처음에는 대한항공(KAL)기 타고 간다고 해서 짐도 대한항공(KAL)기에 모두 실었지요. 외국 기자들도 대한항공(KAL)기 타는 줄 알고 대한항공(KAL)기 탔어요. 그런데 저 사람들이 일부러 노스웨스트 출발을 연기시키고 캄캄하게 불 꺼놓고 나를 비행기에 태웠어요. 비행기 탈 때까지 나도 대한항공(KAL)기인 줄 알았지요. 그런데 비행기 안에 들어가니까 청주교도소 부소장이 서 있다가 호주머니에서 무슨 종잇장을 꺼내 읽어요. 그러니까 거기서 형 집행정지가 선언된 겁니다. 형무소가 비행기까지 옮겨 간 거죠. 하여간 그 소리 듣고는 좌석에 앉았더니 그때 처음으로 여권하고 노스웨스트항공(NWA)기 비행기 표를 주어요. 비행기 푯값은 우리가 냈는데, 우리가 사지는 못했습니다.

여영무 귀국 후의 근황이라고 할까, 어떻게 지내시는지, 처음에는 연금이 되었다가 3월 6일부터 풀린 걸로 압니다만…….

김대중 아시다시피 지난 2월 8일 집에 도착해서 그때부터 3월 6일까지 근 한 달 동안 여기서 연금돼 있었지요. 아무도 못 들어오고 나도 못 나가고. 처음에는 안 되다가 나중에 신부, 목사님만 일요일에 두어 번 다녀갔죠. 사실 워싱턴에서 귀국하기 전에 두서너 달 동안 아주 격무였어요. 인터뷰와 회합에 나가고 미국 국회의원들 만나서 얘기하는 등 굉장히 고단하게 일하다가 연금 덕택에 한 달쯤 잘 쉬었어요. 또 여러 가지 생각도 하고. 그러나 집사람이 몸이 좋지 않으니까 그것 때문에 조금 걱정했죠.

6일 풀리면서부터는 집에서 매일 사람 만나는 것이 일과죠. 외출이라고는 지난번 국립묘지와 김구 선생 묘소, 4·19 묘소 그리고 이번에 수안보 다녀온 것 외에는 외출 한 번 못 했습니다. 오늘도 지방에서 버스 네 대로 사람들이나 만나러 올라오고 내일도 몇 대가 온다 그래요. 경상도, 전라도, 충청도 등 전국에서 올라오고 있어요.

여영무 가계家系에 대해서 1971년 선거 때 모 기관이 이러쿵저러쿵 얘기가 많았는데 이 기회에 한번 소상하게 털어놓으면 좋을 것 같습니다만…….

김대중 저 사람들이 굉장히 모략을 많이 하는데 우리 어머니가 말하자면 정상적으로 정실로 못 들어간 것은 사실입니다. 그러나 저 사람들이 말하는 것같이 내가 김해 김씨가 아니라든가 하는 것은 전부 거짓말입니다. 나중에는 어머니가 정실이 되고 우리 3형제들도 적자로 되어 호적에 모두 올라 있어요. 물론 내 일가친척들도 많아요. 하의도 특히 대리라는 곳에 삼백에서 사백 호 집안이 사는데 김해 김씨가 대성입니다. 전부 내 조카, 손자 그런 사람들이 살고 있습니다. 그러나 나는 후광後廣에서 났기 때문에 내 호를 '후광'으로 했지요.

한은 이룩하고자 하는 민중의 몸부림

여영무 지난번 신문에서 3·6해금 때 김영삼 씨가 여기 찾아와서 두 분이 나란히 참 감격적인 상봉을 하는 사진을 보았습니다만, 귀국해 보니까 어떻습니까? 뭔가 느낀 점도 많으실 텐데…….

김대중 1980년에 비해서 내가 귀국해서 제일 느낀 것은 우리 국민이 굉장히 자신에 차 있는 것 같아요. 이것은 무엇인가 정치적으로 우리 일을 해낼 수 있다는 자신에 차 있는 것 같았습니다. 우리 집에 오는 사람들을 보면 그때보다도 훨씬 더 얼굴에 한이 맺혀 있어요. 그런데 한이 맺혀 있지만 한에 좌절된 것이 아니라 무언가 기다리고 무언가 해 보자 하는 표정이 깃들어 있어요. 내가 미국에서 『옥중서신』 출판할 때 서문에 우리 민족은 한의 민족이라고 썼어요. 내가 한을 정의할 때, 한은 민중의 좌절된 소망이고 한은 민중이 그 좌절된 소망을 안고 내일을 바라보면서 기다리는 기다림이고 한은 기다림 속에서 기회만 있으면 무언가 이룩하고자 하는 민중의 몸부림이라고 했습니다.

얘기가 한과 민중이라는 대목에 이르자 김 씨의 쌍꺼풀진 두 눈이 갑자기 빛나고 청중 앞에서 사자후獅子吼를 토하듯 옥타브가 올라갔다. 그리고 열변에 맞춰 두 손을 쳐들어 신축자재伸縮自在한 김 씨 특유의 제스처를 썼다.

김대중 민중은 잡초 같은 거예요. 잡초는 바람이 세게 불면 엎드리고, 바람이 지나가기를 기다리다 지나만 가면 일어서는 것입니다. 1980년보다 우리 민족이 자신을 갖게 되었으며, 그것이 집중적으로 나타난 것이 바로 2·12총선입니다. 2·12총선은 단순한 선거가 아니라 우리 민중의 한풀이라고 생각합니다. 현 집권당에 대해서는 거부의 뜻이고 야당 구실 제대로 못 한 야당에 대해서는 심판, 그리고 더 이상 우리 소원을 무시하면 그대로 안 있겠다 하는 선언입니다.

권력이 다섯 번 나를 죽이려 했다

여영무 이번에 미국서 돌아올 때 미국 저명인사들의 호위를 받으면서 함께 오셨는데 일부에서는 대통령 후보까지 한 사람으로서 이것은 사대주의가 아니냐 하는 비판도 있었는데…….

김대중 나도 듣고 있지만 그렇게 생각지 않습니다. 내가 그 사람들에게 함께 오자고 한 것이 아닙니다. 현직 국회의원 두 명과 세계변호사협회 회장 등 저명인사들에게 내게 오자고 한다고 오겠습니까? 그분들은 모두 자기 비용으로 따라왔고 제2의 아키노 사건을 예방해서 인권을 보호하자는 뜻에서 온 것입니다.

여영무 알겠습니다. 3·6해금 후 사람 만나거나 나다닐 때 신변의 어떤 위험 같은 것 느끼지 않습니까?

김대중 나는 이번 귀국할 때 민주주의가 회복될 때까지는 내 생명의 안전을 기약하기 어렵다고 생각하고 왔어요. 그런 생각은 내가 어떤 테러리스트한테 당한다기보다는 권력에 의해서 당하지 않을까 하는 것을 가상한 데서 나온 것입니다. 따라서 어떤 권력이 나를 해치지 않는 한 다른 사람이 나를 해친다고 생각지 않습니다. 그래서 사람들이 우리 집에 찾아온다고 해서 거기서 위험을 느끼지는 않아요. 나는 일생에 다섯 번 죽으려다 살았는데 첫 번째는 6·25전쟁 때 공산당이란 권력이 나를 죽이려고 했습니다. 두 번째에서 다섯 번째까지 네 번은 1971년 이후의 일입니다. 1971년 고의적 자동차 사고, 또 1973년 도쿄 구단九段 그랜드팰리스호텔에서 납치되었을 때 나를 토막내서 죽이려다 못 했고 다시 바다에 빠뜨려 죽이려고 했으며 1980년 내란음모 군법회의 등 다섯 번 죽을 고비를 넘겼습니다. 모두 권력이 나를 죽이려고 했지 다른 사람이 나를 죽이려고 한 일은 없어요.

역사와 양심의 승리자가 목표

여영무 귀국하는 날 김포공항에서 경찰과 김 선생 일행 사이에 약간의 충돌 비슷한 소란이 있었습니다만 김 선생이 구타당한 일은 없었는지요?

김대중 내가 구타당한 기억은 없어요. 그러나 그때 광경을 본 다른 사람들은 내가 구타당했다고 하는데 나는 그때 강제로 엘리베이터 안으로 밀려 들어가고 또 허벅지에 통증이 와서 그랬는지 잘 모르겠어요.

여영무 그러시고 지금까지 걸어온 인생 역정을 되돌아보면 어떤 생각을 갖게 되는지? '납치', '내란음모', '사형 선고', 교통사고를 위장한 살해 기도, 가택 연금 등 보통 사람으로는 견디기 어려운 수많은 사선을 넘었는데 지금 심정으로 혹시 정치를 잘못 선택했다는 후회는 않는지요?

김대중 사실 내 일생을 돌아보면 험난했어요. 죽을 고비 다섯 번, 망명 생활 두 번, 5년 반 동안의 감옥 생활, 3년 반의 연금 생활 등 내가 생각해도 그동안 용케도 살아왔구나 싶어요. 그러나 어떤 허세와 과장이 아니라 나는 내 인생을 굉장히 소중히 생각합니다. 내일 내가 아무것도 되지 않고 죽더라도 나는 내 인생을 성공적으로 살았다고 믿고 싶습니다. 그것은 내가 우리 자식들에게 가훈으로 한 말이 있지만 "무엇이 되려고 사는 것이 아니라 어떻게 사느냐, 무엇이 되는 것이 중심이 아니라 어떻게 사느냐를 중심으로 사는 것"이 내 자세입니다. 지난번 내가 사형 선고를 받은 후 곧 죽게 될 때 두려웠어요. 교수대에 가서 교수형당하는 장면을 상상한다든지, 나 혼자 있을 때 그 두려움은 더 컸어요. 그러나 차라리 죽을 때보다도 사형이 확정돼 집행을 기다리는 것이 더 괴로워요. 밖에서 발소리 날 때마다 내 가슴이 두근거리더군요. 그렇지만 여하간에 지금까지 나는 내 인생을 참 값있게 살았으며 어떤 대통령이나 재벌하고도 내 인생을 안 바꾸겠다는 다짐을 하게 돼요. 누구든지 '인생에서 사업의 성공자'는 다 될 수 없어요. 그러나 '인생에서 삶의 성공자'는 될 수가 있다고 봐요. 나는 내 인생을 성공적으로 살았다고 생각하는데 그 동력의 하나는 내 신앙이고 또 하나는 의롭게 살고 국민의 편에서 사는 사람이 역사에서 패배하는 법이 절대 없다는 나의 역사관입니다. 내가 사형 선고 받을 때도 내가 지금 죽지만 나를 죽인 사람은 패배자가 되고 내가 반드시 승리자가 된다고 생각하니까 마음이 참 편했어요.

여영무 그런 생각이 어떤 개인적인 정치적 신념 때문이었는지 또는 가톨릭이란 신앙 덕분이었는지…….

김대중 신앙 그리고 지금 말한 나의 역사관, 우리 민족관 등이 전부 종합된 때문이지만 기본 바탕은 신앙이 제일 크지요.

여영무 김 선생이 가톨릭을 신앙으로 선택한 것은 언제부터인가요?

김대중 1957년이에요.

여영무 그 전에는 종교가 없었습니까?

김대중 없었어요. 불교에 대해서는 관심이 있었지만 신앙으로 삼지는 않았습니다. 1956년 정부통령 선거 때 야당에서 신익희 선생이 대통령 후보, 장 박사가 부통령 후보로 나왔어요. 신 선생은 도중에 돌아가시고 내가 장 박사 선거운동을 했는데 그것이 인연이 돼 그 양반이 내 대부가 돼 가톨릭에 입교했지요.

1980년 죽기로 하고 타협 종용을 끝내 거부

여영무 완전한 신앙인은 있을 수 없겠지만 가령 완전한 신앙인을 100으로 보았을 때 김 선생의 가톨릭 신심은 어느 정도라고 자평하십니까?

김대중 나는 가톨릭 신자라는 데 대해서 굉장히 자랑스럽게 생각하고 있고 또 내 생활에 완전히 배어 있어요. 그래서 나는 어떤 화난 일이 있거나 억울한 일이 있어도 누구를 미워하거나 원망하지 않습니다. 또 아주 어려운 일이 있어도 누구를 미워하거나 원망하지 않습니다. 또 아주 어려운 일이 생겼을 때는 예수님하고 상의하면 반드시 해답을 주셔요. 이것은 미신적으로 하는 것이 아니라 내 양심에 예수님이 와 계세요. 나에게 가장 크게 신앙의 길을 개발해 준 분은 프랑스의 테이야르 드 샤르댕 신부입니다. 나도 감옥에 가서 고민이 많았는데 이분의 하느님에 대한 설명에 감명을 받았습니다. 샤르댕 신부는 20세기 신학계에서 굉장한 위치를 차지한 분인데 그분은 과학자이기도 해요. 하느님은 전능하지만 이 세상을 창조할 때 완전한 것을 창조하지는 않았기 때문에 이 세상은 진화한다는 것입니다. 이것은 과학하고 딱 맞는 얘기지요.

김 씨는 인류의 생성 과정과 인간이 현대인으로까지 진화한 과정, 그리고 역사상의 인간 부조리를 하나하나 해결해 온 경과를 자세히 설명했다. 그래서 오늘의 사회에서는 네 가지 대죄악이 대부분 부정되고 전쟁만이 남았다고 했다. 그 죄악이란 인간이 인간을 착취하고 인간을 노예화하며 인종차별을 하고 사람이 사람을 죽이는 전쟁 등 네 가지라고 했다. 김 씨가 한번 말문을 열면 열변은 끝없이 이어졌다. 목사가 설교를 하는 것 같기도 하고 신학자가 신학 강의를 하는 듯도 했다. 과학에 대한 지식도 놀라웠다. 그래서 미국에서 주위 사람들이 당신은 정치 안 하고 그 얘기나 하고 돌아다녀도 밥은 먹겠다고 농담을 한 적도 있었다고 한다.

여영무 가족들의 신앙은 보통 통일되는 것이 상례인데 김 선생 댁은 어떻습니까?

김대중 아주 달라요. 집사람은 감리교이고 나는 가톨릭인데 20여 년 전 결혼할 때 교회의 승인을 받았습니다. 그리고 큰아들 집은 전부 가톨릭이고 둘째아들은 가톨릭인데 며느리는 장로교고 또 막내아들은 장로교입니다. 다양하죠.

여영무 얘기가 좀 뛰어넘는데 1983년 일본 『아사히신문』과의 인터뷰에서

1980년 7월 지금 고위층 측근이 형무소를 찾아와서 "김 선생이 우리 요청에 응하면 살고 그렇지 않으면 죽는다"고 했다는데 그 요청 내용이 무엇인가요?

김대중 1980년 여름 체포되고 50여 일 지난 후 그 당시 가장 강한 사람 측근이 찾아와 타협안을 내놓았습니다. 그는 지금 말씀과 같이 우리와 타협하면 당신 목숨 살고 그렇지 않으면 죽는다, 재판 결과는 기대하지 말라고 했어요. 그리고 대통령 되는 것 단념하라고 했습니다. 그때 들여보내 준 신문을 통해 처음으로 광주민중항쟁을 알았는데 여기서 계엄사령관이 발표한 나에 대한 죄상, 희생자 내용을 보고 졸도했습니다. 청천벽력이었어요. 그때 나는 사실 그 사람들 요구에 협력은 못 하지만 정치에서 완전히 손 떼고 해외로 나가는 조건으로 타협했으면 하는 생각도 했습니다. 그날 저녁 기도를 하면서 예수님과 상의를 한 결과 죽을 때는 올바르게 죽어야 한다는 결심을 하게 되었습니다. 그런 결심을 하게 된 데는 죽은 광주 사람도 중요하지만 두 가지 이유에서였습니다. 첫째는 우리 후손들을 배반할 수 없고 둘째는 내 자식들한테 수치를 남길 수 없다는 것입니다. 당시 그 밖에도 여러 가지가 얘기가 있지만 여기서는 빼겠어요. 그 후에도 그 사람들이 여러 번 같은 제의를 했지만 죽기로 하고 끝내 거절했습니다. 타협이 안 되겠다 싶으니까 일사천리로 재판을 진행해서 나는 영락없이 죽는 줄 알았어요.

『아사히신문』에는 1983년 1월 13회에 걸쳐 「도쿄-서울-워싱턴」이라는 주제와 "유감스러웠던 일본의 태도"라는 부제副題로 김 씨의 수기를 실었는데, 그는 6회분 "군부와 나"라는 부분에서 타협 내용을 간단히 밝혔었다.

여영무 당시 신문에 김 선생의 내란음모죄에 대한 기소장이 실렸습니다만 범죄의 내용을 둘러싸고 검찰과 변호인들 사이에 공방이 있었겠죠.

김대중 그 문제에 대해 물었으니까 답변하겠습니다. 세 가지 범죄 내용인데, 하나는 내가 학생을 선동, 내란 음모했다는 것이고 또 하나는 광주민중항쟁을 내가 선동했다는 이유며, 나머지가 한민통韓民統에 연루되었다는 것입니다. 앞의 두 가지는 무기에 해당되고 한민통 관련 내용은 사형에 해당된다고 합니다.

여영무 그러나 사형이 무기로, 무기가 이십 년으로 감형되고 다시 형 집행정지가 돼 실제 감옥살이한 것은 두 해 반가량인데 감방에서는 어떻게 지냈습니까?

김대중 주로 독서를 했는데 오백에서 육백 권 읽었을 겁니다. 소설도 읽었지만 주로 갤브레이스, 슘페터의 저서 등 경제 서적과 종교, 역사책들을 많이 읽었습니다.

미국에서도 민주 회복 위해 활동

여영무 미국에서는 워싱턴 디시(D.C.) 근교 버지니아주 알렉산드리아에서 거주한 것으로 아는데 어떻게 지냈습니까?

김대중 1983년 9월부터 1984년 6월까지 약 1년 동안 하버드대학에 가 있었고, 동시에 1883년 6월부터 버지니아에다 '한국인권문제연구소'를 설립, 3천 명의 미국 지도자들과 계속 연락하면서 우리 국민들의 인권과 민주 회복을 위해 전력을 다했습니다. 또 미국의 저명한 대학을 거의 다 다니면서 연설을 했고 미국인권문제협회 종교단체에서 1백여 회 강연을 했지요. 한국 교포들을 위해서도 1백여 회 연설했지요. 인권연구소에서 『행동하는 양심』이라는 월간 잡지 비슷한 것도 발행했습니다. 나는 그곳서 주로 국회의원이라든가 언론계 지도자들과 만나 우리의 사정을 똑바로 설명했죠. 한국 문제를 보는 시각을 세우는 데 도움을 주었어요. 이번에 귀국할 때 국회의원 80명이 나의 안전 귀국과 정치 활동 자유 보장을 요망하는 서한에 서명해서 전두환 대통령한테 보냈습니다. 하버드대 총장, 에모리대 총장, 라이샤워 교수, 페어뱅크 교수, 코헨 교수 등 학자들과도 자주 만나 의견 교환을 했습니다.

여영무 이번 귀국할 때 일본 나리타공항에서 1박 하는 동안 일본 경찰이 과거 김대중 납치사건에 관해 증언을 듣겠다고 했는데 김 선생이 거절하셨다죠. 그 이유는 뭡니까?

김대중 내가 미국에 있을 때 일본 수사기관이 정부 방침으로 내 납치사건을 종결짓기 위해 미국연방수사국(FBI)을 통해서 증언 협력 요청을 해 왔어요. 그래서 내가 일본 측 조사에 수사 협조하기 위한 세 가지 전제 조건을 내걸었습니다. 한·일 양국 정부는 나의 출국을 포함해서 여행의 자유가 있으며 해외 활동에 대해서는 한국 정부가 처벌치 않는다고 약속했습니다. 그러나 그 후 나의 출국도 실현 안 되고 10년 묵은 선거법 위반으로 재판하면서 나를 묶어 놓고, 1980년 내란음모사건 재판할 때 나의 해외에서의 활동 즉 한민통 관계로 내가 사형 선고를 받았는데도 자기들(일본 정부)은 책임을 안 졌습니다.

처음에 나의 출국이 실현되지 못했고 둘째 한민통 관계 활동을 처벌치 않기로 한 약속이 실현되지 않았는데 이에 대한 일본 측의 해명이 필요하다는 두 가지 조건이었습니다.

셋째는 도쿄 팰리스호텔에서 일본 경찰이 범인의 지문을 발견하고도 수사를 포기했고 납치 때 나를 실어 나른 요코하마 부副영사 유모의 자동차를 발견하고도 수사를 하지 않았습니다. 이 세 가지 문제에 대해 일본 수사기관이 해명해 주면 수사에 협력하겠다고 회답했습니다. 그 후 일본 정부는 김대중이가 쓸데없는 조건 내놓는다면서 납치사건 수사를 끝내 버렸어요.

이번 귀국 때 나리타공항에 일본 경찰이 찾아왔길래 전번 세 가지 질문에 대답해 주면 내가 한국에 가서라도 얼마든지 수사에 협력해 주겠다고 하고 돌려보냈습니다. 그러나 자기들(일본 경찰)도 증언 못 들을 줄 알고 온 것 같아요. 여기서 그 사람들이 두 가지 인상적인 말을 하더군요. 하나는 우리도 개인으로서 김 선생님이 앞으로 안전하고 건강하기를 진심으로 빈다는 것이고, 또 하나는 김 선생님이 일본 정부가 사건을 그렇게 유야무야 납득할 수 없게 처리했지만 일본 경찰이 많은 노고를 한 것을 칭찬해 준 데 (이 내용은 일본 텔레비전에 보도되었다고 함) 대해 우리 경찰들은 많은 위로를 받았다고 얘기해 준 것입니다.

지금은 민주화를 위한 총연합 전선의 시기

여영무 김대중 납치 사건에 대한 『아사히신문』 보도를 보니까 1979년 10·26 후 정부의 어떤 관계자가 김 선생을 찾아와서 사건의 총 지령자와 국내 책임자, 일본 책임자, 그리고 그 밑의 행동대장 하수인들을 밝혔다고 하는데 그 내용을 이 자리에서 확인해 주시면 어떨까요.

김대중 그 문제는 어느 때 시기가 오면 다시 얘기하죠.

여영무 이번 2·12총선에서 신민당이 제1야당으로 부상한 것을 어떻게 보십니까?

김대중 자연현상은 예측할 수 있지만 인간관계는 예언할 수 없습니다. 인간은 자유의지가 있기 때문이며 대표적인 케이스가 이번 총선 결과입니다. 국민들이 억압되었을 때 국민들은 그 의사를 공개적으로 표시하지 않으며 이때 우리는 국민의 진정한 의사를 오판하게 됩니다. 국민들은 2월 12일 하루 만에 기적을 일으킨 것이 아닙니다. 그 대표적인 것이 공무원 아파트 지역 같은 데서 압도적으로 야당 지지표가 나왔다는 사실이죠.

평소에는 그런 곳에서 정부 지지하는 소리밖에 안 나옵니다. 여당 후보들은 이곳이 내 표라고 생각합니다. 그래서 언론 자유가 없고 국민이 공개적으로 자기 의사를 표시 못 하는 사회에 있어서는 이런 문제가 굉장한 복병伏兵이죠. 지금 노동자들이 무얼 생각하고 있는가, 우리는 정말 두려운 심정으로 생각해야 합니다. 제일 두려운 것은 억울한 사람이 이것을 정상적으로 풀 길이 없는 사회, 언론도 국회도 야당도 전부 믿을 수 없는 사회입니다. 민중의 한이 이때를 기다렸다가 몸부림친 것이며 우리는 이번에 굉장한 교훈을 배워야 합니다.

나도 정말 그렇게 많은 야당 표가 나올 줄 몰랐습니다. 또 다가오는 1988년 이전에 이 나라에서 민주주의가 된다는 것을 확실히 보여 달라는 메시지입니다. 따라서 우리는 이것이 안 될 때는 무슨 일이 앞으로 일어날지 모른다는 생각을 가져야 됩니다.

여영무 앞으로 잔여 형기에 대해서 사면복권이 있으면 정치 활동을 계속하시는 거죠?

김대중 여 위원 생각에 사면복권이 될 것 같습니까?

여영무 모르지만 민정당 노태우 대표위원이 최근 기자회견에서 그런 뉘앙스를 비치던데요.

김대중 그때 가 봐야 알겠지만 서두를 생각은 없어요. 그러나 내가 정치를 안 한다고는 않겠어요. 나는 내 운명이 정치를 통해서 우리 국민에게 봉사하도록 운명 짓고 나왔다고 믿고 있기 때문입니다. 일생을 그렇게 살아왔고 해서 이제 길을 바꾸지는 않겠습니다. 내 양심에 비춰 내 한계가 왔고 국민이 더 이상 나를 필요로 하지 않는다고 할 때는 기꺼이 물러나야지요. 아직도 위험이 있고 국민을 위해서 몸 바칠 사람이 필요한 이런 시기니까 내가 몸 바쳐서 일하는 것이 마땅하다고 생각합니다.

여영무 앞으로 정치를 하신다면 김 선생의 파워 베이스(정치 세력의 토대)를 어떻게 구축할 생각인지…….

김대중 지금은 민주 회복의 단계이지 정권 쟁취의 단계는 아닙니다. 그래서 지금은 민주 회복을 위해서 반독재 민주 회복을 위한 총연합 전선 시대입니다. 일제시대, 신간회를 만들 때 독립을 위해서 민족주의자, 사회주의자, 무정부주의자가 힘을 합했듯이 지금은 민주주의를 바라고 독재를 바라지 않는 사람 모두가 전부 힘을 합칠 단계입니다. 이것이 끝난 그다음이 정치의 단계지요. 현재로서는 이 노력이 제일 중요하다고 생각합니다. 이 노력을 하는 과정에서 국민들 지지도 받게 되고 동지도 생기게 되고 하면 그것이 정치 활동을 하려고 할 때 세력 기반이 되겠지요.

대통령직선제는 국민의 뜻

여영무 당면 문제는 아니지만 정치라는 것은 대권 또는 권력을 잡는 것이 목적일 텐데 이와 관련, 가령 1988년 이전에 정부 형태를 어떻게 정해야 된다는 그런 구상이 있습니까?

김대중 어떤 정부 형태를 갖느냐 하는 것은 국가 사정과 국민이 뭘 바라느냐 하는 게 중요한 것 아닙니까? 내 생각은 제1공화국과 제3공화국 같이 대통령중심제에다가 내각책임제를 가미한 것을 국민들이 지지하고 또 여기에 익숙하다고 봅니다. 나도 그것이 제일 바람직하다고 생각합니다. 나는 이번 선거 결과를 보더라도 압도적인 다수의 국민이 자기 손으로 대통령을 직접 뽑는 대통령중심제를 지지하고 있다고 확신합니다. 내가책임제는 민주당 때 10개월 미만 하다가 그만두었고 유신체제는 독재체제니까 말할 것도 없지요. 내각책임제는 우리 현실에 과히 맞지 않는다고 생각합니다. 왜냐하면 군대를 통수해 나가는 강력한 정부가 필요하고 통수권과 군정권이 갈라지는 것과 같은 것은 좋지 않습니다. 5·16쿠데타가 났을 때 이것을 진압하려고 할 때 윤보선 씨의 태도로서 우리가 알 수 있습니다. 제3공화국 헌법은 당시 박정희 씨가 만들었다는 하자 이외에는 민주적인 헌법이고 우리가 불만이 없는 것입니다.

여영무 그리고 대통령중심제라고 할 때 직선제냐 간선제냐 그 문제에 대해서는 어떻게 생각하십니까?

김대중 그런데 지난번 선거 유세 때 신문 기사를 보니까 미국에서도 대통령을 간선제로 뽑지 않았느냐는 얘기가 간혹 보였어요. 그러나 미국식 간선제는 광활한 국토에서 마차 타고 다닐 때 그 나라 사정에 따라 생긴 것입니다. 그러나 반일半日 생활권밖에 안 되는 데다 텔레비전, 라디오, 전화가 전국을 커버하는 우리나라에서는 미국식 간선제는 맞지 않습니다.

거기다 야당은 지방에 가면 조직이 없고 선거인단 될 만한 사람이 제대로 없어요. 또 어떤 사람이 혜성과 같이 나타날 수도 없습니다. 그 사람은 정당이 없으면 국민의 인기가 폭발적일 때도 대통령에 출마할 길이 없습니다. 5천 명의 선거인단을 만들려면 막대한 돈이 들 것입니다. 지방자치 않으면서 선거인단 제도 한다는 것은 모순입니다.

여영무 김 선생 말씀대로라면 1988년 대통령 임기가 만료되기 전에 반드시 개헌이 되어야 되겠군요.

김대중 물론이지요.

여영무 현재의 선거인단 선거제도가 안 된다면 이것과 개헌 문제를 포함한 전반적인 정치 문제를 논의하기 위해서 정치 지도자들이 회담을 해야 하지 않을까요? 김 선생이 미국에서 제안한 전두환 대통령과 김대중, 김영삼, 김종필 씨 등 세 김 씨와의 4자회담은 어떤 것인가요.

김대중 내 얘기는 아까도 말했다시피 국민의 자유 선택권을 앞으로의 선거에서 국민에게 되돌려 줘야 한다는 것입니다. 자유선택권의 내용은 언론 자유, 선거운동의 자유, 그리고 지방자치제와 대통령직선제의 채택 실시, 노동자, 학생, 농민을 위한 민주적 권리가 허용되도록 하는 것입니다. 이런 선택의 자유가 국민에게 되돌려 주어졌을 때만 진정한 자유선거가 가능합니다.

전두환 씨가 대통령 하다가 다른 사람이 대통령 하는 것만이 평화적 정권 교체가 아닙니다.

사람은 바뀌어도 평화적 정권 교체가 아닌 대표적인 예가 멕시코입니다. 거기서는 40년간 6년마다 대통령이 바뀌지만 그 나라를 누구도 평화적 정권 교체를 하는 나라라고 보지 않습니다. 오히려 일당 독재국가라고 불러요. 사회 개혁당 안에서만 자기들끼리 돌아가면서 해 먹으니까요. 이런 것은 평화적 정권 교체가 아닙니다. 그러나 같은 당이라 해도 일본 자민당같이 국민이 자유선택권을 가지고 선출한 국회의원이 한데 모여 자민당 총재를 뽑아 그가 총리를 맡는 것은 훌륭한 평화적 정권 교체입니다. 평화적 정권 교체는 교체 과정에서 국민의 자유선택권의 유무가 가장 핵심적 요소입니다. 이것만 되면 누가 나와도 상관없어요.

현 정부는 작년에 3차 해금하면서도 마지막까지 15명을 풀지 않았는데 그 속에서 대통령 해 먹지 말라는 사람들이 포함돼 있었어요. 뒤집어 말하면 정부가 이 사람들하고 협력하지 않고는 진정한 정국 안정을 이룩하기 어렵다는 뜻이지요. 그래서 내가 작년 12월 2일에 뉴욕 매디슨스퀘어가든에서 3천여 명이 모인 자리에서 4자회담을 제안한 것입니다. 그 대화는 양쪽을 위해서 필요합니다. 정부가 정말로 안정과 안보가 필요하고 남북 대화와 올림픽 게임의 성공을 이룩하기 위해서는 문제를 그렇게 풀어야 합니다.

내가 전두환 대통령에게 할 얘기는 국민에게 맡깁시다라는 것입니다. 책임도 국민이 져야 합니다.

민주주의 돼야 경제 문제도 해결

여영무 아까도 얘기 나왔지만 김 선생은 우리나라 외채 등 경제 문제를 어떻게 보시는지요?

김대중 경제의 문제점은 외채와 불균형, 그리고 기업윤리가 제대로 확립돼 있지 않다는 것입니다.

지금 외채는 정말 위험 선상에 있어요. 아시아 국가 중에서도 우리가 대표적으로 나빠요. 필리핀은 말할 것도 없고……. 이 문제를 해결하려면 결국 우리 경제는 근본적으로 구조 면에서 바꿔 나가야 합니다. 수출도 가득률 중심으로 전환하고 국민들은 저축과 내핍 생활로 들어가야 합니다. 우리 경제 현실을 보면 지금 올림픽을 개최할 처지가 못 되는 것입니다. 그것은 전시 효과죠.

두 번째는 불균형인데, 서울에 대한민국 돈 70퍼센트가 몰려 있고 모든 문화 기관이 서울에 집중되어 있습니다. 그래서 인구도 25퍼센트가 서울에 몰려 삽니다. 지방자치가 없다는 것도 한 원인입니다. 지금 농촌 경제는 파탄 상태입니다. 농촌 총각들이 장가도 못 가는 실정입니다. 농촌이 소외당하고 있습니다. 도시와 거기다 수출산업과 내수산업의 격차, 부자와 가난한 자의 격차 등이 문제입니다. 지금 대재벌들이 1조 몇천억, 2조 몇천억씩 거액의 부채를 지고 완전히 은행과 국가재정을 자기들이 들어먹고 있습니다.

미국에서 지엠시(GMC) 회사 주주가 50만 명입니다. 아이티티(ITT)가 1백만이고 일본의 대기업들인 미쓰이나 미쓰비시나 마루베니나 간에 한 사람이 전 주식의 5퍼센트 가지고 있는 경우도 없습니다. 그런데 한국은 그런 정도의 대기업들에서 한 사람이 주식을 거의 다 가지고 있지 않습니까. 같은 자본주의라도 선진국에서는 자본 사유화와 자유경쟁 원리 빼놓고는 옛날처럼 기업을 한 사람이 독점하거나 자본가가 직접 경영하거나 무자비한 수탈을 하지 않습니다. 이런 상황 아래서 우리나라의 경제가 성장하면 할수록 그만큼 불균형은 더 커가기 때문에 사회적·정치적 불안 요소가 되고 있습니다.

셋째는 기업윤리입니다. 기업윤리라는 것은 좋은 물건을 싸게 소비자에게 공급해 주는 것이 첫째고, 둘째는 이윤이 남으면 노동자에게 적어도 생산성 향상에 대한 정당 분배를 해 주는 것입니다. 셋째는 남은 이익을 기업주의 사치나 치부를 위해 쓰지 않고 다시 기업에 재투자해서 기업경영을 더욱 합리화하고 기술을 향상시켜 더 좋은 물건을 더 싸게 소비자들에게 공급해 주고 또 노동자에게 더 많은 임금을 분배해 주는 것입니다.

그런데 우리나라 기업들은 경제적 원리로 돈 벌려는 것이 아니라 관권과 결탁해서 자꾸 긁어모으고 있습니다.

말하자면 이것은 관 치하에서 반민중적, 부패적, 수탈적인 경제로서 자유경제가 아닙니다. 그래서 우리는 이것을 다시 자유경제로 돌려야 합니다.

'공화국연방'을 통한 단계적 통일

여영무 금년 1월 김 선생이 『아사히신문』을 통해 남북한의 평화적 통일 방안으로 '공화국연방'을 제안했는데, 그 구체적인 내용과 이것과 북한의 고려연방제와의 차이점에 대해서 설명을 듣고 싶습니다.

김대중 북한의 고려연방제라는 것은 연방공화국이고, 내가 제안한 것은 공화국연방입니다. 그러니까 순서가 뒤바뀌었죠. 북한이 제안한 것은 미국, 캐나다, 서독과 같은 연방공화국입니다. 지방자치가 있지만 단일 중앙정부가 국가 전체를 대표해서 국방, 외교권을 행사하는 것입니다. 북한은 이런 연방을 제안하고 있습니다. 내가 제안한 '공화국연방'은 한 국가 밑에 두 개 독립정부의 존재를 뜻합니다. 북한은 공산정권으로서 군사외교권, 내치권內治權을 가지고 남한은 민주주의 정부 아래서 군사외교권, 내치권을 모두 가지게 하는 것입니다. 물론 남북한이 각각 세계 각국과 외교 관계를 수립하고 국제기구에 모두 가입하며, 남북한의 중간 조정기구로서 중앙정부 의회를 양쪽이 협의해서 둘 수 있되 처음에는 아주 제한된 권한밖에 없도록 하자는 겁니다.

여영무 남북한의 종합된 중앙의회를 둘 수 있다는 말이죠.

김대중 남북한의 합의에 따라 중앙에다 대표를 보내 의회를 만들고 연방기구도 만들 수 있습니다. 그러나 이것은 아주 제한된 기구입니다. 이 기구는 국방권이나 외교권이 없고 양쪽 독립정부가 자기 대표에게 위임하는 사항, 예컨대 한글 통일이나 역사 문제, 혹은 이산가족의 교류나 제한된 무역 문제를 다룰 수 있을 것입니다. 이것이 공화국연방입니다.

양쪽이 교류를 하는 동안 국민적 동일성이 회복되고 상호 신뢰가 쌓이면 독립정부는 자치정부가 되고 중앙정부가 유일한 대표 정부로 발전하는 것입니다.

우리 당대에는 양쪽의 조정적 기능밖에 없는 중앙기구를 두고 나머지는 다음 세대가 맡아서 해나갈 수 있을 것으로 봅니다. 우리가 한꺼번에 다 할 수 없으니까요.

여영무 다시 현실 정치 문제로 화제를 돌려 보죠. 김 선생과 김영삼 씨는 민주주의가 위기에 처했을 때는 민주 회복을 위해서 함께 손잡고 공동 전선을 폈겠지만, 결국 마지막 단계, 즉 대권大權 문제에 있어서 두 사람은 라이벌이라고 보는데, 이 점에 대해서는…….

김대중 그것과 관련해서 1980년에는 두 김 씨가 안 싸웠으면 5·17이 안 났을 텐데 싸워서 그렇게 됐다는 얘기를 간혹 들어요. 박정희 씨가 죽고 난 후 자유선거의 가능성이 생기니까 두 사람 사이에 어느 정도 라이벌적인 관계가 생겨납니다. 내가 신민당에 들어가면 헤게모니 싸움을 해야 되니까 '민주화 촉진 국민대회' 운동하다가 5·17반란을 만났습니다. 유신 전에 김영삼 씨와 내가 그렇게 크게 경합한 일이 없습니다. 각목 전당대회나 서로 비난성명 한 번 한 일도 없어요. 신문들이 우리가 싸우는 것처럼 굉장히 과장해서 보도했습니다. 그런데 그 당시 정치부 기자 맡았던 사람들이 전부 여당 국회의원이 되었어요.

나는 그 당시 명색이 지도자로서 민주주의를 이룩하지 못한 데 대해서 도의적 책임까지 없다고 말하려는 것은 아닙니다. 그러나 책임은 5·17반란을 일으킨 신군부 사람들한테 있는 것입니다. 또 한국군 작전지휘권을 가지고 있으면서도 방임한 사람들한테 있습니다. 3김 씨를 그대로 가만두었으면 세 사람 중 한 사람은 대통령이 되고 둘은 야당이 되었을 겁니다. 그것이 자연스럽지요.

김영삼 씨와 나하고 싸웠더라도 민주주의 잘하자고 싸운 것이고 평화적이고 합법적인 국민의 지지받아 자기가 일등 되겠다는 것이었는데 뭐가 나쁩니까?

지지도 반대도 국민이 해야 한다

여영무 군부가 정치에 개입하는 것이 나쁘다는 것은 물론 상식이지만, 우리나라에서 누군가 정권을 잡으려면 현실적으로 군대의 반대가 없어야 한다는 말이 있습니다. 그러나 김 선생에 대해서는 10·26사건 이후 군대가 반대했다는 소문이 파다했고, 지금도 그런 반대가 유효한지도 모르는 일입니다. 여기다 김 선생이 구상하는 경제 정책은 소득의 과격한 재분배를 내세우고 있고 재벌들에 대한 집중적 비판에 따른 그들의 반발 및 우려, 또 지역적 편견 등은 어쩌면 대권을 잡는 데 마이너스적 요소로 작용할지도 모른다는 일부의 여론도 있는데 그 점에 대해서는 어떻게 생각하시는지…….

김대중 그런 것을 나보고 책임지라면 안 돼요. 나는 나만이 대권을 잡아야 되겠다는 것이 아니고 내가 다른 사람보다 유리하다고 주장하지도 않아요. 김대중이가 불가하다면 현 정부 사람들은 국민에게 자유선택권 주어 보라고 말하고 싶어요. 김대중이는 맨날 국민이 지지가 없다고 하면서 국민한테 자유선택권은 왜 안 주는지 모르겠어요. 또 군인이나 사업가들이 나를 지지 않으면 왜 내 얘기는 막아 버리고 자기들 얘기만 그들한테 하느냐 말예요.

10·26사건 이후 50명의 장군들이 만장일치로 민주주의 지지했고, 김대중이 민주주의 위해 싸우고 공산주의 반대한 사람일진대 그 사람들이 나를 반대할 이유가 없어요. 내가 그렇게 군인들의 지지를 받고 있지 않다면 군인들과 자유롭게 접촉할 수 있게 해 주면 군인들이 나를 배척할 리 없어요. 경제인들도 마찬가집니다.

정승화 장군도 군인들이 나를 반대한다는 말 했는데 나중에 나에게 사과했습니다.

여영무 지난번 내란음모사건 기소장에서도 나왔습니다만 목포에서 젊었을 때 좌익운동을 했고 그 후 간첩하고도 만났다는 얘기가 있는데 그 점에 대해서 설명이 있었으면…….

김대중 1971년 이래 지금까지 14년 동안 한 사람에게 대해서 이런 얘기로 되풀이해서 몰아쳐 버린다면 일부에 그런 인상이 박히는 것은 피할 수 없어요. 그러나 우리 국민들이 너무나 현명하고 판단력이 훌륭하기 때문에 그런 말에 절대로 현혹되지 않을 것입니다. 이번 총선거 때 선거 유세장에서 김대중 이름 불렀을 때 청중 호응도를 보면 이것을 알 수 있습니다.

여영무 지금 노동 문제나 학생운동 데모를 어떻게 보십니까?

김대중 나는 지금 노동운동이 굉장히 중요한 기로에 서 있다고 봅니다. 더 억압하면 정말 수습할 수 없는 파국으로 갈 것입니다. 이제부터라도 노동운동의 자유를 보장하고 정부는 중간에서 조정 역만 맡아야 합니다. 어느 한쪽

편들어서는 안 되죠. 학생운동도 마찬가집니다. 지금 우리 학생은 놀라울 정도로 건전합니다.

이번 2·12총선을 통해서 정부가 각성해서 민주주의적 개혁의 시기를 놓치지 않고 해 나간다면 학생과 노동자도 전부 질서를 지키고 오히려 민주주의가 빨리 완성되도록 격려하면서 제자리로 돌아갈 것입니다.

국민의 자유선택권 없으면 단임 무의미

여영무 지금 민정당 대표위원 노태우 씨와 김종필 씨를 어떻게 보시는지…….

김대중 노 씨와는 일면식도 없으니까 전혀 평가할 자격도 없고, 하고 싶지도 않아요. 김종필 씨의 5·16쿠데타 행적에 대해서는 찬성하지 않기 때문에 정치적 신념이 같다고는 생각지 않습니다. 그럼에도 내가 김종필 씨를 4자회담에 참여시키자고 제일 먼저 제안했던 이유는 김 씨가 그동안 묶여 있었고 이 정권의 피해자이기 때문이지요. 또 김종필 씨가 과거 공화당 세력을 대표하고 있는 것은 사실이니까요.

여영무 과거 김 선생은 박정희 대통령한테 대단한 탄압을 받았는데, 박정희관을 한번 들어 보고 싶군요.

김대중 박정희 씨를 평하는 데 있어서 내가 제일 부적격자입니다. 내가 그 사람의 라이벌이었기 때문입니다. 그러나 내가 박정희 씨에 대해서 단 하나 인정한 것은 그 분의 치적을 통해서 우리가 하면 된다는 자신감을 국민에게 심어 주는 데 공헌한 것입니다. 그때 이래 우리 국민들이 자신감을 갖게 되었습니다.

그 외에는 박정희 씨의 공로를 인정할 만한 것이 없어요. 아까 여 위원이 지역적 편견이라고 했지만, 박정희 씨가 장기집권을 위해서 지역감정을 조장시켜 오늘의 동서 대립을 가져온 것입니다. 이것은 영원히 씻을 수 없는 민족적 죄악입니다. 그리고 그 분은 나하고 대화를 거부한 협량한 사람입니다. 나중에 역사가들이 그 분을 평가할 것이니까 그 이상은 말하지 않겠습니다.

여영무 김 선생의 정치적 자세나 태도가 과거보다 변했다는 평이 돌고 있는데 스스로 어느 면이 어떻게 변했는지 자평自評 같은 것을…….

김대중 씨는 이 질문에 웃으면서 "오늘 과거 수사기관 지하실에서 조사받는 것보다 더 어려운 질문을 받는다"고 반농 반진의 반응을 보였다. 원래 정치인들은 늘 기자 질문으로 고문을 당하는 것 아니냐는 말에 자세를 고치면서 사람은 누구나 나이 먹으면 아무래도 온건해지는 것 아니냐고 했다. 그렇게 되는 것을 자기도 느낀다고 했다.

그는 "나는 독재나 독재자는 절대로 미워하지만 사람은 미워하지 않습니다. 사실 박정희 씨도 미워하지 않습니다."라고 알 듯 모를 듯한 말을 했다.

여영무 1988년 전두환 대통령이 헌법과 공약대로 단임제 임기만 끝내고 퇴임할 것으로 보시는지요?

김대중 나는 그 점에 대해서는 약속을 지킬 수 있다고 생각해요. 그러나 국민에게 자유선택권이 반환되지 않으면 전두환 씨가 물러나더라도 기대할 것이 없어요. 이번 선거를 보십시오. 그렇게 압도적으로 국민이 여당에 반대했어도 여당이 유유히 제1당이 되었죠. 구조적으로 그렇게 되었기 때문입니다.

여영무 아내로서 이희호 여사를 어떻게 평가하고 있는지요.

김대중 존경하고 있습니다. 불만이 전혀 없습니다. 나 때문에 고생만 했죠. 그러나 나보고 올바르게 살아야 한다고 하기 때문에 그 말대로 하다 보니까 내가 형무소 가고 이 고생을 한다고 불평도 하죠. (웃으면서) 전처소생으로 두

아들이 있지만 얘들이 집사람을 몹시 따라요. 오히려 친자식이 때로는 애를 먹일 때도 있지요. 내가 형무소에 있건 망명 생활을 하건 집안일은 모두 집사람에게 안심하고 맡겨요.

김대중 씨의 좁은 응접실에서 초저녁 7시부터 11시까지 장장 네 시간 동안의 마라톤 인터뷰가 끝났다. 긴 시간 동안 그는 질문에 대한 답변이라기보다 수많은 청중 앞에서 열변을 토하듯이 신들린 사람처럼 민주주의와 민주 회복에 대한 강연을 했다. 네 시간 동안 의자에 똑바로 앉아 조금도 자세를 흩트리지 않고 시종 친절하고 충실한 답변을 해 주었다.

매 질문에 대한 답변마다 한 토막의 열변이었고 열과 성의를 다한 진지한 설명이었다.

지면 관계로 어떤 질문과 답변 항목을 줄이기도 하고 또 답변 내용이 전부 실리지 못했음을 김대중 선생에게 미안하게 생각하며 독자들과 함께 아쉽게 생각한다.

* 이 글은 『신동아』 1985년 4월 호에 게재되었다. 여영무 『동아일보』 논설위원이 인터뷰하였다.

민주화 위해서라면 누구와도 손잡겠다

대담 유정현

일시 1985년 3월 11일

김대중 전 대통령 후보와의 인터뷰는 지난 3월 11일 오후, 서울에서 2시간 30분 남짓 걸리는 내륙의 온천장 수안보에서 이루어졌다. 애당초 그의 자택인 '동교동'에서 만나기로 되어 있었으나 김 씨가 3월 10일 오후 부인 이희호 여사와 함께 휴양차 수안보로 떠났었기 때문이다.

수안보 입구엔 "환영 김대중 선생 내충來忠"이란 현수막이 펄럭이고 있었다. 나중에 한화갑 비서의 설명에 의하면, 현수막을 치워 달라고 했는데도 김 씨가 묵고 있는 파크호텔 입구의 것만 거뒀을 뿐, 수안보 입구의 것은 아직 걸려 있다는 것이었다.

수안보가 한눈에 내려다보이는 산 중턱에 위치한 파크호텔 2백12호실의 창밖에는 따뜻한 햇살이 쏟아지고 있었다.

김 씨는 현 정국 전반에 대해 말해 달라는 요청에, 지금은 자신의 의도가 왜곡될 우려가 있다며 새삼 인터뷰를 연기하자고 했다. 장시간의 설득 끝에 김 씨는 자신의 정치관·역사관·인생관 등 현 정국과 직접 관련 없는 분야에 한해서만 말하겠다는 조건으로 인터뷰에 응했다. 그래서 비교적 무거운 분위기 속에 이야기가 시작됐으나, 분위기가 차츰 무르익자 김 씨는 현 정국에 대해서도 상당 부분을 언급했다.

유정현 모처럼 쉬러 오셨는데 이곳까지 찾아와 번거롭게 해서 죄송합니다. 앞으로 전개될 정국을 감안할 때 요즘이 아주 중요한 시기라고 생각되는데, 혹 '수안보 구상' 이라고 부를 만한 중요한 구상이 나오는 게 아닌지 모르겠습니다.

민주 회복에 전념할 때

김대중 아닙니다. 집사람의 지병인 관절염이 갑자기 악화돼서, 단지 며칠 조용히 쉬었다 가려고 온 겁니다.

유정현 해금이 돼서 다시 정치의 장에 돌아오게 된 것을 뒤늦게나마 축하드립니다. 김영삼 씨가 해금 소감을 통해 "대통령에 대한 욕심은 없다. 민주화투쟁에 전념하겠다" 고 말한 데 반해 선생께서는 "미처 정국에 대한 파악을 못 했다. 앞으로 여러 동지들의 얘기를 들어서 거취를 결정하겠다" 고 말했습니다. 말하자면 앞으로의 정치적 향배에 대해 유보적 태도를 취했는데 아 기회에 이 점을 분명히 밝혀 주십시오.

김대중 김영삼 씨와 앞으로도 민주 회복을 위해서 완전 협력체제를 유지하겠다는 생각엔 추호도 변함이 없습니다. 다만 지난 6일 해금되던 때도 얘기했지만, 나는 5년 동안 사회로부터 격리되었기 때문에 구체적인 얘길 하기는 시기가 빠르다는 생각입니다. 지금 당장 신민당에 참여하기는 어렵습니다. 다만 야당 통합에 협력할 것이고, 민주화추진협의회 공동의장으로 참여하겠으며, 금명간 김영삼 씨와 만나서 민추협의 장래 등을 논의할 예정입니다.

김영삼 씨와 나는 그동안 아주 분명하고 건전한 관계를 유지해 왔다고 생각합니다. 1972년 유신 전 민주화의 가능성이 있었을 때 우린 라이벌이었습니다. 그러나 유신체제 7년 동안 우리는 일사불란한 협력체제 속에 박 정권을 종식시키는 데 힘썼습니다. 또 유신 이후 민주주의의 가능성이 있었을 때 우리는 다시 경합했었습니다.

이때 우리의 관계는 일반적으로 세상에 알려진 것과는 많은 부분이 다릅니다. 이 부분에 대해선 할 말이 참 많습니다만 아직 그럴 시기가 아니라 더 이상 얘기는 않겠습니다. 그러나 5·17반란후 우린 완전한 협력 관계를 유지하고 있습니다. 한마디로 말하면 우리들은 민주주의의 가능성이 있을 땐 라이벌이 될 수도 있지만, 그렇지 않을 땐 협력했습니다, 이건 국민의 여망과 완전히 일치하는 겁니다. 지금은 우리가 민주 회복에 대해서만 전념할 때니까 장래 얘기는 시기상조라고 생각합니다.

유정현 이제 정치 규제자가 모두 해금된 상태입니다. 물론 10·26사태 이후 1980년과 현재의 상황은 다르지만 표면상 그때와 유사하다고 보는 사람이 많습니다. 선생께서 보실 때 지금의 상황과 1980년의 상황에 차이가 있다면 어떤 게 다르다고 생각하십니까?

김대중 그때와 지금은 본질적으로 다릅니다. 왜냐하면 지금은 권위주의 정권이 들어서 있는 상황 아닙니까. 약간의 완화 조치란 것도 사람들의 필요성과 지난 2·12총선에서 표출된 민심에 의해 불가피하게 이뤄졌을 따름입니다.

10·26사태 이후는 독재자가 사라진 상태여서 과도정부가 제대로 결단만 내렸다면, 민주주의가 순조롭게 이뤄질 전망이었습니다. 그러나 민주주의에 대한 희망이 있다는 점에 있어선 그때나 지금이나 공통적이라 할 수 있겠습니다.

유정현 상황은 다르지만 이번 선거에서 국민들이 신민당에 많은 지지를 보내 주지 않았습니까?

김대중 이번 선거의 결과를 볼 때 집권자의 입장에서는 그때보다 지금이 훨씬 더 부정적이지만 국민의 입장에선 더 긍정적입니다. 왜냐하면 그 당시보다 국민들이 더 용감해지고 강력해졌기 때문입니다. 그때는 권위로 해결될 수 있었지만 지금은 통하지 않습니다. 또 세계도 당시와 같은 상황을 용납하지 않을 겁니다.

유정현 지난번 신문에서 선생께서 최근 『제왕학帝王學』이란 책을 읽었고 아드님에게도 일독을 권했다는 기사를 읽은 적이 있습니다. 이 보도와 관련해서 많은 사람들은 선생께서 궁극적으로 생각하시는 정체政體가 대통령중심제라는 생각을 하고 있습니다. 지금도 1980년과 같은 생각을 갖고 계시는지요.

김대중 책 이름이 『제왕학』이지, 잘 알다시피 그 내용은 당 태종의 치적을 적은 『정관정요貞觀政要』란 책을 요즘 시대에 맞게 쉽게 풀이한 것입니다. 반드시 대통령이 될 사람이 아니라도 장관이나 사장 등 사회의 지도자가 될 사람이라면 누구나 읽어야 할 수양 서적입니다.

나는 우리나라 정치제도에 대해선 제2공화국이나 유신 전의 제3공화국과 같이 대통령중심제에 내각책임제를 가미한 것이 우리 현실에 맞는 제도라 생각하고 있습니다. 무엇보다도 그러한 제도를 국민이 바란다고 생각합니다. 대통령중심제나 내각책임제나 모두 장단점은 있지만, 제일 중요한 점은 국민이 무엇을 원하느냐는 것과 그 나라 전통에 어느 제도가 적합하냐는 것입니다. 그러나 이 문제에 대해선 절대로 내 주장을 고집할 생각은 없습니다.

나는 그게 좋다고 생각하지만 우리가 민주적인 국회를 구성하고 각자의 주장을 받아들여 국민의 뜻에 따라 결정하면 됩니다. 일단은 현행 헌법을 유신 전의 제3공화국 헌법으로 환원해야 한다고 생각합니다. 그 헌법도 물론 박정희 씨가 만들었지만, 세 번의 민주적인 투표를 통해 국민의 추인을 받았고 국민 어느 누구도 그 헌법에 대해 불만을 얘기한 적이 없기 때문입니다.

그리고 우리의 헌정사에 있어서 정통성을 회복하려면 그렇게 폭력에 의해 중단된 헌법을 반드시 원상태로 다시 돌려놔야 합니다.

그리스에서도 그런 방식을 택했었습니다. 그렇게 함으로써 독재자들이 다시는 그렇게 못 하도록 역사의 교훈을 남겨야 합니다.

1980년에도 개헌한다고 얼마나 시간을 끌었습니까. 그때 시간을 소모했기 때문에 민주주의가 늦어졌던 겁니다. 그때 시간을 끌 게 아니라 제3공화국 헌법으로 돌려 버렸으면 간단히 해결될 수 있었습니다. 나중에 만든 초안을 보니까 결국 비슷했습니다. 내 주장은 일단 돌리되 제3공화국 헌법 그대로 하자는 건 아닙니다. 그 헌법에 의해 일단 국회의원 선거를 한 후 국민들이 어느 쪽을 지지하느냐를 물은 다음 대통령중심제를 원하면 대통령 선거를 하고 내각책임제를 원하면 그 국회를 바탕으로 내각을 구성하면 될 것 아니겠습니까.

유정현 대통령중심제에 내각책임제를 가미한 제도를 이상적이라고 주장하셨는데 제3공화국 헌법은 대통령중심제 아닙니까?

김대중 대통령중심제이지만 내각책임제가 가미돼 있지요. 우선 총리제도가 있고 국회의 총리 불신임권, 총리의 국무위원 제청권이 있지 않습니까. 활용을 못 했으니 그랬지 제도 자체는 충분히 가미돼 있었던 것입니다.

유정현 그렇다면 1980년 초에 일부에서 제기됐던 이원집정부제와는 어떻게 다릅니까?

김대중 판이하게 다릅니다. 나는 제2공화국 헌법이나 제3공화국 헌법과 같은 정치제도를 지지한다는 얘기입니다.

유정현 앞으로의 민주화 일정에 대해선 어떤 구상을 갖고 계십니까?

김대중 민주화란 구체적으로 말하면 국민들에게 자유선택권을 돌려주자는 것입니다. 이건 내 개인의 의견이 아니라 최근 미국의 정치학회에서 규정한 개념입니다. 국민들에게 자유선택권을 돌려주자면 어떻게 해야 하는가. 우선 언론의 자유와 자유선거가 보장돼야 하고 지방자치가 실시돼야 하고 대통령을 국민의 손으로 직접 뽑아야 합니다. 또 노동계와 대학의 자율이 보장돼야 합니다. 이런 문제가 정부와 재야 민주 세력 간의 대화를 통해 해결이 돼야 한다고 생각하는 게 민주화 일정입니다.

정부가 대화에 응해서 그런 방향으로 나가면 모든 문제는 순리로 풀려 나가고 정국은 안정이 될 것입니다. 그렇게 되면 우리 재야 민주 세력도 남북대화나 올림픽에 협력할 것이고, 정권이 바뀌어도 절대로 정치적인 보복이 없게 될 것입니다. 그러나 그렇게 안 되면 결국 민주화투쟁을 하게 될 테니까 정국 안정이 어려울 것이고 앞날에 많은 지장이 오게 되겠지요.

유정현 그 문제와 관련, 최근 신민당 이민우 총재가 일본 『산업경제신문』과의 인터뷰에서 전두환 대통령의 1986년 8월 15일 이전 퇴진과 선거 내각 구성을 제의, 민정당의 심한 반발을 샀었습니다. 선생께서는 이 총재의 주장에 대해 어떻게 생각하십니까?

제도적인 변혁을 통해서 민주주의를 확고히 해야

김대중 그런 문제는 아주 민감한 문제일뿐더러 정치적으로 고도의 기술을 요하는 것이기 때문에 그렇게 쉽사리 얘기할 문제는 아니었다고 생각합니다. 제도적인 변혁을 통해서 민주주의가 확고히 된다는 보장이 선결 문제이고, 그런 과정에서 정치적인 협상을 통해 논의할 얘기입니다. 제도적 변혁을 해서 언론 자유를 위한 입법도 하고, 지방자치를 위한 입법도 하고, 자유선거 보장을 위한 입법도 하고, 헌법 개정을 위한 합의도 하고, 그런 과정에서 이제 정권 이양은 구체적으로 어떻게 하면 좋으냐 하는 문제가 나올 때 저쪽은 1988년에 하겠다고 나오면 재야 민주 세력에선 그것보다는 거국선거 내각을 구성해서 하는 게 어떠냐 하는 식으로 나올 것 아닙니까. 그런 과정에서 정치적 협상을 해야지요. 나로서는 현재 확고한 안도 없고 또 그런 안이 있다 하더라도 밝히기에는 시기상조라고 생각합니다. 이 총재가 제안했던 내용 자체는 문제가 없었지만 다만 시기가 적당치 않았었다는 이야기입니다.

유정현 민주화를 위해서 대화를 하겠다는 말씀이신 것 같은데, 선생께서는 지난해 12월 2일 뉴욕의 매디슨스퀘어가든 연설에서 3김과 전두환 대통령의 4자회담을 제의하신 것으로 알고 있습니다. 대화를 하자면 주제가 있어야 할 것이고 방식이나 시기도 문제가 될 것입니다. 어떤 생각을 가지고 계십니까?

김대중 지금 말한 이런 민주화 일정이 바로 그때 얘기한 겁니다. 거국선거내각 얘기도 그때 했지요. 내가 그때 4자회담을 제안하니까 많은 미국인들이 비현실적이라고 했습니다. 나는 대화는 우리가 필요한 게 아니라 오히려 정부 쪽이 더 필요하다고 대답했습니다. "이번 3차 해금을 봐라. 정치 규제로 묶을 때는 그 대상이 두 가지다. 하나는 국회의원급이고 또 하나는 대통령급이다. 3김 씨는 대통령급이 아니냐. 하나도 못 풀지 않았느냐. 풀어놓고서는 정국 안정에 자신이 없다는 얘기다. 뒤집어서 말하면 이 세 사람과 협력해야만 정국 안정이 된다는 얘기다. 그러니까 정부가 대화에 더 필요성을 느끼는 것이다. 대화를 통해 정국 안정이 돼야만 정부로서는 남북회담이나 올림픽 개최에 자신 있게 임할 수 있을 것 아니냐. 또 우리도 그렇게 되면 순리적으로 민주 회복을 할 수 있기 때문에 국민의 희생도 줄이고 불필요한 에너지 낭비를 막을 수 있다. 대화는 양쪽 모두에게 이점이 있다." 이런 식의 주장이었습니다.

우리 민족이 장점도 많지만 최대의 결함은 자신과 의견이 다르면 말조차 하지 않으려고 한다는 것이라고 생각합니다. 조선조 때 사색당쟁이 그랬고, 해방 후 40년 정치사에서도 두드러진 점입니다. 민주주의란, 말 안 하면 민주주의가 아니거든요. 대화란 의견이 다른 사람끼리 해야 의미가 있지 같은 사람끼리 얘기한다는 건 정치적 의미가 없는 겁니다. 나는 정부에 대해 대화를 구걸하지 않습니다. 오히려 대화는 정부가 더 필요한 것이고, 그런 의미에서 대화는 될 수밖에 없다고 생각합니다. 또 김종필 씨를 포함시킨 데 대해 의아하게 생각하는 사람도 있지만 김종필 씨의 과거 행적을 비판하지 않아서가 아닙니다. 또 내가 김 씨와 정치적인 동지가 되려고 생각해서도 아닙니다. 다만 한정된 목적을 위해서는 김종필 씨도 동참하는 게 옳다는 생각 때문입니다. 김 씨도 현 체제하에서 규제받은 피해자이고, 어쨌거나 과거 공화당 계열의 상당 부분을 대표할 수 있는 사람이거든요. 셋째는 내가 정치보복을 하지 않겠다면서 김 씨를 대화에서 빼겠다는 것은 모순입니다. 대화는 이루어지겠지만 만약 정부에서 대화를 하지 않겠다면, 그에 대한 대가를 지불해야 할 것입니다.

유정현 김종필 씨와 함께 대화하겠다는 것은 어쨌든 같은 입장이란 점을 인정하신 것 아닙니까. 만약 사정이 여의치 않을 때는 구 야와 구 여가 연합하여 민주화운동을 추진할 수도 있다는 것으로 이해되는데요.

김대중 2차대전 때 미국은 히틀러와 일본 군국주의에 대항하기 위해 소련과도 손잡았었습니다. 그건 특수한 목적을 위해 손잡았던 것입니다. 미국이 소련과 체제가 같아서도 신념이 같아서도 아닙니다. 같은 목적을 위해 김종필 씨가 동참하겠다면 나는 협력하겠습니다.

유정현 일반적으로 후진국 정치를 말할 때 집권을 하기 위해선 재계나 군부의 지지가 필연적이라고들 합니다. 선생께서는 양쪽의 대폭적 지지를 받고 있지 못하는 입장이라는 기사가 얼마 전 『타임』지에 실렸습니다.

김대중 국민이 권위적인 정부를 반대하고 민주정치를 지지하면 군인도 같이 지지하게 돼 있습니다. 우리 군인은 그런 성향이 더욱 강합니다. 이런 주장은 이미 10·26사태 후나 4·19혁명 때 입증됐습니다. 4·19혁명 때 군인이 학생들을 지지하지 않았습니까. 발포 안 했거든요. 10·26사태 후에도 군인들이 민주화를 지지했었습니다. 지금도 그런 점은 마찬가지라고 봅니다.

우리나라에서 군인의 최대 관심은 안보와 반공입니다, 안보와 반공의 명분은 곧 민주주의와 자유입니다. 피 흘려 쟁취한 자유와 민주주의가 억압된다면 반공과 안보를 위해 몸 바칠 명분이 없어집니다. 그렇기 때문에 군인들도 민주주의를 지지할 것이라는 데 대해 절대 의심치 않습니다.

그러면 경제는 어떤가 봅시다. 경제인이 바라는 것은 자유경제인데 현재 우리의 현실은 관치경제입니다. 관의 비호를 받은 사람은 3백만 원이 없어 부도를 냈던 사람도 불과 2-3년 사이에 수천억 원의 재벌이 되고 똑같은 부채를 지고 있어도 관의 비호를 못 받는 사람은 하루아침에 망해 버립니다. 자유경제가 아닙니다. 사실은 어떤 의미에서 기업인들도 현 관치경제하에서 억압받고 있는 사람들입니다. 내가 지향하는 것은 자유경제인데, 자유경제가 실현되면 기업인들도 자유스러워질 수가 있습니다. 나는 기업인 편이지 기업인의 적이 아닙니다. 나는 사회주의경제를 지지하지 않습니다. 내가 안보를 중시하고 공산주의를 반대하고 민주주의를 지지한 이상은, 관치경제를 반대하고 자유경제를 지지한 이상은 진정한 기업인들과 나와는 입장과 이해가 일치하는 겁니다.

유정현 그런 논리가 맞는다 하더라도 현실적으로 그 논리를 입증할 만한, 말하자면 눈에 보이는 실체가 없지 않습니까?

김대중 눈에 보일 수가 없지요. 만약 현 정부 사람들이 내가 그 같은 지지를 못 받고 있다 생각하면 자유스럽게 접촉하도록 내버려 둬 보란 말이에요. 내가 지지받는가 못 받는가, 현 실정에서는 내가 지지 못 받고 있다는 논리도 증명 안 됩니다. 오히려 그 사람들과의 접촉을 최대한 막고 있는 것을 보면 접촉하면 지지가 높아질 가능성이 있다는 얘기가 됩니다.

유정현 조금 전에 선생께서는 자신이 자유경제주의자라고 말씀하셨습니다. 그런데 지난 1971년 대통령 후보로 나섰을 때 선생께서 '대중경제'를 처음 주장하셨지 않습니까. 일반인들은 '대중경제'가 자유경제와는 다른 것으로 이해하고 있습니다.

김대중 대중경제란 대중 민주주의하에서의 경제체제를 말하는 것으로 자본주의의 수정된 한 형태입니다. 자본주의가 강하다는 것은 그 시대와 나라 환경에 따라 수정할 수 있는 융통성이 많다는 것입니다. 오늘날 원초적인 자본주의는 이 세상에 존재하지 않습니다. 이렇게 수정된 자본주의를 왜 우리가 아직도 자본주의라고 하느냐, 두 가지 이유 때문에 그렇습니다. 하나는 자본의 개인적 소유, 또 하나는 자유경제입니다. 원시자본주의 시대에는 자본의 개인적 소유가 어느 한 개인이나 가족에 의해 독점이 됐습니다. 그러나 현대의 대기업은 자본이 수십만 명에게 확산되어 있습니다. 미국의 지엠(GM) 같은 데는 50만 명의 주주가 있고 포드만 하더라도 30만 명입니다. 일본의 미쓰이, 미쓰비시를 보더라도 5퍼센트 이상을 가진 주주가 없어요. 한 사람이 10억 달러, 20억 달러짜리 기업을 가진 데는 우리나라뿐입니다. 말하자면 우리나라 경제는 관치경제와 원초적 자본주의의 가장 좋지 않은 점만이 결합된 형태입니다. 현대의 자본주의는 자본의 개인적 소유이긴 하지만, 그 자본이 대중화된 형태를 띠고 있습니다.

그리고 애당초엔 자본가의 무한 착취가 허용됐지만, 이제는 경제 건설이 국민 대중의 이익에 있다는 관점에서 기업가, 소비자, 노동자, 3자에게 골고루 이익이 돌아가는 체제로 가고 있습니다. 기업은 소비자에게 가장 좋은 물건을 가장 싸게 파는 봉사, 노동자에 대해서는 생산성 향상에 알맞은 이익을 계속 보장해 주는 봉사, 마지막으로 자기의 적정 이윤을 취해서 주주에게 배당해 주는 일, 이 세 가지가 균형을 잡아 가야 합니다. 자본주의가 일반적으로 안정되는 이유가 바로 여기에 있습니다.

그리고 나는 노동자에게 적정한 임금을 줘야 한다는 것을 사회정의의 측면에서만 얘기하지는 않습니다. 이 점을 대중경제는 완전히 경제적 측면에서 풀이합니다. 첫째는 노동자의 임금 상승이 생산성 향상분을 넘어가면 안 됩니다. 그렇게 되면 인플레이션이 됩니다. 원가 상승 요인이 된다는 얘깁니다. 그렇기 때문에 노동자가 임금을 많이 받으려면 생산성 향상부터 해야 합니다. 그러면 기업가는 아무 손해가 없어요. 노동자에게 적정임금을 보장하면 그것이 전부 구매력으로 다시 살아와요.

흔히 일본의 경제가 수출 의존적이라고 합니다만, 일본 기업은 매출의 60-70퍼센트를 국내 시장에 의존하고 있습니다. 어떤 경제학자는 일본의 기업이 저렇게 건전한 이유로 농민에 대한 2중곡가제와 노동자에 대한 적정분배 때문이라고 합니다. 대중경제는 소유를 대중화시키고 3자의 이익을 균형 있게 보장해 주는 방향으로 하되 어디까지나 자유경제의 원리하에서 이루어져야 한다는 주장입니다. 즉 기업의 자주적 판단, 노동운동의 자율성, 소비자들의 자기권리 주장이 보장되고 정부는 어디까지나 3자 간에 조정 역할만 하다가 그중 지나친 약자가 있어서 사회적으로 문제가 있다고 생각할 때 조금 뒷받침해 주어야 한다는 말입니다. 최대한 관권의 개입은 없어야 됩니다.

이것이 바로 대중경제인데 이것은 서구에서 말하는 산업 민주주의의 한 형태라고도 할 수 있습니다.

대중경제의 핵심은 소유의 사유화입니다. 다만 종업원지주제 등을 통해 소유를 확산해 나가자는 얘깁니다. 그것도 관권이 강제하자는 게 아니에요. 기업이 자기 필요에 의해 개선해 나가도록 세제나 기타 여러 가지 방법으로 유도해 나가야 합니다. 그다음엔 자유경제입니다. 우리는 흔히 국산품 보호라고 해서 상품을 가장 비싸게 사 쓰고 있고, 그 반면 가장 좋은 상품을 가장 싼값에 수출하고 있어요. 자동차가 그렇고 또 컬러텔레비전이 작년 미국에서 덤핑 판정을 받고는 대폭 값을 내리지 않았습니까. 다시 말하면 지금까지 한국 소비자들이 터무니없이 비싸게 사 썼다는 얘기 아닙니까. 두 가지만이 그런 게 아닙니다. 전반적으로 그래요. 이런 것을 절대로 용납할 수 없습니다. 자유경쟁의 원칙은 지켜야 합니다.

또 원칙적으로 수출입은 개방시켜야 합니다. 외국서 싼 물건이 들어올 수 있어야 국내 기업이 체질 강화를 할 수 있습니다. 좋은 물건 싸게 만들고 경영합리화가 돼야 외국으로 뻗어 나갈 수 있지요. 절대로 기업을 온실에서 키워서는 안 됩니다. 또 그런 의미에선 기업의 독점이 절대로 나쁜 게 아닙니다. 우리 한국에서와 같이 권력의 보호 아래 중소기업을 쓰러뜨려 가며 남의 것을 빼앗는 것이 나쁜 겁니다. 예를 들어 특정한 상품을 세 개의 기업이 생산하는데 가장 좋은 상품을 가장 싸게 팔아서 소비자들이 한쪽으로 몰려들게 되면 나머지 두 기업은 쓰러질는지 모르지만 그만큼 한국 기업의 체질이 강화되는 것이고 국제경쟁력이 커졌다는 것이고 우리 소비자들이 혜택을 본다는 것입니다. 슘페터도 그런 말을 했습니다. 이런 것이 말하자면 내가 말하는 대중경제란 것이고 '대중경제'란 말을 역설한 것뿐이지 자유경제의 테두리에서 한 발도 벗어난 게 아닙니다. 내가 사회주의경제를 반대하는 이유는, 사회주의경제는 비능률적이고 부패가 오기 쉽기 때문입니다. 그 이념은 긍정할 점이 있긴 합니다.

유정현 수입 개방 못 하는 이유 중엔 여러 가지가 있잖습니까. 기업 체질이 약하고 기술이 뒤떨어져 있는 상황에서 무조건 수입을 개방하면 국내 기업들이 한꺼번에 도산 사태를 빚는다든지 하는, 그것과 관련해서 조금 전에 일본의 2중곡가제를 말씀하셨는데요, 비교우위론만 주장해서 수입 개방을 한다면 우리의 경제적 근거가 없어질 염려는 없습니까? 전에는 농촌에서 목화·콩·참깨 등을 길러 자급자족을 할 수 있었는데 이제는 모두 수입하고 있고, 주식에 해당되는 쌀도 마찬가지로 상당 부분을 수입에 의존하고 있는 실정이 아닙니까?

김대중 그 점은 나도 동감입니다. 아까 기업 일반에 대해 얘기했지만 농업 하면 또 얘기가 달라집니다. 기업에 대해서도 원칙적으로 자유경쟁이라고 했지, 반드시 쓰러질 정도의 충격을 줘 가며 하자는 얘긴 아닙니다. 수입 개방도 그에 대항해 나갈 만한 힘을 길러 가며 점진적으로 해 나가야 됩니다. 경제인 철칙이 하나 있는데, 아무리 좋은 정책이라도 급격히 시행하는 것보다는 나쁜 정책의 안정이 낫다는 것입니다. 내가 얘기한 것은 원칙뿐이에요. 그러나 기업이 아직 경쟁할 단계가 안 됐다는 구실 아래 체질 개선의 노력을 보이지 않는데도 그대로 방관해서만은 안 된다는 말입니다.

그리고 농촌 문제는 얘기가 전혀 달라집니다. 첫째는 식량의 가격이 싸냐 비싸냐만 가지고 따져서는 안 됩니다. 왜냐하면 식량은 굉장히 부가가치가 높습니다. 씨앗 하나만 던져 놓고 거기에 노동력만 좀 들이면 몇십 배 몇백 배가 생산된다는 말입니다. 둘째로 식량이라는 것은 사회적 국방적인 문제와 깊이 관련되어 있어요. 만일 식량을 전면적으로 혹은 과도하게 대외에 의존했다간 사회적으로나 국방적으로나 큰 문제를 노출하게 됩니다. 또 비교우위론으로 따져 외국의 곡가가 싸다 하지만 그것은 결국 외화를 그대로 주는 겁니다. 외채 문제가 절대적인 문제점으로 대두하고 있는 우리 실정에서는 재고해야 할 점입니다. 또 하나, 제일 중요한 점은 인구 문제입니다. 우리나라 4천만 인구 중에 적어도 천만이 넘는 농민들의 경제가 파탄되면 어떤 상태가 되느냐, 지금 알다시피 농촌 인구가 도시로 무작정 밀려옵니다. 도시 인구 증가로 인한 경제적 부담이 엄청납니다. 외국 농산물 수입에서 좀 이익을 봤다 하더라도 교육 시설, 사회적 시설, 교통 문제 등에서 큰 부담을 안게 되지요. 그리고 농촌이 취약해지니까 우리 사회 전체가 취약해집니다. 안보적 차원에서 보더라도 국민의 대부분을 차지하는 농촌지대가 건전한 사회구조를 갖지 못하면 큰 문제가 되지요. 이제는 농촌에는 노인과 여자들만 남게 된 현실이 아닙니까.

유정현 우리같이 부존자원이 적은 나라에서 경제 건설을 이룩하기 위해선 수출에 많은 부분을 의존해야 할 것이고 수출경쟁력을 높이기 위해서는 우선 노동력의 확보가 시급하지 않습니까? 선진국들의 산업화 과정을 보더라도 농촌 인구의 도시 유입을 유도하지 않았습니까? 식량 가격을 저렴하게 놔두는 것은 이런 공장 노동자들의 기본 식생활을 뒷바라지하기 위한 정책이라고 주장하는 학자들도 있습니다.

김대중 공장 노동자 식생활 해결의 측면에서만 보면 식량을 수입해도 되지요. 그러나 농촌 인구의 도시 유입도 점진적으로 체질에 맞게 이뤄져야 합니다. 그리고 도시에서 인구에 대한 수요가 있어야 하는데 그렇지 않은 실정에서 막 몰려나오지 않습니까. 이 사람들이 도시 주변의 불건전하고 불안정한 빈민층을 형성하는데 이건 굉장한 위험한 현상입니다.

유정현 화제를 한반도 안보 문제로 돌려 보겠습니다. 선생께서는 대통령 후보로 나섰을 때 미·소·중·일의 4대국 평화 협력을 내세우셨었습니다. 당시에 미국·중국 간에 수교 관계가 없었던 때라 퍽 의아스럽게 생각했었습니다만 오늘날은 4자회담이나 6자회담을 제의하고 있는 상황으로 바뀌었습니다. 한반도를 둘러싼 국제적인 역학관계 속에 우리가 어떻게 해야만 자존自存과 평화를 유지할 수 있다고 보십니까?

민주적 정부 수립이 선결 문제

김대중 한반도 안보를 위해서는 내부적인 문제와 외부적인 문제 두 가지를 생각해야 합니다. 내부적으로는 남한에 민주적인 정부가 서는 게 선결 문제입니다. 민주정부가 서면 국민의 자발적 지지가 따르고 안정과 안보는 자연히 뒤따르게 마련입니다. 그렇게 되면 북한은 남한을 공산화하겠다는 야망을 버리지 않을 수 없습니다. 서독도 경제 안정과 민주정치를 하니까 동독에 대해 압도적 우위를 차지하고 있지 않습니까. 동독이 서독을 공산화하겠다는 것은 꿈도 못 꾸고 있거든요. 서독에선 선거 때마다 공산당이 출마하지만 한 사람도 되질 않습니다. 한국 국민의 문화·교육 수준, 근대화에 대한 능력 등을 감안할 때, 또 한국 국민은 공산주의에도 반대하고 안보도 중요시한다는 점을 생각하면 안 될 게 없어요. 제도적으로 보장만 하면 됩니다. 또 이스라엘도 불과 4백만 명 인구로 1억 5천의 아랍세계와 대항하고 있지 않습니까. 모두 민주주의를 하고 있기 때문이에요. 민주주의는 하지 않고 안보만 떠들면 어떻게 되느냐, 중국 대륙의 장개석蔣介石, 베트남, 캄보디아, 라오스, 쿠바, 니카라과가 다 망했어요. 공산주의의 밥이에요. 세계에서 민주주의 하면서 안보가 튼튼하지 않은 나라 하나도 없습니다. 그 반대도 마찬가지입니다. 우리나라에도 그런 예가 있습니다. 30여 년 전 6·25 전시하에서 부산 피란 시절에도 우린 민주주의 했어요. 언론 자유가 있었고, 대통령을 국민들이 직접 뽑았고, 지방자치제가 실시되었습니다. 입법부와 사법부는 완전 독립된 힘을 발휘했지요. 우리 국민이 그 자유를 지키기 위해 싸웠기 때문에 북한 공산군과 백만 중국군을 격퇴할 수 있었습니다. 미군이 도와줘서 이긴 게 아닙니다. 베트남전에는 더 많은 미군이 파병됐는데도 지지 않았습니까. 안보는 민주정권 아래서만 가능한 얘깁니다. 그렇기 때문에 민주주의 안 하면서 안보를 하겠다는 것은 그 정신이 천 번 안보를 위한다 하더라도 결과적으로 안보를 해치는 행동입니다.

내부적 태세가 이렇게 되면 북한이 남한의 공산화를 포기하게 될 것이고 그때서야 정말로 평화적인 통일이 가능하게 됩니다.

외부적인 문제를 보면 우리나라처럼 주변 강대국의 큰 영향을 받는 나라도 없습니다. 즉 미·일·중·소가 둘러싸고 있다는 현실을 중요시해야 합니다. 그러나 한 가지 다행한 것은 4대국 모두 통일된 한반도가 어느 한 나라의 지배하에 들어가는 건 곤란하지만 내가 먹겠다는 나라도 없습니다. 그렇기 때문에 우리가 4대국 어느 한쪽에 치우치지 않는다면 통일 한국을 지지받을 수 있습니다. 또 이들 어느 누구도 한반도에서의 전쟁 재발을 원치 않고 있습니다. 이러한 점을 최대한 활용, 한편으로는 남북 간에 대화를 하고 한편으로는 4대국의 협력을 받으면 철석같은 한반도 평화를 이룩할 수 있다고 봅니다.

유정현 '공화국연방제'를 주장하신 적이 있는데 북한이 주장하는 '고려연방제' 와는 어떤 차이가 있습니까?

김대중 간단히 말하면, 북한은 연방공화국이고 내가 말하는 것은 공화국연방입니다. 북한의 주장은 오히려 미국이나 캐나다, 오스트레일리아, 서독 등의 국가형태와 같습니다. 그러니까 실질적으로 중앙연방이 국가 역할을 하는 단일국가이고 지방연방은 자치제의 형태입니다, 그러나 내가 얘기하는 공화국연방제는 하나의 국가지만 두 개의 독립정부예요. 북쪽엔 공산독립정부, 남한엔 민주독립정부, 그러니까 국내외적으로 완전히 독립된 두 개의 정부가 존재하고 다만 아주 루스(loose)한 연방을 구성해서 처음엔 제한된 권리만 주었다가 차츰차츰 합의된 만큼만 양쪽이 이양해 가는 겁니다. 설령 우리 시대엔 그런 문만 열고 자손 대에 가서 이뤄지면 어떻습니까. 그때 가면 국방·외교권도 연방으로 넘어갈 수 있어요. 중앙연방이 정부가 되고 두 개의 지방자치정부는 계속 존속되겠지요, 지금의 미국이나 캐나다같이. 프린스턴 대학의 리처드 포크 교수는 이런 나의 안을 보더니 "지금까지 나온 한국 통일안 중 가장 합리적"이라고 평을 하더군요. 북한의 고려연방제와는 완전히 대조적입니다.

유정현 앞으로 남북 대화 관계는 어떻게 전망하십니까?

김대중 현재 진행되고 있는 남북 대화를 지지합니다. 왜냐하면 남북 대화를 통해 적어도 긴장 완화가 되고 부분적인 성과도 있을 것이기 때문입니다. 그러나 근본적인 해결은 안 된다고 봅니다. 국민의 전면적인 지지를 받는 정권이 나오기 전에는 북한이 남한을 공산화하겠다는 야욕을 버리지 않습니다. 특히 공산주의자들과 얘기할 때는 이쪽에 실력이 있어야 하는데 정치적 실력이란 국민의 지지를 말합니다. 남베트남이 망할 때 티우 정부 쪽이 병력으로는 3배, 화력으로는 7배로 우세했어요. 그러나 국민의 지지가 없으니까 하루아침에 무너지지 않았습니까. 더구나 동족끼리 싸울 때는 싸워야 할 만한 이유가 있어야 하는데 그게 바로 자유입니다. 문제는 안보(security)인데 안보는 지켜야 할 대상(something to secure)이 있어야 하고, 그게 바로 자유고 민주주의입니다.

미국 교포사회에서도 분명하게 말했습니다. "나는 공산주의를 반대한다. 남과 북의 중간을 지지하는 것도 아니다. 나는 대한민국을 절대 지지한다. 다만 현 정부 형태를 반대하는 것뿐이지, 여러분은 거기에 대해 추호도 의심해선 안 된다. 그렇기 때문에 김대중을 지지하는 사람은 대한민국 정부를 지지해야 한다." 나의 이런 주장은 교포사회에 심대한 영향을 끼쳤습니다.

그래서 친북親北 신문들이 나보고 이완용이니 박춘금이니 하며 비난을 퍼부었지요.

유정현 도미하신 게 1982년 12월 23일이었고, 신병 치료차였다고 당시 보도가 됐는데 어떤 병이었습니까?

김대중 고관절, 즉 허벅지 관절의 변형증입니다. 미국 가서 보니까 조지타운대학 부속병원에서 일체 무료 치료해 주겠다고 초청장을 보내왔었는데 나한테 전달이 안 되었더군요. 거기서 치료받고 에모리대학 부속병원에서도 진찰을 받았는데 양쪽에서 모두 건강은 전체적으로 대단히 양호하다고 합니다. 그런데 여기는(허벅지를 가리키며) 수술해 봤자 원상 회복이 어렵고 다행히 통증은 없으니까 그대로 두라고 해서 치료는 안 했어요.

유정현 고관절변형증은 언제 발병했습니까?

김대중 아 이거, 1971년에 대통령 선거 끝나고 국회의원 선거 지원 유세 다닐 때 박정희 정권이 트럭으로 자동차를 밀어서 죽이려고 했을 때 다친 것 아닙니까. 목포에서였지요.

유정현 술·담배는 안 하십니까?

김대중 술·담배는 끊었어요. 미국 가 보니까 담배 피우면 천덕꾸러기 취급을 받아요. 더군다나 나는 파이프를 피웠는데 파이프는 더 냄새가 많이 나잖습니까. 남 눈치 보면서 담배 피울 필요 없다고 생각해서 끊어 버렸지요. 술은 거의 안 하고 조그만 잔으로 한 잔 하는 정도입니다.

유정현 보통 김종필 씨를 얘기할 때 센티멘털하다고 하지요. 그런 반면에 선생께서는 두뇌가 명석하고 달변이신 데다 집념이 강해서 어떤 면에서는 인간적인 면이 부족하다는 말들을 합니다.

김대중 그런 말 가끔 듣지만, 나는 전혀 동의하지 않아요. 내가 내 자신에 대해 어떻다고 말하는 건 우습지만, 사람은 모두 제각기 특색이 있는 것이고 완전한 사람은 없습니다. 자기 특색을 살리면서 살아야지요. 황희 정승같이 머슴이 "저놈 나쁘다." 그러면 네 말이 옳다, "이놈 나쁘다." 그러면 네 말도 옳다, 부인이 나와서 "왜 둘 다 옳다고 하느냐"고 하니까 당신 말도 옳다고 하는 그런 사람도 있어요. 그러나 이순신 장군같이 여수에서 전라좌수사로 있을 때 사병들이 개 한 마리 잡아먹었다고 "왜 민간인들에게 피해 주느냐"고 곤장을 친 치밀한 분도 있습니다.

우리가 정치인을 평가할 때는, 그 사람이 국민에게 충성을 다했느냐를 먼저 봐야 합니다. 개인의 장단점은 둘째 문제예요. 그리고 자신의 정치적 소신을 피력한 후 그것을 일관되게 실천했는가, 적어도 바꿀 때는 납득할 만한 과정을 거쳤는가, 또 나랏일을 맡을 만한 경륜이 있는가, 그 경륜을 실천할 능력이 실지로 있는가를 봐야 합니다. 그래서 국민으로 하여금 택하게 하면 됩니다. 나는 앞으로 내 스타일대로 살아갈 작정입니다.

유정현 일부 국민들 사이에는 선생님의 험난했던 정치 경력과 관련, 선생님을 과격 내지는 선동성이 짙은 정치인으로 보는 경향이 있습니다. 그래서 만약 선생님이 정권을 잡으면 큰 변혁이 일어날 것처럼 얘기들을 합니다. 이런 신뢰성의 갭은 어떻게 메꿔 나갈 작정이십니까?

역사를 통해서 반드시 이긴다는 신념으로

김대중 나에 대해 그런 이미지가 생기게 된 연유는 두 가지입니다. 우선 나의 독재에 대한 일관적 투쟁이 너무 강하게 부각된 측면, 둘째는 정부 여당의 악의적인 여론조작입니다. 사실, 나는 독재에 대해 생명을 걸고 싸웠습니다. 협력하면 살려 주겠다고 회유했을 때도 나는 죽음을 택했었습니다. 앞으로도 싸울 겁니다. 그렇지만 사람을 미워한 적은 없어요. 그렇기 때문에 박정희 대통령이 돌아가시기 전에도, 1979년 4월에 당시 차지철 경호실장에게 예춘호, 박종태, 양순직, 세 분을 보내 대화하자고 간곡히 요청했어요. 당신이나 나나 나라 운명에 책임 있는 사람들인데 단 10분도 대화 안 해 봤지 않느냐, 아주 간절히 요청했어요. 그 양반 죽었을 때 나는 "내가 그분하고 대화 못 해 본 것이 유감스럽다" 고 말했었어요. 지금도 마찬가지로 난 사람을 미워하지 않아요.

나는 정치적으로 자유민주주의자요, 경제적으로는 자유경제 신봉자요, 반공과 안보를 중시합니다. 미국과 일본에 대해서도 그 정책을 비판하기는 하지만 반일·반미는 하지 않습니다. 그리고 난 어떤 일이 있어도 정치보복은 반대합니다. 그래서 요즘 미국에서도 나를 "온건한 민주주의자"(moderate democrat)라고 평하고 있고 유럽에서도 마찬가지입니다. 여기서만 나의 이미지가 13년간 의도적으로 조작돼 왔습니다. 거기다 내가 독재에 생명 걸고 싸우니까 강한 이미지가 생긴 것 같아요.

그러면 내가 극단주의자고 파괴주의자냐, 나의 정치적 행적이 증명합니다. 한·일회담을 모두 기억하시지요. 그때 윤보선 씨를 선두로 해서 얼마나 극단적으로 반대한 사람이 많았습니까. 나는 회담 자체를 반대하는 걸 반대했습니다. 회담은 하되 우리 민족에게 이익이 안 되는 부분만 지적해서 싸워야지 어째서 인접 국가와 국교를 트겠다는데 무조건 회담을 반대하느냐는 주장이었습니다. 그래서 당시 '사쿠라'라고 얼마나 몰렸는지 모릅니다. '남베트남 파병' 때도 파병 자체는 반대했으나, 일반 파병이 결정되고 국군이 남베트남에 주둔했을 땐 박순천 당수를 모시고 위문 갔었습니다. 왜냐하면 우리 당으로선 파병을 반대했지만 우리 국군은 국가의 명령에 의해 파병된 것이니까 위문을 가야 한다고 생각했기 때문입니다. 그래서 당시 채명신 당시 주월 사령관이 베트남 정부와 미국에 대해 한국에는 "이런 건전한 야당이 있다"고 얼마나 자랑했는지 몰라요.

1971년 선거 유세 때도 『조선일보』, 『동아일보』 양대 신문을 비롯한 국내의 모든 신문들이 사설을 통해 "김대중 씨가 건전한 정책 대결을 벌이고 있다"고 대단히 칭찬했었습니다. 또 박정희 씨가 죽고 복권된 후 나의 제1성은 "박 정권 사람들에 대해 절대 보복해서는 안 된다"는 것이었습니다. 1980년 사형 선고를 받았을 때도 법정에서 나는 "1980년대에는 우리나라에 민주주의가 온다. 그때 가서 내가 죽더라도 절대 정치적인 보복을 해서는 안 된다"

는 유언을 남겼습니다. 미국에 가서 가진 첫 연설에서도 나는 정치보복을 원치 않는다고 역설했습니다. 나보고 추상적으로 "과격하고 극단적이고 보복할 것이다."라고 하지 말고 증거를 대면서 얘기해 보라 이겁니다.

나는 내 정책과 행동에 대해 일일이 증거를 하나하나 들어 가며 얘기할 수 있습니다. 1972년 유신 이래 13년간 내 이름은 나쁜 것 이외에는 거론되지 못했습니다. 그러나 이번 선거 때 보시오. 국민들이 김대중 이름만 나오면 박수 치고 호응하지 않았소. 김포공항에 나온 수많은 환영 인파를 보시오. 아무리 악선전해도 국민들은 진실을 알고 있어요.

조선조 때 수양대군은 당시 최고 덕목이었던 충효를 깨 버리고 건전하게 발전해 나갈 수 있었던 정신적인 지주를 말살시켜 버렸던 데 대한 책임을 면할 길이 없어요. 수양 시대에 이룩했던 약간의 치적이란 것도 이런 정신적 지주를 깬 것에 비하면 아무 의미가 없어집니다. 성삼문을 비롯한 사육신을 역적으로 몰지 않았습니까. 일본놈들이 우리 독립운동가를 뭐라고 그랬습니까. 불령선인不逞鮮人이라고 하지 않았어요. 불령선인이란 개망나니란 뜻 아닙니까. 그 후엔 정적을 공격할 때면 툭하면 공산주의자, 툭하면 선동분자, 이런 일같이 수치스러운 일이 없어요. 그렇지만 그런 식으로는 절대로 성공할 수 없습니다.

유정현 선생께서는 언젠가 루이제 린저의 「9월의 어느 날」이란 수필을 인용해서 인생이란 행幸과 불행不幸이 반반이라는 말씀을 하셨는데요. 정치인으로서가 아니라 자연인 김대중으로서의 자신의 인생을 한번 돌아봐 주시지요. 금년에 환갑이 되는 걸로 알고 있습니다.

김대중 한마디로 험난한 인생이었다고 볼 수밖에 없겠지요. 그동안 다섯 번의 죽을 고비를 넘겼습니다.

우선 6·25전쟁 때 공산당한테 잡혀서 학살 현장에서 도망쳐 나왔고, 1971

년 자동차에 깔려 죽을 뻔했고, 1973년엔 일본에서 납치돼 두 번의 죽을 고비를 넘겼습니다. 처음엔 그 사람들이 호텔방에서 토막 살인을 하려고 칼, 끈, 륙색까지 다 준비했다가 사람이 나타나는 바람에 실패했습니다. 나를 마취까지 시켰었지요.

다시 배로 끌고 가서 전신을 결박하고 입과 눈을 막고 팔다리에 돌멩이를 달아 바다에 던지려는 판에 비행기가 나타나서 못 죽였어요. 아마도 미국 비행기로 알고 있습니다. 또 1980년에 사형 선고받고서 다시 살아나 모두 합쳐 다섯 번입니다.

지난 1972년 유신 이후 13년간만 돌아보더라도 3년의 해외 생활, 5년 반의 감옥 생활, 3년 반의 연금과 감시 생활을 했어요. 이 동안 내 아내도 연금과 감시 생활을 했고, 막내아우와 자식 세 놈도 모두 잡혀갔었지요. 큰자식과 둘째 자식은 2년씩 징역받아 가지고 1년씩 살다 나오는 등 온 집안이 모두 고초를 겪었습니다. 그뿐 아니라 친척·친지·친구들, 비서들이 모두 고생을 하고 인간으로서 겪기 어려운 일을 겪었습니다만 한마디로 내 인생이 불행했다고 절대 말하지 않습니다. 내가 잘했다는 게 아닙니다. 그동안 엎어지고 깨지고 좌절하는 과정을 겪었지만 국민에 대한 나의 충성심은 포기하지 않았다는 말입니다. 단 한 번도 내 양심의 명령과 신앙의 원칙을 버리겠다는 생각을 하지 않았습니다. 물론 언제나 다 잘했다는 것이 아닙니다. 그런 노력을 했다는 말입니다.

감옥에서 내가 죽겠다고 작정하고 나서도 마음이 편했던 것은, 내가 비록 현실 권력투쟁에서는 패배했지만 역사를 통해서는 반드시 이긴다고 생각했기 때문입니다. 또 내가 죽더라도 내 혼이 우리 국민과 같이해서 반드시 승리할 것이라 믿었기 때문입니다. 많은 사람들이 나보고 "왜 그렇게 안 늙냐"는 질문을 많이 합니다. 그러면 나는 농담 비슷하게 "당신들은 정상적인 세상을 살았지만, 나는 사는 게 중단됐으니까 늙은 것도 중단돼야 할 게 아니냐"고 대답하곤 합니다. 제일 큰 이유는 마음이 평화로워서 그렇겠지요. 내 마음이 평화로운 건 내가 아무것에도 묶이질 않아서 그렇습니다. 죽음, 감옥, 돈, 권력, 아무것에도 묶이질 않았습니다. 내가 대통령에 급급해서 이러는 게 절대 아닙니다. 그런 말조차 하고 싶지 않아요. 관심이 없어요. 나는 내 인생을 성공적으로 살고 있다고 생각합니다. 주위 사람들도 견디다 못해 조용히 이탈한 사람은 있어도 나를 배반한 사람은 없고 같이 고생하고 있습니다.

유정현 종교는 어떤 걸 갖고 계십니까?

김대중 가톨릭입니다. 전에는 연희동성당에 나갔었는데 이번에 귀국해서 보니까 새로 서교동성당이 생겨서 그곳에 나가고 있습니다.

유정현 정치하는 데 상당히 돈이 필요하실 텐데 재산은 어느 정도입니까?

김대중 동교동 집이 있고, 대지 98평에 건평 47평이라든가, 하여튼 그건 낡아서 집이라고 할 수도 없어요. 목욕도 못 하고 화장실도 제대로 사용할 수 없어요. 헐어서 다시 지어야겠어요. 땅값이 있으니까 재산이라면 수억 원 정도 될까요.

유정현 수입, 지출은 어떻게 하십니까?

김대중 미국 있을 때는 친구들 도움과 내 책 인세로 살았지요. 또 뉴욕과 로스앤젤레스(LA)에서 서도전을 열어 한 백오륙십 점 팔았습니다. 성공한 편이지요. 여기 와서는 자식이 좀 벌어 놓은 것도 있고 친구들이 도와줘서 그럭저럭 살지요.

유정현 가족 관계는 어떻게 되십니까?

김대중 모두 3남입니다. 장남 홍일이 내외가 여기 살고, 그 밑에 손녀 셋이 있고, 둘째 홍업이는 지금 미국에 있어요. 감사원 감사위원 신현수 씨의 딸과 결혼해서 사는데, 30 넘어 결혼을 못 해서 상당히 걱정했더랬어요. 내가 미국에 있을 때는 내 일을 돕다가 지금은 제 나름대로 사업을 해 보겠다고 미국에 남아 있지요. 막내 홍걸이는 에모리대학에서 사회학을 공부하고 있습니다.

유정현 틈나시면 유행가라도 부르시고 하십니까?

김대중 물론 유행가도 부르지요. 여러분들이 일반적으로 생각하는 것과 달리 나는 혼자 있을 때는 참 눈물이 많아요. 특히 꽃을 좋아해서 꽃 가꾸는 걸 즐기고, 판소리는 어느 정도 할 줄 압니다. 장단도 칠 줄 알고 북도 좀 치지요. 창도 흉내는 좀 냅니다.

유정현 부인이 건강이 상당히 안 좋으신 모양인데 미국 있을 때부터 그랬습니까?

김대중 작년 9월, 10월께부터 심해졌어요. 1976년에 내가 3·1명동사건으로 투옥돼서 그 한 해를 진주교도소에 있었는데 그때 추운 겨울에 면회 오고 가며 비 맞고 하더니 관절염을 얻었어요. 1978년 내가 서울대병원에 있을 때 심해졌다가 한동안 괜찮더니 이번엔 아주 심합니다.

나는 그래도 여기 와서 좀 쉬었습니다. 귀국하기 전 두 달간은 어떻게 바쁜지 잠도 제대로 못 잤는데 귀국해서 한 달간 연금당해 제대로 쉴 수 있었습니다. 인생은 반드시 양면이 있는 것 같습니다. 무엇이든 다 나쁜 건 없다고 봐요. 내 인생에 있어 감옥 생활이 얼마나 큰 도움이 됐는지 모르겠습니다. 내가 지금 정치, 경제, 역사, 종교, 인생에 대해 어느 정도 얘기할 수 있는 게 모두 감옥에서 책을 읽고 공부한 덕분입니다. 예를 들어 감옥 가기 전에는 하느님이 정말 계시는가 하는 문제를 해결 못 했었습니다. 전능하고 선한 하느님께서 정말 계시다면 왜 이 세상에 악이 성하는 가, 감옥 가서 책을 아무리 읽어도 해결이 안 됐습니다. 결국 독학으로 내 나름대로 해결했습니다. 지금은 내 얘기를 들어 보고 정 해 먹을 게 없으면 전도사를 해도 밥은 먹을 거라고 목사나 신부님들이 말을 합니다.

유정현 새치만 몇 개 보일 뿐 머리는 거의 세지 않으셨군요.

김대중 가계家系가 그런 모양이에요. 또 내가 속이 없어서 고민을 안 하니까 그렇기도 하겠지요.

유정현 미국 떠나기 전과 몸무게는 차이가 나십니까?

김대중 그때나 지금이나 비슷합니다. 한 70킬로그램 나가지요. 키는 1백72센티미터니까 한 5킬로그램은 줄여야지요. 한번 늘어나니까 잘 안 줄더군요. 육군교도소에 있을 땐 몸무게가 안 늘어났지요. 그곳은 음식도 괜찮고 사식 차입도 돼서 정상적인 식사를 하니까 그대로 유지가 됐는데 청주교도소에 가서 내가 실수를 했어요. 음식이 짜고 맵고 해서 먹을 수 없는 게 많아요. 음식은 먹을 수 없고 소화는 잘되니까 배는 고프지요. 그래서 과자 부스러기 잔뜩 먹었더니 살이 찌더니 그 후로 빼기가 어려워요.

* 이 글은 1985년 4월 호 『월간조선』 기사로 당시 『조선일보』 월간조선부 유정현 차장이 인터뷰하였다.

현실에 절망한 나머지 '급진', '강경론' 이 생긴 것

대담 이홍구
일시 1985년 6월

이홍구 오늘 대담을 위해 『월간조선』에서 저에게 특별히 주문한 것은 없습니다. 그저 이렇게 만나 뵙고 평소에 생각하고 있던 몇몇 문제에 대해 말씀을 나눠 보는 것으로 족할 것 같습니다.

요즘 돌아가는 우리의 정치 현실을 보면 즉 여야 총무(현 원내대표)회담에서 개원에 합의했다, 혹은 민정당이나 신민당에서 무슨 회의를 했다, 민추협에서 무슨 성명을 발표했다 하는 게 신문에 나는 걸 보고 저는 '초현실파 그림'을 보는 느낌을 갖습니다. 무슨 얘기냐 하면, 그동안 우리나라 정치인은 여야를 막론하고 일반 국민들에게 불신의 대상으로 인식되어 왔다고 봅니다. 저희가 대학연구소에서 여론조사를 해 보면 정치인이 가장 믿지 못할 사람이라는 결과가 나타납니다. 그런 데다 근래에 들어 정치 기사가 신문의 가장 많은 지면을 차지하고 있지만 그들의 활동이 국민의 일상생활과는 동떨어진 느낌입니다. 정치인은 부산하게 움직이고 있지만, 어떤 의미에선 국민의 정치적인 감각이나 일상생활과는 별로 관계가 적어 보인다는 겁니다.

민주주의가 없는 획일 사회

김대중 일반 국민들이 정치에 대해 불신감을 갖고 있는 것은 사실입니다. 정치가 국민의 어려움을 제대로 해결해 주지 못한 것 또한 사실입니다. 그러나 국민이 정치를 완전히 버렸느냐 하면, 그건 아닙니다. 지난번 선거에서만 보더라도 국민들이 전례 없이 정치에 관심을 보여 주지 않았습니까. 국민들은 신민당을 지지함으로써 최선은 아닐지라도 차선을 택했던 것입니다. 또 국민들을 제대로 돌보지 못해 왔던 정치 현실의 책임자들에게 강한 심판을 내렸던 것입니다. 그 책임자들이란 집권 여당, 야당 구실을 제대로 못 한 민한당, 박정희 정권의 유신 잔재 세력들입니다.

그렇다고 나와 신민당과 민추협 등의 주장이 모두 옳다는 것은 아닙니다. 그러나 정치할 기회를 박탈당한 우리 야당 정치인들을 똑같이 비난하면 억울하다는 이야기입니다.

이홍구 정치인에 대한 불신, 정치가 현실과 유리되어 있는 현실, 이런 것은 우리 헌정사가 지닌 모순과 문제점에 기인합니다. 그러나 그보다 더 큰 원인은 그동안 한국 사회가 다원화됐다는 사실에서 찾을 수 있습니다. 김 선생께서도 20년 이상 정치를 해 오셨지만, 그 20년 동안 우리 사회는 엄청나게 다원화된 경향을 보여 왔지 않습니까.

사회가 다원화됐다는 것은 곧 사회 각 계층, 집단의 정치의식과 기대치가 다원화됐다는 얘기입니다. 그에 반해 여당이건 야당이건 정치인들이 내거는 슬로건이나 정치적 프로그램 또 정치인의 자세는 이런 다원화된 사회적 경향을 반영해 주지 못하고 대단히 경직화되어 있다는 느낌입니다. 심하게 말하면 사회는 다원화됐는데 정치인의 입장은 구태의연하다는 것입니다.

만약 사회변화에 정치변화가 따라가지 못하면 정치에 있어 정통성의 위기 문제가 나타나게 됩니다. 대체로 재야에서는 정권 담당자의 정통성 위기만을 거론합니다만, 어떤 의미에서는 정치 자체의 정통성의 상실이라는 위기가 초래된 것이 아닌가 여겨집니다.

김대중 그런 경향이 나타나고 있는 건 사실입니다. 그러나 정치가 다원화되려면 자유로운 정치의 장이 있어야 합니다. 그 장 위에서 각자가 자기의 주장과 이익을 대변할 수 있어야 하는데 우리나라엔 그런 기본 여건, 즉 민주주의가 없습니다. 권위적 정부에 의한 획일적 지배 아래 야당은 여당의 시녀 내지는 보조 역할로 일관해 왔던 게 지난 11대 국회였습니다.

정치의 민주화라는 기본 여건을 위해 싸우다 보면 정치는 퇴보하고 경직되게 마련입니다. 나 같은 야당 정치인은 정치에서 소외되고 감옥도 가게 되는 것 아니겠습니까.

정치뿐만 아니라 언론도 사회의 다원화된 목소리를 반영하지 못하고 있습니다. 이 교수가 정치학자지만, 정치학자도 마찬가지입니다. 정치학자가 반드시 사회의 다원화된 의견을 마음대로 이야기할 수 있느냐 하면, 그것도 아닙니다.

대기업이건 중소기업이건 경제인도 자유가 없다는 사정은 마찬가지입니다. 또 농민이건 노동자건 중산층이건 자신들의 주장을 제대로 펼 수 있는 계층은 아무도 없습니다. 이러한 현실은 어떻게 보면 현 정부의 비호 아래 막대한 특혜와 특권을 누리고 있다는 재벌에게도 적용되는 이야기입니다. 정부의 결정으로 하루아침에 망하고 흥하는 게 재벌 아닙니까.

문제는 결국 민주주의의 회복으로 돌아갑니다. 다원화된 사회 각계각층의 건전한 자기주장이 정치를 통해서, 언론을 통해서, 경제 활동을 통해서 자연스럽게 표출될 수 있어야 합니다. 그러려면 무엇보다 그런 장을 만들어 줘야 하고, 그 장을 만드는 건 다름 아닌 민주주의입니다.

이홍구 여야 모두에 해당되는 이야기입니다만, 특히 여당을 볼 것 같으면 어느 특정 계층이나 집단의 이익을 대표한다고 주장하는 게 아니라 전 국민의 모든 문제를 다 떠맡겠다는 입장에 서 있습니다. 역설적으로 말해서, 전부를 대변한다는 것은 아무것도 대변하지 못한다는 얘기가 됩니다. 원래 정권이란 자기를 지지하는 세력이 있으면, 자기를 반대하는 세력도 있어야 되는 것 아니겠습니까. 선거 결과를 보면, 우리 사회에서 가장 혜택 받고 있는 계층조차 정부를 반드시 지지하고 있지는 않다는 결론이 나옵니다. 이런 문제점이 여당에만 국한된 것이냐, 저는 그렇게 보지 않습니다. 야당도 마찬가지입니다. 지금까지 야당이 내거는 전체적인 프로그램을 보더라도 너무 막연하고, 무작정 모든 국민을 위해 일하겠다는 주장만을 되풀이하고 있습니다. 그 결과 어느 누구도 대변하지 못하고 있다는 공허감을 느끼지 않을 수 없습니다. 아까 서두에서 한국의 정치가 현실과 유리된 채 그 위에서 표류하고 있는 게 아닌가 하는 의문을 제시한 것도 바로 이런 의미에서였습니다.

김대중 과거에 내가 민중당 정책위원회 의장을 한 적이 있습니다. 그때 민중당은 중산층의 이익을 대변하고, 양심적인 기업가와 노동자, 농민을 동맹군으로 하는 정당이라는 정책을 내건 적이 있었습니다. 그러나 현실이 용납을 하지 않았습니다. 왜냐하면 여당이 국민 전체가 내 것이다 하고 나오는데, 이걸 풀기 전에는 야당은 제 몫을 찾아갈 수가 없기 때문입니다. 여당도 그런 식으로 해서는 겉으로 봐서 국민 전체를 수용하는 것 같아도, 어느 누구의 지지도 받지 못하는 처지에 놓이게 됩니다. 이 묶어 놓은 줄을 푼다는 게 중요하지 않겠습니까.

이홍구 여당이 전 국민을 대변하겠다고 얘기하지만, 그 실현은 쉬운 게 아닙니다. 그것을 구체적으로 실현하기 위해서는 아까 말한 다원화된 집단과 계층의 이익을 얽어매는 작업이 필요하지 않겠습니까. 이 작업은 대단한 정치적 경륜과 자유로운 정치 활동이 요구되는 고도의 정치공학을 필요로 한다고 생각됩니다. 이런 작업이 안 됐기 때문에 우리 헌정사에 많은 문제점이 드러났다고 봅니다.

다른 한편 이른바 민주화운동을 보더라도, 같은 문제점을 지적할 수 있습니다. 대체로 민주화운동이란 상황에 변화를 가져오려는 것이니까, 정부와 같이 어떤 구체적인 일을 한다든가 기획을 세운다는 것이 어렵다는 것은 인정합니다. 그러나 야당도 다원화된 계층을 얽어매는 정치공학적인 힘을 발휘해야 하지 않는가 생각되는군요. 여기서 제가 말한 야당은 신민당뿐만 아니라 넓은 의미의 재야 세력으로서의 민추협까지 포함해서 지칭한 것입니다.

솔직히 말씀드려서 민주주의를 위해 싸운다 할 적에 반대할 국민은 아무도 없습니다. 그런 의미에서 많은 사람들이 성원도 하고 있습니다. 그러나 국민은 각자 다양한 계층의 다양한 이익을 반영할 수밖에 없습니다. 그 집단들을 어떤 식으로 얽어매서 어떻게 일을 할 수 있느냐는 문제에 대해서는 대단히 막연하고, 그런 막연함에서 오는 불안감 또한 국민 각자에게 작용한다고 생각됩니다. 그저 민주화라는 기치 하나만 내걸고는 민추협도 어느 정도 한계점에 도달하지 않을 수 없다고 보는데. 이런 점을 생각해 보신 적이 있으십니까?

김대중 내가 주장하는 민주화의 구체적 알맹이는 이런 겁니다. 서구식 민주주의, 소비자와 노동자의 권리가 보장되는 조건 아래서의 자유경제, 그리고 경제적 안정성이 부여되는 범위 내에서의 사회복지의 실현, 전면적인 지방자치의 실현, 안보에 대한 중시, 미국과 일본에 대한 정책에 대해 비판할 것은 비판해야 하겠지만 기본적인 협력 관계의 견지, 점진적이고 확고한 통일 정책 추구 등입니다.

우리 야당도 정부의 정책과 분명한 구분이 있는 이런 정책안을 구체적으로 연구하고 결과가 나와 있습니다. 문제점은 현 체제 아래서는 이런 정책 대안을 국민들에게 알릴 길이 없다는 겁니다. 책상 서랍 속에 잠자고 있는 서류

만의 정책이 돼 버렸다는 얘기입니다.

결국은 모든 문제가 민주주의의 회복이라는 문제로 돌아갑니다. 그럼 민주화란 막연한 용어냐 하면 그렇지 않습니다. 우리 나름대로 계획이 있습니다.

미국에 있을 때 필라델피아에서 교포 약 천오백 명에게 강연할 기회가 있었는데 정치학자 이연식 교수가 강연 준비위원장이었습니다. 거기서 나는 민주주의란 일반적으로 국민을 위한(for the people), 국민의(of the people), 국민에 의한(by the people) 정치라고 하지만, 앞의 두 개는 다 군더더기고 한마디로 국민에 의한 정치라고 말했습니다. 왕이 정치를 해도 국민을 위한 정치를 내걸고, 또한 오늘날 세계 1백60개 국가 중 거의 모든 나라가 국민주권주의(of the people)를 내걸고 있지만, 진짜 민주주의를 하는 나라는 30여 개국에 불과하다. 그것은 이 30여 개국에서만 국민에 의한 정치가 이뤄지고 있기 때문이다, 이렇게 말했습니다. 우리도 민주화하기 위해서는 국민에게 자유선택권을 줘야 합니다. 자유선택권을 주기 위해선 어떤 일이 필요한가, 우선 언론의 자유가 있어야 하고, 자유선거가 이뤄져야 합니다. 또 지방자치제가 실시돼야 합니다. 지방자치제가 필요한 것은 국무총리로부터 말단 읍·면장까지 전 행정직을 대통령이 장악하고서는 민주주의가 불가능하다는 이유 때문입니다. 대만, 필리핀, 엘살바도르, 심지어 아프리카의 여러 나라들도 다 지방자치제를 하는데 우리나라만 안 하고 있습니다. 6·25전쟁 때 국민소득 60달러였을 때도 지방자치제를 했었는데, 지금 2천 달러가 됐는데 지방자치제를 하지 않을 이유는 없습니다.

마지막으로 국민의 열망에 따라 또는 민주원칙에 따라 직선제 개헌을 해야 합니다. 이러한 네 가지의 제도적 보장이 있어야만 국민이 자유선택권을 행사할 수 있습니다. 국민이 자유선택권을 행사한다고 해서 야당에게 더 유리할 것도 없습니다. 여야가 모두 공평한 조건이지요. 그런데 이런 주장을 하면 여당에서는 마치 체제 도전을 하는 것으로, 마치 이 나라를 잘못된 방향으로 이끌고 나가려는 것으로 몰아쳐 버립니다.

나는 어디까지나 중산층과 노동자에 기반을 둔 정치를 해 나가려고 합니다. 그러나 그들에게 접근할 방법이 없습니다. 야당이 중소기업인들과 접촉하게 되면 곧바로 세무사찰을 받게 되고, 노동자들을 돕게 되면 직장에서 곧바로 해고되고 맙니다. 아주 곤란한 현실이지요.

이홍구 국민에 의한 정치(by the people)를 실현하는 것은 어떤 의미에선 우리 국민이 오늘날 처한 문제 중 가장 핵심적인 문제라고 할 수 있습니다. 그러나 국민이 직접 참여하는 정치를 생각할 때, 국민이 어떤 식으로 참여하느냐 하는 참여의 형식이 대단히 중요하다고 봅니다. 먼저 오스트리아, 벨기에, 스위스 등 일부 유럽 국가에서 택하고 있는 협동 민주주의를 소개할 필요가 있을 것 같습니다. 이들 나라는 하나의 국가를 이루고 있지만 언어·민족 등 상당히 이질적인 요소가 한데 모여 국가체제를 유지하고 있습니다. 이질적인 요소들이 모여 국가를 형성할 때는 단순히 투표를 통한 다수결에 의한 방식으로서는 그 정치체제를 유지할 수 없습니다. 투표의 결과, 1951 대 49라든지 근소한 차이로 이겼을 때, 진 쪽이 그 결과에 대해 승복하지 않으면 그 정치체제는 깨질 수밖에 없기 때문입니다. 입장을 달리하는 이질적 요소들이 합의에 도달해야만 국가 운영은 안정을 기할 수 있고, 그 때문에 협동 민주주의의 방식을 택하고 있는 것입니다. 또 이 합의라는 것을 다른 면에서 생각해 보면, 어느 한쪽이 항상 비토(veto)권을 가지고 있다는 이야기가 됩니다.

어떤 의미에서는 우리 한국 사회는 동질성만을 가진 사회가 아니라 상당히 이질화된 요소가 공존하는 다원화된 사회이고 그 가운데 여러 그룹이 비토권을 행사할 수도 있는 사회입니다. 김 선생 자신이 지난 10여 년 어려운 길을 걸어온 것도 이런 관점에서 해석할 수 있지 않을까 생각합니다. 예컨대 이번 선거에서도 일부 그런 경향을 보였습니다만, 군이 우리 정치의 실권을 장악하는 일은 어떤 논리에서든 동의할 수 없다는, 따라서 비토권을 행사하겠다는 그룹이 있습니다. 그런 대표적인 세력이 이른바 운동권 학생들이지요. 그러나 문제는 바로 그 비토의 대상이 된 군을 비롯한 일부 사회 세력들은 반대로 김 선생을 포함해서 특정 정치 세력이 집권하는 것은 비토하겠다는 입장을 취하고 있다는 점입니다.

10·26사태 후, 1980년 봄에도 여러 가지 상황이 있었습니다만, 결국 민주주의의 꽃을 피우지 못하고 끝이 나 버렸지 않습니까. 이번에는 국민에 의한 민주적인 정부를 세우자는 그런 단순한 논리만을 되풀이하기보다는 어떻게 하면 이런 비토 그룹들을 모두 포용하는 한국적 협동 민주주의의 체제를 확립하느냐 하는 데 모든 정치적 역량이 쏟아져야 하리라고 생각합니다. 국민들도 이런 데 대한 기대가 대단히 큰 것 같습니다. 김 선생 개인적으로도 정치가라서 어려운 선택의 역사적 기로에 와 있다고 봅니다. 김 선생께서는 사면·복권을 포함해서 개인적인 문제에 연연하지 않겠다고 말씀하셨습니다. 거기서 한 걸음 더 나가 새로운 한국 정치의 틀을 만드는 데 기여하겠다는 구상은 없으십니까?

온 국민이 민주주의를 원한다

김대중 대단히 중요한 문제를 지적하셨습니다. 우리 사회에 여러 이질적 요소가 있고 또 보기에 따라서는 비토적인 블록이 존재한다는 사실은 부정할 수 없습니다. 그러나 지난번 선거에서 우리는 지역이나 계층을 막론하고 세 가지 면에서는 국민들의 공통된 호응과 합의를 보았다고 생각합니다. 첫째 군인은 본연의 임무에 충실하라는 것, 둘째 대통령은 국민의 손으로 직접 뽑아야겠다는 것, 셋째 김영삼-김대중과 협조해서 민주주의 회복에 힘쓰겠다는 야당 후보에 대한 지지입니다.

미국에 있을 때 『뉴욕타임스』와 『스타스앤드스트라이프스』지의 1979년 11월 2일 자를 다시 찾아서 보니까 지난 1979년 10·26사태가 있고 일주일도 안 돼 육군 장성 50여 명이 국방부에서 회의를 열고 유신헌법 철폐와 민주주의 지지를 결의했었다는 기사가 실려 있더군요. 이런 사실만 보더라도 군인들도 민주주의를 원하고 있다는 것은 명백합니다. 또 군인들도 군인이기 이전에 이 나라 국민입니다. 군인이 공산주의를 반대하고 안보를 중요시하듯 우리 국민들도 마찬가지입니다. 군과 국민은 서로 존경하고 사랑하는 관계이지 절대 적대적인 입장에서 있는 것은 아닙니다.

경제인도 마찬가지 생각일 겁니다. 대재벌이라 할지라도 정부의 비호를 받지 못하면 파산하고, 정부의 특혜를 받는 사람은 불과 몇 년 만에 재벌로 부상하는 자유경제의 원리가 파괴되고 기업인의 인격마저 보존키 어려운 우리 경제 현실에서, 경제인들이라고 민주주의를 바라지 않겠습니까. 기업이 성공하려면 기업인의 창의성, 모험심, 새로운 경영 기법 등이 존중되는 사회가 돼야 합니다. 물론 우리가 정권을 잡게 되면 중산층의 이익을 대변하는 정책을 쓰겠지만, 그 시행은 어디까지나 자유경제의 범위 내에서 하는 것이기 때문에 경제인들이 고통받을 여지는 아무것도 없습니다. 우리보다 훨씬 진보적인 사회민주주의 정당이 정권을 잡고 있는 서구 여러 나라에서도 자유주의 경제가 제대로 운영되고 기업인들이 건재하고 있지 않습니까. 경제인의 권리와 경제 활동의 자유가 보장되고 있기 때문입니다.

이홍구 저는 민주주의에 대한 국민적 여망은 합의를 봤지만, 그러나 그 여망을 구체적으로 어떤 방식에 의하여 풀어 나갈 것이냐에 대해서는 국민의 합의에 도달하지 못했다고 생각합니다. 예컨대 지난번 선거에서 민주화의 방식에 국민적 합의를 봤다고 말씀하셨는데 저는 반드시 그렇게는 보지 않왔습니다. 우리 국민들은 비교적 자유스러운 선거를 하게 되면 언제나 민주화의 열망을 나타냅니다. 다시 말하면 집권층에 비판적인 투표 성향을 보입니다. 이런 현상은 1978년 10대 선거에서도 마찬가지였습니다. 지난번 12대 선거가 예외적인 돌풍이었던 것이 결코 아닙니다.

그렇기 때문에 이런 성향이 앞으로 어떤 식으로 민주주의를 해야 하느냐에 대한 합의까지 본 것이라고는 생각지 않습니다. 야당에 표를 던진 사람들이 반드시 현 집권 정당이 퇴진하고 다른 특정 정당이 집권하는 것을 원하고 있는 것은 아니란 얘깁니다. 바로 10·26사태 후에도 이런 경험을 겪은 바 있습니다.

그런 의미에서 얘기를 돌려 보겠습니다. 아까 말씀대로 우리나라엔 여러 비토 블록이 있다. 이들을 얽어매는 게 쉬운 작업이 아니다, 이런 여러 여건을 감안할 때 과연 대통령중심제가 우리 현실에 가장 적합한 제도냐에 회의를 느끼지 않을 수 없습니다. 여러 그룹이 같이 존재할 수 있는, 즉 공생의 논리를 제도적으로 실현하려면 오히려 의원내각제가 좋지 않겠는가 하는 말입니다. 과거에 야당에서도 의원내각제를 실시해 보지 않았습니까. 이런 생각이 대학교수로서의 이상적이고 현실성이 없는 생각일 수도 있습니다만, 장기적인 정치 안목에서는 한 번쯤 돌이켜 볼 만한 구상이라고 봅니다.

김대중 나 개인으로서는 반드시 대통령중심제만을 고집하는 것도 아니고, 그렇다고 의원내각제를 무조건 반대하는 것도 아닙니다. 양 제도가 모두 장단점을 가지고 있습니다. 무엇보다 중요한 것은 그 나라 전통과 국민이 어떤 제도를 원하느냐 하는 것입니다. 1980년 개헌안 작성 당시의 국민 여론과 이번 총선에서의 현상을 볼 때 우리 국민은 대통령중심제를 압도적으로 지지하고 있다고 생각합니다. 또 하나 다음 집권하는 민간정부는 무엇보다 방대한 군을 통솔해서 안보에 신경을 쓰지 않을 수 없는 입장입니다. 나는 민주당

정부 때 집권당의 대변인을 했었습니다만, 실질적으로 군령권君令權과 군정권軍政權이 대통령과 총리 사이에 양분되었던 내각책임제 아래서 민주당은 군의 통솔에 실패하고 군에 의해 무너지고 말았습니다. 반면에 양 권을 장악했던 이승만 대통령은 가장 효과적으로 군을 장악했습니다. 이런 역사적 사실을 무시할 수 없습니다. 또 민주당 정권의 경험을 보더라도 의원내각제는 의원들의 질이 높지 않으면 가능하지 않습니다. 민주당 이름으로 국회의원에 당선되고 나서 곧바로 분당해 나간 사실, 야당인 신민당은 연립내각에 참여하여, 6부의 장관을 입각시켜 놓고도 사사건건 반대만 하지 않았습니까. 전혀 의원내각제의 상례에 어긋나는 행동이었지요. 거기에 집권당 내에서는 또 무슨 회會를 만들어 대변인까지 두고 자기 당 출신 국무총리에 대한 비판을 일삼았습니다. 전혀 근거도 없는 중석불重石弗 사건을 조작한 것도 당시의 여당 사람들이었습니다. 그 사건이 민주당 정부의 붕괴에 큰 역할을 하지 않았습니까. 장면 총리가 정치정화법의 소급입법에 얼마나 반대했습니까. 대변인인 저를 붙들고 소급법은 단호히 반대하라고 지시했었고, 민주당 의원총회에 나와 누누이 그 부당성을 설명했는데도 국회에서는 여야가 합세해서 통과시켜 버렸었습니다. 이런 여러 점을 감안할 때 총리 자신의 개인적 역량도 문제겠지만, 의원들의 질이 높지 않으면 의원내각제는 불가능합니다.

그러나 국민들이 지지만 한다면 의원내각제 주장을 봉쇄할 생각은 전혀 없습니다. 그래서 가장 합리적인 방안은 이런 것이 될 수 있지 않을까 생각합니다. 즉 유신에 의해 헌정이 중단되었던 제3공화국 헌법으로 일단 돌아가자, 정통성 회복이란 점에서 또 불법에 의해 중단된 헌정은 반드시 되돌려 놓아야 한다는 역사의 교훈을 위해서도 이런 작업은 필요합니다. 그러고 나서 국회의원 선거만을 먼저 실시해서 어떤 정치체제를 택할 것이냐를 국민의 뜻에 의해서 결정하는 것이 좋겠다는 겁니다. 그 결과에 따라, 대통령중심제든 의원내각제든, 국민의 지지를 받는 정치를 택하면 될 것 아니겠습니까.

이홍구 제 말은 어떤 제도가 좋으냐 나쁘냐 하는 문제보다는, 대통령중심제는 승자가 모든 권력을 거의 독점하는 제도기 때문에 과열 경쟁이 있을 수 있고, 그런 경쟁이 계속될 때 다원화 및 다극화된 사회에서 혹시나 판이 깨지지나 않을 것인가 하는 우려에서 나온 것입니다. 정치하는 사람에게 맡겨 봤더니 잘못하면 나라가 날아갈지도 모르겠다고 걱정하는 국민도 상당히 많습니다. 의원내각제 얘기를 여기서 꺼낸 것은 그런 이유 때문입니다. 좀 전에 김 선생께서 정당이 약하고 의원들의 질이 낮아서 의원내각제가 어렵지 않은가 하는 말씀을 하셨는데, 그렇다면 정당을 강화하고 의원들의 질을 높이는 방법은 의원내각제밖에 없지 않은가 하는 생각도 듭니다. 이런 논리가 순환 논리이긴 하지만, 어디선가 이 순환 논리를 깨뜨려야만 획기적인 정당정치를 할 수 있으리라 봅니다. 이런 구상은 여당보다는 재야에서 여러 가지 가능성을 진지하게 논의해야 할 것이라고 생각합니다.

김대중 사실 어느 제도가 좋은가 하는 것보다는 어쨌든 국민들에게 공정하게 선택할 수 있는 기회를 주는 게 더 중요합니다.

정당이 잘 안 된다는 데 대해서는 이 교수께서 말씀하신 측면도 있지만, 지방자치제가 실시되지 않고 있는 데 더 큰 원인이 있습니다. 지방자치제가 안 되니까 야당은 머리만 있고 발을 만들 수가 없습니다. 4년 만에 한 번 뽑는 국회의원밖에 출마할 데가 없습니다. 면장도 국민들의 손으로 뽑고 군의원·도의원이 있어야 야당을 하려고 하지, 그렇지 않으니 누가 야당을 하려고 합니까. 이러니 야당의 지방조직이 커 나갈 수가 없습니다. 야당을 오래 하면 생활이 어려워지니까 야당원의 수는 점점 줄어듭니다. 또 경제력이 없으니 정당 활동을 활발히 할 수 없지 않습니까. 현 제도 아래서는 야당이 커 나갈 수가 없어요. 각종 선거에서 행정력이 개입해도, 지방자치제가 안 되니까 이

걸 막을 사람이 없습니다. 면장이나 통 반장, 군·도의원 등이 야당 사람이면 행정력의 선거 개입을 막을 수 있는데 현재는 모두 여당 사람들이니 막을 길이 없지요. 서구, 미국, 일본 등에서 자유선거가 가능한 이유는 바로 그런 구조가 있기 때문입니다. 그리고 또 하나 정당정치가 안 된 큰 원인은 정치자금이 여당에게 독점되고 있다는 사실입니다. 민주정치에 있어서 정당은 어떤 의미에서 국회나 행정부보다 더 중요합니다. 여기서 좋은 대통령과 국회의원의 후보를 내야 정치가 좋아집니다. 여기서 결정한 정책에 따라 국회가 결의하고 행정부가 집행하니 정당이 얼마나 중요합니까. 그런데 야당은 정치자금으로부터 완전 봉쇄되어 집권 여당의 허가가 있을 때만 약간의 돈을 얻어 씁니다. 정치자금의 법적 제도적 보장이야말로 정당정치 발전, 그리고 정치 부패 방지의 기본입니다.

이홍구 정당 얘기가 나왔으니까 하는 말입니다만, 앞으로 신민당의 정당 활동이 어떤 식으로 전개돼 나갈지에 대해 국민의 관심이 아주 큰 것 같습니다. 그와 관련해서 신민당과 민추협의 관계는 경우에 따라서 상당히 오해를 불러일으킬 소지도 있습니다. 어떤 사람은 이원화라는 표현도 씁니다.

신민당과 민추협 두 개의 조직이 존재함으로써 오는 장점은 뭐고, 단점은 뭔지 따져 보는 것도 필요할 줄로 압니다. 민추협이 현재로서는 잠정적인 기구이겠지만, 장기적인 안목에서는 일원화되는 것도 바람직하지 않으냐, 아니면 계속 존재할 필요성이 있는가, 그런 문제에 대하여 김 선생께서는 어떻게 생각하고 계십니까?

김대중 두 개의 조직이 존재하는 사실은 비정상적이라고 봐야 할 것이고, 그런 현상은 우리 정치의 비정상에서 배태된 것이라 봐야죠. 민추가 구성된 과정이나, 또 그 민추를 모체로 해서 신민당이 창당된 과정을 보더라도 신민당의 창당 문서에도 명기된 바와 같이 민추와 신민당은 이신동체二身同體라고 할 수 있습니다. 왜 이런 비정상이 나왔겠습니까?

결국 11대 국회의 정치가 국민들의 여망을 흡수, 여과하지 못했기 때문에 정부와 의회에 대한 실망과 불신이 커진 것이고, 민추와 신민당이 출현하게 된 것 아닙니까. 그러나 현재는 새로 등장한 신민당과 의회에 대한 국민의 희망이 커진 것은 사실입니다. 정치에 있어서 가장 무서운 것은 독재나 부패, 경제적 사회적 부정의가 아니라 국민이 희망을 버리는 것입니다. 지난 총선 후에 국민들이 신문 읽을 맛이 난다는 얘기들을 하고 있습니다. 무슨 어려운 일이 있을 때 신민당에 찾아와 호소도 합니다. 참으로 바람직한 현상이 아닐 수 없습니다. 만약 국민이 국회와 정당, 언론기관 그리고 법원 등을 모두 어용이라고 몰아붙이고 외면하게 되면 이 나라의 장래가 어떻게 되겠습니까. 그러나 개원 협상에서 보여 준 여당의 사면·복권, 양심수에 대한 인식과 태도를 보면 앞으로도 원내 정치가 제대로 풀어질 수 있을까 하는 의구심을 떨칠 수 없습니다. 장내 정치가 활성화되지 못하는 한 장외 정치가 계속될 수밖에 없고 심해질 수밖에 없습니다. 앞으로 민추의 입장은 원내의 정치가 어떻게 돼 나가느냐에 따라 달라질 것입니다. 민추는 말하자면 국회와 순수 재야 사이를 잇는 가교 역할입니다. 민추에는 국회의원도 있고 순수 재야인사도 있습니다. 그리고 민추는 신민당만이 아니라 재야와도 긴밀한 연락을 갖고 있습니다. 여당이 앞으로 원내에서 합리적이고 진지한 자세로 정치를 풀어 나간다면 우리는 정치를 계속 장내로 몰아갈 것입니다. 그렇지 못하면, 정치는 불가피하게 강경 세력의 주도 아래 장외로 뛰쳐나가게 됩니다. 그때는 우리도 그들에게 호소할 설득력이 없어집니다. 집권 여당은 민추를 질시하고 부정적으로만 볼 게 아니라, 현 단계에서는 오히려 민추의 존재를 긍정적으로 평가해야 하며 순수 재야와 대화하는 데도 도움이 된다는 점을 깨달아야 합니다.

이홍구 김 선생 자신의 민추에 대한 생각 그리고 민추가 나갈 길을 말씀하신 것이라고 받아들이겠습니다. 그러나 정치란 어떤 의미에서는 이미지가 중요하지 않습니까. 즉 당사자가 어떤 입장을 취하느냐도 중요하지만, 국민들을 어떻게 이해시키느냐도 중요합니다.

민추와 신민당의 관계를 놓고 보면, 신민당은 공생의 논리에 의해 대화와 타협으로 가려고 하는데 민추는 일종의 비토 그룹으로 견제 역할을 한다는 이미지가 국민들 사이에 크게 작용하고 있습니다. 이 문제를 어떻게 처리할 것이냐. 또 한 가지 정치인으로서 김 선생 개인에게도 관계되는 일입니다만, 민추가 신민당과 순수 재야와의 가교 역할을 한다는 부분에 연관시켜 생각해 둘 것이 있습니다. 만일 야당에서 어떤 개혁을 강력히 요구하고 정부 쪽에서 그 요구를 어느 정도 받아들일 때, 이쪽은 개혁 목표를 어느 정도 달성했다는 점에서 바람직한 것이지만, 또 다른 의미에서 그 결과는 집권층의 입장을 강화해 주게 되는 것입니다. 그러한 결과는 근본적이고 급격한 변화를 원하는 극단적 입장에서는 약간의 후퇴로 보게 되는 것입니다. 중도에 가까운 입장에서는 그런 식으로라도 공생의 논리를 추구하는 것이 옳다고 생각하겠지만 극단에 있는 사람들에게는 불만이 생기지 않을 수 없습니다. 이 점은 급격하고 근본적인 변화를 추구하는 사회에서는 어디서나 존재하는 딜레마입니다.

이럴 때 확고한 리더십을 발휘하기는 대단히 어렵고 더군다나 그 리더십을 제대로 이미지화해서 국민들에게 부각시키는 일은 막중한 과제가 아닐 수 없습니다. 현재도 이미 그런 문제점이 나타나고 있고, 앞으로 더욱더 심해질 것은 틀림없습니다. 김 선생께서 앞으로 선택하실 길이 점점 더 복잡해지지 않을까 하는 예감이 듭니다.

현실에 절망한 나머지 강경론자가 된 것뿐

김대중 그런 면은 있습니다. 그런데 내가 볼 때 우리 현실은 필리핀보다는 훨씬 좋습니다. 필리핀처럼 신인민군도 없고 모슬렘교도의 반란처럼 종교적 분쟁도 없습니다. 또 재야 세력이 7-8개로 분열되지도 않았습니다. 우리 사회에 일부 급진적인 세력이 존재하는 건 사실입니다. 그러나 절대다수는 어느 정도의 민주적 욕구만 충족되면 현실을 안정화시키면서 책임 있게 개혁을 촉구하겠다는 생각들을 갖고 있습니다.

지난번 선거를 보더라도 일부 학생들이 강력하게 선거 보이콧을 주장했으나 대다수의 학생들이 적극적으로 선거에 참여하게 되니까 결국은 침묵을 지키거나 합세했습니다. 이걸 보더라도 해결 못 할 문제는 아닙니다. 노동운동을 보더라도 대우자동차 노사분규가 결국 대화와 타협에 의해 원만하게 끝나지 않았습니까. 기업인이 솔직하게 기업의 어려움을 설명하고 그 한도 내에서의 최선의 보장을 하면서 협조를 구하면 절대다수의 노동자는 이해하고 생산성 향상을 위해 힘쓰게 됩니다. 우리 사회에 문제가 있다면 그러한 타협의 길이 열리지 않는다는 데 있습니다. 길만 열리면 모든 국민이 적극적으로 협조하리라 봅니다. 우리 민추협의 지도부는 물론 이 방향으로 협력을 하겠습니다.

일본의 노동운동의 역사는 우리에게 아주 좋은 교훈을 주고 있습니다. 어느 미국의 경제학자는 일본의 경제 성장은 전적으로 춘투春鬪와 추투秋鬪의 덕분이라고까지 말합니다. 노동자들이 봄, 가을, 두 번씩 기업가와 임금 인상 교섭을 벌이는데 어디까지나 생산성 향상 범위 내에서 임금 인상 타결이 되니까 그렇다는 것입니다. 이러한 노동자의 정당한 권리 보장으로 인하여 첫째로 정치적 사회적 안정이 이뤄집니다. 둘째로 노동자들은 더 높은 임금을 받기 위해 생산성 향상에 힘쓰고, 셋째로 인상된 분만큼의 임금은 노동자들의 구매력을 높여 줘 기업의 국내 시장을 두텁게 강화시켜 줍니다.

이런 관점에서 노동 문제를 순리로 다뤄 나가면, 일부 강경론자들도 대세에 따라 승복하게 됩니다. 지금 강경론자들도 대한민국 자체를 부정하는 의도적인 강경론자들은 없습니다. 현실에 너무도 절망한 나머지 강경론자가 된 것뿐입니다. 그들도 합리적이고 건설적인 해결을 내심으로 갈구하고 있는 것입니다.

이홍구 요즘에 일부 강경론자들이 취하고 있는 입장은 상당히 주의해 볼 필요가 있습니다. 남북 분단이나 6·25전쟁의 경험이 충분히 이해되지 못한 탓인지 요즘 쓰는 용어를 보면 과거 혁신정당들이 쓰던 용어가 많습니다. 제2공화국 때 혁신정당에서는 한·미행정협정 폐기, 반공법 폐기 등을 주장했고 평화 통일에 대한 여망을 적극적으로 나타냈었습니다. 오늘날 일부 강경론자들 간에는 한·미 관계, 평화 통일 문제에 대한 논의가 초점이 되고 있습니다. 이런 문제들은 어떻게 다루느냐에 따라 대한민국의 국가 안정에 직접적인 영향을 끼치는 체제 문제와 밀접히 연관되어 있습니다. 김 선생 말씀과 같이 극단에 치우치지 않는 자세가 극히 요구되는 시기라고 생각됩니다. 또 중산층이란 용어를 많이 쓰셨는데, 저도 중산층을 위한 정치는 정치 정상화에 긍정적인 공헌을 하리라 봅니다.

다시 구체적인 문제로 돌아오면, 현재 국민의 여망은 신민당이 강화되고 장내 정치가 활성화되는 데 있습니다. 한 걸음 나가 김 선생을 포함해서 모두들 신민당에 참여해서 장내 정치가 활성화되는 계기를 마련해 주셨으면 하는 국민적 바람입니다.

김대중 내가 지금 신민당에 입당하면 법에 걸려요.(웃음) 우리도 신민당에 적극 참여할 수 있는 기회가 오길 바라고, 민정당도 선거에 나타난 국민의 뜻을 수렴해서 대화와 순리로 모든 걸 풀어 나갔으면 하는 생각입니다. 이런 예를 한번 들지요. 5·16쿠데타 직전 민주당 정권 때 당시 대변인이었던 나는 신문지상을 통해서 그 당시의 혁신정당에게 "우리 역사상 혁신정당에게 처음으로 자유를 줬는데, 이렇게 장면 내각을 괴롭히면 군사쿠데타가 올지도 모른다. 그렇게 되면 혁신정당은 참으로 비참한 처지가 될 것이다."라는 경고를 한 적이 있습니다. 결국 그 후 결과는 불행히도 내 말대로였습니다. 그런 생각은 지금도 마찬가지입니다. 민주주의가 회복되면 온건한 사회민주주의는 정치 발전에 큰 기여를 담당할 수 있습니다. 그러나 지금 일부 강경론자가 너무 급진적으로 가다 보면 민주주의를 원치 않는 사람들에게 민주주의 말살의 기회로 이용될 수도 있습니다. 극히 경계해야 합니다.

이홍구 제가 말씀드린 건 꼭 혁신정당뿐만 아니라 이른바 일부 운동권 학생들까지 포함해서 하는 말입니다. 통일 정책에 관해서 우리는 독일에서 배울 점이 많습니다. 서독 사람들은 한쪽으로는 어떻게 하든 인내를 가지고 동독과 대화를 하려는 입장을 취하고 있으면서도 동시에 공산주의의 실상을 잘 알고 있기 때문에 공산주의에 대한 환상이나 감상적인 생각은 없습니다. 현실에서 유리되지 않고 현실에 대한 치밀한 외교 감각으로 한 걸음 한 걸음 나가는 서독 사람들의 자세는 우리가 배워야 할 점입니다. 자칫 답답한 현실에 대한 정신적 돌파구로서의 감상적 통일론은 경계해야 합니다.

김대중 민주주의와 통일은 손바닥의 겉과 속이나 같습니다. 다만 민주주의가 먼저 되고 통일은 그다음입니다. 민주주의 없는 통일은 낭만주의적 도피나 위험한 모험주의밖에 안 되는 것이고, 한편에서는 일부 권력층에 의해 정치를 극단으로 억압하는 도구로 이용될 수도 있습니다.

이홍구 통일에 대한 국민적 합의를 이루는 것은 대단히 중요한 작업입니다. 이 문제와 직접 관련 있는 건 아니지만, 요즘 현안 문제로 대두됐던 구속자 일괄 석방문제도 생각해 볼 만한 일입니다. 물론 억울한 사람이 있을 것입니다. 더구나 정치적인 이유로 법적 제재를 받은 사람은 헌법의 정신으로나 인도적 견지에서나 시정되는 게 마땅하겠습니다. 그러나 다른 한편으로는 일괄 석방이란 주장에 대해서는 상당한 우려를 표시하는 국민들도 많습니다. 그럴 경우에 우리 사회를 뒷받침하고 있는 기본적인 법질서는 어떻게 될 것이며, 또 법이란 본질적인 측면도 중요하지만 절차상의 측면도 중요한 것인데 그것을 초월하는 정치적 조치가 취해졌을 때 오는 문제도 크지 않은가, 의견이 대단히 분분합니다. 또 이런 문제와 관련, 민추는 특정 세력의 포로가 되고 신민당은 민추의 인질이 되지 않는가, 다른 한편 경우에 따라서 여당이 또 다른 특정 세력의 포로가 되지 않는가, 설왕설래가 많습니다. 이런 국민들의 다원화된 의견과 안정을 추구하는 국민들의 생각을 존중하지 않을 때는 정치적으로 상당한 오해와 분규의 소지가 생기지 않을까 걱정됩니다.

김대중 우리의 입장이 잘 알려지지 않아 생긴 오해가 많습니다. 신민당이 민정당에 넘겨준 양심수 명단은 기독교교회협의회와 천주교정의평화위원회가 면밀하게 조사한 자료에 의한 것입니다. 대한민국을 부인하고 공산주의를 지지한 사람들까지 석방하라고 요구한 것은 아닙니다. 다만 시위와 집회 등 정치 활동 때문에 구속된 사람들, 공산주의자가 아니면서 억울하게 조작된 사람들을 석방하라고 한 것입니다.

이홍구 그런 논리를 인정하더라도, 기독교교회협의회(NCC)와 정평위가 종교적이고 인도적인 입장에서 명단을 작성했겠지만 기독교교회협의회(NCC)가 사법적 절차를 대체할 수 없다는 주장을 펴는 입장도 있을 수 있습니다.

김대중 반공법이나 국가보안법으로 구속된 사람들 중에서는 물리적인 힘에 의해 억울하게 조작됐다는 사람도 많습니다. 우리는 이런 사람들을 고려하지 않을 수 없습니다. 그리고 석방은 법의 절차에 의해서 하라는 것 아닙니까.

이홍구 철저한 재조사를 요구한다는 것과 일괄 석방을 주장하는 것은 상당한 차이가 있습니다. 일일이 그 사례를 모르는 국민들의 여론도 신중히 고려해 봐야 합니다.

민주화 과정에 하나 생각나는 이야기가 있습니다. 10여 년 전 칠레에서 아옌데가 선거를 통해 정권을 장악했다가 군사쿠데타에 의해 죽임을 당한 비극적인 드라마가 있었습니다. 그때 라틴아메리카의 어떤 소설가가 이런 글을 써서 기고했습니다. 상당히 재미난 표현입니다만, 아옌데가 선거에 이긴 것을 가지고 권력을 잡은 것으로 오해했다, 거기서부터 비극은 시작됐다는 내용입니다. 제가 거듭 걱정하는 것은 여야가 현 정치의 제도에 대한 논의와 논쟁에 과열된 나머지 우리 사회 자체가 변한 것을 간과하는 우를 범할지도 모른다는 점입니다. 10·26사태 이후 그토록 어려운 과정을 거치면서 우리 사회와 국가가 이만큼 지탱되어 온 것은 관료나 정치가의 힘이 아니라 국민이 각자 스스로 알아서 사회를 유지해 온 것이 아니냐 하는 생각도 듭니다. 정치가나 관료가 있음에도 불구하고 국민의 저력으로 이만큼 버텨 왔다는 말입니다.

아무튼 정치가 사회의 근본적인 변화를 잘 수렴해서 극단이나 폭력에 의해서가 아니라 민주적인 절차에 의해서 해결하는 고도의 정치공학이 필요하지 않은가, 또 이런 해결이 어려워질 때, 국민적인 실망은 단순한 실망에 그치지 않고 예측 못 할 행동으로 나타나지 않겠는가 우려됩니다.

과오도 있지만 정치인들의 공적도 무시할 수 없다

김대중 이 교수의 충고 말씀은 일리가 있다고 생각합니다. 그러나 우리나라의 정치 발전에 정치인들의 공적도 무시할 수 없습니다. 6·25 전시와 그 후 자유당 말기까지 정치인들이 얼마나 피나는 투쟁을 벌였습니까. 정치인들이 과오도 많았지만 그만한 공도 세웠습니다. 5·16쿠데타 후 제3공화국 때 세 번의 선거에서 박 정권이 한 번도 쉽게 이긴 적이 없습니다. 또 유신체제 아래 얼마나 많은 정치인들이 유신체제의 종식을 위해 의회에서, 재야에서, 또 감옥에서 투쟁을 벌였습니까. 5·17반란 뒤 어려운 상황을 거치면서 이번 2·12총선을 치러 낸 것도 정치인들입니다. 물론 이러한 정치인의 활동의 뒤에는 국민의 힘이 바탕이 되었지만 많은 정치 지도자들, 신익희·조병옥·장면 씨 등 그리고 박정희 정권 이래의 야당 지도자들의 줄기찬 투쟁의 사실도 과소평가될 수 없다고 봅니다. 국회서 쫓겨나고, 선거에도 못 나가고 혹은 감옥에서 신음하면서 싸운 사실도 정당하게 평가되어야 할 것입니다.

일부에선 김영삼 씨와 내가 서로 싸움만 해 온 것같이 말합니다만, 이건 악의적인 이미지 조작에 불과합니다. 민주화가 가능할 때 우리는 경쟁자였지만, 독재 아래서는 민주화를 위해서는 언제든지 협력 관계를 유지해 왔습니다. 특히 10·26사태 후에 우리들이 싸운 탓에 민주화를 망쳤다고 합니다. 그러나 이것은 사실과 다릅니다. 그때 3김 씨가 정당한 경쟁을 벌이게 놔뒀다면 민주화는 벌써 왔을 겁니다. 1979년 12월 8일 가택 연금에서 해제되고 나서 나는 12월 12일 모 주요국의 대사와도 만났었습니다. 그 대사는 상호 이해 관계와 협력 관계를 위해서 내가 군 지도자와 만나서 대화하기를 바라며 자기가 중간 역할을 할 수도 있다고 제의했습니다. 나는 물론 기꺼이 응낙했습니다. 그런데 바로 그날 12·12사태가 일어났습니다. 우리는 당시 민주화를 이루지 못한 데는 도덕적 책임을 크게 느낍니다. 그러나 민주주의가 실패한 이유는 딴 데 있습니다. 이 문제는 후일에 자세히 말할 때가 올 것입니다.

김영삼 씨와 나와는 민주화를 위해서는 앞으로 어떤 어려움이 있더라도 협력 관계를 유지할 것이고, 국민이 우리를 원하지 않을 때는 언제든지 물러날 각오가 돼 있습니다.

이홍구 아까 말씀드린 취지는 민주주의를 위한 정치인의 노력을 낮게 평가하자는 것은 아닙니다. 오히려 그런 점은 높이 평가할 점입니다. 중요한 문제는 김 선생과 김영삼 씨와의 관계라기보다는, 이 사회의 정상적인 발전 과정이 위기에 처해 있다는 점입니다. 자칫 잘못하면 국가 사회 자체가 위기 속으로 떨어질 염려도 있습니다. 어떻게 하면 이 사회 안에 존재하는 다양한 세력을 공존시키는 원만한 정치적 역학관계를 조성해 나갈 수 있을 것인가 하는 점이 당면한 가장 큰 과제이자 시험(test)이 아닐 수 없습니다.

김대중 아무튼 신민당과 민추에 모인 사람들은 정치가 급진화되지 않게 막는 방파제 역할을 한다고 생각합니다. 나는 수없이 박해를 받아왔지만 어떠한 형태의 정치보복도 반대하는 사람입니다. 당하는 측이 이렇게 진지한 태도로 나오는데 집권 측에서도 당연히 진지한 태도를 보여야 합니다. 그래야만 모든 일이 순리로 풀릴 수 있고, 우리도 제대로 방파제 역할을 할 수 있습니다.

이홍구 국민들도 많은 기대를 갖고 앞으로의 정치 일정을 지켜보겠습니다. 제발 모든 일이 순리로 풀려 나갔으면 하고 바랄 뿐입니다.

* 이 글은 이홍구 교수와의 시국에 대한 특별 대담으로, 『월간조선』 1985년 6월 호에 게재되었다.

민주주의를 위한 함성

대담 프레드 브랜프먼

일시 1986년 12월 14일

필리핀의 미래가 더 이상 페르디난드 마르코스의 것이 아님이 분명해지자 레이건 행정부는 재빨리 코라손 아키노를 지원했고, 민주주의를 지지한다는 막연하고 수사학적인 언질의 강도를 높였다. 그러나 한국의 권위주의적인 정권과 미국의 관계에 있어서 이것이 어떤 의미를 함축하는가에 대한 의문이 생기자, 조지 슐츠 국무장관은 지난 5월 서울을 방문한 기회에 다음과 같은 말로 그 의문에 답변했다. 그는 그 당시 "한국과 필리핀의 상황은 전혀 다르다" 고 말했다.

슐츠의 주장이 진실이라 해도 그것은 정말 역설적인 진실이다. 두 나라의 상황을 구별 짓는 것은 분명 워싱턴이 한 나라의 경우에만 민주주의를 지지한다는 점이다. 한국의 전두환 대통령은 7년 전 군사쿠데타로 정권을 잡은 뒤 자기 전임자들의 전통에 따라 반대자들을—때로는 무자비하게—탄압하는 방법으로 나라를 다스려 왔다. 이러한 정책은 공산주의의 유령에 지레 겁을 먹고 권위주의적인 통치를 무한정 정당화시키는 워싱턴에서는 인기가 있을지는 모르지만, 국내에서는 점점 더 격렬한 공격을 받고 있다. 이런 사실은 전두환을 계속 괴롭혀 왔다. 지난해 그는 야당 지도자인 김대중을 서른아홉 번이나 가택에 연금시켰고, 11월 29일에는 7만 명의 전투경찰을 동원하여 야당 집회를 방해했다. 이것은 시민의 자유를 너무나 심하게 침해한 조치였기 때문에, 미 국무부조차도 미온적인 비난이나마 하지 않을 수 없다고 생각할 정도였다.

전두환의 민주정의당은 지난번 선거에서 총투표수의 35퍼센트밖에 얻지 못했는데도 불구하고 국회를 지배하고 있다. 농어촌 지역 —"이곳에서는 중앙에서 임명된 지방관리들이 투표를 조작할 수 있다."—에 지나치게 많이 배정된 의석, 그리고 다수당에게 추가 의석을 주는 헌법 조항이 복합적으로 적용하여 전두환의 지위를 굳혀 주고 있다. 야당이 대통령직선제 개헌을 요구하고 있는 이유는 바로 그것이다. 전두환이 제안하는 내각책임제는 단지 그의 통치를 영구화시킬 뿐이라고 널리 믿어지고 있다.

오늘날 한국을 방문하는 사람들은 이 나라의 눈부신 경제 성장에 깊은 인상을 받지만, 그보다 훨씬 더 주목할 만한 것은 그 경제 성장이 미국 지향적인 근대사회를 이룩하는 데 크게 이바지해 왔다는 점이다. 이 사회의 시민들은 이제 출판과 언론에 대한 제약이나 정부가 요구하는 정치 생활을 점점 거부하고 있다. 따라서 한국이 미국의 전통적인 가치에 커다란 관심을 보이고 있는 이때 미국이 전두환을 지지하는 것은 자신의 전통적인 가치와는 완전히 상반된다. 실제로 전두환의 통치에 대한 도전은 다음 인터뷰에도 드러나 있듯이 대다수의 미국인들이 가장 친밀감을 느낄 만한 사람들로부터 제기되고 있다. 김대중은 민주제도의 열렬한 옹호자다. 개신교 목사이며 인권운동가인 문동환은 평화적인 수단만이 독재정권을 몰아낼 수 있는 유일한 방법이라고 경고한다. 그리고 익명을 요구한 어떤 경제학 교수의 '경제학'은 매우 미국적인 성격을 띠고 있다.

한국은 미국이 제2차 세계대전 이후 민주주의가 아니라 독재를 자신의 친구로 규정해 온 외교 정책의 실수를 만회할 수 있는 좋은 기회를 제공하고 있다. 그러나 오늘날 워싱턴이 내려야 할 결단은 매우 긴박하다. 한국의 젊은 세대는 더욱 적대적이 되어 가고 있다. 미국이 계속 전두환을 옹호하여 지난 5월에 슐츠가 말했듯이 전두환이 "옳은 방향으로 인상 깊게 나아가고 있다"고 주장한다면, 결국에는 미국의 이익을 훨씬 덜 옹호하는 다음 정부와 대결하게 될 것이다.

브랜프먼 1974년에 내가 귀하를 방문했을 때 귀하는 가택 연금 상태였다. 지금은 1986년인데, 귀하는 올해 서른아홉 번이나 가택 연금을 당했다. 지난 12년 동안 어떤 의미 있는 변화가 있었는가?

민주정부만이 국민의 지지를 받을 것

김대중 근본적으로 우리는 지난 1974년에 그랬듯이 지금도 군부독재 시대에 살고 있다. 그러나 한 가지 중요한 차이가 있다. 현재의 군사정부는 더 허약해졌고 국민은 더 강해졌다. 지난 1974년에는 국민이 군사정부에 도전할 만큼 강하지 못했다. 지금은 민주주의를 위해 싸우겠다는 결의와 자신의 신념을 위해서 기꺼이 감옥에 가기까지 한다. 현재 감옥에는 박정희 시절보다 훨씬 많은 2천 명 이상의 정치범이 수용되어 있다. 따라서 가장 큰 변화는 국민의 태도가 매우 용감하게 발전했다는 점이다.

국민의 태도가 이처럼 변한 이유는 군사정부를 끝장내지 않고는 자유도 정의도 인간의 존엄성도 있을 수 없다고 믿는 사람들이 점점 더 늘어나고 있기 때문이다. 게다가 민주주의가 회복될 때까지는 한반도의 진정한 평화와 안보의 가능성은 결코 있을 수 없으며, 통일의 가능성도 전혀 없다. 민주정부만이 국민의 지지를 받을 것이고, 국민의 지지를 받는 정부만이 북한으로 하여금 오랫동안 품어 온 적화 통일의 야욕을 포기하도록 만들 수 있을 만큼 안정된 지위를 누릴 것이다.

그래서 국민은 우리가 민주주의를 가져야만 비로소 우리가 원하는 다른 것들도 이룰 수 있다는 사실을 절감하게 되었다. 국민은 또한 굳은 결의와 자발적인 정치투쟁만이 군사정부를 민주정부로 변화시킬 수 있다고 믿게 되었다. 군사정부는 1980년에 정권을 잡은 이후, 1980년 5월에 일어난 시민의거, 5·18 민중항쟁에 수백 명의 광주 시민들을 학살하는 등 너무나 많은 악행을 저질러 왔다. 국민은 그렇게 사악한 정부를 더 이상 용납하기를 거부하고 있다.

브랜프먼 지금 정부에 대한 반대가 더욱 커지고 있는 이유는 억압이 더한층 심해지고 있기 때문인가? 아니면 향상된 경제 사정이 이런 민주화 요구를 낳은 원인인가?

김대중 우리는 1974년 이후 두드러진 성장을 경험해 왔다. 그 당시 4백 달러에 불과했던 1인당 국민소득이 지금은 2천 달러를 넘어섰다. 그러나 지금 국민이 눈앞에 보고 있는 것은 극소수의 부유층에 엄청난 부가 집중되어 있는 현상이다. 최근 미국의 『샌프란시스코크로니클』지는 한국의 6대 재벌 일족이 부의 70퍼센트를 독점하고 있다고 보도했다. 또한 작년 10월 10일 자 『뉴욕타임스』지는 한국의 10대 재벌이 국민총생산(GNP)의 64퍼센트를 완전히 장악하고 있다고 보도했다.

이것은 경제 발전에도 불구하고 정치와 사회가 안정되지 않는 이유를 설명해 준다. 가진 자와 못 가진 자, 정부와 피지배자, 대기업과 중소기업, 지역 간에 엄청난 불균형이 존재한다. 한국 경제가 성장할수록 한국 국민의 불만은 더욱 커지고 있다. 국민은 이제 절망적이 되었다. 그리고 민주주의가 없기 때문에 그들이 자신의 불만을 털어놓을 자리도 없다. 언론은 정부의 대변자이고, 국회는 여당의 도구이며, 법원은 정부의 시녀다. 게다가 언론과 집회 및 출판의 자유가 극도로 제한되어 있다. 그런데 한국 국민 중에서도 특히 우리 젊은이들은 민주적인 언론과 집회와 출판을 추구하고 있기 때문에 더욱 커다란 절망감을 느끼는 것이다. 그 결과 그들 가운데 일부는 폭력을 사용하게 되었다. 그러나 그들이 남긴 것은 오직 분노뿐일 경우가 많았다. 우리는 그런 태도를 찬성하지는 않지만 이해할 수는 있다. 전두환 정권과 미국은 바로 이 점을 이해해야 한다.

브랜프먼 정부를 가장 강력하게 반대하는 계층은 가난한 사람들인가, 중산층인가, 아니면 상류층인가?

김대중 이상한 일이지만 가난한 사람들보다는 중산층과 상류층이 현 정부를 훨씬 덜 지지하고 있다. 친정부 기관이 실시한 여론조사에 따르면, 가난한 사람들의 50퍼센트가 현 정부를 반대한 반면에 상류층은 70퍼센트 이상이 반대하고 있다. 저소득층은 먹고살기 위해서 열심히 일해야 하기 때문에 정치에 관심을 기울일 시간이 별로 없다. 그들은 또한 신문이나 다른 언론 매체로부터 별로 많은 지식을 얻지 못한다. 따라서 물질적으로 유복한 사람들이 전두환 정권 같은 정부를 지지할 가능성이 더 크다는 칼 맑스의 분석과는 반대로 우리는 경제 수준이 향상될수록 권위주의적인 통치로부터 해방되고 싶어 한다는 사실을 알 수 있다.

브랜프먼 귀하는 미국이 한국 야당의 견해를 좀 더 잘 이해할 필요가 있다고 말했다. 그러나 이곳에 있는 미국 관리들은 민주주의를 촉진시키기 위하여 자기네가 할 수 있는 일은 별로 없으며, 자기네들은 '유용한 수단'을 전혀 갖고 있지 않다고 말한다.

김대중 그것은 아마 어느 정도는 사실일 것이다. 그러나 부분적으로는 책임을 회피하기 위한 핑계이기도 하다. 미국은 아직 우리나라의 문제, 특히 군사 문제와 무역 관계에서 우리나라에 막강한 영향력을 갖고 있다. 중요한 것은 우리가 미국에 대하여 우리 국내 문제에 간섭해 달라고 요구하는 것이 아니라 다만 독재정권을 더 이상 지지하지 말아 달라고 요구할 뿐이라는 사실을 깨닫는 일이다. 우리는 또한 미국이 우리를 좀 더 많이 성원해 줄 것을 요구한다. 미국이 민주주의를 기꺼이 지지한다면, 우리 국민—특히 군대 내부의 민주 인사들—은 커다란 용기를 얻을 것이다. 미국 정부도 잘 알고 있듯이, 군부의 정치 개입을 못마땅하게 생각하는 군대 지도자들이 점점 더 늘어나고 있다.

지난 7월 미 하원이 한국의 민주주의를 지지한다는 결의안을 만장일치로 채택했을 때 우리는 큰 힘을 얻었다. 그 결의안에는 언론의 자유와 모든 정치범의 석방, 나 자신을 포함한 정치범들의 공민권 회복, 전두환 대통령과 야당 지도자들의 진지한 대화, 그리고 한국 국민의 뜻에 따라 결정되는 자유롭고 공정한 선거를 비롯하여 매우 좋은 항목들이 담겨 있다. 이 다섯 개 항목은 대단히 중요하며 또한 적절하다. 우리는 미국 정부가 한국에서의 이 결의안을 이행하기 위하여 최선의 노력을 다하기를 바란다. 그러나 미 하원이 이런 결의안을 채택했는데도 불구하고 미국 정부의 태도는 별로 달라진 점이 없다. 한국인들이 생각하기에, 미국은 아직도 독재정권을 지지하고 있다.

또한 주한미군 사령관은 한국군 전체에 대한 사실상의 지휘권을 행사하고 있다. 실정이 이러한 이상 미국은 한국군이 정치에 개입하지 않도록 격려해야 한다. 군의 정치 개입은 우리의 국가안보를 약화시킬 뿐이기 때문이다. 주한미군 사령관은 한국군에 대하여 정치적 중립을 요구할 충분한 권한을 갖고 있다. 수단은 분명히 존재한다. 다만 의지가 부족할 뿐이다.

브랜프먼 주한 미국대사관은 자신의 지휘권이 명목상의 것에 불과하며, 실제로 전두환의 군대가 정치적 목적에 이용되는 것을 막지 못하고 있다고 말한다.

김대중 그것이 명목상의 지휘권이라면, 왜 한국 국민에게 지휘권을 완전히 돌려주지 않는가?

브랜프먼 내가 듣기로는, 지난 5월 조지 슐츠 국무장관의 방한을 비난하는 소리가 있었던 것으로 알고 있다.

김대중 필리핀 민주혁명 이후, 레이건 행정부는 새로운 독트린을 발표했다. 미국은 우방들의 안보만이 아니라 민주주의도 지지하겠다는 내용이었다. 슐츠 국무장관도 똑같은 말을 했다. 그래서 우리는 그의 방한에 많은 기대를 걸었다. 그러나 그는 한국 국민을 크게 실망시켰다. 그는 전두환이 민주주의를 발전시키기 위해 많은 일을 하고 있으며 한국의 상황은 필리핀과는 다르다고 말하면서, 공공연히 아무 거리낌도 없이 전두환에 대한 지지를 표명했다. 그는 전두환이 제안하는 내각책임제가 민주적이라고 말하여 한국 국민의 신념에 대한 무지를 드러냈다. 그는 또한 우리 신한민주당을 부당하게 비판했다. 슐츠가 서울에 도착한 직후 인천에서는 학생과 경찰 사이에 충돌사태가 일어났는데 슐츠는 우리 신한민주당이 이 인천사태를 선동했다고 말했다. 그리하여 그는 우리를 몹시 실망시켰고, 나아가서 학생과 일반 대중의 반미 감정에 공격용 무기를 제공해 주었다.

브랜프먼 나는 최근 민정당의 한 국회의원과 얘기해 봤는데, 한국에는 어떠한 언론 검열도 없으며 언론은 귀하의 견해를 충분히 보도하고 있다고 그는 말했다.

김대중 그건 전혀 사실이 아니다. 물론 공식적인 검열은 없을지도 모르지만, 한국의 모든 신문은 발행인으로부터 기자에 이르기까지 정부와 협력하는 방법을 배워 왔다. 그들이 정부에 협력하지 않으면 경찰이나 국가안전기획부에 끌려가 심한 시달림을 당한다. 실제로 많은 언론계 인사들이 그런 기관에 끌려가서 고통을 당한 경험이 있다. 심지어는 매질을 당한 편집자와 신문기자들의 사례도 알려져 있다. 그리고 전두환이 정권을 잡은 이후 7백 명 이상의 언론인이 신문사에서 쫓겨났다.

문공부(현 문화체육관광부)는 매일 언론사에 보도지침을 보내어 실제로 이렇게 지시한다. "이 사건은 반드시 보도해야 한다. 이 사건은 보도하면 안 된다. 이 기사는 크게 다루어라. 이 기사는 작게 다루어라." 등등, 그 보도지침의 사본을 당신에게 보여 줄 수도 있다.

게리 하트가 최근 한국을 방문했을 때 우리 집에 찾아온 것을 당신도 아마 알고 있을 것이다. 나는 기자들 앞에서 우리나라의 현재 상황에 관하여 게리 하트와 대화를 나누었다. 그런데 한국 기자들은 단 한 사람도 그 대화를 보도하지 않았다. 그들이 쓴 것은 "게리 하트가 김대중(재야인사)과 김영삼을 방문했다"는 말뿐이었다. 그러나 게리 하트와 여당 지도자와의 대화는 아주 자세히 보도했다. 그와 마찬가지로, 나에게 인터뷰를 요청하는 한국 신문사는 하나도 없었다. 인터뷰를 해 봤자 보도할 수가 없기 때문이다. 그리고 한국의 어떤 신문도 내 사진을 실을 수가 없었다. 극소수의 경우에만 내 사진이 신문에 나오는데, 그것은 내 독사진이 아니라 다른 사람들과 함께 찍혔을 때다.

작년 여름에 한국의 한 주요 월간지가 개헌 문제를 특집으로 다루려는 편집 계획을 세웠다. 그들은 여당과 나를 포함한 야당 인사들에게 그 문제에 대한 원고를 써 달라고 요청했다. 그래서 나는 원고를 써 주었다. 그런데 국가안전기획부가 내 원고를 빼라고 요구했다. 편집자가 그것을 거부하자, 마침내 국가안전기획부 요원들은 인쇄소를 습격하여 내 원고가 실리는 것을 물리적으로 방해했다. 그때쯤엔 시간이 너무 촉박해서 잡지 편집자들이 그 지면을 새로 편집할 여유가 없었기 때문에 그들은 내 원고가 실려야 할 지면을 공백으로 남겨둔 채 잡지를 발행했다. 올해에는 그들도 나에게 원고를 부탁

하는 것조차 포기했지만, 그 잡지사의 한 기자가 내 불출마 선언—만약 전두환이 대통령직선제에 동의한다면 나는 대통령 선거에 출마하지 않겠다는 선언—에 대한 기사를 썼다. 편집 사진을 삭제할 수밖에 없었다. 그래서 내 사진이 들어가야 할 지면이 공백인 채 인쇄되었다.

브랜프먼 게리 하트는 언론이 귀하와의 대화를 보도하지 않은 것에 대해서 뭐라고 말했는가?

현 상황이 얼마나 어려운가

김대중 그는 우리가 얼마나 많은 고통을 겪고 있으며 우리의 상황이 얼마나 어려운가를 알았다고 말했고, 우리에게 깊은 동정심을 느낀다고 말했다. 그리고 미국만이 아니라 전 세계의 수많은 사람들이 우리를 지지하고 있다고 말했다. 그러니까 용기를 갖고 민주회복투쟁을 계속하라고 우리를 격려해 주었다. 또한 민주주의는 안보에도 매우 중요하기 때문에 미국은 민주주의를 종전보다 훨씬 더 진지하게 다루어야 한다고 그는 말했다. 그는 또한 미하원이 지난 7월에 한국의 민주주의를 지지하는 결의안을 채택한 것처럼 미상원도 똑같은 결의안을 채택하도록 최선의 노력을 다하겠다고 약속했다.

브랜프먼 민정당 국회의원이 나에게 말하기를, 한국 야당은 과거에는 국회의원이 간접적으로 국가 지도자를 선출하는 내각책임제를 지지해 왔다고 한다. 이것은 물론 전두환이 요즘 제안하고 있는 그 개헌안이다. 따라서 진정한 문제는 당신들이 한때 지지했던 간접선거 방식이 아니라 쌍방 간의 신뢰 문제라는 것이 그 민정당 의원의 의견이다. 또한 정부는 자신의 성실성을 보여 주기 위하여 기꺼이 타협할 각오가 되어 있었는데 야당이 타협을 원치 않았다고 그는 말했다.

김대중 그것은 사실과 정반대라고 나는 생각한다. 이승만 치하에서 야당이 내각책임제를 강력히 지지했던 것은 사실이고, 이 제도는 1960년에 4·19 혁명이 일어나 이승만이 사임한 뒤 채택되었다. 그러나 그 후 여러 해 동안의 경험—특히 잇따른 독재정권 치하에서의 경험—은 내각책임제가 안정된 정부를 유지하는 데 비효율적이며 확실히 군사쿠데타를 방지할 수가 없다는 사실을 한국 국민에게 가르쳐 주었다. 그래서 1961년 이후 야당은 한 번도 내각책임제를 지지한 적이 없다.

여당이 거짓말을 퍼뜨린 건 이번이 결코 처음은 아니다. 박정희가 1972년에 유신독재를 선포한 이후, 우리는 자유로운 대통령중심제를 확립하려고 끈질기게 싸워 왔다. 1979년에 박정희가 암살당했을 때, 야당이 박정희 자신의 정당인 민주공화당과 함께 대통령중심제에 입각한 새로운 헌법을 만든 이유도 바로 그것이다. 그러나 전두환이 군사쿠데타를 일으켜 정권을 장악하는 바람에 이 헌법은 채택되지 못했다. 작년에 국회의원 선거가 실시되었을 때 우리는 단 한 가지 공약만 내걸었다. 그것은 바로 대통령직선제의 회복이었다. 따라서 그 민정당 의원의 말은 전혀 사실이 아니다.

브랜프먼 타협의 여지는 있는가? 정부가 자유언론과 자유선거에 동의하고 정치범을 석방하고 다른 총선거가 실시될 1988년 이전에 지방관리들에 대한 임명제를 선출제로 바꾸기로 동의한다면, 내각책임제를 받아들이겠는가?

김대중 문제를 이런 식으로 설명해 보겠다. 당신은 소련이 미국식 민주주의를 받아들일 거라고 기대하는가? 그와 마찬가지로 현 정부는 자기가 권력을 잃게 되는 변화는 결코 받아들이려 하지 않는다. 그리고 자유선거를 하면 그들은 정권 유지를 절대로 기대할 수가 없다. 지방관리들이 현재 임명제인 덕분에 국회에 대한 지배권을 획득할 수 있는 방법은 오직 이것뿐이다. 전두환은 은퇴한 뒤에도 막후에서 영향력을 행사하려는 온갖 계획을 갖고 있으며 내각책임제는 바로 그의 이런 계획을 가능하게 해 주리라는 것을 당신은 이해해야만 한다. 그런 제도하에서는 전두환이 자기 측근들 중에서 국회의원 입후보자를 선택할 수 있고 부정선거를 통해서 그들의 당선을 확보할 수 있다. 그렇게 되면, 전두환은 은퇴한 뒤에도 여전히 민정당 총재로 있으면서 당직자 회의를 통해 그들을 통제할 수 있다. 그는 자기에게 복종할 사람을 대통령 후보로 지명할 수 있기 때문이다.

정부는 자기가 이미 양보했다고 말하지만 그것은 사실이 아니다. 나는 1985년 2월 미국에서 돌아온 뒤 현재의 여러 문제를 논의하기 위해 진지한 대화를 갖자고 전두환 대통령에게 거듭 요구해 왔다. 그는 북한 지도자인 김일성과는 기꺼이 만날 용의가 있다면서도, 우리와 만나기는 꺼린다. 그리고 그는 내 공민권을 계속 인정하지 않고 있다. 레이건 대통령이 게리 하트의 공민권을 박탈하여 대중연설도 못 하게 하고 언론이 그의 논평이나 사진조차도 싣지 못하게 방해하는 경우를 상상이나 할 수 있겠는가? 이곳 상황은 바로 그렇다. 나는 올해 서른아홉 번이나 불법적인 가택 연금을 당했고, 대중연설을 금지당해 왔다. 심지어는 교회 신도들 앞에서도 연설하지 못했다.

야당은 국민투표로 우리의 견해 차이를 해결하자고 전두환에게 제의해 왔다. 우리는 국민에게 두 가지 개헌안—우리의 직선제 개헌안과 정부의 내각책임제 개헌안—을 제시하고 국민이 결정하게 할 수 있다. 그러나 전두환은 그 의견을 거부했다. 지난 11월 5일에 나는 전두환이 대통령직선제 개헌안을 받아들인다면 내가 대통령 선거에 출마하지 않음으로써 그의 불안을 어느 정도 덜어 주겠다고 선언하기까지 했다. 그러나 전두환은 그 의견도 역시 거부했다. 그런데 정부가 어떻게 기꺼이 타협할 용의가 있다고 말할 수 있겠는가?

브랜프먼 귀하의 당은 국회의 의사 진행을 언제까지 계속 거부할 것인가?

김대중 신한민주당은 영원히 국회를 거부하지 않을 것이다. 그러나 12월 8

일에 끝나는 마지막 회기에서는 집권 여당이 우리를 터무니없이 무시하는 태도를 보이기 시작했기 때문에 국회에 참여하지 않기로 결정했다. 12월 2일에 민정당은 내년도 예산안과 21개의 중요한 법안을 승인했다. 그들은 우리와 협의하지 않았을 뿐만 아니라, 본회의장이 아닌 부속실에서 회의를 열고 우리를 그 방에 들여보내지 않음으로써 우리가 예산안과 법안 심의에 참여하는 것을 막았다. 사실상 우리는 심의가 진행 중이라는 것도 알지 못했다. 따라서 본질적으로 그들은 예산안을 불법으로 통과시킨 것이다.

1986년 2월의 총선거 이후 국회는 예산안을 두 번 통과시켰는데, 그때마다 민정당은 야당과 함께 예산안을 심의하기를 거부했다. 이러한 태도는 그들의 군대 지향적인 사고방식을 반영한다. 그들은 야당과의 어떠한 타협도 전쟁터에서의 패배로 간주한다. 그들은 우리를 자기의 라이벌이 아니라 적으로 간주한다. 그리고 적은 반드시 파멸시켜야 하는 법이다. 반면에 라이벌은 파트너로 취급된다. 그들은 우리를 적으로 간주하기 때문에 절대로 우리에게 기꺼이 권력을 넘겨주지는 않을 것이다. 그러나 그들은 "민주주의를 실천하고 있다"는 증거로서 우리를 필요로 한다.

반면에 우리는 그들을 적으로 보지 않는다. 그러나 그들을 민주적 라이벌로 간주하지도 않는다. 우리가 어떻게 그럴 수 있겠는가? 그들은 우리를 파멸시키고 싶어 한다. 우리는 그들이 민주주의의 지지자가 되도록 도와주기를 원한다. 그러나 나는 비록 그들이 우리—그중에서도 특히 내 자신—를 박해해 왔다 할지라도 민주주의가 실현된 뒤 그들에게 보복할 의도는 추호도 없다는 사실을 강조하고 싶다. 정치적 보복은 불필요할 뿐만 아니라, 우리가 정치적 안정과 화해를 이룩하는 데 이바지하지도 못할 것이다.

브랜프먼 야당이 집권하면 한국에서의 생활은 어떻게 달라질 것인가?

미국이 한국의 민주화를 지지해야 할 이유

김대중 우리 국민은 민주적 자유를 누리게 될 것이다. 그러나 현재의 상황을 고려하면, 공산주의자들에게는 이런 자유와 권리를 보장해 줄 수 없다. 공산당을 제외하고는 모든 정치집단이 똑같은 자유를 갖게 될 것이다.

또한 노동자와 농민은 노동조합과 농업협동조합 같은 자유로운 조직을 갖게 될 것이다. 그리고 정부는 기업과 노동조합이 협력하도록 도우면서 중립적인 입장을 유지할 것이다. 우리는 현재의 정부 통제형 경제와는 달리 자유시장 경제체제를 갖게 될 것이다. 기업은 정부로부터 아무런 특혜나 제약을 받지 않고 공정하게 경쟁하도록 장려될 것이다, 우리는 자유무역 정책을 추진할 것이며, 그리하여 미국과 좋은 교역 관계를 발전시킬 것이다.

국가안보에 대한 우리의 접근 방식도 현재의 정부와는 전혀 다르다. 우리는 민주주의가 있어야만 공산주의를 극복할 수 있다고 믿는다. 포르투갈과 스페인 및 서독의 경험이 보여 주듯이 민주주의는 공산주의에 대항할 수 있는 가장 강력한 무기이다. 포르투갈의 살라자르 정권과 스페인의 프랑코 치하에서는 공산주의자들이 동조자들을 얻을 수 있었다. 그러나 민주주의가 회복되자 공산당은 약해졌다. 그리고 서독은 오로지 민주체제 덕분에 자신감을 갖고 동독을 상대할 수 있다. 우리는 또 하나의 서독이 되고 싶다. 본과 베를린이 분단되어 있듯이 우리도 북한과 분단되어 있기 때문이다. 민주주의는 한반도의 영구 평화와 궁극적인 통일을 위해 북한과 협상할 수 있는 힘을 우리에게 줄 것이다. 이러한 안정과 안보는 우리에게 이로울 뿐만 아니라 이북에도 매우 이롭다. 따라서 미국이 우리나라의 민주화를 지지해야 할 이유는 충분하다.

브랜프먼 김영삼은 최근 1988년 3월에는 야당이 한국을 다스리게 될 거라고 예언했다. 그 말에 동의하는가?

김대중 나는 희망을 걸고 있다. 내년 봄에는 민주주의냐 독재냐를 결정하게 될 매우 중요한 정치 시즌에 들어서게 될 것이다. 우리 목표를 달성하기 위해서는 두 가지 조건이 필요하다. 즉, 야당은 강력하게 통합된 상태로 남아 있어야 하며 중산층의 지지를 얻으려면 앞으로도 계속 온건해야 한다. 우리는 독재정권과 끈질기게 싸워야 하지만 폭력에 의존해서는 안 된다. 그리고 독재정권에 반대함에 있어서, 우리가 용공적이라는 인상을 우리 젊은이들에게 주어서는 안 된다. 또한 우리가 미국, 일본의 정책에 반대하는 것이, 미국과 일본을 우리의 적으로 간주한다는 것으로 이해되지 않도록 조심해야 한다. 우리가 특히 중산층에게 그런 부정적인 인상을 심어 준다면, 우리는 필리핀처럼 '피플스 파워'를 동원하는 데 필요한 지지를 결코 얻지 못할 것이다.

우리가 마하트마 간디와 마틴 루서 킹과 필리핀 국민의 평화적이고 온건한 태도를 깊이 본받는다면, 우리는 이 나라를 민주주의로 이끌어 갈 수 있으리라고 나는 믿는다.

우리는 과격한 반미 운동이 출현하는 것을 피하고 싶으며, 그렇게 하기 위해서는 미국 정부의 협력이 필요하다는 사실을 강조하고 싶다. 미국 정부가 우리 국민의 민주화투쟁을 지지하지 않는 한, 반미 감정의 출현을 완전히 막을 수는 없다.

* 이 글은 『월드폴리시저널』지 1986-1987년 호에 재수록한 것이다. 프레드 브랜프먼(Fred Branfman)과의 인터뷰는 1986년 12월 14일 서울에 있는 김대중의 자택에서 이루어졌다.

지금은 국민이 승자 된 시대

대담 박기정
일시 1987년 7월 10일

"우리 국민의 힘으로 복권에까지 이르게 돼 먼저 국민 앞에 감사드립니다. 지금까지 이 정부는 나의 사면복권 문제가 나올 때마다 '개전의 정' 운운하며 미루어 왔으나 이번에 그런 소리 전혀 없이 복권될 수 있었던 것은 어디까지나 국민의 힘 덕분입니다."

김대중 민추협 공동의장은 복권의 변을 국민에 대한 감사로부터 시작했다. 복권 조치를 하루 앞둔 8일 오후 동교동 자택에서 기자와 단독으로 만난 김 의장은 장장 두 시간에 걸쳐 자신의 거취 문제와 향후 정치 일정 등 당면의 현안들로부터 정치관 및 지도자관에 이르기까지 평소 정리되어 있던 생각들을 거침없이 쏟아 놓았다.

때론 웅변으로, 때론 논리적인 설명으로 막힘없이 답하던 그도 지난 1980년 사형 선고 당시 아버지와 아들과의 사이에 얽힌 이야기 대목에 이르러선 눈물을 주르륵 흘리며 말문을 잇지 못하기도 했다.

"사실 특별한 기분이 없습니다. 지난 1980년 이후 내가 당해 온 일들은 너무 부당한 것이었기 때문입니다. 지금까지도 나는 지난 1980년 나에 대한 재판을 인정하지 않고 우리 국민의 기본권리들에 대해 일관되게 주장해 왔습니다. 특별히 바뀐 것은 없으나 앞으로 여러 가지 활동상의 제약은 제거될 테니까 민주당과 가까운 관계 속에서 활동해 나가고 김영삼 총재와도 적극적으로 협력해서 우리나라의 여러 걱정스러운 문제들을 미연에 방지, 극복하면서 민주화가 차질 없이 이뤄지도록 노력할 생각입니다."

박기정 사면복권을 계기로 가장 관심을 갖게 되는 부분은 아무래도 김 의장의 민주당 입당 문제입니다.

김대중 입당은 조만간 하게 되겠지요. 그러나 그것보다는 9일 국립묘지와 4·19혁명 묘지에 우선 참배하고 적당한 날짜를 잡아 광주5·18민중항쟁 망월동望月洞 묘지에도 참배한 뒤 선영에 성묘하러 고향에도 한번 다녀올 작정입니다.

김 의장은 자신의 출생지인 전남 신안군 하의도荷衣島를 찾는 것이 지난 1958년 이후 근 30년 만에 처음이라며 자신의 기구한 행로를 쓴웃음으로 대신 답했다.

박기정 그 밖에 지방 순회나 외유 계획은 없으십니까?

김대중 외유 계획은 없고 호남 쪽에 갔다 오면서 충청도에 들르고 영남 지방에도 갔다 오려고 생각합니다.

구체적인 계획은 9일 지나서 세우겠지만 각 지방을 돌면서도 사람 모아 대중연설 할 생각은 없고 그동안 나를 위해 걱정해 준 분, 나 때문에 고생한 분들에게 인사하고 위로하며 소수의 민주 인사들과 대화 토론 과정을 통해 의견을 수렴해 올 작정입니다.

박기정 1980년 당시에는 몇 군데를 다니며 대중연설을 했었던 것으로 기억되는데요.

국민이 일어서지 않는 한, 민주주의는 안 된다

김대중 내가 그때 한신대韓神大와 동국대에서 대중연설을 했던 것은 당시로서는 도저히 민주주의가 되기 어렵다고 판단했기 때문에 마지막 수로 국민의 힘을 보임으로써 그들을 한번 막아 보려 했던 것입니다. 그러나 그 힘은 보였지만 안 되고 말았지요. 그래서 내가 뼈저리게 느낀 것은 국민이 일어서지 않는 민주주의는 평소에 아무리 박수 치고 집회에 모여도 안 되는구나 하는 점이었습니다. 국민이 일어서야 민주주의가 됩니다. 그러나 그렇게 일어서더라도 파괴와 폭력이 있어서는 안 되지요. 그것은 상대방에게 구실만 주는 것이니까요.

박기정 다시 입당 문제로 돌아가서, 지난 1980년 이른바 3김 시대 때 당시 신민당 입당 문제를 놓고 설왕설래했었지 않았습니까?

김대중 그때는 신민당이 입당을 못 하게 만들었지요. 그때 유신 치하에서 감옥에 가면서까지 싸워 온 재야인사 백여 명이 입당하겠다는 것을 신민당에서 심사하겠다고 나서지 않았어요. 이번엔 그런 일 없겠지요. 그런데 그때 완전히 갈라졌던 것이 아닙니다. 지금으로선 우리나라의 민주주의가 상당히 위태롭다는 판단하에 신민당의 내연內燃이나 정권 경쟁보다는 신민당 밖에서 민주화 추진 운동을 막 시작하려는 마당에 5·17반란이 나 버리고 만 거지요.

박기정 1980년 당시 상황의 위태로움을 말씀하셨는데 지금의 상황은 어떻게 보십니까?

김대중 그건 다릅니다. 과거를 돌이켜 볼 때 4·19혁명 때 국민의 열기가 높았으나 5·16쿠데타로 침묵하게 됐고, 1971년 대통령 선거 때의 열기도 유신으로 굴복당했고, 1980년 서울의 봄도 무참히 꺾여 버리고 말았습니다. 그러나 이번엔 4·13조치, 6·10전당대회 결정 등 더 큰 무력으로 나왔으나 결국 국민의 힘 앞에 굴복하고 말았습니다. 그것은 국민이 훨씬 강해졌고 민주주의의 핵심 세력인 중산층이 거리에 나와 시위를 할 정도로 억누를 수 없게 되어 버렸기 때문입니다. 이제 우리는 반만년 역사에서 새로운 시대에 들어서고 있습니다. 이제까지 항상 패배자이기만 하던 국민이 승리자로 등장할 가능성을 보인 것입니다.

박기정 그렇다면 이번에 재야 문제로 김 의장의 입당 문제에 제동이 걸릴 가능성은 전혀 없다는 말씀입니까?

김대중 그건 재야 측과 대강 상의한 결과 재야가 국민운동본부를 결성해 잘해 나가고 있으니 일단은 그 틀을 중심으로 민주화에 총매진하고 대통령 선거에 승리하고 나서 국회의원 선거에 들어갈 때 입당하는 것이 효과적이라는 합의가 됐기 때문에 당장 재야인사들의 입당 문제는 나오지 않을 것입니다.

박기정 김 의장께선 지난 1971년 대통령 후보가 된 이후 아직까지 뜻을 이루지 못하고 있습니다만 현재 김영삼 총재와의 대통령 후보 조정 문제가 국민들의 제일 큰 관심사가 되고 있습니다. 지난해 11월의 직선제 개헌이 되면 대통령에 출마하지 않겠다는 선언을 하셨는데…….

김대중 나는 이번 정부의 조치가 작년 11월에 내가 말하던 것은 아니라고 봅니다. 그때는 전두환 대통령이 자발적으로 직선제를 하면 내가 안 나가겠다고 말한 것이었지만 이번에는 국민이 쟁취한 것이지 전 대통령이 자발적으로 한 것이 아니에요. 그러나 아직까지는 내가 대통령 선거에 나간다는 결정을 한 바는 없고 지금은 민주화를 통해 소외받고 고통받는 층을 위해 일하겠다는 생각뿐입니다.

그런데 내가 불출마 선언을 한 이후 우리 집에 비난하는 전화가 굉장히 많았어요. 잘못하다간 정치적으로뿐 아니라 인간적으로도 내가 어려운 입장에 처할 수 있겠다고 느낄 정도예요. 그래서 이번에 지방을 돌며 세상 여론을 겸

허하게 들어 보고 결단을 내리겠습니다. 내가 안 나간다고 결정하면 몇 사람의 반대가 있어도 안 나갈 것이고 여론을 거역하기 어렵다고 판단되면 그 판단에 따라 상황을 처리할 것입니다. 아무튼 이 문제는 김 총재와 내가 협의해서 무난히 처리할 겁니다.

박기정 무난히 처리할 수 없을 것이라는 관측이 세간에는 많은데요.

김대중 우리 야당사에서 1956년 신익희申翼熙, 1960년 조병옥趙炳玉, 1963년과 1967년 윤보선尹潽善, 1971년의 경우도 직선제하에서 한 번도 단일 후보에 실패해 본 적이 없습니다. 타협을 하거나 투표를 통해서나 반드시 후보 단일화에 성공했던 30년 이상의 전통이 있는데 이번이라고 안 될 리가 없습니다.

박기정 그렇더라도 후보 단일화엔 여러 방법이 있을 수 있습니다. 예컨대 러닝메이트제라든지, 혹 전당대회에서의 표 대결이라든지 하는…….

김대중 지금 투표하는 경우를 대개 예상하는 모양인데 그럴 필요는 없고…… 여하간 개헌안도 마련돼 통과되고 국민 여론도 부각되고 우리도 생각할 짬을 갖고 우리 둘이 협의해서 국민의 뜻에 맞게 결정할 겁니다.

박기정 그 말은 표로 결정하는 경우를 배제한다는 말씀입니까?

김대중 아니, 지금 그렇게까지는 생각하지 않고 있다는 뜻이지요. 무엇을 배제한다든지 하는 특별한 안을 생각하고 있는 것은 아니라는 것입니다.

박기정 하여튼 이제 선의의 경쟁을 할 수 있는 기회가 왔다지만 국민들은 1980년 두 김 씨의 다툼을 아직도 생생히 기억하고 있습니다. 그래서 이번에는 이젠 그런 모습을 보이지 않았으면 하는 요망들이 많은 것 같습니다.

김대중 그 문제는 나온 김에 좀 분명히 정리를 하는 게 좋겠습니다. 지금 우리나라에는 지난 1980년 두 김 씨, 혹은 세 김 씨의 다툼 때문에 민주주의가 안 됐다는 잘못된 도그마가 통하고 있습니다. 그것은 전혀 사실과 다릅니다. 서울의 봄을 그대로 두었으면 설사 두 김 씨 사이에 단일화가 안 돼 세 사람 모두가 나섰더라도 누군가 한 사람은 당선되지 않았겠어요. 그런데 생각지도 않았던 사람들이 뛰어들어서 정권을 빼앗은 겁니다. 그러고선 필요하니까 상대방을 속죄양으로 만들어 공산주의자다, 광주사태 선동자다 하고 뒤집어씌운 겁니다. 다만 우리에게 실수가 있었다면 상황을 좀 더 심각하게 인식, 계엄령을 즉각 해제하고 새로운 개헌안을 만들 필요 없이 제3공화국 헌법으로 복귀했어야 했는데 미적미적 시간을 늦추다 보니 그렇게 된 겁니다. 1980년의 봄 문제는 다시 평가되어야 합니다.

박기정 실제로 두 김 씨의 관계를 국민들, 특히 정가에서는 숙명적 라이벌로 보는 시각들이 많이 있지 않습니까?

김대중 정당이란 원래 파당일 뿐만 아니라 세계 어느 나라치고 경쟁 없는 정당이 있습니까? 일본 자민당만 해도 그렇지 않습니까? 김 총재와 나는 지난 1970년 후보 결정권에서 투표로 승패를 결정, 김 총재가 승복한 바 있는데 유신 이후에는 일관해서 협력해 왔습니다. 세계에서 이렇게 라이벌 간에 협력한 경우가 없습니다. 나는 아무 대가도 받은 적 없습니다. 이렇게 긍정적인 면을 못 보는 것은 우리 국민들이 너무 오래 독재체제에 시달렸기 때문입니다. 나는 민주주의란, 토론이 있고 시끄럽다가도 결정에 승복하고 큰 목적에 협력하는 것이라고 생각합니다. 김 총재와 나의 관계는 건전한 것으로 서로 경합하면서 높은 차원에서 협력하고 그 경합 관계가 대화로 해결되지 않으면 투표로 결말짓고…… 이것이 건전한 것입니다.

박기정 지금 말씀하신 대로라면 이제는 김 총재가 한 번 김 의장을 도와줄 때가 됐다는 의미겠습니까?

김대중 그런 의미로 말한 것은 아닙니다. 김 총재와 내가 대화로 해결할 거라는 거지요.

박기정 지금 시기적으로 보면 대통령 후보에 나설 것인지도 결정해야 될 때가 되지 않았습니까?

김대중 아직까지는 별로 급할 것 없습니다. 야당 후보는 선거운동이 필요 없을 정도로 이미 알려져 있습니다. 그리고 너무 빨리해서 반드시 좋은 건 아닙니다. 야당은 금력金力도 관권官權도 없으니 투표장으로 몰고 가는 상승세를 타면 됩니다. 그렇게 올라가는 추세에서 그대로 투표에 연결시켜야지 힘 있는 사람들에게 시간적 여유를 줘선 안 됩니다. 그리고 헌법이 결정되고 대통령선거법 개정 과정도 보아야 하니 그리 급할 건 없습니다.

박기정 어떻습니까? 개헌과 대통령 선거 등 정치 일정에 관한 복안은 이미 마련해 놓았을 텐데요.

민주화 과정은 대통령 선거로 집중될 수밖에

김대중 그렇지요. 되도록 모든 것을 빨리하되 국회의원 선거만은 신정부新政府가 들어선 이후에 하는 것이 좋다고 생각합니다. 지금 이 중대한 민주화 과정은 대통령 선거로 집중될 수밖에 없는데 그 선거는 물론 빨리 실시될 수도 있으나 11월 말이나 12월이 될 수도 있습니다. 그렇다면 대통령 선거 이후 내년 2월까지는 전 국민이 힘을 합쳐 순조로운 정권 이양에 총력을 기울여야 할 때인데 국회의원 선거를 하면 관심이 그리로 쏠려 정권 이양에 지장을 가져올 수도 있습니다. 또 새 정부가 탄생했을 때 그 정부에 대한 국민들의 의사표시로서 국회의원 선거를 실시하는 것도 좋습니다. 만약 현 정부 측이 대통령 선거에서 졌을 경우 현 정부하에서 국회의원 선거를 하는 것은 바람직하지도 않고요.

박기정 최근 김 의장은 과도 거국내각을 구성해 정치 일정을 수행하자고 주장해 오다가 김 총재와 협의를 거쳐 권고하기로만 하셨는데…….

김대중 네, 그렇게 하기로 우리 둘이 합의했지요. 내가 이것을 지난해 10월

군산에서 거론한 이래 그동안 조건이나 요구로 내세운 것이 아니고 어디까지나 내 개인 의견이라고 항상 얘기해 왔습니다. 그러다가 이번에 우리 둘의 공동 의견이 되었지요. 그런데 이 문제는 매우 중요한 것으로서 지금도 차차 각계에서 의견이 일고 있지만 시간이 갈수록 여러분들이 더 관심을 갖게 될 겁니다. 지금 야당은 과연 민주주의가 순조롭게 될 것인지 걱정하고 여당은 혹시 선거에 졌다간 정치보복당하는 거 아니냐 걱정하고 있는데 이 두 가지 현실적인 문제들을 모두 해결하려면 거국내각을 만들어야 합니다. 그렇게 하면 현 정부의 사람들도 안심하고 물러날 수 있고 우리는 우리대로 민주화 과정에 대해 아무 걱정할 필요 없으며 내년 2월 출범하는 새 정부는 과거 때문에 공연한 짐을 질 필요가 없습니다. 그리고 이것은 민정당을 위해서도 좋은 방법입니다.

박기정 지금 그 말씀은 거국내각이 절대적인 조건은 아니라는 얘긴데 만약 여 측에서 그런 성격의 거국내각을 구성하지 않은 상태에서 정치 일정을 수행한다면 어떻게 하시겠습니까?

김대중 그렇게 되면 앞으로 부정선거 소동이 일어날 가능성이 있습니다. 그리고 설사 민주정부가 수립됐다 하더라도 그 이전에 광주학살 문제 등을 해결하지 못한 상태니 국민들로부터 과거에 대한 요구가 엄청나게 일어날 것입니다.

박기정 이제 그동안 조심스럽게만 거론돼 온 광주사태 문제를 구체적으로 말씀해 주시지요.

김대중 첫째, 제일 중요한 일은 민주화하는 것입니다. 광주 시민들이 바로 그 민주화를 위해 희생된 것이니까요. 둘째로는 진실이 밝혀져 광주 시민들이 적어도 공산당이나 용공분자, 혹은 폭도가 아니었다는 점이 분명히 되어야지요. 그래서 이들의 행동이 민주주의를 원하는 애국 시민으로서의 의거였다는 점이 국회의 의결과 같은 국가의 이름으로 확인되어야 합니다. 셋째, 유가족과 부상자 등의 희생자들에게 정당한 보상을 해야지요. 그렇게 된다면 과오를 범한 사람들에 대한 처벌은 민족의 화해와 앞날의 정치 안정을 위해서도 참아야 되겠지요.

박기정 일부에서는 진상이 밝혀짐과 동시에 책임 문제를 들고나올 가능성이 있고 그렇게 되면 그것은 사실상의 정치보복이 될 수밖에 없다고 생각하고 있는데…….

김대중 현행법을 어긴 사항에 대해 추궁하는 것을 정치보복이라고 할 수는 없지요. 그러나 나는 그런 것까지도 원하지 않습니다. 그런다고 죽은 사람이 살아나겠습니까? 그것은 일을 하는 방법도 아니고 우리의 목적이 결코 아닙니다. 어디까지나 정부의 사과와 광주 시민의 명예 회복 및 최대 배상 선에서 일을 끝내야 한다는 것이 내 개인의 의견입니다. 어쨌든 광주사태는 끝을 맺어야 하는 문제이니 이 정부가 참으로 민주주의에 진실하고 거국내각을 구성하는 방향으로 나가면 잘 해결될 수 있을 것입니다.

광주사태의 역사적 의의가 재정립돼야 한다고 몇 번이고 강조한 김 의장은 그렇게 되기 전에는 맺힌 응어리가 풀릴 수 없다고 역설했다. 광주사태에 관한 질문이 거듭될 때마다 그는 침통한 표정을 지으며 몹시 괴로워했다. 그래서 꼬치꼬치 묻기는 어려웠다. 그는 다음에 다시 이야기할 기회가 있을 것이라고 했다. 그러나 결국은 모든 화제가 광주사태와 무관할 수는 없었다.

분위기가 너무 딱딱하다 싶어 잠시 말머리를 돌려 김 의장의 자기 자신에 대한 인식 내지 평가는 어떤지 알아보았다. 먼저 김 의장을 혁신적이라고 보는 세간의 평을 어떻게 생각하느냐고 물었다.

김대중 그렇게 의심하는 사람이 있으면 내가 지난 1984년 미국 하버드대학에서 수학할 때 쓴 『대중경제론』이라는 책을 누구에게든 줄 테니 한번 읽어 보기 바랍니다. 나의 경제관을 말한다면 어디까지나 자유경제체제를 골간으로 해서 대중이 정당한 분배를 받을 수 있어야 한다는 것입니다. 그럼으로써 국민의 구매력과 저축 능력도 강화되어 우리 경제가 건전한 발전을 할 수 있게 됩니다. 이 점은 조금도 오해받을 여지가 없다고 생각하는데요.

박기정 "김대중 씨는 민중혁명에 의한 정권 교체를 꾀하고 있다"는 일부 인식에 대해선 어떻게 생각하십니까?

김대중 나는 작년 민국련民國連 성명 이래 쭉 폭력과 과격주의를 배제한다고 말해 왔고 아시아경기대회 때는 심지어 정치 휴전을 제의하기까지 했습니다. 그리고 잘 알다시피 6·10국민대회 이후의 국면에서도 건전한 중산층이 주도적 역할을 맡았던 점에 대해 평가하지 않았습니까. 나의 삼비주의三非主義 원칙을 다시 한번 얘기한다면 비폭력적 민주 회복, 비용공적 조국통일, 비반미적 민족 자주 등입니다. 다만 우리 역대 정권이 상대방을 공산당이니 과격주의니 하는 식으로 상투적으로 몰아왔기 때문에 일부에서 인상이 그렇게 가 있는 것도 사실이나 나는 오히려 그들에게 내가 과격주의자라는 증거를 단 한 건이라도 댈 수 있는지 묻고 싶습니다.

박기정 김 의장은 대중大衆을 상당히 강조하시면서 대중적 풍취는 별로 풍기지 않는다는 얘기가 있는데…….

김대중 그건 포인트를 달리해서 봐야 할 겁니다. 어떤 사람이 대중적이냐 아니냐 하는 문제는 그 사람의 인상보다는 그 사람이 과연 대중의 고통과 한恨과 희망과 기대를 자신에게 일체화一體化시켜 목숨까지라도 바쳐 그편에 서도록 노력하는지에 달려 있다고 생각합니다.

박기정 그동안 개인적으로 가장 괴로웠던 때는 언제였습니까?

하느님을 찾으며 한없이 울었다

김대중 두서너 가지 있긴 하나…… 지난 1980년 사형 선고를 받고 나서 청주교도소에 이감된 첫날 밤 이불을 뒤집어쓰고 하느님을 찾으며 한없이 울었습니다.

박기정 이제 민주화로 가는 길목에서 대학 문제는 어떻게 전망하십니까?

김대중 나는 그 문제는 이렇게 봅니다. 국민을 떠난 학원은 없습니다. 작년 5월 인천에서 상당히 과격한 주장과 폭력 시위가 있었을 때 국민적 지지를 받지 못했습니다. 중산층의 지원이 없었기 때문입니다. 그런데 학생들이 굉장히 슬기롭습니다. 올해 박종철 군 사건이 났을 때 2·7대회나 3·3대행진만 보더라도 과격 구호와 폭행이 사라지기 시작하더니 이번 6·10대회부터는 스스로 비폭력을 외치지 않았어요. 앞으로도 우리 학생운동이 과격주의로는 국민의 지지를 받을 수 없기 때문에 그렇게 국민을 무시하는 일은 안 하리라고 봅니다. 나는 그런 학생들에 대한 믿음을 갖고 있습니다.

끝으로 평소 목욕은 어디서 하는지 물었다.

김대중 목욕은커녕 이발조차 밖에서 못 한 지가 15년이 됐습니다. 집사람이 손재주가 있어 집에서 해 주고 있습니다.

* 이 글은 오랜 정치 활동 금지에서 해제된 복권 조치 후 『동아일보』 박기정 정치부 차장과의 특별 인터뷰다.

선의의 경쟁이 왜 나쁩니까

대담 강인섭

일시 1987년 8월

김대중 민추협民推協 의장, 그의 이름 속에는 많은 함축이 들어 있다. 우선 그는 지난 1970년대의 10월유신 이래 한국 정치를 얼룩지게 했던 정치적 탄압의 대명사요, 거듭되는 수난과 박해에도 꺾이지 않고 다시 일어난 불사조와 같은 이미지를 갖고 있다.

또한 그의 신앙에는 항상 투쟁과 핍박이 교차했고, 정치적 풍랑이 예고되었기에 그 누구도 자기희생을 각오하지 않고는 쉽게 접근할 수가 없었다. 그도 그럴 것이 김 의장 자신뿐만 아니라 그의 아들, 동생, 그리고 비서와 측근치고 교도소에 한두 번 안 갔다 온 사람이 없고 그와 가깝다는 소문만으로 피해를 본 사람도 적지 않기 때문이다.

김 의장은 유신 이래 수차례의 투옥과 수없는 가택 연금, 그리고 납치와 사형 집행의 위협에 시달려 왔다. 그가 한국의 대표적인 민주투사로 외국에 널리 알려져 있고, 그래서 금년도 노벨평화상의 유력한 후보로 올라 있는 것도 따지고 보면 그에게 겹쳤던 정치적 박해와 수난에 대한 보상인지도 모른다.

이 같은 피나는 투쟁 경력과 박해 때문에 그가 입은 피해도 적지 않다. 개인적으로 받은 고초 외에도 정치적으로 입은 상해 말이다. 혹시 그가 집권하면 자신이 받은 피해를 보상받으려 하지 않을까 걱정하는 사람조차 있을 정도다. 그래서 그에게는 열렬한 추종자가 있는가 하면 몹시 반대하는 사람도 있다.

김 의장 자신은 이를 어떻게 받아들이고 있을까. 화려한 민주화투쟁을 통해 얻은 국제적 명성과 국민의 지지, 그리고 '민주화의 실현' 그 자체로 만족할 것인지, 아니면 '자신의 집권' 까지를 민주화투쟁의 완성으로 보는 것인지 궁금하지 않을 수 없다. 그런 점에서 김 의장은 민주화로 가고 있는 정국에서 '뇌관' 과도 같은 존재라고 할 수 있다. 사실 그를 빼놓고 한국 민주화의 장래를 얘기하는 것은 무의미하다고 말할 수도 있다. 왜냐하면 그가 어떻게 행동하느냐에 따라 정국의 향방은 크게 달라질 것이기 때문이다.

김 의장이 사면복권된 이틀 후인 11일 오전 11시 서울 시내 종로구 수송동에 있는 한국음식점 '장원莊園'에서 김 의장을 만났다. 점심시간이 되면 식사를 같이하면서 인터뷰를 계속하기로 하고 우선 궁금한 대로 질문을 시작했다.

강인섭 돌이켜 보면 1971년 대통령 선거에 나간 후부터 오늘까지 16년 동안 고난의 길을 걸어오셨군요. 그 당시 김 의장 연세가 40대 중반이셨는데, 60대에 이르기까지 16년 동안 인고의 세월을 보내셨는데, 오래 부자유한 상황에 계시다가 이렇게 자유스럽게 사람을 만나고, 가고 싶은 식당에도 가고 하니 기분이 어떻습니까? 이 집 '장원'에는 얼마 만에 오십니까?

김대중 지난번 장기 연금되기 전에는 더러 왔어요. 요새는 아직 좀 남아 있긴 하지만 집 주변의 경찰도 대부분 철수했고, 그 전에 다닐 때에는 언제나 따라다니던 3대의 자동차도 안 보여요. 안 따라다니니 뭔가 좀 허전한 것 같기도 하고, 실감이 안 나고 좀 불안해요. 허허. 여하간 내가 일생에 다섯 번의 죽음의 고비를 넘겼는데 첫 번째는 6·25전쟁 때 공산당에 붙들려 목포형무소에 있다가 학살당할 위기에서 탈출해서 살았고, 그리고 1971년 대통령 선거 끝나고 또 한 번 살아났어요. 국회의원 선거 지원 유세하다가 선거운동 마지막 날 목포에서 비행기를 타고 상경할 예정이었는데 일기가 나쁘다는 핑계로 비행기를 못 뜨게 했어요. 광주에서는 비행기가 뜬다고 해서 자동차로 광주로 가는데 그 도중에 차 반대 방향에서 14톤 트럭이 90도 각도로 꺾어 달려들더군요. 그 순간 운전사가 속력을 높여서 다행히 자동차 뒤 트렁크만 살짝 스쳤어요. 그런데 워낙 큰 차에 치이니까 차가 붕 뜨데요. 그러고는 길옆 논에 처박혔는데, 그때 만약 1백 미터 앞에 있었던 방죽에 떨어졌다면 죽었겠지요. 그때 우리 차는 공교롭게 피했지만 엉뚱하게도 결혼식 갔다 오던 택시가 우리 경호 차 사이로 들어와 뒤에서 나한테 손을 흔들다가 받쳤어요. 몇 분은 즉사하고 일부는 중상을 입었는데, 아마 살기 힘들었을 거예요. 그때 다리를 다쳐서 지금도 지팡이 짚고 다니지요. 지금도 마룻바닥에는 못 앉으니까 여기서도 의자를 갖다 놓은 거예요.

강인섭 지팡이 짚고 이한열 군 장례 행렬을 따라 6킬로미터나 도보 행진한 것이 무리가 아니었을까…….

김대중 근래 처음으로 많이 걸었어요. 지금도 조금 '엉치' 가 아픕니다. 그러나 내 다리 실력을 테스트해 본 셈인데, 괜찮아요.

다리 치료하러 일본에 갔을 때 10월유신을 당했어요. 1971년 선거 후 어떤 조치가 있을 줄은 알았어요. 그때 가을에 당시 제1야당인 신민당의 전당대회가 둘로 갈라진 사태가 난 것을 보고 벌써 공작이 시작됐다는 걸 알았어요. 그러나 내가 하나 모른 것은 그들이 당내 일부 세력을 포섭해서 국회에서 개헌을 할 걸로 알았지, 계엄령을 선포해서 할 줄은 미처 몰랐어요.

강인섭 당시 유신이 있을 줄 알고 미리 출국하셨다는 얘기도 있었는데…….

나라 밖에서 싸워야겠다 해서 망명

김대중 그건 전혀 낭설이고, 역사에 대해 그르게 증언하는 겁니다. 나는 유신한 날 오후에 일본 도쿄에서 '후쿠다 다케오' 전 총리를 만나고 호텔에 돌아오니까 일본 『마이니치신문』 사장이 와서 알려 주데요. 하룻밤을 곰곰이 생각한 끝에 국내에서는 아무 말도 못 하니 나라 밖에서 싸워야겠다 해서 다음 날 유신 반대성명을 내고 아무 준비도 없이 일본으로의 망명을 결심했죠. 가족은 국내에 놔두고, 선거 빚마저 잔뜩 뒤집어씌워 놓고 외국에 혼자 떨어진 거지요. 일본 미국을 왔다 갔다 하다가 7월달에 일본에 들어왔다가 8월 8일 납치됐어요.

원래 그 사람들은 나를 호텔 안에서 죽이려고 했어요. 그때 내가 양일동梁一東 씨를 만나고 김경인金敬仁 의원과 함께 복도에 나오니까 김경인 씨는 방으로 도로 밀어 넣고 내 목덜미를 잡아끌고 옆방으로 데리고 가더군요. 방으로 끌고 들어가자마자 침대에 내동댕이치고 코에다 뭐를 갖다 대요. 마취제지요. 머릿속이 말갛게 되는 것 같은 기분을 느끼면서 의식을 잃었어요. 나중에 보니까 그 마취제가 약했던 것 같아요. 바로 깨어났어요. 이 사람들이 방에서 나를 죽이려고 했는데, 내가 복도에서 반항을 하니까 누가 올지 모른다고 위험성을 느꼈는지 거기서 죽이지 않고 자동차로 끌고 간 거지요.

배에 데리고 가서 내 옷을 다 벗긴 후 다른 옷을 갈아입히고는 눈을 가리고 전선으로 묶은 다음 뒤에 판자를 붙여서 몸을 세 부분으로 묶어 바다에 던지려고 하는 거예요. 오른쪽 팔과 왼쪽 다리에 돌멩이인지 뭔지 무거운 물체를 매달아서……. 그렇게 던지려는 그 직전에 어디선가 펑펑 소리가 납디다. 그

때 배에 있는 사람들은 절대 말을 안 하고 서로 손으로 사인을 했는데 "비행기다." 하고 뛰어나가더군요. 계속 펑펑 소리가 나고 배는 미친 듯이 속력을 내고, 그러니 뭔가 달라진 것 같다는 예감이 들더군요.

숨 막히게 긴박감 나는 얘기를 김 의장은 차근차근 얘기한다. 같은 얘기를 여러 번 되풀이한 탓일까. 그러면서 좀 전의 상황을 다시 설명하는 것이었다.

김대중 나는 평소 아침저녁으로 기도를 드립니다. 그런데 부끄러운 얘기지만, 그때는 하느님 생각은 전혀 안 나고 아주 속되게 물속에 들어가면 한 5분 허덕이다가 죽을 것이라고 생각하고 있었어요. 그러다가 갑자기 살고 싶다는 생각이 들더군요. 상어에게 아랫도리를 먹히더라도 반이라도 살고 싶다는 생각이 들더군요. 그래서 체념하고 있는데 갑자기 머릿속에 예수님이 나타나는 거예요. 그래서 예수님 옷소매를 붙잡고 살려 달라고 매달렸지요. 그것도 정치적으로 했어요. 내가 우리 국민을 위해서 할 일이 아직도 남았으니 지금 죽으면 안 되니까 살려 주십시오 하며 매달렸어요.

그 순간에 펑 소리가 난 거예요. 그리고 사람들은 "비행기다." 하고 뛰어나가더라고요. 삼사십 분쯤 가만히 있으니까 어떤 사람이 하나 오더니 "김대중 선생 아닙니까." 하고 경상도 사투리로 물어요. 고개를 끄덕였더니 자기도 나한테 투표했다는 거예요. 내 편이다라는 생각이 들면서 이제 살았구나 싶더군요.

납치 당시의 상황을 얘기하자면 한이 없다. 또 지금 김 의장을 붙들고 그때 얘기만 묻고 있을 수는 없지 않은가. 다만 6·25 때의 일은 좀 자세히 듣고 싶은 생각이 없지 않다. 마침 사면복권 후 국립묘지를 참배한 자리에서 그때의 얘기를 했기에 더욱 듣고 싶다.

강인섭 6·25전쟁 때 반공 인사들과 함께 투옥되어 있다가 탈출해서 살아났다는 얘기를 좀 자세히 들려주시지요.

김대중 나는 6·25전쟁 때 서울에 출장 와 있었어요. 해운업 관계의 회사 일로 출장을 왔었는데 6·25가 터졌단 말이에요. 전황 보도는 계속 우리가 유리하다고 하는데 인민군이 6월 28일 서울에 들어왔어요. 그때 받을 돈이 상당한 액수였는데 그것도 못 받고 적치하에 남게 된 겁니다. 당시 나도 젊으니까 의용군에 끌려갈 가능성이 커 사돈집에 숨어 있었어요. 그분이 민주국민당원이어서 같이 이불 쓰고 유엔 방송을 듣는데, 대전大田 금산錦山에서 막으니 용기를 내라는 거예요. 그러다가 서울에서는 도저히 먹고살 수가 없고 또 의용군으로 끌려갈 위험도 있고 해서 고향인 목포로 내려갔습니다. 당진 온양을 거쳐 전투 중이라는 대전 쪽을 피해 장항으로 해서 군산 쪽으로 빠져 목포에 도착했지요.

그때 목포는 이미 적치하에 들어가 있었어요. 목포에 가면 내가 대한청년단·해상청년단 간부라 당할 줄 알았지만, 돈도 없었고 도민증 가지고는 통행도 자유롭지 못해 그냥 목포로 간 거지요. 당시 우리 집이 목포 부둣가에 사무실 낀 집으로 참 좋은 집이었어요. 그런데 공산당에 다 뺏기고 심지어 레코드판까지 가져갔더군요. 가족들이 이렇게 집에서 쫓겨나는 바람에 우리 집 사람은 둘째아들을 방공호에서 낳았어요.

그렇게 며칠 동안 목포에서 배회하다가 공산당에게 잡혀 우익인사를 수감하는 경찰서에 석 달 갇혔다가 다시 지금의 목포교도소로 옮겼다는 것이다.

그의 목포형무소 탈출 경위는 자못 극적이다. 열심히 하는 설명을 종합하면 그가 주동이 되어 탈출에 성공할 수 있었다는 것이다. 9·28수복 전후의 긴박한 상황에서 살아남은 것이 그의 첫 번째 죽을 고비였던 것이다.

김대중 내무서 사람이 와서 사람을 골라 한 트럭씩 실어 내요. 실려 가면 죽는 거죠. 울고불고 아수라장이었어요. 그런데 어느 날 저녁때쯤 "박 동무 나와라.", "이 동무 나와라." 하는 소리가 들려서 보니까 형무소 관리는 다 없어지고 지방의용군만 남아 있는 것 같았어요. 말씨도 좀 부드러워지고 그래요. 그 와중에서도 서로 밥 달라고 아우성이고……. 관직에 있던 사람들이 더 당황하더군요. 형무소 안은 무질서 바로 그것이었어요. 할 수 없이 내가 오늘부터 감방장이라고 나서서 밥을 나누어 주고 자치를 했어요. 그러는 동안 좌익은 저희 가까운 사람들을 하나씩 빼내 가는 것 같았어요. 어느 날 감방에 와서 좌익 중에 과오를 범했다가 임시로 와 있는 사람을 찾는 것 같아서 그 사람을 내보낼 테니 빨리 문 열라고 그래 놓고 어디 있느냐고 묻는 사이에 돌로 문을 쳐서 집단 탈출을 했어요.

탈옥한 후에도 국군이 올 때까지 사흘 동안을 숨어 있었는데, 그때 잡혀서 죽은 우익인사도 많았다고 한다. 지금까지 세 번의 죽을 뻔한 고비를 설명한 그에게서 나머지 두 번의 얘기를 더 들을 필요는 없을 것이다. 다만…….

김대중 1980년 사형 선고까지 하면 다섯 번입니다. 공산당 손에 한번, 박정희朴正熙 씨 손에 세 번, 현 정권 아래서 한 번…….

강인섭 이젠 좀 정치적인 것을 물어봐야겠군요. 오늘 아침에 김영삼金泳三 총재와 회동을 하셨죠. 정례적인 모임이지요? 가택 연금 해제 이후 부활된 것으로 아는데, 많은 얘기를 나누셨습니까? 민주당 입당 문제라든지…….

김대중 입당은 광주에 가서 망월동 묘지를 참배하고 돌아온 후에 할 생각입니다.

강인섭 광주 말고 김수로왕릉金首露王陵도 참배하신다지요?

김대중 이번에 광주와 목포를 거쳐 고향인 신안군新安郡 하의면荷衣面 선영에 갔다 올라오는 길에 이충무공 사당과 당진의 김대건金大建 신부 성지를 참배하고 올 예정이에요. 그다음에 다시 날을 잡아 가지고 부산 쪽으로 가서 박종철朴鍾哲군 가족도 찾아보고, 김수로왕릉도 참배하려고 합니다. 나는 김수로왕에 대해 특별한 해석을 하고 있어요. 김수로왕 신화를 보면 현대적인 의미에서 새로운 해석이 나옵니다. 첫째, 그분은 왕이 될 때 백성들에 의해서 추대됐습니다. 일종의 민주주의의 싹이 거기 있어요. 직선제죠.

강인섭 그때 이미 직선제를 했다는 말인가요?

김대중 그렇지요. 그리고 또 김수로왕은 왕비를 먼 나라에서 맞이했어요. 말하자면 코즈모폴리턴이라고 할까, 세계주의의 선구자입니다. 더욱 중요한 것은 백성들 머리에서 그런 신화가 나온 거니까 우리 민족성을 아는 데는 굉장히 도움이 된다고 봐요. 더욱이 왕후가 외롭다 해서 아들 하나에게 허許씨 성을 주지 않아요? 여권 존중의 효시예요.

말을 그렇게 하지만 다른 데 목적이 있는 게 아닐까? 김수로왕이 시조인 김해 김씨金海金氏는 우리나라 최대의 성씨다. 그래서 언젠가는 그 종씨 표를 믿고서 대통령에 출마한 정치인도 있었다.

그 점이 궁금해 물어본다.

강인섭 김해 김씨와 허씨가 전국적으로 1천만 가까운 대성이어서 선조를 찾는다는 명목으로 가시려는 것은 아닌가요?

김대중 그런 말은 오늘 강 위원에게서 처음 듣는데요. 공식적인 혈통이나 조상을 찾는다는 의미보다는 수로왕 신화를 좋아하는 데다 내가 김해 김씨니까 찾아보겠다는 거지요. 제일 큰 목적은 역시 유신 이래 15년 동안 국민과 떨어져 있었으니까 국민들을 만나 직접 피부로 접촉하면서 그동안의 고생에 대해서 위로하고, 또 내가 이렇게 살아남은 것도 그분들 성원의 덕이니까 감사하고, 나에게 뭘 바라는가, 국민이 어떻게 이 나라가 나가기를 바라는가 하는 얘기를 직접 좀 들어 보기 위해서예요.

강인섭 그렇습니까? 사면복권된 날 말씀하시기를 국민의 뜻에 따라 출마 여부를 결정하겠다고 했는데, 사실 국민이라는 실체가 어떻게 보면 매우 막연한 거지요. 만나는 사람에 따라 뜻이 다를 수도 있으니까 말입니다.

김대중 언론인들도 오랜 언론인 생활을 하다 보면 몸에 뭔가 느끼는 게 있듯이 정치하는 사람도 그래요. 1971년 대통령 선거에 나갔을 때도 이번에 정권 교체 못 하면 총통제 시대가 온다고 예언했는데, 그게 무슨 확실한 근거와 이론을 가지고 한 게 아니에요. 직관이랄까 예감 같은 걸 가지고 한 거예요. 그런 가정을 설정해 놓고 보니까 나중에 현실적 근거에 입각한 이론이 따라가더군요. 내가 한반도 평화를 위한 4대국 평화 협력안을 내놓았는데, 그것도 지구의를 돌려 보다가 세계에서 우리나라만 4대국에 둘러싸여 있는 것을 보고 생각해 낸 것이에요.

그가 또 하나 든 예감적인 보기가 신민당新民黨의 분당과 통일민주당統一民主黨의 창당 동기다. 많은 국민의 걱정에도 불구하고 그때 이민우 총재와 결별하고 민주당을 창당했기에 오늘날 민주화가 가능했던 것이다.

김대중 아무리 보아도 이상한 생각이 들었어요. 이민우 구상에 말려들다가는 큰일 날 것 같은 예감이 들더군요. 오래 놔두면 신민당 국회의원을 하나 하나 잃게 되고 우리 두 김 씨마저 갈라서게 될 것 같은 예감 말입니다. 그래서 내가 야당을 깨려는 사람으로 몰리면서도 끝까지 밀어 가지고 통일민주당을 만들었는데, 그때 김 총재와 민주당을 안 만들었으면 어떻게 됐을까를 한번 생각해 보세요.

오늘날 민주화를 여기까지 몰아온 것은 국민의 힘이 제일 큰 요인이었지만, 그 국민의 힘을 하나로 결집시키는 데는 민주당 창당이 큰 뒷받침이었다는 얘기다. 그런 의미에서 그의 직관이 다시 적중했다는 설명이다.

강인섭 이번에 지방을 여행하는 동안 국민과 직접 부딪치겠다는 거군요. 혹시 어디서 강연하실 계획 같은 것은 없으신지요.

김대중 그런 계획은 없습니다. 대중연설 계획은 없으나 제한된 사람들이 모인 자리에서 말할 기회는 있겠지요. 감옥 갔던 분들이나 고통당한 사람들을 초대해서 같이 국밥이라도 나누면서 얘기를 하다 보면 자연스럽게 말하게 되겠지요.

강인섭 그러다 보면 자칫 대중집회 비슷하게 발전할 수 있지 않겠습니까?

우리 국민은 참으로 위대한 국민

김대중 사람이 모이면 손 흔들고 인사도 해야겠지만, 거기서 연설할 생각은 없습니다. 그리고 최대로 질서를 지키도록 하겠습니다. 이제는 국민들이 아주 질서를 잘 지키기 때문에 별일 없을 겁니다. 연세대에서 걸어오다 보니 행렬이 조금 밀리면 시민들 입에서 자연스럽게 '질서, 질서'를 외쳐요. 내가 볼 때 우리 국민은 무서운 국민입니다. 참으로 위대한 국민이에요. 이번에 해

낸 것 보세요. 누가 이 정권이 직선제에 굴복할 줄 알았어요. 아마 강 위원도 몰랐을 거예요.

강인섭 김 의장께서는 고난의 세월을 보내실 때 이런 날이 오리라고 예측했습니까? 그간 예언자적 말을 많이 하셨는데 지난 16년 동안에 이런 날이 언젠가는 올 거라는 그런 예감 말입니다.

김대중 1980년의 상황을 기억하시겠지만, 그때 나는 지금은 민주주의가 어렵다고 말했어요. 그러나 1980년대에는 된다고 그랬거든요. 그것도 일종의 직관이에요. 그때 미 하원의 돈 본커 의원 등이 왔었을 때 그런 얘기를 했더니 다른 사람들과 완전히 다른 의견이라는 거예요. 그래 말하기를, 1980년 초에는 민주화가 안 되지만 1980년대 후반에는 가능하다고 했어요. 그 후 얼마 안 있어 5·17반란이 났지요.

이번에는 같은 사람이 '6·10국민대회' 이전에 서울을 다녀갔다고 한다. 과연 김 의장이 뭐라고 말했을까.

김대중 이제는 한국민의 민주 역량이 강해졌기 때문에 민주화가 될 수 있다고 말했어요. 4·19혁명이 그렇게 열렬히 일어났지만 5·16쿠데타에 짓밟혔고, 10월유신 때는 꼼짝달싹 못 하고, 1980년의 서울의 봄도 5·17반란에 당했어요. 그러나 이번에는 국민이 그렇게는 안 당할 거라는 거지요. 아니나 다를까, 6·10대회와 그 후의 사태에서 국민의 힘을 보여 주었어요.

그는 이번 민주화의 전기를 만든 것이 전적으로 국민의 힘 때문이라고 믿는다. 집권층이 준 선의나 지혜가 아니라 국민이 쟁취한 것임을 강조한다. 더구나 비폭력 평화적으로 얻은 투쟁의 소산이기에 이 씨앗을 잘 가꾸어 결실을 맺어야 한다는 것이다.

김대중 이번에 국민이 승리를 거둔 것은 중산층에 힘입은 바 큽니다. 넥타이 맨 사무원, 은행원, 시장 상인들이 학생과 손잡고 이룩한 민주주의의 승리입니다. 그동안 집권층은 중산층이 자기편이라고 믿었는데 그 침묵의 다수가 등을 돌린 것이지요. 그들은 민주화의 주체입니다.

그렇다고 김 의장이 '6·29선언'과 그 후속 조치의 집행만 보고 민주화가 달성되리라고 예측하는 것 같지는 않았다. 오히려 "지금부터가 문제"라는 생각을 갖고 있었다.

김대중 현 정권이 참으로 민주화를 성실하게 실천하는가를 끝까지 지켜보고 감시해야 합니다. 제1단계로 국민의 기본권 회복, 구속자의 석방과 사면복권 그리고 언론·집회·시위의 자유와 노동조합과 농민들의 조합 결성의 자유 등이 이루어져야 합니다. 둘째는 직선제로의 개헌과 자유선거법이 마련돼야지요. 3단계는 정말로 선거를 공정하게 치러야 하며 4단계는 정권을 평화적으로 이양하는 거지요. 그래서 국민이 아직은 마음을 놓지 말고 감시를 게을리해서는 안 된다고 봅니다.

정권이 바뀌는 전환기에는 언제나 예측할 수 없는 격동이 있게 마련이다. 누적된 정치적 갈등이 한꺼번에 쏟아지다 보면 엄청난 폭음이 들릴 수도 있다. 4·19혁명 이후와 10·26사태 후의 상황이 바로 그런 것이었다. 지금도 민주화의 길목에서 쌓인 욕구의 무절제한 폭발을 우려하는 사람도 많다. 그와 함께 지금까지 현 정권을 뒷받침해 온 군부 등이 어떻게 앞으로의 정국에 대응할 것인지도 관심거리가 아닐 수 없다.

강인섭 1980년과 비교해서 사정이 달라진 것은 방금 말씀하신 대로 국민의 민주적인 역량이 많이 커졌다는 점이라고 해도, 아직 달라지지 않은 것도 많다고 봅니다. 예컨대 군이 정권의 방향을 보는 눈이라든지……. 물론 대세가 바뀌니까 그 문제에 따라가고는 있지만, 기본적인 생각은 달라지지 않았다고 볼 수도 있을 겁니다.

김대중 원칙적으로 민주주의는 국민이 자신의 힘으로 해야 됩니다. 남이 갖다주는 민주주의는 몇 달 또는 몇 년 하다가 못 하게 됩니다. 그렇기 때문에 4·19혁명, 10·26사태 후에 좌절된 것이지요. 이번에도 계엄 선포가 검토됐지만, 군 내부에서 반대가 있었다지 않아요? 그리고 계엄령으로 사태를 해결한다는 보장도 없었던 것 아닙니까? 지금은 군 내부도 국민의 뜻을 거스르지 않도록 민주화되어 있다고 봅니다. 26년 동안에 걸친 군사통치 끝에 국민이 얼마나 군사통치를 싫어한다는 걸 군 자신도 아주 잘 알고 있어요. 그리고 이제는 군사 엘리트 등이 정치를 지도할 시대는 지났다는 겁니다. 지금은 문민정치에 의해 발전을 이룩할 단계입니다.

군 내부에서도 양심적인 절대다수는 다시 군이 개입하면 안보까지도 망친다는 생각을 가지고 있습니다. 군인은 국민의 군대가 아닌가요? 그 사람들도 국민입니다.

강인섭 일부인지는 모르지만 군이 김 의장을 몹시 기피하고 있다는 얘기도 있습니다만…….

김대중 나는 확신을 갖고 얘기하는데 군의 절대다수와는 다릅니다. 내가 그렇게 믿을 여러 가지 증거를 가지고 있어요. 나는 그동안 놀고 있었던 게 아닙니다. 나도 알아볼 만큼 알아보고 했어요. 다시 얘기해서 군뿐만 아니라 누구도 이 국민을 거역하려고 할 때는 크게 당한다는 걸 알아야 합니다. 나는 우리 군이 비록 일부라 하더라도 과거와 같은 그런 일을, 다시는 저지를 수도 없고, 저지르지도 않으리라고 확신합니다.

다음으로 일부 극단적인 학생과 노동자들의 동향에 관해 물어볼 차례다. 민주화가 이룩되면 이들 과격 세력은 대세의 흐름 속에 흡수될 것인가, 아니면 그때에도 다른 목소리로 남아 있을 것인가를 물어보고 싶었다.

강인섭 민주화가 된다고 해도 공단의 노동자, 도시 빈민, 그리고 농민들의 불만을 잠재우기는 어렵지 않겠습니까? 사태의 진전에 따라서는 언젠가 그런 계층에서도 어떤 요구를 하고 나올 가능성이 있다고 보는데, 무슨 해결 방안을 갖고 계시는지요.

김대중 정말 어려운 문제입니다. 워낙 그동안 탄압을 많이 받았고, 지도자들이 많이 체포되었고 해서……. 그러나 민주주의가 순조롭게 진행되면 조금 과격한 생각을 가진 사람들도 납득을 하고 민주화의 흐름에 합세해 올 겁니다. 구체적으로 얘기하면 지금 이 정권하에서 최고의 희생자가 누구냐 하면 노동자와 농민입니다. 그들의 희생 위에서 경제 발전을 해 왔습니다. 그러니까 과격주의를 피하려면 과격으로 치닫지 않을 여건을 마련해 주어야지요. 그런 여건을 안 주면서 과격운동 하지 말라면 그것은 지하로 잠복하거나, 어느 때에는 혁명적으로 폭발합니다. 그러나 어느 때든지 안고 있는 문제를 합법적으로 노출시켰을 때에는 혁명적인 폭발은 없습니다.

강인섭 김 의장은 스스로 어떤 색깔의 정치 지도자라고 생각하십니까?

김대중 한마디로 얘기하기 어려운 면이 있어요. 나는 기본적으로 자유경제체제를 지지하니까 혁신주의자는 아니지요. 그러나 사회정의 등에 관심이 굉장히 많고, 소외층에 대해서 그분들의 고통을 같이 느끼는 면이 강합니다. 그분들이 인간다운 대접을 받아야 한다는 생각이 강하기 때문에 그런 의미에서는 상당히 사회민주주의적인 생각을 가지고 있다고 봅니다. 그런 것을 종합해 보면 아마 미국 민주당의 리버럴리스트에 가까운 것이 아닌가 생각합니다.

강인섭 그동안 김 의장에게는 자기 입장을 설명하고 변호할 기회가 주어지지 않고 정권에 의해 일방적으로 사회주의자 또는 좌경적인 이미지가 강요되어 온 면도 있는데…….

김대중 거짓말도 열 번 하면 참말이 되는데, 15년 동안 그렇게 했으니까 상당히 고착화되어 있겠지요. 그리고 우리나라에서는 정적을 때려잡으려면 '공산당' 이라고만 몰아붙이면 만능 아닙니까? 그렇게 당한 사람들이 얼마나 많습니까? 내가 그런 의미에서는 지금 살아 있는 것도 기적이지요.

강인섭 화제를 바꾸어 통일 문제에 관해 물어보겠습니다. 6·8선거 때 목포에서 국회의원 선거 유세 중에 "정치인으로서 통일 문제를 내 손으로 다루는 것이 필생의 소원" 이라고 말씀하셨지요. 또 연전에는 감옥에 계시면서 김일성과 통일 문제를 놓고 바둑을 많이 두었노라고 하셨는데, 김 의장의 통일 방안을 간단히 요약해서 좀 들려주시지요.

평화적으로 동족끼리 통일하자

김대중 내가 통일에 대해 일종의 슬로건 격으로 주장한 것이 3단계 통일이고, 좀 더 구체적으로 얘기하면 공화국연방제입니다. 3단계 통일이라는 것은 평화 공존→평화 교류→평화 통일인데, 물론 이 3단계가 병행될 수도 있습니다. 그 목적은 어디까지나 평화적으로 동족끼리 통일한다는 겁니다. 제1단계는 공존입니다. 서로 무리한 일은 하지 말고 공존하는, 말하자면 제한된 통일입니다. 그렇기 때문에 공화국연방제는 김일성 주석이 말하는 고려연방제하고는 정반대입니다. 결국 선민주 후통일인데, 이건 1973년부터 주장해 오던 것입니다. 국민의 전면적인 지지를 받는 민주정부가 나와야 합니다. 그렇게 되면 북한에서 남한을 공산화할 꿈을 버리게 됩니다. 버리지 않을 수가 없습니다. 동독이 서독을 공산화할 꿈을 갖지 못하듯이 우리도 그렇게 됩니다. 만일 한국에 민주정부만 서면 인구도 이북의 2배고 경제력도 비교가 안 됩니다. 우리가 이북을 두려워할 이유가 있습니까? 서독이 동독을 두려워 안 하는데 왜 우리는 두려워합니까? 문제는 우리가 공산주의를 이길 수 있는 체제인 민주주의 국가를 만들어야 합니다.

그의 통일론 역시 매우 구체적이고 자상하다. 여러 번 되풀이 설명한 모양으로 일사천리로 답변하는 폼이 마치 선거 유세나 정책 토론을 듣고 있는 느낌을 갖게 한다.

강인섭 김 의장 말씀을 듣고 보니까 대통령 후보로서 준비가 다 되어 있으신 것 같네요.

김대중 그건 유도신문인데…… 허허.

강인섭 이미 1971년에 한 번 해 보셔서 예행연습은 한 셈이지만, 지금은 더욱 완전하게 준비된 것 같군요. 이제부터는 "후보 된 후"의 얘기보다 후보되어 가는 데까지의 과정에 관해 좀 여쭈어봐야겠습니다.

김대중 아니 오늘은 어려운 질문만 하지 말라고 점심까지 같이하면서 인터뷰하는 건데, 이렇게 어려운 질문을……. 자, 우선 밥 좀 먹고 얘기합시다.

이때부터 식탁 위에 음식 접시가 올랐다. 한정식집인지라 나물·찌개·부침·젓갈류 등이 오르고 삼계탕이 곁들여 나왔다. 김 의장은 별로 점심을 많이 드는 것 같지 않았다. 다리가 불편해 특별한 운동을 하지 않으나 사람 만나고 일하는 것으로 충분한 활동을 한다고 한다. 건강은 좋으나 운동 부족으로 살이 찔까 봐 식사량을 조절하는 것 같았다. 앉은자리에서 점심을 마치고 인터뷰를 계속한다.

강인섭 이제 본론으로 접근하겠습니다. 김영삼 총재와의 협력 관계는 잘 유지가 될 것 같습니까? 국민들의 관심이 많습니다.

김대중 여기서 내가 하나 얘기하고 싶은 게 있어요. 국민들은 우리 두 사람에 대해 조금 잘못된 도그마에 빠져 있는 것 같아요. 그 하나는 1980년에 민주화가 안 된 것이 3김 씨가 경합했기 때문이라는 겁니다. 군사정권이 안 나오고 3김 씨를 그대로 놔두었으면 셋 중의 하나가 대통령이 되고, 나머지 둘이 야당 하는 것 아닙니까. 그러면 누가 되든지 민주화되는 것 아니냐는 겁니다. 그런데 생각지도 않던 사람이 뛰어들어서 총칼로 뺏은 것이 나쁘지, 왜 민주주의 하겠다고 선의의 경쟁한 사람에게 탓을 돌립니까?

강인섭 그때 김 의장이 당시 야당인 신민당에의 입당을 주저한 것과 지금 사정은 크게 다른 것 같습니다. 왜 그 당시 입당을 주저했었던가요?

김대중 내가 주저한 것이 아니라 재야가 만장일치 결의로 나를 못 들어가게 한 거예요. 내가 안 들어간 것이 아니고……. 그때 재야인사 1백여 명이 들어가려고 했는데, 신민당에서 심사한다고 나서서 안 된 겁니다. 유신 아래서 국회의원 한 사람들이 어떻게 감옥 간 우리를 심사하느냐가 재야의 생각이었어요.

요즘 정가의 관심은 두 김 씨의 관계가 어떻게 발전할 것인지에 쏠려 있다고 해도 과언이 아니다. 이번 대통령 선거의 승패가 마치 이 문제에 걸려 있는 것처럼 생각하는 사람이 많은 것도 사실이다. 그래서 두 김 씨도 이 같은 민감한 관심이 꽤 부담스러운 모양이다.

김 의장의 말을 더 들어 본다.

김대중 우리나라에서는 파벌을 죄악시하는 경향이 있는데, 그것부터가 잘못이에요. 일사불란이 오히려 나쁜 겁니다. 독재정권만이 일사불란한데, 민주 정당에서 선의의 경쟁이란 권장되어야 합니다. 일본 자민당이 최장기 집권을 하는 것도 따지고 보면 당내 계보의 경쟁 때문입니다. 다만 서로 의견이 대립되다가도 민주적인 과정을 통해 이것을 여과하고 결과에 승복하면 됩니다. 치열한 경합을 거친 다음에 패자가 승자에게 승복하고 협력하는 게 민주주의지요.

또한 파벌이 없는 정당은 비정상입니다. 정당 자체가 파벌 아닙니까? 이 두 가지 점에 국민들의 인식이 바뀌어져야 할 것 같아요. 나랏일 잘하자고 경합하는 것을 마치 사사로운 욕심이나 채우려고 싸움질한다고 생각하면 곤란하지요.

김 의장은 두 김 씨가 언젠가 대통령 후보 단일화를 꼭 이룩할 것이라고 단언한다. 그러나 그 시기는 반드시 빠른 것만이 좋은 건 아니라는 생각이다. 너무 빨리 결정하는 것은 공작 정치의 침투 등 부작용이 우려되기 때문이라는 전략적 고려 때문인 듯하다.

강인섭 후보 단일화를 너무 수월하게 결정하면 전략적으로 불리하다고 생각하십니까? 막바지에 가서 극적으로 타결하는 것보다…….

김대중 야당이 후보를 너무 빨리 내놓으면 그 후보에 대해서 미주알고주알 온갖 것 다 들춰내고 돈과 행정력과 정보 정치가 동원되어 몰아붙일 우려가 있어요. 그렇게 올라갔다 내려갔다 하면 무리가 생기고 집권당에서 유도해 실수도 시키고……, 그러니까 선거 2개월 전쯤 결정되는 게 좋다고 봅니다.

이 점에 있어 두 김 씨는 의견이 다르다. 뒤이어 인터뷰한 김영삼 총재는 가능한 빠른 시일에 야당 후보가 결정되는 게 좋다는 생각이다.

강인섭 선거 직전에 드라마틱하게 해결하는 것이 좋다는 말인가요?

김대중 필리핀 선거에서 '아키노' 하고 '라우엘'이 한 반년 전에 해결됐으면 아마 그런 붐이 안 일어났을 거예요. 마감 직전에 극적으로 타결해서 그대로 밀어붙였기 때문에 '마르코스'가 다른 짓 할 시간을 충분하게 갖지 못한 거예요. 그렇기 때문에 빨리하는 것이 반드시 좋은 것은 아닙니다. 독자들이 이번『신동아』좀 읽고 정확하게 판단했으면 합니다.

강인섭 야당의 분파나 내분을 선의의 경쟁과 혼동하는 경향이 있는 건 사실이지요. 말하자면 과거의 민정당처럼 아무 분파도 없고 일사불란하게 초등학교 교실처럼 앉아서 듣기만 하는 분위기가 정당의 단합된 모습이라고 생각할 수는 없겠지요.

김대중 옛날에 이스라엘 법정에서는 만장일치면 무효라는 판결이 있었습니다. 인간 사회에 어떻게 만장일치가 있느냐는 거지요.

강인섭 우리가 두 분 관계를 놓고 생각할 수 있는 것은, 표 대결까지 가지 않고 어떤 합의에 의해 후보를 단일화하려는 방법과 만일 그것이 안 되면 결국은 표에 의해 한 분이 선택되는 길을 택할 수밖에 없겠지요. 그랬을 경우 패자가 승자에 승복하고 따라가면 그것 자체가 단일화인 것이지, 꼭 표 대결까지 가서는 안 된다고 생각하는 것은 바람직하지 않다는 생각도 들어요. 그런데 지금 국민들은 두 분 관계가 정국의 앞날을 결정하는 가장 큰 변수이기 때문에 그런 마지막 단계까지 가지 않고 매듭지어지기를 바라는 거겠지요.

김대중 오늘의 민주당은 김성수金性洙, 신익희申翼熙, 조병옥趙炳玉, 장면張勉 의 법통을 이어 온 야당으로 오뚝이같이 일어난 정당입니다. 오늘날까지 다섯 번의 대통령직선제를 했는데, 야당은 한 번도 단일화에 실패해 본 적이 없어요. 그중 1956년 선거와 윤보선尹潽善 씨가 두 번째 나온 1967년에는 투표 없이 얘기로 단일화되었습니다. 또 1960년 조趙 박사와 장張 박사는 3표 차이로 판가름됐지만, 승복하고 따라갔어요. 1971년 김 총재하고 경합할 때도 2차 표결까지 가서 결정됐으나 아마 후유증이 없었습니다.

그는 후보 단일화에 대해 사뭇 낙관적이다. 자신이 있어서일까, 아니면 양보할 용의를 감추고 있기 때문일까, 그의 의중을 헤아리기는 쉽지 않다. 많은 사람들은 두 김 씨 자신보다 그 주변에서 단일화를 어렵게 만들 것으로 보기도 한다.

김대중 사실 단일화를 하더라도 지지자들을 납득시킬 수 있는 과정이 필요합니다. 그런 과정을 밟지 않으면 인간적인 불신까지도 받게 됩니다. 개인의 안일이라든가 인기를 위해 지지자의 의견이나 국민의 뜻을 저버렸다고 말입니다. 요즘 우리 집에 전화가 얼마나 많이 오는지 모릅니다.

강인섭 하루에 수백 통씩 온다던데 지금도 어떻습니까? 사면복권 직후와 사정이 같은가요?

김대중 계속, 오히려 더…….

강인섭 조금도 줄어들지 않았다는 말인가요?

내 지지자한테 배반감을 주지는 말아야겠다

김대중 안 줄어듭니다. 전화 내용이 자꾸 과격해집니다. 후보를 사퇴하면 일가족 네 사람이 와서 자결하겠다거나, 국민을 배신한 사람이기 때문에 죽여 버리겠다는 등 이런 말도 합니다. 우리 집에 오는 전화는 모두 내용을 기록해 놓고 있어요. 사실 나는 지금 대통령을 꼭 해야 되겠다는 생각은 절대 없습니다. 그러나 내가 국민에게 매장은 안 되어야겠다, 내 지지자들한테 배반감을 주지는 말아야겠다는 생각입니다. 그래서 전라도, 경상도, 충청도를 우선 돌겠다는 것입니다. 국민을 직접 만나서 나를 절실하게 원하는가, 또 어떻게 하면 납득할 수 있는가 부딪쳐 보겠다는 겁니다. 그분들이 나에게 김영삼 총재한테 양보하기를 바라는가, 또는 둘이 하다가 안 되면 누구든 양보해도 좋다는 정도인가, 그런 걸 알아봐야지요. 국민 없이 우리가 있습니까?

그러면서 그는 작년 11월 5일의 이른바 대통령 불출마 선언을 백지화한 일은 없다고 다짐한다. 다만 그때와 지금의 사정이 너무 다르며 국민들의 전화 때문에 곤혹스럽다는 심정을 밝힌 것이라고 해명한다. 그러나 아무리 불리한 약속이라고 하더라도 한 번 한 말들은 지켜야 한다는 사람이 많은 것도 사실이다.

강인섭 현 정권이 직선제를 받아들이면 비록 사면복권이 되더라도 대통령 선거에 나서지 않겠다고 한 작년 11월 5일의 불출마 선언은 이제 어찌 되는 것입니까?

김대중 우리 계보인 이용희李龍熙, 이중재李重載 부총재가 약속은 지켜야 한다고 했어요. 그 말에 대해 항의 전화도 많았어요. 그 선언은 전 대통령이 자발적으로 대통령직선제를 하면 불출마한다고 한 것이지, 이번처럼 국민의 압력에 의해 이루어진 것과는 아무 상관없다는 거지요. 전 대통령은 사실 금년 4월 13일 호헌선언으로 이미 내 제의를 거부한 겁니다. 그런데 왜 그 약속에 묶여 있어야 하느냐, 이런 논리가 나옵니다.

그리고 한 지역에서 20년 했으니 다른 지역에서도 나와야 민족 화해의 길이라고 말하기도 합니다.

그는 이 대목에서 매우 조심스러운 어조가 된다. 표현도 매우 완곡하다. 그러면서 다음 기자회견에서 심경을 밝히겠다고 다짐한다.

김대중 사실 나를 따라다니다가 감옥 가고 병신 되고 패가망신한 사람도 많지만 그 밖에도 내가 사형 선고를 받았을 때 기도한 사람, 불공드린 사람들이 부지기수입니다. 그 사람들이 눈물로 내 목숨을 지켜 주었는데 내 맘대로 결정할 수는 없지 않습니까? 그게 지금의 내 심정입니다. 결코 불출마 선언을 백지화한 것도 파기한 것도 아닙니다.

내가 안 나가는 것은 좋지만 이런 사람들에 대해 양해를 구하는 과정을 밟지 않고는 안 된다고 생각해요. 그러니까 지금 그런 과정을 밟겠다는 것일 뿐 내가 지금 나간다고 선언한 것은 아니에요. 사실 내가 대통령 안 나가면 어떻소. 다섯 번 죽으려다 살아서 이 정도로 국민의 지지를 받으면 그게 영광이고 분에 넘치지요. 그리고 내가 타든 못 타든 노벨평화상 후보까지 올랐으면 분에 넘치는 영예로 받아들여야지, 내가 꼭 대통령 돼야 할 이유가 어디 있겠습니까?

다만 우리 국민이 바라는 절실한 소원에 대해서는 내가 그래도 과정을 밟아 결정해야지 하는 생각입니다.

이 대목에 이르러 그의 목소리는 매우 차분하고 진지해지는 것 같다. 사뭇 달변인 김 의장도 말을 조금 더듬는 것처럼 느껴진다.

강인섭 자기 자신의 한이나 여망을 김 의장에게 거는 사람들이 많이 있는 것은 사실입니다.

김대중 압니다. 나는 혁신주의자는 아니지만, 노동자나 농민이나 어렵게 사는 사람들을 위해 노력해 왔습니다. 이 정권이 그것을 아니까 나를 자꾸 좌경으로 몬 거고요. 5공화국 들어서도 직장에서 쫓겨난 데다 블랙리스트에 올라 취직을 못 하는 사람들이 적어도 10만 가까이 될 거예요. 그 사람들이 지금 한을 안고 기다리고 있는 거예요.

강인섭 김 의장께서는 아까도 말씀하셨습니다만, 내가 대통령 후보가 꼭 안 되어도 상관없다고 생각하십니까?

김대중 그럼요. 나는 담담합니다. 그런데 그게 지금 말한 그런 이유 때문에 상당히 고민을 하고 있고, 그래서 그런 과정을 밟아서 국민의 의사를 확인하기 전에 최종 결단을 내릴 수가 없다는 거지요. 나는 국민을 위해 내 목숨까지 내놓았고 국민이 또 나를 지켜 주었기 때문이지요.

너무 오랜 시간 딱딱하고 진지한 분위기에서 얘기를 나눈 것 같다. 김 의장도 그렇게 느꼈는지 카메라맨더러 "앞으로 웃는 얼굴 좀 찍어 달라"고 주문한다. 하긴 그동안 웃을 일도 없었겠지만, 해금된 후에도 그의 사진이 신문, 텔레비전 화면에 나가도 굳은 표정만 보여 준 게 사실이다.

강인섭 사실 김 의장이 누구보다 많은 투쟁을 해 왔기 때문에 그 대가나 보상으로서 대통령 후보가 되는 것은 어떻게 보면 그 투쟁의 가치를 오히려 저하하는 게 아닐까 하는 생각도 있어요. 꼭 대통령이 되고자 해서 투쟁한 게 아닌가 해서 말입니다. 그 투쟁의 값어치를 보존하자면 한 발짝 뒤로 물러서서 민주화 과정을 지켜보는 그런 입장이 되면 어떨까요? 그러면서 완충적인 시기를 한 번 거친 다음에라야 보다 확실한 민주화의 시대가 열리지 않을까 생각되기도 합니다만……. 말하자면 너무 투쟁의 족적이 선명한 분이기 때문에 이런 전환기에 좀 피해 있다가…….

김대중 그렇게 신문에 사설을 좀 쓰시지요. 그렇게 국민을 좀 계몽해서 국민이 양해해 주시면 나는 좋으니까.(웃음)

묻기 어려운 말을 묻고 답변을 기다리는 건 적잖게 초조하다. 김 의장은 어쩌면 농담처럼 그러나 의미심장한 답변을 하고 넘어간다. 마지막으로 언론에 관해 묻는다. 자유가 주어졌을 때 그에 상응하는 책임을 감당할 수 있는 능력이 있는지 스스로 의문이었기 때문이다.

누구도 국민을 무시하면 안 된다

김대중 이한열 군 장례식 날 1백만 인파가 행진하면서도 무질서 속에서 질서를 지켜가는 국민을 두고 뭘 걱정합니까. 어떤 언론이든 못된 짓 하거나 지나친 선동을 하면 국민이 그대로 두지 않습니다. 어떤 조직체든 무책임한 짓 하면 그대로 두지 않을 겁니다. 민주화를 위해 감옥 갔다 온 사람이라 하더라도 과격한 행동 하면 국민이 지지하지 않지 않아요? 누구도 국민을 무시하면 안 됩니다.

강인섭 그동안 너무 많은 문제를 현 정권이 양산해 놓았습니다. 광주사태로부터 헤아리자면 한이 없습니다. 보복 없는 정치에 대한 어떤 구체적인 방안이 있습니까?

김대중 정권을 누가 잡든지 정권 잡았다고 해서 마음대로 하려고 하면 국민이 그것도 용서하지 않을 것이라고 봅니다. 누구든 정권을 잡게 되면 필연적으로 보수적으로 됩니다. 그다음에 안정을 유지합니다. 거대한 고층 건물로 성장한 경제를 어떻게 함부로 그 기반을 흔들 수가 있겠습니까? 정치보복도 마찬가지입니다. 민주화만 되면 됐지 정치보복은 필요 없습니다. 그러니까 내 얘기는 거국내각을 해서 명년 2월까지 전 대통령이 자리에 있는 동안 그런 문제를 다 해결하자는 거지요. 대통령은 상징적으로 남고, 간섭하지 말고 총리 이하를 거국적으로 임명해야 된다는 말입니다. 그러면 나부터도 선두에 서서 광주 문제부터 풀어 가는 데 협력하겠다 이거예요.

강인섭 만일 정부가 거국내각을 하겠다고 하면 김 의장은 계보에서 사람을 입각시킬 용의가 있으십니까?

김대중 물론이지요. 그러니까 거국내각이지요. 우리가 들어가서 같이하면서 같이 책임을 지는 거지요. 현 정권을 도와주겠다는 겁니다. 내가 지금 정치보복 안 하겠다면 마치 곱게나 보이려고 하는 것 같아 말하기가 거북한데, 분명한 증거를 댄다면 내가 사형 선고를 받고 최후진술 할 때 동지들과 가족들한테 민주화가 되더라도 절대 복수는 하지 말라고 유언처럼 말했다는 사실입니다. 나는 보복 자체를 내 신앙 양심이나 민족 양심으로 반대하고 또 우리의 정치적 장래를 생각할 때도 화해를 주장합니다.

강인섭 그동안에 김 의장을 포함한 3자회담을 쭉 요구해 왔는데, 그 제의가 지금도 유효합니까?

김대중 꼭 유효하다고 할 수는 없지만……. 나는 그분들하고 만나서 얘기하는 것이 상호 이해와 국사를 풀어 가는 데 아주 중요하다고 생각합니다. 어쨌든 이 시대에 양쪽에서 서로 책임 있는 사람들이 만나지도 않는다는 것은 부끄러운 일이라고 생각합니다. 그러나 저쪽의 태도만 보는 거지, 내가 다시 되풀이 제안할 필요는 없겠지요.

강인섭 사면복권이 되기 이전하고 지금은 사정이 다르지 않겠습니까? 그동안의 일에 대해서 무슨 위로를 한다거나 그런 제스처가 없었는지요. 연금

때 마포서장이 통고하는 것처럼 그냥 일방적인 발표를 통해서만 안 것입니까?

김대중 그렇습니다.(쓴웃음) 그런데 내가 마지막으로 말씀드리고 싶은 것은 나는 그렇게 험한 고생도 했지만 나는 내 인생을 절대로 실패한 인생이라고 생각지 않습니다. 인생의 목표는 무엇이 되느냐가 아니라 어떻게 사느냐가 중요하다고 믿기 때문입니다. 31세에 죽은 안중근安重根 의사나 24세에 세상을 떠난 윤봉길尹奉吉 의사의 삶이 60을 넘게 산 이완용李完用보다 못하다고 할 사람은 없습니다. 나는 그만큼 훌륭하지는 못하지만 그 방향을 목표로 열심히 살아왔습니다.

강인섭 김 의장께서 그런 심정이라면 두 분의 관계를 포함해서 모든 문제가 잘 풀려 나갈 수 있다고 믿어지는군요. 사실 어떻게 보면 김 의장 자신이야 여한이 없는 생애를 살았다고 할 수도 있겠지요. 이제 조국의 민주 발전을 보다 높은 데서 바라보고 이끌어 가는 입장이 되셨으니 말입니다.

김대중 감사합니다. 앞으로의 사태 진전을 눈여겨 지켜봅시다.

* 이 글은 1987년 8월 호 『신동아』에 게재된 강인섭 『동아일보』 논설위원과의 인터뷰다.

완전 민주화 위해 재야와 협력

대담 이현구
일시 1987년 8월 8일

이현구 이번에 민주당에 입당함으로써 15년 만에 정당인으로 복귀하신 셈이군요. 소감이 어떠하신지요.

김대중 사실은 하도 오랫동안 모든 권리를 박탈당하고 감시받고 하는 비정상적인 상태에서 살아왔기 때문인지 정상적인 것이 비정상적인 것 같은 생각이 들 때가 있어요. 실감이 잘 안 날 때가 있습니다. 지금도 나는 연금당할 것 같은 생각이 들어요. 지금 내가 참으로 복권이 됐는가 하는 생각이 들 때가 있습니다. 여하간 정신을 가다듬고 생각해 보면 이 정권은 절대 나를 복권시키지 않으려고 했던 것이거든요.

그런데 복권이 됐다…… 이 사실은 역시 국민의 힘은 위대하다는 것을 다시 한번 느끼게 합니다. 위대한 국민의 힘이 막강한 군사정권으로 하여금 나를 복권시키도록 했던 것이지요. 복권뿐만 아니라 절대 안 하겠다던 대통령 직선제도 채택하도록 한 것입니다. 참으로 자랑스러운 국민이라는 생각이 듭니다.

이현구 김영삼 총재는 "김 고문의 입당이 두 분을 새롭게 하나가 되고 국민에게 안도감을 주고 민주당이 집권에 가까이 왔다는 것을 나타내는 것" 이라고 했습니다. 김 고문께서는 어떻게 생각하십니까?

김대중 김 총재와 같은 생각입니다. 나의 입당이 정국 안정에 도움이 되고 국민들에게 좀 더 자신감을 심어 줄 수 있기를 기대합니다.

이현구 직접 민주당에 입당하니까 밖에 있을 때와 좀 다른 게 있습니까?

박종철 열사 사건이 결정적인 역할

김대중 너무도 잘 아는 정당이니까 차이를 느끼진 않지만 신기한 생각이 드는 것은, 우리가 민주당을 창당하지 않았으면 어떻게 됐을 것인가 하는 거예요. 사실 김 총재와 내가 민주당을 창당한 것은 적전敵前에서 부대를 재편성한 것입니다. 그런데 용케도 90명의 의원 중 70명이나 왔어요. 의원들에게도 감사하지만 이를 채찍질해 준 국민들이 위대하다는 생각이 듭니다. 민주당 없이 국민운동본부가 나오기 어렵고 6월투쟁과 오늘의 상황을 상상하긴 어렵습니다. 민주당이 나온 것은 하늘의 뜻이고 국민이 이렇게 시킨 것입니다.

그리고 또 하나, 민주당이 나오자마자 정강부터 시비가 붙고 해산시킨다는 협박도 있었습니다. 이런 것을 극복하고 여기까지 온 데에는 우리의 노력도 컸지만 박종철 군 사건이 결정적인 역할을 한 것입니다. 처음의 박 군 고문치사 사건은 2월에 이민우 구상을 깨는 데 큰 도움이 됐어요. 그리고 후에 은폐조작 사건은 정부의 민주당에 대한 공격을 둔화시켜 주었고 6월투쟁에도 명분을 갖게 한 것입니다. 그래서 나는 박 군의 숭고한 희생에 대해 속으로 눈물겹게 감사드리고 있습니다.

이현구 민주당의 집권 능력을 의심하는 사람도 있습니다.

김대중 민주당이 정권을 맡은 뒤 좋은 정치할 것을 준비하는 것은 중요하고 필요한 일입니다. 하나, 집권 능력과 행정 능력은 구분돼야 합니다.

행정 능력은 비전문가들이 가질 수 없는 것이므로 전문가들에게 맡기면 됩니다. 집권 능력이란 어떤 정책이 언제 필요한가, 어느 것이 좋은가 하는 완급·선후의 선택을 할 수 있는 판단력을 말하는 것입니다. 행정 관료들이 복수로 작성한 정책 가운데 하나를 선택하는 것입니다. 이는 결국 정치 바닥에서 오래 살고 국민과 고락을 함께해 온 사람들의 정치 감각이 우선합니다. 일본의 경우 최고의 엘리트들이 몰려 있는 대장성에서 역대 장관 중 가장 유능한 장관이 바로 소학교밖에 나오지 못했던 다나카(田中角榮) 전 총리였다는 사실을 알아 둘 필요가 있습니다.

이현구 입당 후 김 고문의 첫 과제는 무엇입니까?

김대중 민주주의가 있게 하는 것, 선거가 있게 하는 것, 또 이겼을 때 정권이 순조롭게 이양되게 하는 것 등입니다.

지금 상황은 민주주의가 부분적인 것은 진행되지만 본질적인 것은 잘 진행이 되지 않는 상태입니다. 민주적 제 권리의 회복, 헌법 및 제반 법률의 민주적 개정, 군의 중립화 등의 문제 해결이 급선무입니다. 우리나라의 민주화는 한마디로 군의 중립화입니다. 이런 문제들에 대해 민주당 내에서 여러 사람들과 협력해 대처해 나갈 방침입니다.

이현구 김 총재와 함께 당을 이끌어 가면서 두 갈래의 목소리가 나올 가능성을 우려하는 사람이 있는데요. 10일에 있었던 노사분규에 관한 견해 표명이 그랬었지요.

김대중 내가 얘기하는 것은 내 개인 의견일 경우가 많습니다. 또 민주 정당은 항상 다양한 목소리가 나오는 것입니다. 다양한 목소리를 조정하는 것이 민주 정당이지 일사불란한 것만을 강조하는 것은 독재 정당입니다.

이현구 김 고문은 1980년도에는 재야인사와 함께 입당해야 한다는 명분을 내세워 당시 김 총재의 신민당에 입당하지 않았는데 그 당시와 지금과는 차이가 있는 것 아닙니까?

김대중 차이가 있습니다. 1980년도에는 재야가 신민당이 받아 주면 들어갈 준비가 되어 있었는데 지금은 다릅니다. 지금 재야는 민주당이 하는 것을 지켜봐야겠다는 것이지요. 선거가 끝나고 정권이 이양될 때까지의 과정이 1980년의 예를 봐서 그리 만만치 않다는 것입니다. 때문에 밖에서 측면 지원을 하겠다는 생각이지요. 정치 참여는 그다음이라는 겁니다. 재야에서 혁신적인 분들이 있는데 이분들이 민주당에 들어올 것인가 하는 문제도 있습니다. 그러나 민주당은 나와 김 총재가 만든 것인데 내가 안 들어가면 이치에 맞지 않습니다. 원래는 7월 말까지 광주에 갔다 와서 들어가려 했는데 약간 늦어진 겁니다.

이현구 앞으로 재야와의 관계는 어떻게 유지해 갈 것입니까?

김대중 오직 하나, 정권 교체까지 가는 완전한 민주화를 위해 협력하는 것입니다. 반독재 민주화는 하나의 목표이지 정치적 이념 문제는 다른 것입니다. 선거가 있게 하는 것이 최우선 과제이고 그 뒤에 민주화가 되면 혁신정당을 하는 것은 물론 자유겠지요.

이현구 민주화는 반드시 이루어진다고 보십니까?

김대중 기본적으로 된다고 봅니다. 민주화는 백성이 주인이 돼서 하는 것입니다. 백성의 희생결의와 참여의식이 없으면 안 됩니다. 그것이 없다면 일시적으로 민주화가 돼도 오래가지 못합니다. 과거 4·19혁명, 1971년 대통령 선거의 붐, 10·26사태 이후 서울의 봄 때에도 이런 것이 부족해서 곧바로 5·16쿠데타, 유신, 5·17반란을 당한 겁니다. 그러나 이번에는 백성이 스스로 강한 결심을 갖고 있습니다. 절대 안 나선다는 중산층까지 나온 겁니다. 이런 국민에 대해서 정부가 쓸 수 있는 마지막 카드가 힘인데 반드시 이긴다는 보장이 없었던 겁니다. 또 그 힘이라는 것이 군대인데 군 내부에도 절대다수는 정치 참여를 반대합니다. 그래서 솔직히 말해 5·16쿠데타 이후 독재를 지원해 온 미국의 태도도 바뀐 것입니다. 이렇게 국민 스스로의 힘으로 민주주의를 완전히 쟁취하기 직전에 나온 것이 노태우 선언입니다. 이것은 정부가 국민에게 굴복을 했지만 완전한 민주주의를 막는 결과도 있습니다. 그러나 타협을 통해서 민주주의를 할 수 있다면 그것도 좋은 것입니다. 결국 국민의 힘으로 민주화는 됩니다. 특히 희망적인 것은 군대 내의 절대다수가 민주주의를 지지하고 있다는 사실입니다. 이건 정치적 발언도 아니고 과장도 아닙니다.

이현구 앞으로 민주화에 있어서 우려되는 저해 요인이 있다면 어떤 것입니까?

김대중 현 정부나 정부 주변 등에서 민주화를 원치 않는 세력들, 민주화가 됐을 때 심한 손해를 본다는 사람들이 뭔가 일을 꾸미고 있다는 인상을 갖게 합니다. 노태우 선언 7개 항을 정부 측에 빨리 실행할 것을 촉구해 온 것이 1개월 반이나 됐는데도 지지부진합니다. 뭘 하나 제대로 한 것이 없습니다. 또 최근 군 일부의 발언도 문제입니다. 그것은 나 개인에 대한 발언이 아닙니다. 군이 비토권을 갖겠다는 것입니다. 물론 나한테도 본의는 아니었다는 직접적인 전갈이 오긴 했지만 여하튼 그런 분위기가 있는 것은 사실입니다. 그래서 내가 거국내각을 주장하는 것입니다.

이현구 민주당이 다음 선거에서 집권할 자신감이 있다고 하신 적이 있는데 그 근거는 무엇입니까?

김대중 국민이 지금 여당을 지지하고 있지는 않은 것 아닙니까. 또 정치란 최선(best) 아닌 차선(better)을 추구하는 것인데 현실적으로 민주당 이외에 정권을 줄 곳은 없지요. 또 민주당이 그동안 줄기차게 독재와 싸워 온 것은 사실 아닙니까. 그러니 이번 한 번은 맡겨야 한다는 것이 국민들 생각 같습니다.

이현구 민주당 일부에서는 김 총재가 후보가 되고 김 고문이 이를 적극적으로 밀고 재야의 도움을 받고 김종필 씨도 선거에 나오면 아주 어려워진다는 말을 하는데요.

김대중 그 문제에는 논평하지 않겠습니다. 나는 다른 얘기도 듣고 있습니다.

이현구 김 고문과 김 총재는 늘 "사심이 없다, 민주화를 위해 희생하겠다, 후보는 단일화한다"는 말을 해 왔는데 국민들 걱정은 역시 단일화가 되느냐 하는 겁니다.

김대중 사심이 없다는 것은 말하자면 이렇습니다. 가령 신문사에서 정치부 기자가 열심히 해서 정치부장이 돼 나름대로 정치부를 운영해 보겠다고 할 때에 그것은 사심이 아니지요. 또 기업가가 열심히 기업을 운영해 이윤을 늘리겠다는 것도 사심이 아닙니다. 정치인이 열심히 해서 국회의원, 대통령이 되겠다는 것도 사심은 아닙니다. 오히려 정당한 목표입니다. 사심이란 수단 방법을 가리지 않고 국민의 지지도 없이 나서서 뭘 하겠다고 하는 겁니다. 특히 대통령 후보라는 것은 개인이 원하기만 해서 되는 건 아닙니다. 국민의 여론이 절대적으로 요구되는 것입니다. 미국의 게리 하트를 보세요. 자신이 하겠다고 했지만 국민 여론이 여자 문제를 제기하니까 그만두게 되는 것 아닙니까. 정치인의 행동이 국민의 공익에 일치되고 국민의 여론에 따른 것이라면 사심이 아닙니다."

이현구 후보 단일화는 어떤 방법으로 가능할까요?

김대중 우리 야당은 과거 항상 대통령 후보를 단일화시켰습니다. 1956년 1967년에는 사전 조정에 의해서, 1960년, 1970년에는 투표에 의해서, 1963년에는 도중 사퇴 등의 방법으로 됐어요. 그런데 지금은 과거 어느 때보다 단일화의 필요성이 더 절실합니다. 국민의 성숙된 의식도 이를 요구하고 있다고 봅니다. 나는 민주 정당에선 복수의 대통령 경쟁자가 있는 것이 자연스럽다고 생각합니다. 마지막에 한 사람만 나오면 되는 거지 경쟁도 죄악시하는 풍토는 없어져야 합니다. 여하튼 단일화는 해야겠다는 생각입니다.

이현구 김 고문과 김 총재 측이 계보 사무실을 넓히고 각종 홍보도 강화하고 있는 것을 보며 일부에선 후보 경쟁이 과열되는 것이 아니냐는 의견도 있습니다.

김대중 후보가 당장 없어도 대통령 선거는 일이 많을 겁니다. 또 국회의원 선거도 대통령 선거를 전후해서 실시될 텐데 이 역시 일이 많습니다. 또 정책 개발도 매우 시급합니다.

이현구 사무실 운영하는 데 드는 돈은 어디서 나옵니까?

김대중 국회의원들도 내주지만 그것만으론 부족합니다. 경제적으로 실력 있는 회원들이 목돈을 내지요.

이현구 김 고문이 복권된 후 가끔 텔레비전에 모습이 나오는데 일부 국민은 김 고문의 거동이 불편한 것을 보고 건강을 우려하기도 합니다.

생각하면 내가 어떻게 살아 있는지 아슬아슬

김대중 거동이 불편한 것은 1971년 대통령 선거가 끝나고 국회의원 선거 지원 유세 때 저 사람들이 나를 트럭에 깔아 죽이려 해서 난 사고 때문입니다. 고관절이 망가졌다는 것은 병이 아니라 불구인 상태입니다. 그래도 목숨이 산 게 다행이죠. 건강에는 지장이 없어요. 해낼 수 있으니까 이한열 군 장례식 때 연세대에서 시청 앞까지 걸어간 것 아닙니까. 지금 생각하면 내가 어떻게 살아 있는지 아슬아슬했던 일이 너무나 많습니다.

이현구 최근의 노사 분규에 대해 어떻게 생각하십니까?

김대중 노사 문제에 관한 언론의 보도 자세에 대해 나는 약간의 불만을 갖고 있습니다. 언론이 노사분규를 위험시하는데 냉철히 보면 그런 게 아녜요. 노사분규가 일어나면 뭐든 일주일 이내에 해결됩니다. 그것이 계속 이어지니까 커 보이긴 합니다만. 또 노동자들의 주장 내용이 어용노조 물러가라, 적정임금 보장하라는 것 아닙니까. 세상에 이것이 뭐가 나쁩니까. 민주주의 하는데 어용노조가 있어야 합니까. 어용노조는 과거 정보기관이나 경찰이 만든 것 아닙니까. 노동자들을 배신하고 정당한 권리 주장하는 어린 여성노동자들을 패고 내쫓던 사람들이에요. 오히려 정부가 앞장서서 어용노조를 물러나게 해야 합니다. 민주주의를 하려면 기업주뿐 아니라 노동자들 중에서도 정당한 대표가 나와야 합니다. 임금도 과거 정부가 한 군데 올리면 다른 데도 올려야 한다며 못 올리게 한 겁니다. 심지어 기업 순익의 34퍼센트가 세금 이외의 잡부금으로 뜯기고 있다고 합니다. 정부가 기업체를 괴롭히지 말아야지요. 물론 큰 차원에서의 가이드라인은 있어야 합니다.

도대체 지금 노동자들이 사회주의 하자는 겁니까, 정권 타도하자는 겁니까. 기업주 물러가라는 겁니까. 뭐가 위험하다는 겁니까. 물론 스트라이크 하면 생산은 줄지요. 그러나 이 손해는 분규가 잘 해결된 뒤 열심히 일하면 금방 극복될 수 있습니다. 독일·일본 등 경제 대국들에서도 최근까지 이런 노사분규는 있었습니다. 생산 중단은 물론 철도가 다니지 못해 며칠 동안 사람들이 다니지 못한 경우도 있었습니다.

그러나 이들 국가들은 노동자들과의 문제를 순리로 풀었기 때문에 세계적인 경제 부국이 된 것입니다. 우리도 이런 기회를 전화위복의 계기로 삼아야 합니다.

또 노동자들의 임금을 높이면 구매력이 증가되고 시장경제가 활성화됩니다. 지금 시장엘 가 보세요. 경기가 바닥입니다. 이 나라 경제의 큰 문제 중의 하나가 1천만 농민, 1천만 노동자, 1천만 서민들의 수입이 없어서 구매력이 없다는 겁니다. 인구의 4분의 3이 구매력이 없습니다. 이들에게 적정임금을 주면 구매력이 증가되고 생산도 늡니다. 기업주나 국가 경제에 손해가 되는 것이 아닙니다.

언론도 과거 우리 노동자가 얼마나 시달려 왔는가를 알리고 도와야 합니다, 그 대신 경제 발전을 파괴하지 않는 방향으로 유도해야지요. 정부·기업·노동자가 함께 건전한 상식을 갖고 민주적으로 풀어 나가면 하나도 어려울 것이 없습니다.

이현구 김 고문께선 스스로 급진이나 과격이 아니라고 했지만 국민들 일부에선 그렇게 보는 경향도 있습니다. 이미지 개선이 필요하다고 생각하시지는 않습니까?

김대중 나도 알고 있습니다. 그러나 그것은 사실이 아니니까 시간이 가면 자연 해결되리라 봅니다. 히틀러가 거짓말도 열 번 반복하면 진실이 된다고 했던가요. 나의 경우도 유신 이래 수도 없이 그런 이미지 조작이 반복됐으니까 그런 오해가 아직도 남아 있는 겁니다. 그러나 2·12총선 때도 김대중이 이름이 나오면 박수가 나오고 표도 나오지 않았습니까. 그렇지 않으면 후보들이 왜 내 이름을 팝니까. 또 1985년 귀국 때도 공항에 경찰 추산으로 30만 명이 나왔어요. 그리고 내가 아직도 명색이 유력한 대통령 후보 중의 하나로 남아 있는 것은 국민이 그런 조작을 믿지 않는다는 뜻입니다. 또 사실도 아니고요.

이현구 8월 말이나 9월 초에 광주를 비롯하여, 전국 순회를 할 것으로 알고 있는데 지방 가서는 주로 무엇을 할 것입니까?

김대중 전국 각 도를 빠짐없이 들를 작정입니다만 내가 말하러 가는 것이 아니고 주로 얘기를 들으러 가는 겁니다. 대규모 군중 집회를 할 생각은 없고 옥내에서 그곳에 계시는 분들께 인사드리고 저녁때는 식사 등을 통해 각계의 소리를 들을 작정입니다. 나는 15년 동안 국민들을 만나지 못했습니다.

* 이 글은 1987년 8월 8일, 민주당 입당과 함께 상임고문으로 취임한 후 『주간조선』 이현구 편집위원과 가진 인터뷰다.

정치보복 앞장서서 막는다

대담 성병욱

일시 1987년 8월 25일

성병욱 그동안 우리나라의 전통 야당은 보수야당으로 통했으나 요즘은 정책이나 주장 등에서 진보적인 면도 많이 보입니다. 김 의장에게는 과격하다는 평도 있는데 스스로를 보수·진보·중간 중 어디에 속한다고 생각하십니까?

김대중 글쎄, 중간쯤이라고 할까요. 미국으로 치면 민주당의 리버럴한 그룹이라고 할까…….

성병욱 1980년 당시 '글라이스틴' 미 대사가 3김 씨를 두고 "누구는 부패, 누구는 무능, 누구는 위험하다." 평했다고 보도된 적이 있는데요.

김대중 당시 글라이스틴이 그런 말 한 적이 없는 걸로 확인됐죠. 미 대사관에서도 즉각 부인했고……. 유신 이래 15년간 독재정권이 나를 악선전했는데, 특히 사상 문제에서……. 분명히 말합니다만 김대중이는 하늘을 우러르고 땅을 굽어봐도 사상·경력엔 부끄러움이 없습니다. 전부 조작한 거죠. 20세 때 건준을 10개월 따라다닌 걸 갖고 이러니저러니 하는데 그 뒤 6·25전쟁 때 북한에 잡혀 죽기 직전 도망쳐 나온 건 생각도 안 해 줍니다.

15년간 온갖 악선전을 하다 보니, 특히 반공의식이 강한 군인들 중에서 오해가 있을 수 있을 거요.

다른 얘기입니다만 1980년 당시 민주화 안 된 걸 3김의 경쟁에 돌리는 것은 너무나 억울합니다. 쿠데타가 죄지, 왜 건전한 경쟁이 죄입니까.

성병욱 김 의장은 숱한 투옥·사형 선고·망명·연금 등을 겪어 일부에선 한 많은 정치가로 보고 있고 스스로도 한을 가지고 있다는 얘기를 하신 걸로 기억하고 있습니다. 그래서 일부에서는 김 의장이 집권하면 한풀이 정치를 하지 않겠느냐고 걱정하고 있는 게 사실입니다.

내 목적은 민주주의, 통일로 가는 걸 보는 것

김대중 춘향이의 한은 이도령을 만남으로써 풀리는 것이지 변학도를 보복하는 데서 풀리는 것은 아닙니다, 변학도가 봉고파직당하지만 그것은 한풀이 보복이 아니라 백성들에 대한 학정 때문이죠. 이게 우리 민족 고유의 한입니다. 마찬가지로 내 목적은 민주주의를 보는 것, 통일로 가는 걸 보는 것뿐이지 보복에 있지 않습니다.

『중앙일보』를 통해 공식 선언합니다. (매우 단호한 어조로) 민주화가 되면 보복을 안 하는 선에 그치는 게 아니라 보복을 막는 선두에 서겠습니다. 앞장서서 최대 노력을 다하겠습니다.

성병욱 김 의장의 생각이 그렇다 하더라도 함께 고생한 지지자 중엔 한이 서려 한풀이를 하려 하지 않을까요?

김대중 어려운 문제이긴 합니다……. 그래도 나와 고생을 같이한 사람 중에 나만큼 당한 사람은 없는 셈이죠. 그런 점에서 나는 보복을 막을 수 있는 적임자 중 하나라고 할 수 있는 거요.

광주 문제도 그 사건이 바로 내 사건 아닙니까. 이러지 맙시다 하고 말할 수 있는 적임자 중 하나가 나인 게 분명하죠. 직접 겪지 않은 사람은 말리기가 더 어렵죠. 나쁜 제도는 용서할 수 없지만 사람은 누구나 똑같은 사람입니다.

성병욱 광주사태 해결에 대한 김 의장의 견해는 무엇입니까?

김대중 참 어려운 문제입니다. 진상 규명도 그래요. 누가 무슨 나쁜 짓을 했나에 초점을 맞출 수도 있고, 광주 시민이 얼마나 억울하게 당했나의 방향에서 진행될 수 있는 거죠. 우리는 후자 쪽입니다만……. 공산당·폭도라는 누명을 벗겨 명예 회복을 시켜 줘야죠. 물론 그러다 보면 구체적으로 누가 어떻게 나쁜 짓을 했나 나올 수도 있겠지만 사람에 대해 보복만 안 하면 됩니다. 진상 규명 없이 그대로 넘길 수는 없습니다.

성병욱 김 의장은 최근 새 정부는 감옥에 갔다 온 사람들이 중심이 돼야 한다고 발언한 적이 있죠?

김대중 당시 신문이 뒷부분을 거두절미해서 오해가 있는 거요. 이승만 정권 때 친일파를 정리하지 않아 민족 정통성을 세우지 못했듯 앞으로 민주 정통성을 세우기 위해서 민주투쟁으로 감옥 갔던 사람, 독재에 항거하여 민주화운동을 한 사람, 최소한 독재에 협력하지 않은 사람들이 새 정부의 중심이 돼야 한다고 한 거요. 직업 공무원은 그대로 있고.

성병욱 독재에 협력했다면 구체적으로 어느 선까지 말하는 겁니까?

김대중 여당 국회의원이나 장관을 지낸 사람은 최소한 새 정부에 참여할 수 없는 거 아니오.

성병욱 김 의장의 '공화국연방제'라는 통일 방안이 북한의 '고려연방제'를 연상시키는 탓인지 말이 많습니다.

김대중 내 안은 많은 연구를 한 것으로 미국 학자들도 가장 믿음직하고 실현 가능성이 높다고 평하고 있어요, 기본은 남북 간 평화 정착이죠. 우리도 북쪽에 폭력을 쓰지 않고 그쪽은 대한민국을 확고히 인정하는 전제 위에 쌍방의 대표로 기구 또는 정부를 만들어 평화 정착 감시와 언론·학술·문화·체육·가족 교류를 시도하여 민족 동질성을 회복해 나가자는 겁니다. 김일성 주석의 고려연방제는 지금 당장 단일국가를 만들자는 것이지만 나는 현재와 같이 쌍방이 독립정부를 인정하자는 것이므로 근본이 달라요. 우리 정부의 인구 비례 투표안도 역시 비현실적으로 통일 안 하자는 얘기나 마찬가지예요. 일단 쌍방 교류의 길을 열어 놓는 것이 우리의 책임이고 그 후는 다음 세대가 맡아서 한다는 게 내 주장입니다. 문을 열어 놓는 초보적 일도 안 한다면 통일 안 하겠다는 거죠.

성병욱 역시 최대 관심사는 후보 단일화 문제인데 진짜 단일화가 되는 겁니까? 된다면 무엇인지요.

김대중 단일화는 됩니다. 조금 두고 봅시다.

성병욱 김영삼 총재는 후보 조정은 빨리해야 한다고 주장하고 있습니다만……?

김대중 김 총재의 주장도 일리가 있더군요. 그러나 나는 여러모로 빠르면 득보다 실이 많다고 봅니다.

성병욱 그러다 두 분이 다 출마하는 건 아닌가요?

김대중 빨리 정할수록 그럴 가능성이 높을 수 있겠죠.

성병욱 김 총재는 표 대결 않기로 두 분이 약속했다고 하는데 사실입니까?

김대중 기억이 없군요. 잊어버렸어요.

성병욱 후보 조정에 제3자가 개입할 가능성은 없나요. 예를 들어 재야 쪽, 국민운동본부라든지……. 최근 어떤 재야모임에선 후보 단일화와 관련해 의견 제시가 있었다는 소문도 있더군요.

김대중 한 재야모임에서 토론할 기회가 있었던 모양입니다. 그러나 공식으로 말한 적은 없습니다.

성병욱 며칠 전 김수환 추기경과도 후보 조정 문제를 거론하셨다죠?

김대중 공식적으로 거론된 게 없고 내가 단일화는 김 총재와 협력해서 결정하겠다고 말했어요.

성병욱 그 말은 다른 사람들은 걱정하지 말라는 뜻인가요?

김대중 그런 뜻은 아니고 두 사람이 잘 해결할 것이라는 얘기입니다.

성병욱 김 총재와 단일화 방법을 놓고 서로 조건을 내건 게 있습니까? 예를 들어 집권 후 장관 자리를 절반씩 나눈다든지…….

김대중 장관직을 나누기로 합의한 적은 없어요. 작년 12월 말 이민우 구상이 나오는 등 어려울 때 김영삼 총재 체제를 거론하며 앞으로 당은 물론 정권을 잡더라도 둘이 똑같이 공동 자격으로 참여하고 협력하기로 약속했어요. 동등한 입장에서 협력해 나가는 체제를 이뤄 나가자는 거죠. 최근에는 그런 얘기도 했어요.

성병욱 여권의 한 인사는 김 의장과 대결하는 게 더 수월한 것이라고 말하더군요, 그렇게 생각하는 가장 큰 이유는 영호남 지역감정 때문인 것 같은데 지역감정을 악화시킬지 모른다는 걱정들을 해소하기 위한 복안이 있습니까?

김대중 부끄럽고 망국적인 감정으로 앞으로는 없어져야 합니다. 이건 박정희 정권이 만든 것이죠. 지역차별 없이 고르게 개발 투자를 하게 되면 점차 해소될 겁니다.

성병욱 『중앙일보』가 「이런 대통령을 바란다」라는 시리즈를 연재했습니다. 김 의장 생각은 어떻습니까?

국민들이 어떤 사람을 필요로 하느냐

김대중 기준은 이 시대 국민들이 어떤 사람을 필요로 하느냐는 거죠. 첫째, 마음으로부터 국민을 하늘같이 받들고 충성하듯 받드는 사람이어야 합니다. 지금까지는 주인인 국민을 봉사자들이 오히려 무시하고 탄압하기까지 했어요. 또 하나는 국정 전반을 혁명적으로 뒤집어선 안 되지만 상당히 개혁·발전시킬 수 있어야 합니다. 그러려면 모든 분야에 대한 정책 아이디어가 있어야 하며 그것을 취사선택하는 능력과 완급緩急·경중輕重·필요성 여부 등을 판단할 수 있는 자질이 매우 중요하다고 봅니다.

대통령중심제에선 대통령이 자기 힘으로 실천해 나가는 열의와 양식이 필요합니다. 또 민주화를 민족 숙원인 통일과 연결시킬 수 있는 포부와 능력도 요구됩니다.

성병욱 9월의 위기설에 대해 어떻게 생각하십니까? 일부에선 혁명정부를 세우자는 소리까지 나오고 있습니다만…….

김대중 나는 노동자나 학생들이 건전한 방향으로 가고 있다고 생각합니다. 혁명정부 또는 제헌의회 등의 주장은 소수로서 다수의 지지를 못 받고 있습니다. 최근 결성된 전대협의 성명을 보면 국민운동본부나 민주당과 차이점이 없어요. 선거혁명을 지지하고 있어요. 노사 문제도 신문들이 지나치게 걱정하고 있는데 그들 주장의 핵심은 어용노조 퇴진, 민주노조 결성과 적정임금 보장으로 당연한 거예요. 이를 전화위복의 계기로 삼아야 합니다.

성병욱 노사 문제와 관련해 최근 야권 일부에서는 무조건 노동자 편을 드는 경향을 보게 되는데, 예를 들어 임금만 해도 한꺼번에 대폭 올리면 국내경제에 미치는 영향이 매우 크지 않겠습니까?

김대중 참 중요한 지적입니다. 임금은 생산성 향상 범위 내에서 올려야지 그 이상은 인플레이션을 초래하게 되니까 안 되죠. 그러나 현재 그 수준도 안 주는 게 사실 아닙니까. 그동안 기업가는 엄청나게 부자가 됐으나 노동자는 그대로입니다.

성병욱 김 의장의 『대중경제론』에서는 외채 도입보다 외국인 직접투자를 하도록 해야 한다고 했는데, 외채는 우리가 주체로 갚으면 끝나지만 외국인

투자는 그들이 이익을 가져가지 않습니까?

김대중 양쪽을 공존시키는 게 좋겠죠. 우리는 너무 외채 중심이었어요. 정치자금 빼내기가 쉬우니까 그랬던 것 같아요. 외국인 직접투자는 우수한 경영·생산·기술을 가져오고 빚 갚을 의무가 없으면서도 이익을 나눠 먹으니까 더 좋지요.

성병욱 남미에선 외국 기업의 착취로 종속이론까지 생겨났는데 외국인 직접투자를 지지하시니 좀 의외입니다. 또 시장 개방도 강조하셨던데 처음부터 시장을 개방했다면 국내 산업은 어떻게 되었겠습니까. 경제를 너무 정치적 시각에서 본다는 느낌이 드는군요.

김대중 그 책을 쓴 게 1983년인가 그랬는데……. 하여간 나는 우리 능력에 자신이 있습니다. 시장을 폐쇄하면 유치 산업이 보호되겠지만 한편으로는 소비자의 희생을 강요하는 결과가 돼요. 과거 우리 국민은 텔레비전을 국제 시세보다 2, 3배나 비싼 가격으로 샀습니다. 수출할 땐 훨씬 싸게 팔고……. 그 과정에서 기업가는 살찌고 소비자는 피해를 보고 노동자는 제대로 분배를 못 받았죠. 기업은 국내뿐 아니라 국제적으로도 경쟁력을 갖춰야 하며 수입을 열고 독점하는 건 괜찮지만 수입을 막고 독점해선 안 됩니다. 나는 기본적으로 자유경쟁을 지향합니다. 콜게이트 치약을 수입해도 우리 치약이 좋으니까 우리나라에서 뿌리를 못 내리지 않았어요. 그렇게 국제경쟁력이 있는 상품이 진짜 상품이지요.

성병욱 앞으로의 경제 정책은 어찌해야 될까요?

김대중 성장·안정·분배가 균형을 이뤄야 합니다. 지금까지는 성장·안정에만 중점을 뒀고, 특히 박 정권은 성장에, 현 정권은 안정을 강조해 와 분배 구조가 왜곡됐지요. 기업가와 노동자는 동등한 파트너로 협력해야 하고 정부는 그런 방향으로 이끌되 불가피한 경우에만 개입해야 합니다. 경쟁력이 없는 산업은 전업轉業시켜야 하며 고도기술 분야로 발전시켜야 합니다. 대기업의 기업 경제 정책은 관권官權경제에서 완전 자유경제로 풀려나고 정부 간섭은 없어야지요. 그 대신 특혜도 없어야 합니다. 소비자에게 봉사하고 국제 경쟁력을 갖춘 기업만 살아남는 거죠. 한편 그동안 무시당해 온 농업은 상당 기간, 그리고 중소기업은 당분간 보호·육성돼야 합니다.

성병욱 김 의장은 이론이 밝은 것으로 자타가 인정하고 있는 줄 압니다. 그러다 보니 상대적으로 아랫사람들이 자기주장을 말하기 어려워 동교동 분위기가 권위주의적이라고 하던데요.

김대중 보기에 그런 점이 있을 거요. 주의도 하죠. 잘 안 고쳐질 때도 있고… …. 지도자는 밑의 사람들이 자유롭게 이야기하는 분위기를 조성하는 데 유의해야 한다고 생각합니다. 나에게 그런 결점이 있어요.

성병욱 김 의장의 평소 대對여성관이나 정책, 특히 가족법 개정에 대한 입장을 말씀해 주십시오.

김대중 우리 가족법은 1950년대 중반에 제정됐는데 헌법에 위반된 것, 조문 자체끼리 모순된 것도 있고 동성동본 혼인 금지 등 문제가 많습니다. 헌법에는 남녀 평등을 규정해 놓았지만 가족법은 남성 우위로 돼 있어요. 여성뿐 아니라 국민기본권 입장에서도 가족법은 고쳐 나가야 한다고 생각합니다. 여성은 정치뿐 아니라 동일직종에선 동일임금을 받아야 하며 출산 후 퇴직 강요도 없어야 합니다. 민주당에 여성의원이 한 명도 없는 건 부끄러운 일입니다.

우리 여성들에겐 한 가지 지적하고 싶은 것도 있어요. 이제까지 사실 여권은 여성이 싸워 얻은 것보다 남자 인권운동가가 얻어 준 게 대부분입니다.

성병욱 바람직한 정치가의 내조자상을 말씀해 주십시오.

가정 화목도 정치에 중요

김대중 아내가 남편이 하는 일을 이해하는 능력·지식·판단력 등을 가질 필요가 있습니다. 그리고 남편 비판을 제일 잘할 수 있는 게 아내니까 남편의 부족한 점을 지적해 줄 수 있어야지요. 또 정치인은 바쁘니까 가정을 맡아 나가야지요. 그러나 남편이 가정일에 무관심하게 해서는 안 됩니다. 가정 화목도 정치에 굉장히 중요하거든요.

성병욱 이희호 여사는 그런 역할을 하고 계십니까?

김대중 예, 그렇습니다. 원고도 대부분 보여 주고 고칠 부분은 지적을 받곤 하지요. 사람을 판단할 때도 도움을 받습니다. 그러나 나는 누구 말이건 귀를 기울이지만 판단은 내가 합니다. 남편이 자주적인 판단을 하도록 유지해야지 막 바로 이렇게 하라는 식이어선 안 됩니다.

성병욱 김 의장은 대통령 후보와 노벨상 중 구태여 하나를 고르라면 어느 쪽을 택하시겠습니까?

김대중 (웃기부터 하면서) 노벨상을 줄지 안 줄지도 모르는데 내가 뭐…… 허허…… 주나 안 주나 물어보고 올래요? 그러면 답변하죠. 내가 답변하면 웃을 거요.

성병욱 1982년 도미 전 정부 측에 탄원서를 낸 것은 사실인가요?

김대중 썼어요. 사형 선고를 감형하는 데 그게 요식행위로 필요하다는 거예요. 또 외부에 공표하는 것도 아니라고 해서 썼지요, 나보다 나로 인해 고통을 당하는 사람에게 선처해 달라고 썼는데 당시 담당자가 나까지 포함시켜야 된다고 자꾸 그래서 그냥 써넣었어요. 결국 공표하더군요.

성병욱 건강은 어떻습니까?

김대중 1971년 국회의원 선거 지원 유세 중 트럭으로 나를 치어 죽이려 할 때 입은 부상으로 걷기 불편합니다. 사실 이한열 군 장례식 때 연대에서 시청 앞까지 걸은 것이나 천안에서 걸은 것은 나로서는 무리였지요.

성병욱 『동교동24시』를 보면 그건 우연한 사고에 불과했다고 돼 있는데요.

김대중 난 못 읽어 봤어요. 그런데 그 트럭 주인은 공화당 때 전국구 의원이었어요. 그래도 내 밑에서 2, 3년이라도 있었던 사람이 그런 책을 써 부끄러운데 그 책에는 거짓이 많습니다.

성병욱 운동을 무얼 하십니까?

김대중 내게 좋은 운동은 수영인데 내가 가면 풀장 장사가 안 될까 봐 못 가고 있어요.(웃음)

성병욱 식사는 잘 하십니까?

김대중 식욕이 너무 좋아 탈이에요. 그러나 살이 찔까 봐 많이 먹는 걸 자제하고 적당히 먹습니다.

* 이 글은 1987년 8월 25일 『중앙일보』 인터뷰 기사다. 당시 김대중 의장을 성병욱 편집부국장, 김영배 정치부차장, 신성순 경제부차장, 권순용 사회부차장, 박금옥 문화부차장 등이 인터뷰하였다.

김대중 대통령 후보 정책 질의

대담 민주통일민중운동연합

일시 1987년 10월 5일

질문 현 시기를 '친미보수연합' 구축의 시기로 보는 데에 대한 견해는? 미국의 한반도 정책의 기조는 무엇이라고 보고 있으며 특히 현 시기에 있어서 미국이 관철하려 하는 바가 있다면 무엇이겠는지?

국민의 힘을 업고 미국과 거래해야

김대중 미국의 정책이 기본적으로 무엇이든지 다음 정권에 나간 사람이 국민의 협력을 얻어서 우리 운명은 우리가 결정한다, 이러한 태도로 나아가야 한다고 생각한다. 그러나 국가가 존립하는 데 있어서 국제 관계는 무시할 수 없고 어찌 됐건 해방 이후 45년 동안 깊이 연관되어 있는 미국과의 관계를 무시할 수도 없다. 그것은 비록 우리뿐 아니라 필요하면 미국과 손잡는 것은, 공산주의를 표방하고 미국을 이 세상에 살아 있는 악마라고 표현하고 이 악마가 있는 한 이 세계에 평화도 정의도 없다 하던 중국이 오늘날 미국과 손잡고 여러 가지 하는 것을 보더라도 국제 관계는 어디까지나 국익제일주의, 이것으로 나아가야 한다고 생각한다. 우리 국제 관계는 피를 맺는 동기도 아니고 사촌 간도 아니고 영원한 벗도 아니고 영원한 적도 아니고, 우리는 국익제일주의로 나아가야 한다고 생각한다.

그렇다면 우리의 국익은 무엇인가? 첫째는 남한에서 민주주의를 해서 국민이 전부 자기 운명의 주인이 될 수 있는 국민에 의한 정치, 말하자면 남한의 민주주의를 하는 데 있어서 미국이 이것을 지지할 때는 우리가 협력하고, 지지 안 할 때는 싸우고 반대하고, 이런 입장을 취해야 한다고 생각한다.

둘째는 민족 경제를 해 나가는 데 미국이 여기에 대해서 말하자면 협력할 때는 그러한 방향으로 우리가 협력을 하고 그렇지 않을 때는 우리는 여기에 대해서 저항하고 싸우고 우리의 국익을 지켜야 한다.

그리고 무엇보다도 우리가 바라는 남북 간의 평화, 전쟁 억제, 조국의 통일, 이 방향으로 나아가는 데 우리는 미국이 어떻게 협력해 오는가 여기에 따라서 대미 정책이 좌우되어야 한다고 생각한다.

지금까지 보면 미국을 과대평가해서 그런지 모르나 뭐든지 잘못된 것은 미국의 책임이고 우리 책임이 없는 것같이 말하나, 물론 우리나라를 이 꼴로 만든 데에는 미국의 책임도 크지만 또한 박정희나 전두환 씨의 책임도 그에 못지않게 크다. 또 우리나라 경제 지도자의 책임도 크다고 생각한다. 예를 들면 2차대전 이후 미국이 세계의 부의 60퍼센트 이상을 지배할 때 미국은 유럽이나 일본에 가서 투자를 했다. 그런데 유럽이나 일본은 미국의 식민지가 되지 않고 오늘날 미국 경제를 위협하는 존재가 됐다. 또 지금도 미국이나 일본의 다국적 기업이 중국 본토나 대만, 싱가포르, 인도, 이러한 부패하지 않은 나라에 가면 정상적인 투자를 해서 정상적인 이익을 보려 한다. 그런데 인도네시아나 필리핀이나 한국 이런 데에 오면 나쁜 물건을 비싸게 팔려고 한다. 그렇게 해야만 팔린다. 즉 뒤에서 마진을 많이 내 갈라 먹어야 한다. 그런 이유로 이 정권과 기업인의 책임이 아주 크다고 생각한다. 또 지금까지 독재정권은 자기 힘으로는 국민들의 지지를 얻지 못하기 때문에, 이것을 감당 못 하기 때문에 자주 미국에 의존하므로 정치적 군사적으로 예속이 심화되어 왔다.

그러나 민주정부가 서서 국민들의 힘으로 우리가 우리 자신의 안보를 책임질 수 있고, 그리고 자신을 갖고 남북 간에 대화를 추진하고 평화를 하고 할 때 우리가 미국에게 그렇게 의존할 필요가 없다는 것이다. 물론 국제 관계는 우리가 감정만 가지고는 할 수 없다. 거기에는 여러 가지 어려운 복잡한 문제도 있고 현실을 무시할 수 없는 문제도 있다. 이 세계에서 진정한 의미에서 미국과 소련의 영향을 전적으로 무시할 수 있는 나라는 거의 없다. 그러나, 그것은 어디까지나 상대적으로 볼 때 이만하면 우리가 자주적으로 하고 있다, 이만하면 우리 운명 우리가 결정하고 있다, 이런 선은 있는 것이다. 이것은 곧 누가 결정하는가, 국민적 합의가 이것을 결정할 것이고 우리의 상식이 결정할 것이다.

지금 미국이 '보수연합'을 바란다는 것은 우리 모두가 잘 안다. 내각책임제 추진하지 않았는가, 미국이. 그래서 내가 미국에서 와 보니 신민당이 선거에서는 직선제 가지고 나갔는데—내가 누구 앞에서 자신 있게 말할 수 있다. —이 신민당의 상도동계, 동교동계 둘 다 내각책임제를 지지하고 있다, 그러니 내각책임제 하자고 나를 붙잡고 설득을 했다. 그래야만 민정당이 개헌을 할 것이라고, 이것도 진일보 아니냐, 이런 식으로. 그런데 그 배후를 보니 미국에서 1985년 1월에 귀국하려 하니 당시 워커 대사가 사람을 보스턴까지 보냈다. 당신이 귀국하면 현 정권이 잡아 둔다고 하니 당신을 보호해 줄 필요가 있다, 그러니 안 오는 게 좋겠다. 그래서 내가 미국을 믿고 가느냐, 갈 때는 감옥 갈 각오로 간다. 당신들이 날 보호하고 자시고 할 필요가 어딨느냐, 그러면서 내가 귀국한다고 하니 미국의 민주주의자들이 합심해서 정부에 압력을 넣어 미국 정부가 전두환 씨에게 김대중 귀국하면 구속 못 시킨다고 하더라 하는 말이다. 그러나, 한국 정부가 미국에 떼를 쓰니 미국 정부가 공식 '귀국 연기' 요청을 했다. 그래도 밀어붙이고 나왔는데 국민의 힘이 그렇게 세니 미국이 전두환 씨에게 압력을 가해 체포를 못 하게 했다. 그렇기 때문에 미국이 우리 운명을 마음대로 좌우하는 게 아니라고 본다. 그래서 우리가 국민하고 뭉쳐서 우리의 자주적 입장을 펴 나가면 나는 우리의 권리를 지킬 수 있다고 본다.

지금 의심이 여지없이 미국이 노태우 씨 지지하는 게 사실이다. 또 나를 후보 중에 제일 안 받아들이는 것도 사실이다. 그렇지만 그것이 미국 마음대로 다 되는가. 내각책임제 하려다 못 했고 이민우 구상 지지하다 실패했으며 또 4·13조치 나오자 그거라도 받아야지 안 받아서 군대가 나오면 어떻게 하겠는가, 몇 년 이후로 노태우 씨 취임하면 민주주의 대폭 할 테니 올림픽 이후로 보는 것이 좋다, 이런 말을 우리가 상대 안 하고 밀고 나가니 여기까지 온 것이 아닌가. 이래서 우리는 미국의 힘을 과소평가할 필요도 없지만 과대평가할 필요도 없다. 미국의 약점이라고 하는 것은 한국 국민에게 미움받고 싶지 않다는 것이다. 그러면 국민의 힘을 등에 업고 미국과 거래할 때 우리는 우리의 이익을 상당히 지켜 나갈 수 있다.

경제 문제도 마찬가지이다. 아까도 말했다시피 이쪽에서 부패한 정권이 자진해서 그렇게 나왔다. 솟값이 폭락한 것도 그렇다. 미국 소가 그만큼 들어온 것이 아니고, 주로 호주 소와 캐나다 소 때문에 이렇게 되었는데, 사실 그 사람들이 사가라고 압력 가할 힘도 없다. 그런데 솟값이 폭등을 해서 180만 원-200만 원까지 가니까, 저쪽 솟값과 비교하니 사 오면 큰 이익이 남거든, 그러니 재벌들과 새마을운동 하는 사람들이 결탁을 해서, 소를 마구 사들여 왔는데 이래서 남는 돈을 갈라 먹고 근 1조 원이 넘는 돈을 빼먹었다. 농민은 2백만 원 가던 것을 1백몇십만 원에 준다고 하니 멋도 모르고 사 왔다가 보니 나중에 폭락해 버렸다. 이런 것을 보더라도 경제가 대외 예속되는 데 있어 우리가 나쁜 정부 가지고 있는 점이 크다. 그래서 국민을 위한 정부가 서면 이런 민족자주라든가, 민족경제의 자립이라든가 그리고 남북 문제도 누가 보든지 납득할 수 있게, 이렇게 주변 사정이 누구도 반대할 수 없게 어느 쪽에서도 치우치지 않게 이런 식으로 끌어 나간다면 이 문제도 상당한 진전을 가져올 수 있다.

조선왕조 말기에는 4대국, 러시아, 일본, 미국, 영국, 이 네 나라가 우리나라에 크게 관여했다. 중국은 중·일전쟁에 져서 못하고……, 그때도 우리나라에 와 있는 나라들은 이 나라를 중립국만 만들었으면 좋겠다고 했다. 독일공사가 굉장히 공작을 했다. 그런데 당사자 우리나라가 중립이 뭐냐, 중국 대륙이 있는데, 대륙을 버리고 어떻게 중립을 하느냐고 이렇게 해서 거절한 면이 있다. 그래서 결국 중요한 것은 우리들의 자세이다.

지금은 식민지 시대하고 달라서 대국이라고 해서 마음대로 할 수 없다. 그리고 조선왕조 말기에는 러시아나 일본이 조선을 먹으려 했으나 지금은 서로 먹으려고 하는 나라는 없다. 불가능하고 또 그런 시절은 지났고, 다만 상대방 쪽에 일변도로 한반도가 영향권에 들어가는 것은 다 두려워한다. 또 우리가 그럴 필요가 없다. 그렇기 때문에 앞으로 이 4대국을 잘 조정하면서 우리가 결국에는 독자적으로 민족의 운명을 결정하는 중립적인 방향으로 나가야 할 것이다. 장래는 그렇게 갈 것으로 본다. 이렇게 볼 때 미국이 보수연합을 바라고 있지만 우리가 안 하면 된다. 우리가 그것을 깨고 우리의 뜻대로 해 나가면 되는 것이고, 할 힘이 우리에게 있다. 미국, 우리 눈치 굉장히 본다. 너무 미국을 과소평가할 것도 아니지만 과대평가할 것도 없다. 이런 관점에서 앞으로 미국 문제에 대응해 나가야 한다고 생각한다.

질문 6월민주화대투쟁(국민항쟁)의 성과와 한계는 무엇이라고 보고 있는지?

지난 6월 투쟁, 7-8월 노동자투쟁 기간 민주당 특히 양 김 씨가 '비폭력'을 강조하고 '노사 문제의 자율적 해결'을 천명해 온 데 대한 인식론적 근거는 무엇인지?

6월항쟁은 민족사적인 일

김대중 6월투쟁은 6월혁명이라고 규정해야 한다고 생각한다. 국민 전체가 어떠한 성취의 목표를 놓고 싸워서 상당한 부분을 성취시켰다는 의미에서, 독재체제를 민주체제로 변화시키는 길을 연 의미에서 혁명이라고 보는 것이 옳지 않겠는가 하고 생각한다.

어쨌든 6월투쟁 이것은, 과장한 것 같지만 실제로 5천 년 역사 이래 처음 있는 획기적인 민족사적 일이었다고 생각한다. 그것은 지금까지 권력자 앞에 패배자밖에 되지 못했던 많은 민중이 처음으로 자기 운명의 주인이 되어 가지고, 권력자의 힘에 의해서 패배당하지 않았을 뿐 아니라, 만일 노태우 선언이 조금만 더 늦게 나왔으면 권력자를 완전히 패배시킬 수 있는 그러한 힘을 과시하기 시작했다. 이렇게 생각한다. (그들은) 군대를 동원할 생각도 해 봤지만 군대를 동원해도 이긴다는 보장이 없었다. 1980년은 광주 한 곳이니 해 봤지만 서울을 비롯 30여 군데서 일어난 이 국민을 어떻게 할 것인가. 또 상황이 그렇게 되니 미국이 민주 혁신보다는 자기네 국익을 위해서 군대가 나오는 것을 절대적으로 반대했다. 이 힘은 결과적으로는 컸다고 본다. 게다가 6월 19일 제1차 출동 명령을 내렸다가 최종 단계에 취소했는데 그 취소시키는 힘이 군 내부에서 일어났다. 중견 장교뿐 아니라 최고의 장군들까지도 적극적 내지는 소극적 저항을 한 사람이 참 많았다. 이 모든 것이 나가 봤자 안 된다, 나가면 제 백성에게 총을 쏴야 하는데 광주사태에서 심각한 정신적 타격을 받은 군대의 지휘관들이 누가 감히 총을 쏘라고 할 수 있겠는가. 또한 발포

명령을 내린다면 응할 보장이 어디에 있겠는가. 문제가 그렇게 됐던 것이다. 결국 미국도 중산층 참가에 겁이나 태도를 바꿨고 군대도 국민이 전국적으로 일어나는 것을 보고 이길 수 없다고 판단해 생각을 바꿨던 것이다. 결국 6월 투쟁의 승리도 전적으로 국민의 힘에 의한 것이었다. 이렇게 판단된다.

이러한 점을 볼 때 4월혁명과 달리 이번에는 미국도 이 정권 지지하고, 언론도 이 정권 전면 지지하고, 정권의 물질적 역량도 훨씬 더 강화됐고, 독재의 기술도 훨씬 더 늘어난 여건을, 맨주먹으로 국민이 극복해 냈다. 전 세계가 경악할 일을 해낸 것이 국민의 힘이었다. 결국, 6월투쟁은 국민의 위대한 승리였고 이제 국민은 역사의, 자기 운명의 주인으로서 당당히 등장하게 되었다. 이제 다시 후퇴는 없을 것이다. 6월투쟁은 민족사적인 입장에서 볼 때도 참으로 획기적인 의의가 있는 사건으로 본다.

이번에는 이전의 4·19혁명, 유신쿠데타, 1980년 봄과 달리 4·13호헌조치 하고 6월 10일 노태우 지명을 해도 끄떡도 않고 국민이 싸워 이겨 냈다. 이전과는 전혀 다르다. 그래서 이런 의미에서 한국 국민은 처음으로 민주주의를 할 수 있는 자기 역량을 보였다. 이렇게 생각한다.

다음에 노동자 투쟁 문제인데, 나는 이 노동 문제가 나왔을 때 반드시 부정적으로 보거나 자율적으로 해결하라고 주장한 것만은 아니다. 노동 문제가 제기되고 2-3일 후 『중앙일보』와의 인터뷰에서 분명히 밝혔지만 이번 노동자의 주장은 정당하다. 노동자의 주장은 "어용노조 물러가라", 자기 동료 노동자들에 대해 배신적 행위를 하고 연약한 여성노동자들을 각목과 파이프로 패고 끄집어내고, 민주노조를 만들려고 하는 자를 전부 용공으로 밀고해서 감옥으로 보내는 안기부(현 국가정보원)와 경찰과 기업계에서 창출한 이 어용노조 물러가라고 하는 것을 당연한 것이라 본다.

다음에 적정임금 달라, 자기가 일한 만큼 달라, 이것이 뭐가 잘못이냐, 다만 이것을 하는 방법이 어디까지나 '비폭력적'으로 해야 한다고 주장한다. 그 신념에는 지금도 변함이 없다. 비폭력은 도덕적, 종교적 입장에서만 말한 것이 아니다. 무저항을 주장한 것이 아니라 '비폭력 적극 투쟁' 을 주장한 것이다. '비폭력' 을 하는 것이 많은 사람이 참가할 수 있고 또 국민이나 세계의 동정을 받을 수 있고 상대방의 모함에서 모면할 수 있는 길이고 그것이 승리의 길이기 때문에 비폭력을 주장한다. 나는 이러한 점 때문에 비폭력이 옳다고 생각한다. 또 비폭력 싸움을 했기 때문에 우리가 6월투쟁에서 중산층을 끌어들여서 승리할 수 있었다. 이 승리의 교훈을 배워야 한다고 생각한다.

나는 이렇게 생각했는데 민주당에서는 이 생각을 위험시하고 한번은 노동자를 엄청나게 규탄하는 성명서를 초안해 왔다. 극력 반대해서 그것을 저지하고 당 지도부와 함께 깊이 얘기했다. 이래서 노동자 투쟁을 지지하는 것을 당론으로 확정시켰다. 이래서 나는 주장하기를 정부가 개입하라고 했다. 그 점에 있어서는 당과 약간 상이했다. 어용노조 만든 것은 안기부와 경찰이 만든 것 아니냐. 그러므로 경찰과 안기부가 나서서 너희는 이제 필요 없으니 그만둬라 해야 없어지는 것이고 그러기 전에는 안 없어진다고 생각했다.

임금문제 가이드라인 줘서 임금 못 올리게 한 것이 누구냐, 정부다. 이번에는 정부가 사업주와 만나서 대기업, 중소기업 등 분야별로 가이드라인을 줘서 임금을 올려줘야 한다고 주장했다. 결국 정부는 안 했다. 안 해서 3천여 개 이상에서 노동쟁의가 일어났고…… 어용노조가 그대로 있으며 이들의 총본산인 대한노총이 그대로 있다.

여기에서 문제가 되는 것은 노태우 선언이 있자 국민들 중 중산층, 이들이 갑자기 우경화됐다는 것이다. 이래서 마무리 문제들, 석방, 사면, 복권, 노동자들의 긴급한 생존권의 문제 등 이러한 문제에 대해서 관심보다는 선동하지 말고 조금 기다리면 되지 않느냐, 이러한 여론이 상층부를 둘러싸고, 이것이 언론의 조장에 의해서 더욱 강화되는 이런 사태를 가져온 것으로 알고 있다. 운동이라고 하는 것은 국민들의 그때그때의 힘을 무시하고는 될 수 없다.

운동은 이론도 중요하지만 방법, 수단, 시기, 선택 등도 대단히 중요한 것인데 이런 의미에서 이번 노동자들이 정치적 구호를 내지 않고, 반기업가적 주장을 내지 않고 어용노조 퇴진과 임금 인상 등을 주장한 것은 지극히 현명했다고 본다.

노동자들의 노동삼권도 중요하고 노동자들의 정당을 통한 정치 참여도 중요하지만 지금 1단계에서 노동자들이 이 두 가지 문제에 집중한 것은 지극히 현명한 것이었고 마침내 여당의 노태우조차도 노동자들의 주장을 합리적이다, 이렇게 말하지 않을 수 없게 했다.

이런 의미에서 이번 노동자들의 투쟁이 관제 언론의 위기의식 고취, 노동자들에 대한 일방적으로 불리한 자세, 그리고 이 정권이 노동자들에 대해 전경련 등을 통해 공개적으로 비방하는 여건 속에서 노동자들이 이만큼 해낸 것은 노동자들의 슬기와 역량을 표시한 것이다. 또한 많은 국민들이 그래도 상당한 성원을 해 주었기 때문에 그렇게 할 수 있었다고 생각한다. 나는 이것은 대성공은 못 되지만 합격점은 된다고 생각한다. 장차 노동삼권을 완전히 확보하고 노동자들의 정당한 권익을 차지할 수 있는 그러한 기반과 역량을 이번에 표시한 것이라고 본다. 이번 성과를 앞으로 소중히 유지해 나가면서 어디까지나 국민의 이해를 받아 가면서 언론의 자유를 획득해 이해시키면 노동자들의 문제는 해결되지 않겠는가 생각한다.

다만 긴급한 문제는 노동자들이 직장에서 쫓겨나고 폭력으로 분쇄되고, 목사님들이 끌려가고 하는 것은 당면한 문제로서 싸워 내면서, 선거 시기를 잘 넘겨서 불과 3-4개월 이후부터는 노동자도 농민도 중소기업도 결국 인간다운 대우, 정당한 경제적·사회적 권익을 차지할 수 있는 그러한 단계가 올 수 있고 또 오도록 우리가 도와줘야 하고 같이 노력해야 하며, 자기들 스스로도 그런 노력은 할 수 있다고 평가된다.

질문 후보 단일화 문제에 관해 어떻게 생각하시는지? 최근 언론에서는 신당설까지 나오고 있는데, 끝까지 후보 단일화가 안 되었을 경우, 용퇴하실 생각은 있으신지?

정치인은 자기 몸이 자신만의 것은 아니다

김대중 민주당은 동교, 상도 양쪽의 세가 똑같으므로 한쪽이 다른 한쪽을 몰아낼 수 있게 되어 있지 않다. 그것은 제가 무슨 권리를 주장하는 것이 아니라 무소속으로 나간다든지 신당 만든다든지 전혀 그런 계획이 없다. 언론에서 주로 분당이라든지 하는 방향으로 여론을 몰고 갔다.

솔직하게 말씀드려 나는 요즘 단일화 문제에 밀려가고 있는 현실을 굉장히 부끄럽게 생각하고, 내 개인으로서는 참으로 본의가 아니고 어떻게 보면 기가 막힌 심정이다. 내가 썩 그렇게 대통령 후보에 마음이 끌려 있는 것도 아니고 꼭 내가 해야겠다는 생각이 있는 것도 아닌데…….

작년 11월에 건국대 사건이 났을 때, 나는 그 사태를 거의 5·17반란의 재현으로 봤다. 그렇게 위기의식을 느꼈다. 마침 김영삼 총재도 없고(서독 방문 중이었음), 나 혼자뿐이어서 내 몸을 던져서라도 무언가 해야겠다 생각하고 전두환 씨에게 직선제 하면 김대중이 된다고 겁을 먹으니 당신이 직선제만 한다면 내가 안 하겠다, 내가 이랬던 것이다. 그때 1,260명 학생을 용공도 아닌 공산혁명분자로 잡아갔다. 참 지금은 나왔으니 말이지 그땐 어마어마했다. 무언가 쐐기를 박아야겠다 생각했다. 물론 전 정권은 그러한 것은 알고도 하지 않았다. 복권도 안 된 주제에 무슨 소릴 하느냐, 정계 은퇴한다고나 해라 이러고 말았다. 그렇지만 그것이 그때 정국의 흐름에 쐐기를 박은 것만은 사실이다.

그런데 그때 그래 놓고 보니 당신이 대통령 되는 것 하나에 전 희망을 걸고 있었는데 이럴 수가 있느냐는 그때 편지를 보고 가슴이 아파 몇 번을 울었다. 난 당신이 사형 선고를 받을 때 산에 가서 기도도 했는데, 당신 대통령 시켜 주십사 하고 하느님께 빌었는데 이럴 수가 있느냐, 어째 당신 마음대로 하느냐 이랬다. 그래서 고민을 많이 했는데 금년 사면, 복권된 후 다시 한번 대통령 나갈 의사가 없다 이렇게 했더니 막 항의가 들어왔다.

그래서 가만히 이런 것을 보니 이것은 국민 전체의 의사인지 아니면 나만 특별히 지지하는 사람들인지 잘 알 수가 없었다. 더구나 16년 동안이나 전국을 돌아다녀 볼 기회가 없었기 때문에. 그래서 36개 지구당이 미창당으로 되어 있으니 김 총재와 내가 전국을 같이 돌자, 그래서 전 국민 앞에서 우리가 같이 호소하고 지지를 요구하고 하면 야당 붐도 일어나고 정치 주도권도 잡고 또 단일 후보 하는 데 국민의 뜻을 따라서 할 수 있지 않겠느냐, 이렇게 제안도 해 보았지만 거절을 당했다. 그래서 할 수 없어 그렇다면 나라도 광주로 가야겠다고 생각했다. 가면서 국민이 날 열렬히 지지하면 감사하지만 그렇지 않으면 내가 해방되는 것이다, 이렇게 생각하고 나갔다.

목포, 대전, 인천, 이번에 연세대……, 이것이 수도 수지만 이 열기, 전부 이 태도가 출마해라, 이것이 초점이었다. 더구나 이번 연세대는 29일 (단일화에) 실패한 이후이므로 관심과 우려를 갖고 갔는데 전부는 아니지만 대부분의 사람들이 그런 태도를 강하게 표현한 것은 사실이다. 이렇게 되니 내 몸이 내 마음대로 되지 않는다.

만일 함부로 그만둔다 하면 이 사람들에 대한 완전 배신이 된다. 정치인은 자기 몸이 자신만의 것은 아니다.

그리고 김 총재 측에서 내가 안 된다고 하는 것이…… 건국대 사태 때 불출마 선언을 했더니 당시 서독에서 (김 총재가) 김대중 씨는 나이도 나보다 다섯 살 위이고, 그렇기 때문에 김대중 씨가 사면, 복권되면 김대중 씨가 나가도록 그렇게 권했는데 앞으로도 이 태도에 변함이 없다, 이렇게 말했다. 그런데 이번에 이 문제가 제기되자 조속한 단일화를 김 총재가 주장했다. 또한 5년 단임제를 들고나왔다. 김 총재를 만났는데 양보를 할 텐데 군이 지지하지 않아 안 되겠다라고 말을 했다. 그전에 그분이 신문사 간부와 만나 김대중 씨가 후보가 되면 그 시간에 군이 디제이(DJ)를 없애 버릴 것이라는 말을 했다. 군이 지지하지 않으니 당신을 지지하지 않겠다고 김 총재가 말했다. 7, 8월에 이 문제를 상도동에서 계속 말했다. 그래서 내가 군사독재와 싸우면서 군이 어쩌느니 하는 것이 말이 되느냐고 물으며, 군이 나를 죽이면 국민의 힘에 의해 민주주의가 되니 그때 당신이 맡아서 하면 되지 않겠는가, 왜 우리가 군을 두려워하는가, 보다시피 군도 다수가 우리를 지지하고 있으며, 미국도 노를 지지하고는 있으나 군대가 나오는 것을 바라지 않는 것이 사실이다. 심지어는 전두환도 김대중 씨가 되어도 정권을 이양하겠다고 말하지 않는가, 그런데 왜 김 총재가 그런 말씀을 하셨소라고 말하니, 김 총재가 말하기를 그것은 당신이 잘 모른다, 군은 절대로 당신 지지하지 않게 되어 있다, 군이 당신을 열을 반대하면 나는 하나라도 반대할까 말까 한다라고 했다. 그러나 나는 당신하고 생각이 다르다, 그럴수록 우리가 군과 싸워야 한다, 만일 지금부터 군대의 눈치를 보면 이다음 정권이 어떻게 되겠는가 했더니 김 총재는 정권을 잡으면 군을 딱 잡겠다고 했다. 그때까지는 달래 가면서 해야 한다고 말했다. 이런 점에서 나와 많은 견해 차이가 났다.

나는 최근에 글라이스틴이라는 대사가 와서, 당신 기어코 대통령 나오면 한국 군대가 용납지 않고 큰 불행이 생길 것이다라는 말을 하길래, 당신이 무슨 근거로 그런 말을 하느냐, 우리 군대가 그런 군대인 줄 아느냐, 당신들의 이민우 구상을 무너뜨리고 직선제 하지 않았느냐, 우리 국민이 1980년 국민인 줄 아느냐, 지금은 다르다, 나는 군대가 그렇게 하든 안 하든 상관하지 않겠다, 나는 다시 한번 죽더라도 군대의 눈치 보면서 정치하지 않는다, 누가 죽더라도 군대가 정치에 개입하는 못된 버릇을 끊어야지 이것 끊지 않으면 민주주의 영원히 안 된다, 다행히 1980년도에 죽지 않았으니 그때 죽었다고 생각하고 이 목숨 바친다, 내가 죽어서 해결할 테니 당신 쓸데없는 간섭 말라(고 말했다).

제 신념은 그렇다. 절대로 군대에 아부할 생각 없다. 나는 군대를 존중하고 국방을 존중하는 측면에서는 군대에 협력하겠다. 이것은 당연히 해야 한다. 그러나 군이 정치에 개입하는 것, 이것만은 이번 기회에 잘라 버리지 않으면 일이 안 된다. 또 지금같이 국민이 일어섰고 미국도 이래서는 안 되겠다고 하는 이러한 기회, 군대에서도 우리가 개입해서는 안 되겠다고 하는 이런 기회, 이 3자가 딱 합친 이런 좋은 기회를 놓치면 안 된다. 여기서 군대가 개입하지 못하게 해야 한다. 이 점에 있어 김 총재와 견해가 다르다.

그리고 나는 아르헨티나의 알폰신 같은 태도를 취해야 한다고 생각한다. 아르헨티나의 알폰신이 나왔을 때 군대가, 다 되어도 알폰신은 안 된다고 했다. 그런데 알폰신이 밀어붙여 당선됐다. (당선)된 후 알폰신이 정국도 안정시키고, 경제도 500퍼센트까지 가던 인플레를 잡아 20퍼센트 이하로 누르고 이제 알폰신이 국제 신용을 얻었다. 그리고 군대도 장악을 해서 이제는 군대 내에 잘못된 사람들이 개과천선을 하면 봐주는 여유마저 보이고 있다. 같은 시기에 브라질에서는 야권 리더로 당선된 지 얼마 안 돼 죽은 네베스 씨가 군대와 적당히 야합을 해서 새 정부를 세웠는데, 그분이 죽고 나서 브라질은 현재 파탄 직전에 있다. 이렇게 돼서는 안 된다고 생각한다. 그래서 나는 이런 점에 있어서 단일화에 대해서 우리 둘의 견해가 문제가 되었다고 생각한다.

기타 지역 문제와 국민 앞에 심판을 받아야 한다고 하는 것은 절대로 옳다고 생각한다. 국민적 지지는 유세를 통해서 국민에게 받아야 하며 세계 모든 나라도 그렇듯이 안 되면 중간에 포기해야 한다. 이것이 민주주의 사회에서 대통령을 뽑는 과정이다. 이런 과정이 필요하다. 과거에도 대통령이 되려고 하는 사람은 전국을 돌며 국민 앞에 심판을 받았는데, 왜 지금 하려 하지 않았느냐, 내 말대로 8-9월에 전국을 돌았으면 이미 모든 것이 지금 다 끝난 입장일 것이다. 당연히 국민적 후보는 국민적 여과의 과정을 겪어야 한다. 밀실에서 해서는 안 된다. 이런 점이 문제가 됐었는데…….

나는 자신 있게 말하는데 후보 단일은 된다고 생각한다. 여러분의 협력을 얻어서 된다. 또 되어야 한다. 우리가 이것 못 만들면 안 된다. 그래서 어디까지나 국민적 안목을 기초로 해서, 국민 여론을 기초로 해서 단일화하자, 과거에도 직선제 대통령 선거 다섯 번 했는데 두 번은 타협으로 됐고(1956년 신익희 씨, 1967년 윤보선 씨), 2번은 투표(1960년 조병옥 박사, 1971년 김 총재와 나)로 됐고, 1963년에는 허정, 윤보선 씨 둘이 나왔지만 여론에 의해서 결국 허정 씨가 물러나고 윤보선 씨가 단일 후보가 됐다. 그때 허정, 윤보선 씨가 나오자 박 정권이 마음 놓고 있다가 막판에 윤보선 씨에게 몰리자 속수무책이었다. 그때 윤 씨가 박 씨를 빨갱이라고 몰지만 않았으면 당선됐다.(잠시 박정희 씨는 1963년 선거 때 전라도 유권자들 덕분에 당선되었는데, 이후 1967년 선거에서 지방색을 조장하기 시작했다는 점을 상세히 설명. 이 부분 생략)

이런 것을 볼 때 대통령 후보가 일찍 단일화하는 것이 좋지 않은 면도 있다. 그런데 이런 점을 볼 때 우리 국민이 총칼도 무서워하지 않고 최루탄도 무서워하지 않고 오늘날 이 민주화의 길을 열었는데 투표를 통해서 노태우를 당선시켜 되겠느냐. 나는 그렇게 생각하지는 않는다. 노태우 씨를 과대평가할 필요는 없다. 따라서 이 문제를 좀 더 신중히 생각할 필요가 있다. 단일화도 중요하지만 무엇을 위한 단일화인가.

앞으로 이 정권은 네 가지 문제를 이루어야 한다.

첫째, 광주사태를 비롯한 민족의 한을 어떻게 하면 당사자나 국민이 납득할 수 있게 푸는가.

둘째, 27년 동안 독재체제 하면서 만들어 온 악습, 나쁜 제도, 나쁜 관행, 또 비틀어진 사고방식들, 이런 것을 어떻게 민주적으로 개혁시켜 나가는가.

셋째, 독재정권하에서의 빈부 격차를 축소시키고 민족자본의 핵심이 되는 중소기업을 어떻게 일으켜 세울 수 있는가.

넷째, 이번에 민주정부가 서면 북은 올림픽에 참가할 것으로 보인다. 북이 참가하면 올림픽은 반드시 성공한다. 성공하면 남북 관계, 미·일과 북한 관계, 중·소와 우리 관계, 이것에 큰 진전이 있을 것이다.

이 네 가지 문제로 후보를 선정해야 한다고 생각한다. 이래서 후보 단일화도 중요하지만 무엇을 하기 위한 단일화인가, 누구를 내야 그것을 할 수 있는가, 이런 기준도 중요하다고 생각한다. 그래서 나로서는 결국에는 국민의 여론과 태도도 그렇고, 또 이 군부 문제를 갖고 보더라도 도저히 이래서는 안 되겠다는 생각이 들어서, 또 지금 말씀한 네 가지 사항을 보더라도 나도 그것을 감당할 만한 사람이 되지 않겠는가 하는 외람된 생각도 든다. 따라서 이 문제에 대해 마치 욕심을 부리는 것같이 보이는 것도 감수하면서 지금 이 일을 하고 있다. 다른 사람이 이 문제에 대해서 실망하는 데 대해, 나는 내가 귀국해서 만신창이가 되면서 싸우지 않았으면 직선제 되는 데 지장이 있었을지도 모른다고 생각한다.

이민우 구상은 미국-정부-언론이 밀어붙였지만 안 됐다. 통일민주당 창당 때 내가 야당 분열의 원인같이 보이면서도 기어이 해냈다. 어쩌면 내가 일부에서 비판을 받으면서도 정치에 투신해서 그때그때 싸워 왔던 내 나름대로의 가치도 있었다고 판단된다. 나는 내가 영광을 받는 것은 기독교 신자이니 죽어서 하느님께 받으면 됐지, 내가 현세에서 국민 문제, 정치 문제는 잘못돼 가는데 나 혼자 초연하게 있는 것은 위선이지 진정한 영광이 아니고, 나는 그것을 국민에 대한 배신이라고 생각하므로 본의 아니게도 지금 이러한 오해를 받으면서 이 고통을 감당하고 있다.

그러나 적어도 나는 노태우 씨가 당선되리라고 보지는 않지만, 노태우 씨가 당선되는 것을 용서할 만큼 내가 바보스럽게 이것에 매달려 있지는 않겠다. 내가 언제 어떠해야 하는가, 결국 김영삼, 김대중이는 국민 앞에, 후보 등록 전이든 후이든 심판을 받아서 국민의 압력이 둘 중의 하나는 물러나라 할 것이고 내가 안 되겠다 생각하면 여러분도 나한테 와서 그만두라고 할 것이다. 그리고 그렇게 해야 한다. 그래서 단일화시켜야 한다. 어떻게 우리가 노태우를 당선시킬 수 있겠는가, 그렇게 되면 내가 천 번을 사퇴해야지. 이런 점에서는 나도 여러분과 똑같은 양심을 가지고 있다는 것을 이해해 주시기 바란다.

질문 1980년대 이후 민주화운동이 대체적으로 광주항쟁으로부터 시작되었다고 보고, 현재까지도 그 문제가 중요하다고 생각하는데, 광주항쟁에 대한 평가는 어떻게 하고 계시는지?

5·18민중항쟁 없이 6월항쟁이 있었겠느냐

김대중 이렇게 어려운 문제는 공부 많이 한 여러분이 잘 알지, 나에게는 무리한 요구이다. 이 광주 문제에 대해서는 나 자신이 옥중에서 많이 생각하고 여러분과 같이 했는데 내가 보는 견지에서, 정확할는지는 모르지만 (크게 자신 없지만) 광주항쟁은 이번 6월항쟁에 대한 예시된 모범이 아니었는가라는 생각이 들고, 우리 국민들이 처음으로 권력 앞에 온몸을 던져서 권력의 부당한 간섭에 싸웠고, 그 결과는 10일 동안 이겼다.

싸운 사실, 즉 국민이 과거 유신 때나 5·16쿠데타 때와 같이 그냥 승복한 것이 아니라, 내 운명은 내가 결정하겠다는 생각으로 싸웠던 국민의 자기 주체의식, 권리의식, 동시에 자기 책임감 등 이러한 주인으로서의 전체적인 국민의 바른 의식이—주권자인 국민—나타났다. 권리의식, 책임감, 희생정신 등이 여기에 나타났다라고 본다. 이것이 이번 6월투쟁이, 지난 광주항쟁 없이 있을 수 있겠느냐라는 생각으로, 광주항쟁과 6월투쟁은 직선적으로 볼 수 있다.

그리고 광주투쟁은 여러분이 아시다시피 아주 평화스러운 투쟁을 했다. 열흘 동안의 점령 기간에 쌀가게에 쌀이 떨어진 일이 없고, 은행이 문을 안 닫고, 도적이 없고, 백성들 사이에서는 전혀 싸움이 없었다. 그 엄청난 살해 앞에서 자제를 했고, 따라서 이 나라 국민의 높은 능력(도덕적 자제 능력)을 보여 주었다. 이것이 전 세계적인 동정을 받고, 세계를 감동시켰다. 결국, 국민은 독재정권에 몇십 배 승리를 한 것이다. 그리고 광주투쟁은 어느 특정 계층이 참가한 것이 아니고, 모든 국민이 참가했다. 이것은 지난 6월투쟁에 대한 모델을 제공해 준 것이다.

이런 의미에서 광주투쟁은 우리의 역사에 커다란 족적을 남긴 기록이다. 단 부끄럽게 생각하는 것은 광주가 그토록 처절하게 열흘 동안 싸우는 과정에서 같이 싸운 것은 내가 알기에는 목포뿐이다. 목포는 열하루 싸웠다. 열하루 동안 시민이 장악했었다. 그 나머지는 별로 보지 못했다. 그 상황 속에서 나는 감옥에 있었기 때문에 잘 모르지만, 그렇게 안다. 이런 사실은 부끄러운 것이다. 그 부끄러운 사실이 이번에 전국적인 6월투쟁으로 된 것이 아닌가라고 나는 생각한다. 이번에 6월투쟁은 광주투쟁보다 훨씬 성숙되고 효과적이라는 것을 여러 번 느꼈다. 이런 의미에서 광주투쟁은 우리 역사에서 획기적인 사건이었고 처음으로 민중들이 자기 운명을 자기가 결정하겠다고 결심한 싸움이다. 비록 성공은 못 했지만 거대한 교훈을 주어서 결국 이 6월투쟁을 통해서 완성했다. 즉 광주항쟁은 시발점이고 6월투쟁은 종착점, 승리점이었다고 나는 성격 규정을 하고 싶다.

앞으로 광주 문제에 있어서 우리는 어디까지나 이것이 정당하게 해결되어야 한다고 생각한다. 내가 이번 망월동 묘지에서 우리 유가족들에게 조사 낭독을 할 때, 언급을 했다. 사건의 진상이 분명하게 밝혀져야 한다. 이때, 누가 비참하게 죽었고, 당했나를 밝혀야 한다. 이것은 돌아간 넋을 달래기 위해서, 광주 시민의 누명과 억울함을 밝히고 명예를 회복시키기 위해서, 또 전 국민들이 진실을 알 권리와 역사에 이것이 올바르게 기록되어서, 슬프고 자랑스러운 교훈을 바르게 남기기 위해서라도 진실은 꼭 밝혀져야 한다.

또 여기에 관련된 유가족, 부상자들에 대해서, 보상으로 해결될 문제는 아니지만 물심양면으로 최대의 보상을 해야 한다. 광주 시민의 명예가 공개적으로 회복되고, 고인들의 명예도 회복되어야 한다. 물론, 광주 시민들이 바라는 진정한 민주주의가 잘 이룩되면 민중 생존권과 조국통일의 길이 열릴 것이라 생각한다. 따라서 나는 거기에 있어서 정치보복이 반드시 필요하다고는 생각지 않는다. 그래서 나는 사형 선고를 받고 마지막 최종 진술을 할 때도, 내가 볼 때 1980년대에는 민주주의가 되는데, 여기 문익환 선생님도 그 자리에 계셨는데, 민주주의가 되더라도 정치보복은 없길 바란다고 한 적이 있다.

이 문제는 절대로 납득할 만한 해결이 있기 전에는, 이 문제만큼은 타협이 있을 수 없다고 생각한다. 과오를 범한 자들은 용서할 수는 있지만, 과오를 범한 그 죄과를 감춰 줄 수는 없다. 독재자를 용서할 수는 있지만, 독재체제는 용서할 수 없다. 이것이 나의 태도라고 말할 수 있다.

질문 민통련은 8월 31일 이른바 강령시안을 발표하였다. 먼저 강령시안을 읽어 보셨는지, 그리고 특히 '자주적 민주정부'와 '민선 민간정부'와의 관계를 어떻게 보시는지?

대중이 바라는 건 자주적인 정부

김대중 민선 민간정부 수립에 있어 가장 중요한 것은 구속자 석방과 사면복권이다. 이것은 도덕적으로도 그렇지만 정치 원리상으로도 그렇고, 장래 제6공화국의 정치적 안정을 위해서도 그렇다. 도대체 민주주의를 위해 싸우다 감옥 간 사람들을 아직도 감옥 안에 가두고 또 6·29선언 이후에도 계속 집어넣고, 그래 가지고 민주주의 한다는 것은 말이 안 된다. 또 그런 분들의 공민권은 그대로 묶어 두고, 선거를 한다, 대통령도 국회의원도 출마 못 한다는 것은 말이 되지 않는다. 난 솔직히, 이 문제만큼은 협상을 중단하더라도 싸워야 한다고 주장했다.

그런데 이상하게 중산층 이상의 사람들이 상당히 우경화되어 가지고 이런 문제에 큰 관심을 보여 주지 않는다. 또한 언론은 몰아치고, 당내에서도 그것이 잘 먹혀들지가 않는다. 여기서 밝히지만 상당히 낯 붉히고 싸운 적이 있다. 먹히지가 않고 있다.

그래서 하다못해 국회의원 선거를 2월달에 못하고, 4-5월에 해야 한다고 생각해서, 일단 그 문제를 민정당에 맡겼다. 그래서 노태우 씨에게 맡겼는데, 또 청와대에서 안 된다고 해서 안 되고, 마지막에 민정당이 10월에 선거하자고 해서, 그것이 차라리 나을 것 같아 그렇게 하자고 말을 했다. 국회의원 임기가 10월이면 거의 다 종료가 되기 때문에, 사면, 복권이 안 된 상태라면 국회의원 선거를 2월에 할 바에 10월이 말이 되냐, 8개월 동안이나 현 독재체제하에서 세워진 국회가 존재한다는 것이 말이 되냐, 이런 이야기가 돼 가지고 결국에는 그것이 잘 안 됐다. 최후로 내가 그것이 말이 되냐 하면서 퇴장하고 해서, 최종적으로 협상한 결과, 민정당 당신네가 이기면 2월에 해도 좋고, 그 대신 우리가 이기면 이긴 사람 뜻대로 하기로 합의를 보았다. 우리가 이기면 2월 취임 후로 사면, 복권하고 국회의원 선거할 수 있고, 저쪽이 이기면 2월에 할 수 있고 안 할 수도 있다. 결국 어정쩡한 타협으로 되었다.

그래서 나는 앞으로 이 민선정부, 민선국회가 민주주의를 위해서 싸우다 희생된 사람을 배제하고 치르는 선거라면 민선이라 할 수 없다고 생각한다. 이것은 나의 일관된 신념이다. 이것이 단순히 도덕적인, 정치 원론적인 것이 아니라, 다음 정국을 생각할 때, 광주 문제가 처음으로 터져 나올 것이다. 그럴 때, 누가 정권을 잡더라도 요구한 사람의 모든 것을 다 충족시킬 수는 없다. 이럴 때 같이 정치 울타리 안에 들어와서, 같이 얘기해야 서로 협의가 되지, 상당수의 사람을 바깥에 배제해 놓고 얘기해 봤자, 그것은 되지 않는다. 여러분도 보지 않았느냐, 내가 밖에 있고 장외에 있으니까, 장내에서 하지 않고 왜 장외에 있냐고 말도 안 되는 소리를 함, 그것이 6월달까지 왔었다.

그래서 이런 점에 있어서 나는 민선정부는 반드시 전술한 입장에 있어야 한다고 생각한다. 그리고 그렇게 성립된 민선정부야말로 대중의 신선한 피를 수혈받고, 대중의 정치 참여를 대거 수렴하여 이 나라 정치를 주도해 나가야 참된 민주정부가 되고, 대중이 바라는 자주적인 정부가 된다고 생각한다. 자주적인 정부를 밀고 나갈 의욕과 역동성과 이론도 갖추고 있어야 한다.

현재 야당 내에 훌륭한 정치인들도 있지만 이것만으로는 장차 제6공화국의 막중한 사명(전술한 내용)을 감당하고, 군대 앞에서 권위를 가지고 당당히 밀고 나가는 것이 도저히 부족하다. 이런 점에 있어서 현재 옥중에 있는 양심수를 석방하고 사면, 복권하고 누구든지 대표로 나갈 수 있는 길을 열어 주는 것이어야만 다음 민선 민간 정부 수립과 자주적 민주정부는 같은 맥락에서 역사적 정당성을 부여받을 수 있다.

질문 민간정부가 들어선 후, 노동자·농민에 대한 향후 요구를 어떻게 수용해 나가려 하시는지?

노동자·농민 문제 해결 없는 민주정부는 존립 불가

김대중 노동자 문제에 대해서 그동안 뚜렷한 언급을 하지 않은 것에 대해서는 솔직히 시인한다. 그러나 나 나름대로는 심지어 노동쟁의를 네가 선동한 것이 아니냐라는 말을 들었고, 그리고 본인이 참석하는 회의에서 나는 매번 노동자 문제를 발언해 왔다. 지난번 아현감리교회에서 내가 강연할 때(8월 10일 구속자 석방 촉구 집회), 노동자들의 주장이 정당하다는 것을 그때 정의하였다. 공식적으로 양대 주장을 옳게 정의한 것은 처음일 것이다. 그것을 2-3일 전에 『중앙일보』 인터뷰에서 7-8월의 노동 문제에 대한 시각에서 제시했는데, 그것으로 한국 사회에서 노동 문제에 대한 나의 시각이 정착되었다.

나는 노동 문제에 있어 지난번 연세대에서 강연할 때 노동삼권, 단결권·단체교섭권·단체행동권 이것이 제한 없이 보장되어야 한다고 강조했다. 나는 노동자들이 노조에서 정치 활동을 할 수 있도록 보장하지 않는다면, 진정한 노동 해결이라고 보지 않는다. 노동자건 농민이건 자기를 위한 정당을 가질 때만이 정말로 보호받을 수 있다고 생각한다. 이런 기본적인 문제, 물론 노동자가 정당한 임금과 알맞은 작업 환경의 권리를 부여받는 것은 당연한 것이다. 이렇게 해서 나는 노동자의 권익 보장의 제일차적인 것은 노동자의 인간화, 인간다운 대접, 말하자면 이 나라에서 같은 국민이요, 더구나 산업건설의 주역인 사람들이 인간적인 대접을 받지 못하고 비참한 차별 대우를 받고 있는 것은 도덕적으로나 인권상으로 용납할 수 없다. 그래서 노동자의 인간적 권리가 중요한 게 아닌가 생각한다.

그리고 노동자들이 생존권을 보장받아야 한다. 이 생존권이라고 하는 것은 불가결한 권리이다. 설사 노동능력이 없는 사람에게도 생존권적 권리를 부여하는데, 하물며 노동능력이 있어 가지고 국가 건설에 공헌하고 있는 사람이 이것을 보장받지 못한다는 것은 말도 안 되는 사회적 불의이다.

셋째로, 노동자의 정당한 수입은 생산 의욕을 고취시키고 또 구매력을 증대하여 시장을 활성화시킨다. 돈이 소수에게만 집중되면 구매력이 낙후, 시장은 침체하게 된다. 지금 부가 소수에게 집중되어 있기 때문에 저 명동이나, 고급품 파는 곳에서는 경기가 활성화되지만, 서민층들이 사용하는 일반 시장에서는 경기가 극도로 낙후되어 있다는 것을 우리는 잘 알고 있다. 이래서 국가 경제가 건전하게 발전해 나갈 수 없다고 우리는 보고 있다. 노동자들이 수입이 있을 때, 이것을 저금하면 그것이 산업자금으로 다시 회수된다.

나는 옥중에서도 그런 말을 썼지만, 우리나라에서 재벌들이 병원, 학교를 세우면 그것을 아주 미담으로 내세우고 투철한 기업경영, 기업윤리라고 말한다. 하지만 기업윤리란 학교, 병원만을 세우는 것이 전부가 아니다. 그것은 개인윤리이지 기업윤리가 아니다. 돈 가진 자의, 부자의 윤리이지, 기업의 윤리가 아니다. 기업의 윤리는 다음 세 가지이다. 첫째, 가장 좋은 물건을 가장 싸게 소비자에게 주는 것이다. 둘째, 그 이윤 중에서 맨 먼저 적정 비율을 노동자에게 주는 것이다. 셋째, 나머지 이윤을 낭비하거나 비생산적인 곳에 투자하지 않고 다시 기업에 투자해서 확대재생산을 일으켜, 또 한 번 더 좋은 물건을 더 싸게 주어 경제를 발전시키는 것이다. 이러한 것을 바르게 실천하는 것이 바로 기업의 윤리이다.

이런 점에서 노동자의 권익과 생존을 보장치 않은 기업인은 무슨 사회보장제를 실시해도 악덕 기업주다. 앞으로 민주정부에 있어서는 이것에 대해 절대로 양보가 없다. 따라서 노동자들이 자기 조직을 자기가 가질 수 있고,

그리하여 그 조직을 통해서 단체교섭, 행동, 단결을 할 수 있고, 자기들이 원하면 특정 정당을 지지할 수 있고, 헌금할 권리가 있다. 또 그렇게 해서 정당한 임금과 작업 환경을 가질 수 있다. 이러한 방향을 지원해 주어야 하지 않는가 생각하고 있다.

그러나 현 단계에서는 단일 후보 문제로 쫓기고 있다. 그러나 근본정신은 전술한 내용이고, 앞으로 노동자·농민 문제의 정당한 해결 없이 민주정부는 존립할 수 없고, 국민 간의 문제는 해결될 수 없다고 생각한다.

질문 언론·출판·집회 등 기본권 문제와 특히 학문과 사상의 자유를 어떻게 보시는지, 그리고 이와 관련하여 현재 국민기본권을 탄압하는 보안사(현 기무사), 안기부(현 국정원), 국가보안법, 사회안전법에 대해서는 어떻게 처리하실 것인지?

언론의 자유는 모든 자유의 근원

김대중 기본권 보장, 이것은 이번 헌법에도 대부분 유보 없이 보장되고 있다. 어려운 싸움도 있었지만 극복하면서……, 만일 민주적 정신을 가지고 이 헌법을 운용하면 기본권 보장에는 큰 차질이 없겠다고 생각한다.

기본권 중에서도 특히 언론 자유, 이 문제가 가장 중요하다. 언론 자유만 있으면 고문도 쉽게 할 수 없고, 체포도 함부로 할 수 없고, 부패도 제대로 될 수 없다. 미국에서 레이건 대통령이 당선되어 가지고, 레이건 대통령 아시아 안보담당 특별보좌관인 리처드 앨런이라는 사람이 일본으로부터 1,000달러라는 뇌물을 받아서 해고되었다. 우리나라에서는 1,000달러 정도면 청렴결백의 모범이 될 것이다. 이것도 역시 언론의 자유가 있기 때문에 가능한 것이다. 언론의 자유는 모든 자유의 근원이다. 언론의 자유를 다음 정권이 유보를 하게 되면, 이 정권은 민주주의와 전혀 관계가 없다고 생각한다.

언론 자유의 보장에서 가장 기본이 되는 것은 신문 발행의 자유이다. 이것을 이번 헌법에 관철시킨 셈인데, 거기에 묘한 조항들이 돌아가면서 표현되어 있어, 때에 따라서는 집권 정당의 차이에 따라 악용될 가능성이 있다. 그러나 민주당의 집권 시에는 그것을 악용할 수 없다. 그런데 제도 언론들이 자기들 이외에는 못 내게 한다. 신문지면도 자기들끼리 합의해 가지고 그 이상 늘리지 않는다. 이리하여 신문이 지방까지 십여 가지 있는 것 같지만, 사실은 한 가지이다. 근본적인 언론 자유라는 시각에서 이러한 것을 타파, 자유롭게 신문을 발행, 방송도 자유롭게 하게 하는 것이 중요하다.

또한 언론 자유에 있어서 중요한 것은 정부 이외에 국민 당사자의 태도이다. 국민은 언론 자유를 위해 싸워야 한다. 그런데 현재 국민의 싸움은 부족하다. 또 언론인 자신들의 투쟁이 부족하다. 거기다가 현 정권은 군부와 언론의 합작 정권이다. 봐라, 민정당 총재 밑에 언론인들 모두가 붙어서 일하고 있다. 또 청와대에 가 보면 비서실장부터 공보비서는 물론이고, 정부의 몇몇 장관들 모두가 언론인 출신이다. 이리하여 언론인들이 그 재빠른 재주를 가지고, 정치에 둔한 군인들을 잘 조정해서 운영하고 있어서, 이 정권은 군사정권인지 언론정권인지 구별이 안 간다. 그래서 이 문제에 우리 언론인들이 싸워야 한다. 아마 정치인 중에서 나만큼 언론인들로부터 차별 대우를 받는 사람도 없을 것이다. 참으로 언론은 김대중에게만은 언론의 자유가 있다. 무엇이든지 조작을 해서 쓸 수 있다.(웃음) 지난 연세대에서 있었던 일도 조간지에 나란히 '출마', '사퇴' 의 왜곡 보도가 있었다.

반공 이데올로기, 이것은 쭉 거슬러 올라가면, 대한민국 정부 자체가 정통성이 없는 반민족적인 친일분자들에 의해서 설립되었기 때문이다. 이 반민족 친일분자들은 자기의 죄책감, 이것을 벗어나기 위해서 반공을 이용했다. 이래서, 반공만 되면 모두 애국자이다. 어제까지 고등계 형사라 해도 반공만 주장하면 김구 선생에게도 "이 새끼, 저 새끼"라 했다. 또한 반공을 최대로 이용한 것이 이 박사이다. 해외에서 반일투쟁을 했다는 양반이 이 일생에 친일했던 놈들과 같이 합작해서, 애국자 모두를 배제하고…… 거기에 6·25전쟁이 터지고 나니까, 더욱 가세되었다.

아마 나도, 어지간히 용공 소리를 들으며 살고 있는데, 요즘 버스터미널에서는 "김대중, 공산주의자"라는 '삐라'를 뿌리고 다닌다 한다. 이 나라에서는 정적 때려잡는 데 빨갱이면 그만이고, 이것이 만능약이다. 이런 것들과 이 자들이 사실은 공산주의자 도와주는 것이다. 세계에서 정적을 공산주의자로 몰아붙여 죽이는 나라, 국민에게 지킬 자유는 주지 않고 안보만 강요하는 나라, 부는 소수에 집중하면서 안보를 내세우는 나라, 그런 나라치고 안 망하는 나라가 없다. 남베트남, 쿠바, 니카라과, 라오스, 캄보디아, 다 망했다. 그런데 세계에서 민주주의 해서 공산주의 된 나라는 없다. 2차대전 직후 터키, 그리스가 거의 공산화될 뻔했는데, 민주주의 하면서 극복했다. 포르투갈, 스페인에서는 공산당이 파시스트하고 싸웠는데, 민주주의 하니까, 한때 공산당이 그렇게 커 나갈 것 같다가 결국 퇴색되고, 사회민주당이 득세를 하였다.

사실적으로 이 정권이 진정한 반공을 하려면 자유를 주어야 한다. 우리는 6·25전시하에서도 언론의 자유가 있었다. 부산에서 옆 사람과의 대화에 자유가 있었고, 전화 도청도 없었으며, 마음대로 비판의 자유가 있었다. 신문에서도 커다란 활자를 빼내었었다. 전시하에 국민방위군 사건을 다시 뒤집어 가지고, 국회에서 반대로 싸워 가지고, 다시 재심해서 그 국민방위군 사령관, 참모장 김윤근, 윤익현을 사형에 처했다. 그래서 그때 국민들은 우리는 전시하에서도 이런 자유가 있다. 이리하여 우리는 이 조국을 지켰다고 생각했다.

앞으로 다음 정권은 공산당을 합법화시킬 수 없다. 그러나 적어도 공산당을 빙자해서 국민들을 탄압하는 일은 꿈에도 없을 것이다. 공산당은 어디까지나 자유와 정의로운 사회를 개조해서 국민들을 떠밀어서 국민들이 자발적으로 공산당을 부정하도록 사회를 만들어, 국민들의 의사에 따른 사회를 만들 수 있도록 해야 한다.

나는 사회안전법이 전술한 맥락에서 폐지되어야 한다고 생각한다. 또한 국가보안법도 폐기되거나 필요한 사항을 헌법에 삽입시키거나, 대폭 개정되어야 한다고 생각한다. 안기부도 단호히 폐지하거나, 국가에 필요한 해외 정보로 국한하는 기구로 제한해서 오늘 우리가 바라보는 안기부나 중앙정보부와는 전혀 다른 특별한 기구로 해야 한다. 또한 보안사도 과거와 같이 각 군의 범죄수사대(CID)로 환원해야 한다.

질문 남북 분단의 원인에 대해서 어떻게 생각하시는지? '자주적 평화 통일' 방안에 대한 견해는? (이때 질문자는 김대중 고문에게는 이른바 '3단계 통일론' 중 1단계인 '상호 공존'이 남북 교차승인과 같은 것인지 여부를 첨가해서 질의했다.)

통일될 때까지 공존하자

김대중 먼저 연세대 집회에서 내가 거론했던 붉은 깃발에 대해 심심한 사과를 표한다. 그때 연설 단상과 거리가 너무 멀어 그 깃발을 누가 갖고 왔고, 어떤 것인지 잘 몰랐다. 나중에 전해 들으니, 노동자 동지들이 가지고 나온 것으로 확인됐다. 또한 나 자신의 입장을 생각해서 (그들이 깃발을) 내리려고 하고 있는 도중에 정체불명의 사나이가 (강제로) 내리게 하였는데, 하여튼 모 사나이가 깃발을 든 사람과 옆에 있는 동지에게까지 폭행을 했다 해서 참으로 가슴 아픈 입장이고, 어제 연락으로 사과를 표하려 했는데, 연락이 닿지 않아 간접적인 사과를 전했는데, 혹시 여러분께서 연락되시는 분이 계시면 연락을 해 주길 바란다. 사실 노동자인지 학생인지조차도 알지 못했다. 그 점에 대해서 본의 아니게 발생된 것으로 심심한 사과를 표한다. 참으로 가슴 아프게 생각하고 있다.

그런데 이 붉은 깃발이 아시다시피, 내가 하는 일에는 꼭 따라다니면서 괴롭히고 있다. 한참 고초를 겪었던 일들을 여러분도 아실 것이다. 그 당시 순간적으로 떠오른 것이, 이 광경을 텔레비전으로 찍어서 나와 같이 방영될 때, 커다란 악선전으로 작용할 것으로 판단했는데, 심지어 연·고전에서조차도 응원 깃발의 색깔이 붉다 해서 악선전해 왔던 것을 돌이켜 볼 때, 그래서 그 당시 깃발을 내려 달라고 부탁했던 것이다.

사실, 연방제 문제만 해도 그렇다. 연방제라는 말은 김일성 주석보다 내가 1년 반 정도 먼저 말을 했다. 그런데 나를 김일성과 동일시하여 1980년 사형선고 당시에도 죄목에 김일성 동조까지 포함되어 있었다. 미국은 200년 전에 연방제를 했고, 오스트리아도 마찬가지다. 이와 같이 우리나라는 언어의 콤플렉스에 빠져 언어의 형벌이 심하다. 인민이라는 소리는 『대한신보』에도 항상 등장한다. 그런데 현재 인민이라는 말을 전혀 못 쓰고 있다. 또 해방, 동무, 민중도 빨갱이로 매도하고 있다. 이와 같은 문제는 민주정부가 들어선 후, 국민과 함께 심층적으로 다시 토론해야 한다. 그래서 민주정부가 들어설 때까지 조금만 자제해서 한꺼번에 토론하자. 이런 문제는 심각한 문제가 아니고, 본질에 있어서는 질문자의 의도(붉은 깃발을 내리라고 한 것이 피해의식 때문이었는지 하는 질문)와 나는 같은 입장이다.

교차승인에 대해서 얘기하자면, 4대국 교차승인이 분단 고착화에 직접 연결된다고 생각하지는 않는다. 또 교차승인이 북한에서는 분단 고착화라고 하는데, 지금 남북이 세계 70여 개국과 교차승인하고 있다. 양쪽 다 외교하고 있다. 그런데 이 4대국과 외교하면 분단 고착화가 된다는 것은 이론상 취약하다고 생각된다. 문제는 국익상 필요로 하는 모든 나라와는 외교하는 것이다. 통일은 우리의 문제이다. 교차승인한다고, 소련이 하지 말라고 하나, 미국이 하지 말라고 하나, 통일은 우리의 문제이다. 교차승인 자체를 본인이 완강하게 옹호하는 것은 아니지만, 그것 한다고 해서 통일이 불가능하다고는 보지 않는다. 그래서 나는 앞으로 현상 고착이 되느냐 마느냐는 북한의 태도가 중요하고……, 우리가 민주정부 세워서 국민이 원하는 의사에 의해서 현상을 타파하겠다. 남북 간의 문제를 풀어 가겠다 하면 현상 고착은 안 된다. 이것은 국민이 결정한다.

민주정부는 국민의 여론을 무시하고 할 수가 없다. 그래서 이것에 대해서 걱정할 필요가 없다. 나는 적어도 현상 고착화에는 생각이 없다. 그러나 나는 통일이 앞으로 5년 이내에 된다는 환상도 안 가지고 있다. 따라서 다음 5년에 우리가 정권에 참가하면 통일을 위한 길을 열어 놔야겠다는 정도다. 물론 5년 안에 통일이 될 수만 있다면 더 좋겠지만.

첫째, 전쟁 안 하는 것이 중요하다. 지금의 휴전 상태를 해결해야 한다. 그것이 바로 평화 공존이다. 전쟁 안 하는, 통일될 때까지 전쟁하지 말자. 남북이 현상 유지하면서 평화적으로 통일하자. 통일될 때까지 공존하자. 그리고 마지막으로 이질적으로 발전하지 말고, 서로 끊임없이 교류를 해야 한다. 북한과 여러 분야에서 만나야 한다. 지도자끼리 싸움만 할 것이 아니라, 관광도 가고, 스포츠도 하고, 교류를 해야 한다. 이렇게 하면 기존의 분위기가 바뀔 것이다. 그러면 5년 동안에 통일의 문호를 열기 위해서 이런 일들을 하면 최소한도 다음 정권은 통일로 접근할 수 있다. 적어도 다음 정권이 이런 방법으로 교류를 견지해 나가면 평화 공존, 평화 교류에서 통일 방향으로 점진적으로 나아가면, 현상 교착으로 있을 수가 없고, 다만 현상 타파에서 통일로 진전해 나가는 것이 얼마나 빠를 것이냐, 이것만이 문제인데 구체적인 것은 앞으로 결정되리라고 생각한다.

질문 민주당의 '삼비非'(비폭력, 비용공, 비반미)에 대해서 설명해 달라.

민심과 도덕이 우리의 무기

김대중 근본정신에 있어서는 여러분과 큰 차이가 없다. 정치권과 운동권의 표현 양태에는 큰 차이가 있다. 그런 점을 먼저 이해하시고……, 비폭력적 민주 회복이 삼비주의의 첫 번째인데, 폭력을 쓰지 않고 적극적인 투쟁을 통해 민주주의를 회복해야 한다는 것인데, 그것이 6월투쟁을 통해서 실증이 되었다. 그래서 폭력을 쓰지 않는 것이 상대방에 대해서 더 큰 폭력의 구실을 주지 않고, 필리핀 군중이 50만-100만 모여 전차 앞에 서니, 아무런 무력도 쓰지 못한 것처럼, 우리는 수數가 무기이니 상대방의 폭력에 수로 대항해야 한다. 우리는 민심과 도덕이 우리의 무기이기 때문에 정의로운 입장으로 상대방의 폭력을 대할 때, 상대방은 국제 여론에 몰려 외국의 비난의 대상으로 몰릴 수 있다.

두 번째는 비용공적 남북통일이다. 남북통일은 반드시 이루어야 하겠지만, 우리가 공산주의와 공존하면서, 물론 공산화로의 남북통일은 아니다. 그것은 우리 남한 국민이 군사독재도 반대하지만, 공산주의도 반대하는 것이 다수 국민의 뜻이다. 이런 면에서 공산주의를 용납하는 통일로 가는 것은 국민의 지지를 잃고, 군부가 즉각적으로 미국의 지원하에 개입, 이것을 일소하려는 구실을 주게 된다. 그것은 국민의 지지도 받지 못한 채, 실패하게 된다.

그리고 말썽이 되는 셋째는 반미적 민족 자주인데, 민족 자주는 반드시 해야 한다. 그리고 미국의 옳지 못한 정치를 비판해야 한다. 그런데 반미라는 것은 비판도 포함하느냐, 원수로서 내모는 것을 포함하느냐라는 협의와 광의를 따져야 한다. 나는 현 단계에서 협의적 반미를 주장하고, 광의적 반미를 현명치 못한 것으로 간주한다. 그러나 미국이 독재를 지지하고, 또 경제를 지배하고, 남북한을 분단 고착화로 모는 것에 단호히 반대해야 한다. 그것은 정책적 반대이며, 미국을 내모는 것에 대한 반대는 우리 국민이 원하는 반대는 아니다. 중국이, 미국을 극도의 원수로 규정하던 중국이 이제는 자기의 국익을 위해서, 소련의 방해를 지양하기 위한 방법으로 미국의 손을 잡고 정책을 실시하고 있다. 일본이 2차대전 전에 그렇게 미국을 매도하고 원수로 규정하다가 2차대전 후, 미국을 잘 이용해서 일본은 부자가 되었다. 여러 가지를 참고해야 한다. 이런 의미에서 우리가 미국을 원수로 모는 행위는 국민의 지지도 받기 어렵고 결국 우리의 상대편인 독재정권에게 탄압의 빌미를 줄 뿐이다. 이런 의미에서 미국의 정책을 비판하되, 원수로 삼아서 몰아내는 것에는 반대한다. 따라서 나의 삼비는 많은 오해의 소지를 그동안 노정해 왔기에 지금은 전술한 것처럼 서술적으로 설명을 해서 말을 하고 있다.

질문 10월 3일 연세대에서 문익환 의장이 공식 제안한 '남북 단일팀 구성'에 대한 견해는 어떠하신지, 그리고 일부의 '올림픽 공동개최 주장'에 대한 견해는?

김대중 내가 청주교도소에 있을 때, 올림픽의 한국 유치 소식을 들었다. 그 당시에는 주로 경제적 이유로 올림픽 유치를 반대했다. 그러나 다시 곰곰이 생각해 보니 올림픽이란 것이 현 정권에게는 득도 되고 실도 되는 것이었다. 어쨌든 올림픽 때문에도 대대적인 탄압은 할 수 없을 것이고…….

그런데 북한에서 단일팀을 제의했을 때, 왜 저것을 현 정권이 받지 않느냐고 자문을 했다. 사실 이 정권이 아시안게임과 올림픽 두 가지를 다 갖고 왔을 때, 현 정권에게 바보 같은 사람이라고 비판을 했다. 그때 북한에서 아시안게임을 유치하려 했다. 그때 북한의 체면도 세워 주고 또한 북한이 아시안게임을 하면 남한이 그곳에 가야 한다. 또 남한이 올림픽을 하게 되면 북쪽이 여기 남한으로 와야 한다. 훨씬 일이 순조로워질 텐데 앞뒤도 보지 않고 그냥 밀어붙여서, 참으로 답답하다. 모든 것을 싹 쓸고 밀어붙이려 하는 '에너미(enemy) 정신', '라이벌 정신' 등 다 먹으려 하는 이 정신 때문에 부딪힌 일이다.

연대집회에서 문익환 목사님이 말했던 “이번 올림픽은 남북한 화해의 장으로 하자.”라는 말에 깊은 공명을 가지며, 구체적인 방안은 12월 후에 말했으면 좋겠다.

질문 현재 군사독재를 종식시키기 위한 현실적 ‘실천 프로그램’은 무엇이라고 생각하시는지?

공명선거를 담보하는 거국중립내각이다

김대중 독재는 이론의 일관성 없이 자유롭게 마음대로 변경한다. 히틀러 나치스는 독일 사회주의 노동당이다. 노동자 당을 건설하자고 하고, 소수 특권정당을 만들어 노동자 지도자를 마구 학살했다. 예를 들어, 네덜란드를 침공 안 한다고 발언하고, 한 달 만에 침공했다. 체코도 마찬가지로 침공했다. 폴란드에 대한 무침공 발언도 파기하고 침공했고, 이것이 독재자의 특징이다.

따라서 작년 여름까지는 현행 헌법 절대 수호, 즉 한 번 해 보지도 않고 바꾼다는 것이 말이 되냐는 절대 수호였다가 갑자기 내각책임제로 변경했다. 전두환 씨가 처음 취임했을 때, 가장 나쁜 제도가 내각책임제였다고 했다. 그런 것을 다시 주장하고, 올봄이 돌아오니까, 다시 호헌, 그리고 6월에는 망국적 발언이라고 규정했던 직선제를 다시 들고나왔다. 이러한 독재자와 변신의 기본적 원칙은 장기집권이다. 이것만은 절대 안 바꾼다. 이번 6월에서는 자신들이 망하게 되니까, 재빨리 변신해서 8개 항 중에서 직선제를 제외하고는 전부 지키지 않고 있다.

다만, 1980년하고는 다른 것이 총칼이 등장하지 않은 것이다. 이번에는 총칼도 소용없고 선거로 잡아 나가자는 것이 다른 내용이다. 국민의 힘 때문이지만, 확실한 것은 공명선거에는 마음이 없다. 무슨 방법으로라도 정권을 잡으려 한다. 이것을 막을 수 있는 길이 ‘거국중립내각’이다. 중립내각이란 현재의 것도 중립이다. (각료들이) 당적이 없기 때문에. 그래서 거국내각이 되어야 한다. 그것은 현재의 여, 야, 재야, 모든 국민이 참여해야 한다. 이렇게 되어야만 선거를 공정하게 관리할 수 있다. 그래서 작년 10월 아시안게임 끝나고, 바로 다음에 신민당 집회 때부터 거국내각을 주장해 왔다. 이것만이 민주주의의 확실한 길이다, 끊임없이 얘기했는데도 불구하고 신민당은 거절했다. 이 민주당이 되면서 형식적인 접수가 있었는데, 거의 신경을 쓰지 않았다. 또 국민운동본부에 호소했는데도 불구하고 실천이 없었다. 심한 말인지는 모르겠는데, '국본' 은 공명선거에 치중하는 것이 좋다고 생각한다. '국본'이 단일화에만 치중하면 내부에 분열이 생길 수 있으므로, 필리핀의 사례처럼 공정선거에 열을 올려 주어야 한다. 또한 '국본'은 거국내각, 언론 자유에 치중해야 한다. 언론 자유 없이 선거 없다. 또한 망국적 지방색을 없애야 한다. 그리고 나머지 구속자 문제, 노동 문제 등을 민주당이나 기타 기관에 부탁해야 한다.

지난번 연세대에서도 이 "10월을 거국내각 수립의 달로 정하자. 이것 없이는 민주정부 수립이 없다."라고 말을 했다. 이 점에서 우리 모두 합의를 해, '민통련' 에서도 이런 방향으로 적극성을 띠어 거국과도내각을 쟁취하자. 김정렬 내각의 행태를 보면, 보통 나쁜 내각이 아니다. 과거 이한기 국무총리서리 같은 사람은 명동사태 때 병력 안 쓰고 해결하려고 상당히 노력했다. 또 계엄 선포하려고 할 때, 나는 이 정책에 동의 못 한다고 말을 했다. 그래서 쫓겨난 것이다. 반면에 현 김정렬은 "1980년 쿠데타 할 때 협의하고, 이렇게 해서 전두환을 밀어준 사람인데, 나오자마자, 좌경·용공 떠들어 대고, 세상에 국무회의에다가 사용자 측 대표인 전경련 간부들을 데려다 일방적으로 한쪽 측의 얘기만 듣고, 공개석상에서 노동자를 비방했다. 이것은 이 내각이 누구만을 위한 내각인지를 단적으로 증명했다. 거국내각이 성립되면 이런 일은 있을 수 없다.

나는 이번 10월 한 달을 거국내각을 만드는 달로 설정, 11월부터 있을 수 있는 선거를 이 거국내각이 관장하지 않으면, 매수, 투표, 개표 부정, 온갖 부정을 막는 데 굉장히 힘들 것이다라고 생각하면서 거국내각 방향을 오늘 회의의 마지막 결론으로 설정해, 우리 모두 합심하자.

* 이 글은 1987년 10월 5일 민주통일민중운동연합 회의실에서 열린 당시 김대중 후보의 정책 세미나 내용이다.

민주주의의 십자가를 지고

대담 관훈클럽

일시 1987년 10월 30일

사회 오늘 겨울을 재촉하는 비가 내리는데도 불구하고 여러분 이렇게 많이 참석하여 주셔서 대단히 감사합니다. 바쁜 일정에도 불구하고 우리 관훈토론회의 초청에 응해 주신 김대중 평화민주당 창당준비위원장께도 감사의 말씀을 드립니다. 어제까지는 김 고문이라고 호칭을 했습니다만, 오늘 발기인 대회를 마쳤기 때문에 위원장으로 호칭하겠습니다.

사실 진작 이러한 자리를 마련하려고 무지 애를 썼지만 여의치가 않았습니다. 초청 연사의 사정과 바쁜 정치 일정, 날로 변전하는 정치 정세 때문에 오늘과 같은 자리가 매우 늦어졌습니다. 토론 순서를 어떤 기준으로 정하였느냐고 문의를 해 오는 분도 많이 있지만, 그것은 전적으로 연사의 사정과 정치 일정 때문에 결정된 것이라고 생각하면 되겠습니다. 특히 김대중 위원장께서는 1980년 서울의 봄이 왔을 때 우리 관훈토론회에 참석해서 연설을 하신 적이 있었지만, 시간적으로 간격이 가장 오래될 뿐만 아니라, 그동안 정치적인 변화도 가장 많았던 분입니다. 그런 점에서 첫 번째 초청 연사로 모시는 것이 조금도 어색하지 않다고 생각합니다. 다만 그동안 일정을 한 번 잡았다가 신당을 창당하게 되는 급박한 일정 때문에 한 번 취소 또는 연기를 통지해 드린 바 있습니다. 그랬다가 오늘 이 날짜로 다시 되살리게 되어 혹시 연락이 채 안 된 분이 있더라도 많은 양해를 바랍니다.

오늘 우리가 이와 같은 토론회를 마련한 것은 선거전의 양상이 이미 전초전 단계에 돌입한 때문입니다. '1노 3김'이 뜨거운 열전을 벌이고 있습니다. 그래서 우리들이 국민에게 이분들이 대통령으로서 나라를 이끌어 갈 수 있는 자질과 능력을 갖추고 계시는지, 우리들 나름대로 다루어 보겠다는 그런 생각으로 이와 같은 자리를 마련했습니다. 그러나 결코 예의에 벗어나거나 품위를 잃은 질문은 없으리라고 믿어지지만, 초청 연사께서도 조금 까다로운 질문이 나오더라도 그것은 어디까지나 국민이 궁금해하는 점을 대신 물어 준다고 양해하시고 답변해 주시면 감사하겠습니다.

그러면 김대중 위원장을 소개하겠습니다. 제가 바이오그래피를 뽑아 봤더니 대단히 파란만장하고 화려한 정치 이력을 갖고 계십니다. 너무나 잘 알려지신 분이기 때문에 새삼스럽게 소개 말씀을 드리지 않겠습니다. 바로 김대중 위원장께서 기조연설을 해 주시겠습니다.

군정 종식과 화해의 길

김대중 존경하는 강인섭 총무, 운영위원 여러분, 그리고 패널리스트 여러분, 또한 이 자리에 모이신 귀빈 여러분, 오늘 우연히도 날짜가 일치했지만 결과적으로 평화민주당의 발기 대회에 맞춰서 이러한 성대한 격려의 모임이 저에게 주어진 데 대해서 진심으로 감사하고, 아전인수 격으로 해석해서 이것은 제게는 좋은 길조가 아닌가 이렇게 생각하고 있습니다.

오늘 여기서 약 10분간 말씀 올리고자 하는 것은 내가 현재 느끼고 있는 세 가지 행복, 이 점에 대해서 말씀드리고자 합니다. 하나는 크리스천으로서의 행복, 하나는 한국 국민으로서의 행복, 하나는 내 개인이 하는 역할에 대해서의 행복, 이 세 가지 점에 있어서 대단히 외람되지만 내 인생의 현재 상태를 매우 의미가 있고 행복스럽게 생각한다는 말씀을 드리고자 합니다.

기독교 문제는 오늘 여기서 깊은 관계가 없기 때문에 간단히 몇 마디로 그치겠습니다. 중세 이래 기독교가 오랫동안 이 국민 대중의 현세적인 사회적 구원이란 문제에 등한히 하고, 또 교회에 따라서는 외면하고 이렇게 해 오던 것이, 20세기 특히 후반에 굉장한 변화가 있었습니다. 1965년 바티칸 제1차 공의회, 1966년 세계교회협의회(WCC)의 제네바 선언, 이런 것을 전후로 해서 기독교는 단순히 내세만이 아니라 하느님이 만들고 예수님이 와서 성화한 현세에서의 사람들의 행복, 특히 억압받고 고통받는 사람들의 현세적 행복, 이 점에 대해서 하느님의 사랑으로써 개입을 적극적으로 하는 방향으로 나갔습니다. 그중에서도 한국의 교회는 신구 양쪽을 막론하고 가장 적극적으로 모범적인 역할을 했습니다. 이러한 단계에 국민의 한 사람 한 사람의 행복에 깊은 관심을 갖는 정치하는 한 사람으로서 이 시대의 크리스천이 되었다 하는 것을 저는 진심으로 행복으로 생각하고 있습니다.

다음에는 내가 한국 국민으로 태어나서, 특히 바로 20세기의 마지막 단계인 이 시간에 여기 살고 있다는 것, 그리고 우리 국민을 지켜볼 수 있다는 것, 이것을 굉장한 행복으로 생각합니다. 여러분이 아시다시피 중국 황하에 묘족이라는 종족이 태어나 이것이 동서남북을 통합시키기 시작했습니다. 그래서 한민족을 만들었습니다. 몽골족이 한때 중국의 원나라를 세웠지만 오늘날 150만만 남겨 놓고는 전부 중국에 동화되었습니다. 만주족이 청나라를 세웠지만 약 300년 통치 끝에 단 한 사람도 없이 중국화되고 말았습니다. 그런데 우리 한국 사람만은 한무제가 기원전 108년에 우리나라에 온 이래 중국의 정치·경제·사회·군사·종교·학문·문화 모든 분야에서 굉장한 영향을 받았습니다. 그런데 어째서 동아시아의 조그마한 혹같이 붙어 있는 이 민족이 중국화가 되지 않았는가? 아니 안 되었을 뿐 아니라 중국에서 받아들인 모든 것은 반드시 한국적인 것으로, 말하자면 주체적인 것으로 변화시켜 갔습니다.

이런 것을 볼 때 우리는 참으로 세계고금 역사를 돌아볼 때, 기적과도 같은 심정을 느끼는 것입니다. 그래서 지금 이 한반도에 6천2백만, 해외동포까지 합치면 약 7천만, 이러한 대민족이 되었습니다. 이것은 오늘날 세계 170개 가까운 나라에서 열세 번째의 대국으로 되었습니다. 단순히 사람 수만 영국이나 프랑스나 이탈리아보다 많은 것이 아니라, 이제는 이 국민의 교육 수준, 활기, 근면, 성취동기 등 모든 면에 있어서 세계 일류 국민의 어디에 비해 손색이 없는 국민이 되었습니다.

지난 6월의 투쟁을 볼 때 우리는 참으로 역사적으로 굉장히 큰 교훈과 감동을 금할 수가 없습니다. 우리 국민은 지난 6월의 투쟁을 통해 처음으로 5천년 역사를 통해서 자기 운명의 주인으로 성장했습니다. 처음으로 권력자에게 패배당하지 않는, 아니 거꾸로 권력자를 패배시킬 수 있는 그러한 역량을 과시했습니다. 6·29선언은 이런 의미에서 볼 때 참으로 민족사적인 큰 의미가 있습니다. 이렇게 자랑스럽게 자란 우리 민족을 지켜보는 행복, 그리고 그 민족의 일원으로 있는 행복, 그리고 또한 그 국민의 편에 서는, 국민의 반대편에 서지 않는 저 자신의 현재 위치에 대한 감사, 이런 것이 저로 하여금 저의 인생을 의미 있게 만들고 행복을 느끼게 합니다.

그리고 마지막으로 제가 이러한 민족을 받들고 우리 국민을 위해 오늘날 정치에 참여한 한 사람으로서 이 군정 종식을 완전히 성공시키고 진정한 민주화를 주장하는 그러한 입장에서 국민을 위해 진정한 민주화의 길을 여는 한 역군으로서 참가하는 것을 감사하게 생각하고 있습니다. 또한 단순히 저는 독재와 싸울 뿐 아니라 화해의 길을 모색해서, 지역 간, 계층 간, 그리고 가해자와 피해자 간의 화해와, 또 이 문제에 직접 관련되어 있던 한 사람으로서 화해의 길을 열려고 노력하는 저의 입장을 감사하게 생각하고 있습니다.

또한 셋째로는, 우리나라 경제 발전이 이뤄졌지만 많은 국민들이 소외당하고 생존권이 위협당하고 있는데, 이제 민주화를 성취하고 이러한 국민들의 생존권을 보장해서 그들이 이 나라에 희망을 걸고, 이 나라에 정을 붙이고, 이 나라를 목숨 걸고 지킬 의미를, 이유를 충분히 발견할 수 있는 그런 정의로운 사회를 만드는 데 미력하나마 힘을 쓸 수 있는 저의 현재 위치를 감사하게 생각하고 있습니다.

그리고 이러한 진정한 민주주의, 정의 있는 경제, 이래서 우리 국민의 다음에 오는 정부를 적극적으로 자발적으로 지지함으로써 우리 사회의 안정과 진정한 안보를 가져올 수 있습니다. 우리는 처음으로 이 독재정권의 억압에 의한, 강요에 의한, 그러한 안정이나 안보가 아니라, 국민의 자발적인 필요성을 느끼는, 또 의욕적인 국민의 협력에 의한 안정과 안보를 가져올 수 있는 그러한 안보 태세를 가질 수 있는 길을 제가 모색하는 데 협력할 수 있습니다. 이것을 감사하게 생각하고, 그래서 이러한 튼튼한 안보 위에 휴전 상태를 종식시키고 평화의 체제로 전환시키고 한반도의 항구 평화 체제를 수립하고, 이 항구 평화 체제 위에 남북의 전면적인 교류를 진행해서, 다음 정권을 맡았을 때 5년 동안에 이 평화 공존과 평화 교류의 일을 성취시켜서 통일에의 문을 열어 통일의 구체적인 작업을 다음 정권에 기대할 수 있는 이러한 봉사를 할 수 있는 것 아닌가, 이러한 다섯 가지 사항에 걸쳐 우리 국가와 국민을 위해 봉사할 수 있는 그러한 위치의 한 사람이 된 것을 진심으로 행복하게 생각한다, 이런 말씀을 여러분께 드립니다.

나는 과거 약간의 고생도 했고 또 어려움도 겪었지만, 내가 큰 좌절과 실패 없이 언제나 국민의 편에서 국민을 하늘같이 받들고 왕같이 모시는 그러한 심정으로 나 나름대로는 노력할 수 있도록 나를 격려하고 성원해 주신 우리 국민과 여러분에 대해 진심으로 감사합니다. 그래서 이 나라의 민주주의가 꽃이 피어, 자유가 들꽃같이 만발하고, 정의가 강물같이 흐르고, 통일에의 희망이 무지개같이 솟아오르는 그러한 다음 5년의 우리 사회를 전망하고, 또 여기에 헌신할 것을 다짐하면서, 오늘 저녁의 저의 기조연설로서의 소감 일단을 여러분께 말씀드리고, 또한 질문에 따라 답변하겠습니다. 감사합니다.

정치인의 진정한 약속은 국민과의 약속

사회 조금 전에도 말씀드렸습니다만 김대중 위원장의 관훈토론회에 이어 세 분의 토론 일정도 마련하겠습니다. 오늘 이 토론을 빛내 주실 패널리스트 네 분을 소개하겠습니다. 이분들은 아무래도 초청 연사의 후보자로서의 위기관리 능력이라 할까, 또는 임기응변하는 순발력을 주로 물어볼 것으로 기대합니다.

그러면 제가 토론의 원만한 진행을 위해 몇 가지 간단한 규칙 말씀을 올리겠습니다. 질문은 1분으로 제한하고 답변도 3분 이내로 해 줄 것을 부탁드립니다. 질문과 답변에는 한 번의 보충 질문을 할 수 있습니다. 질문이 길어져서 전체 진행에 지장이 있다고 판단된다면 주최 측에서 가볍게 종을 울리겠습니다. 종소리를 들으시면 발언을 마무리 지어 주시면 감사하겠습니다. 먼저 첫 번째 질문은 좌석 순서대로 김대중 『조선일보』 논설위원부터 하겠습니다. 앞으로는 꼭 좌석 순서에 따라 질문하는 것이 아니고 왔다 갔다 할 수도 있다고 봅니다.

김대중(**조선일보 논설위원**) 저 개인으로서는 오늘 이 자리가 대단히 감회스러운 자립니다. 1971년 야당 출입 기자로서 김대중 위원장(평화민주당 창당준비위원장)이 대통령직에 도전했을 때 그 과정을 낱낱이 취재했던 기자로서 저는 이제 일선 기자를 벗어나서 지금 논설위원을 하고 있는데, 우리 김 위원장께서는 그때도 후보고 지금도 또 후보다, 16년간을 일관성 있게 한 가지 목표를 추구하고 계신다는 그런 느낌을 갖게 됩니다. 특히 세월에 따라서 얼굴도 변하시지 않고 계속 더 젊어지시는 것 같아서 참 보기에 좋습니다.

그러나 오늘 제가 제기하고자 하는 문제는 김 위원장의 이미지에 관한 한 가장 큰 장애 요인이 되고 있는 일관성의 문제를 제가 묻고자 하는 겁니다.

다시 말해서 많은 사람들이 김 위원장의 발언과 생각과 또 정치관이랄까, 모든 관에 대해서 앞뒤가 안 맞는 경우가 있다는 지적들을 하고 있습니다. 크게는 두 가지 약속을 지키지 못했습니다. 그것은 다 아시다시피 불출마 선언과 단일화에 관한 한 약속을 지키지 못하신 것입니다. 그 이유나 상황은 어쨌든 간에…….

그다음에 정책에 관한 것이라 하더라도, 직선제에 관한 견해도 시간이 흐름에 따라서 성당 부분 변화했습니다. 또 올림픽에 관한 입장도 처음에는 강력하게 반대를 하셨다가 지금에선 상황이 또 바뀐 것으로 봅니다.

또 2·12총선에 대한 평가나 가치판단 자체도 상당히 많은 변화와 기복을 겪었다고 저희들 기자로서는 기록을 하고 있습니다. 그래서 김 위원장의 일관성에 회의를 나타내는 사람들이 많이 있습니다. 이 문제에 대해서 김 위원장은 스스로 어떤 답변을 하실 수 있는가를 여쭤보고 싶습니다.

김대중 그런데 나는 미안하지만 조금 생각이 다릅니다. 나는 올림픽이나 2·12 선거나 대통령직선제에 대해서는 한 번도 생각을 바꿔 본 일이 없습니다. 또 불출마 선언은 내가 전두환 씨가 직선제를 수락하고 그 당시 건국대 학생들을 용공으로 몰아서 탄압한 것을 중지하면 내가 안 나갈 수 있다 했는데 상대방이 즉각적으로 거절했던 것입니다. 그러기 때문에 나는 이것을 내가 약속을 어겼다고 생각하지 않습니다. 이런 소소한 문제는 내가 보기에 따라 견해가 다릅니다.

그러나 정치인의 진정한 약속은 그 기본적인 진로와 노선에 있어서 국민에게 말한 것을 지켰느냐, 난 지켰다고 생각합니다. 나는 이 30년에 걸쳐서 독재를 반대하고 민주주의를 위해서 헌신하겠다는 그것을 때로는 목숨을 걸면서까지 굴복하지 않고 국민에 대한 약속을 지켰습니다. 또 나는 일관해서 노동자, 농민, 근로대중, 그리고 중산층, 이런 분들의 권리와 생활 향상을 위해서 봉사하는 그러한 정책과 나 나름대로의 학술을 가지고 일관된 주장을 해서 한 번도 바꿔 본 일이 없습니다.

또 나는 심지어 사상을 의심까지 받은, 그러한 모함까지 받으면서도 남북간의 평화 정착과 조국의 통일, 여기에 헌신하겠다는 내 정책을 일관해서 밀어 왔습니다. 이런 기본적인 문제에 있어서 나는 적어도 30년 동안 국민에 대해서 정직하고 성실한 자세를 취하려고 노력해 왔습니다. 나머지 소소한 정책적인 문제라든가, 이런 문제는 나뿐 아니라 누구든지 그것은 상황에 따라서, 또 판단의 차이에 따라서 다소간 변화가 있는 것은 불가피한 일이 아닌가, 이렇게 생각해서 만일 그런 오해가 있다면 내가 솔직히 말씀해서 하나는 내 부덕의 소치고, 하나는 이 정권의 악랄한 모함의 소치가 아닌가, 나는 그렇게 생각합니다.

장명수 보충 질문을 하겠습니다. 지금 질문한 일관성의 문제에 대해서 요즘 드러나고 있는 것 중의 하나가 김 후보께서 요즘 연설을 하고 다니실 때 일반 청중을 대상으로 연설하실 때와 학생들을 대상으로 연설하실 때, 그 노선이라든가 정책에서 강도가 매우 다르다고 일반 국민들은 느끼고 있습니다. 마찬가지로 근로자 앞에서 말씀하실 때나 또는 중소기업인들 앞에서 말씀하실 때 또한 같은 차이를 느끼고 있습니다. 누구 앞에서 연설하실 때의 온도가 김 위원장께서 생각하시는 생각에 가장 가까운 것입니까?

김대중 내가 생각할 때는 기본 원칙만 같으면 사람에 따라서, 대상에 따라서 표현은 다를 수 있는 게 아닌가요. 나는 부처님도 사람에 따라서 설법하라는 말씀도 해서, 그런 점에 있어서는 상대방이 그 계층에 따라서, 또는 관심이 집중한 분야에 따라서 표현이야 다를 수 있지요.

그러나 내가 가령 학생들 앞에서 우리는 미국을, 정책을 비판할 수는 있지만 미국을 우리의 원수로 삼아서는 안 된다, 이건 우리의 국익에 위반된다, 나는 정의로운 사회만이 공산주의에 이길 수 있다고 생각하지만 그러나 나는 기본적으로 공산주의를 반대하고 강력한 안보를 지지한다, 또 나는 어떠한 좋은 목적이라 하더라도 폭력을 써서는 안 되고 그리고 공산주의를 이롭게 하는 그런 주장이라든가 통일 방안은 안 된다, 이런 원칙에 있어서는 아마 여러분이 기억하시겠지만 작년 4월이 민국련 성명, 그런 과격한 용공적인 것은 안 된다든가, 또 여러분이 아시다시피 내가 말한 삼비三非주의, 비폭력, 비용공, 비반미, 이런 것을 공개적으로 말한 정치인이 도대체 미안한 말이지만 나 말고 누가 있는가, 그래 가지고 나는 한때 사실은 학생이나 노동자, 그런 분들한테 상당한 비판도 받았지만 그것이 내가 나라를 아끼고 또 그분들 자신들을 아끼는 입장이기 때문에 나는 내 소신을 일관했습니다.

이런 의미에서 나는 내가 원칙의 입장, 민주주의를 수호하고 공산주의를 반대하고 그러나 동족 간의 전쟁을 반대하고 공산당을 이롭게 하지 않는 방향으로 통일을 추진하고 또 국내에서 국민 대중의 생존권을 보장하고, 이런 원칙에 있어서는 누구 앞에서나 일관했다고 생각하고 있고, 나는 또 학생들 앞에서도 내가 사회주의자가 아니고 사회민주주의자도 아닌 것은 나는 자유경제를 지지하기 때문에 그렇다, 이렇게 말씀을 했습니다.

이런 점에 있어서 제게 그런 오해가 있다면 대단히 유감스러운 일이지만 제가 주장해 온 것을 여러분이 상기하신다면 내 말이 결코 틀린 말이 아니다, 이렇게 이해하실 걸로 믿습니다.

미국과의 관계는 국익 우선으로

박성범 일관성 문제하고도 관련이 있고 또 앞으로 외교 정책 구상 문제하고도 관련이 되는 것 같아서 보충해서 여쭤보겠습니다.

김 위원장께서는 지난 27일에 대학생들과 만난 자리에서 친미도 반미도 아닌 보다 자주적인 대미 외교를 강조했습니다. 저희가 알기로는 김 위원장께서 두 차례 망명 생활을 하는 동안에 거의 대부분을 미국에서 계셨고 또 그런 점에서 볼 때는 많은 사람들이 미국으로부터 상당히 도움을 받은 그런 분으로 생각하는 사람이 많습니다. 그러나 지난 27일의 발언으로 볼 때는 느낌상으로는 조금 미국 쪽에서 멀어지는 것 같은 느낌으로 해설할 수 있는 부분도 있었는데 김 위원장께서 미국에 계실 때는 조야朝野에 다니시면서 군원軍援 삭감이나 경제 원조를 중단해서라도 한국의 민주화를 위해서 미국이 압력을 넣어야 된다, 이런 주장을 펴 오셨는데, 27일 대학생들하고의 토론에서는 조금 다른 뉘앙스의 얘기인 것 같습니다. 그래서 한국의 민주주의를 위해서는 외국의 간섭도, 선의의 간섭도 수용을 해야 된다는 소신이 변하신 것인지, 아니면 지지 기반을 의식한 전술적인 발언인지 좀 말씀해 주시기 바랍니다.

김대중 오늘 저녁 내가 여기 잘 나왔다고 생각하는 것은, 저렇게 자꾸 오해된 일이 여기서 얘기하는 과정에서 풀려 가는데, 나는 미국서 단 한 번도 군원을 중지하라든가, 그런 얘기 한 일이 없어요. 이게 정부의 정보 정치의 조작에 의해서 그렇게 된 겁니다. 나는 그런 일이 없어요. 또 나는 안보에 대해서 미국이 그것을 한국 민주화에 대한 압력 수단으로 이용하라는 것을 주장 안 했을 뿐 아니라 그것을 반대했어요. 내가 얘기한 것은, 내가 미국서도 교포들한테 연설할 때—원하면 내가 언제든지 비디오테이프를 보여 줄 수도 있는데—거기서도 친미도 반미도 운운할 필요 없다고 그랬어요.

도대체 우리는, 미국과 우리가 지내는 것은 우리 국가 이익에 의해서 미국과 잘 지내는 것입니다. 그리고 미국도 자기네 이익의 필요에 의해서 여기 와 있는 거예요. 한 번도 미국 정부가 여기 와 있는 것이 한국만 위해서 와 있단 말 한 일 없습니다. 자기네 국익을 위해서 와 있다고 그랬어요. 우리는 우리 국익을 위해서 미국과 협력하고 우리 국익을 위해서 말하자면 미국을 우방으로 가지고 있는 거예요. 그러기 때문에 만일 미국이 이 나라에서 독재정치를 지지한다든지, 우리에게 지나친 시장 개방을 주장한다든지, 이럴 때는 그 정책은 케이스 바이 케이스로 우리가, 말하자면 비판하고 때로는 싸워야 돼요. 그러나 한마디 말씀만 가지고 그렇게 얘기하니까 그렇게 되지만, 나는 똑같은 얘기 과정에서 우리가 북한에 공산정권이 있고 그 배후에 중국과 소련이 있는 한 우리는 절대로 미국이나 일본을 우리의 적으로 삼아서는 안 된다, 이 얘기는 수없이 또 제가 하고 있어요. 이러기 때문에 제가 말씀한 것은 결국 잘못된 전달에 의해서 이뤄진 것이 아닌가, 이렇게 생각을 합니다. 여하튼 그런 질문 해 줘서 감사합니다.

김대중 논설위원 제가 기록을 위해서, 1973년 2월 김 위원장께서 미국에 당시 망명으로 있을 때, 유신 치하에서 그때 『뉴욕타임스』에 기고한 「어페어스(affairs)」 난에 김대중 명의의 글에서는 분명히 한국에 정치적인 압력을 가하기 위해서, 군사원조의 중단까지를 고려해서, 그런 문제가 분명히 기록에 나와 있습니다.

김대중 그런 기록 나온 일이 없어요. 난 그렇게 쓴 일이 없어요.

사회 진행을 위해 아까 처음 말씀드린 대로 두 번의 보충 질문이 있었으므로 더 이상 보충 질문을 허용하지 않고, 발언이나 정책의 일관성 문제는 여기서 끝맺고 다음 질문으로 넘어가겠습니다. 『중앙일보』 김경철 위원께서 질문하겠습니다.

김경철 경제 문제를 하나 물어보겠습니다. 김 위원장께서는 저서를 통해서

나 또는 공식 입장을 통해서나 "나는 온건 개혁주의자다."라는 것도 또한 강조하고 계십니다. 이와 같이 경제에 관한 기본적인 김 위원장의 태도를 표명했음에도 불구하고 국민들 중에는 액면 그대로 받아들이지 않을 뿐만이 아니고 심지어 김 위원장께서는 경제적으로도 보수적이라기보다는 혁신적인 인물이다, 따라서 김대중 위원장께서 집권하시는 경우 경제 정책에 많은 변화가 있을 것이다, 또 다른 사람은 김 위원장이 집권하면 역시 기업 하기가 상당히 어려워질 것이다, 이렇게 말들이 많습니다. 이와 같은 김 위원장의 경제관에 관한 국민들의 이야기를 어떻게 받아들이고 계시는지 설명해 주시기 바랍니다.

김대중 히틀러가 말하기를 거짓말도 열 번 하면 참말 된다, 자꾸 똑같은 소리 되풀이한다, 이런 말이 있는데, 이 정권이 15년 동안 상대방은 입 막아 놓고 자기 혼자만 계속 나한테 뒤집어씌우고 몰아붙였다 그 말이요. 그러기 때문에 그런 문제가 생겨난 겁니다. 내가 쓴 글, 또 수많은 경제적 발언을 국회에서도 했고 본회의, 분과회의에서도 했는데 내가 그렇게 기업을 적대시하거나 어떤 사회주의적인 주장을 한 일이 없어요. 정반대예요. 그런데 그런 오해가 생겨난 것입니다.

다만 나는 기업인에 대해서 적대시 안 할 뿐 아니라 기업인을 오늘의 경제적 활동에 있어서 권력의 지배, 기반으로부터 해방시켜 줘야겠다, 풀어 줘야겠다, 심지어 어떤 기업인은 자기 아들을 국회의원 출마시키려다 그것도 못 했어요. 어떤 대재벌은 불과 1개월 내에 아무 이유도 밝히지 않은 채 완전히 파산, 권력에 의해서 해체당했어요. 이런 기업들이 오늘의 현실이다, 이거예요.

그래서 나는 오히려 기업의 편에 들어서 기업인들이 자유로운 기업 활동하는 걸 도와주고 싶다, 다만, 기업들이 만일 제가 정권 잡으면 기업 하기 어렵다, 그건 어떤 의미에선 사실입니다. 지금까지와 같이 권력하고 결탁해 가지고 중소기업이나 국민 대중은 무시하고 자기만 독점적인 특혜를 누리는 그런 일은 앞으로 불가능하니까 그런 기업은 어렵지요. 그러나 자기 능력과 실력 가지고 국민에게 최대의 서비스를, 가장 좋은 물건을 가장 싸게 파는, 그리고 국제경쟁력을 확고하게 기르는 이런 기업, 노동자에게 정당한 임금을 주는 기업, 이런 양심적인 기업은 아마 내가 정권 잡으면 가장 활기차고 가장 성공적인 기업 활동을 할 수 있을 것이다, 이렇게 생각합니다.

독재체제는 미워하지만 독재자는……

장명수 김 위원장께서는 지금까지 정치보복은 일절 하지 않겠다, 또 독재자도 자체는 용서할 수 없지만 사람은 용서해야 된다, 또 해방 이후에 친일파들을 감옥에 보내지 않은 것이 잘못이 아니라 그 사람들을 기용한 것이 잘못이다, 이렇게 말씀해 오셨습니다. 만일 김 위원장께서 대통령이 되신 후에 구체적으로 광주사태에 대해서 생각해 볼 때 광주사태에 대해서 일체의 법률적 차원의 처리를 안 하시겠다는 뜻입니까? 또 그것이 일반적으로 통용되는 사회정의론에 부합되는 것인지 좀 설명해 주십시오.

김대중 아주 좋은 질문입니다. 제가 여기서, 이 자리 답변보다는 지난 9월 8일 광주 망월동 묘소, 영령들의 묘소 앞에서 유가족을 앞에 모시고 한 얘기를 답변으로 대신하겠습니다. 나는 거기서 광주항쟁은 분명히 해결돼야 한다, 국민과 모든 관계자, 희생자들에 대해서 정당한 최대한의 물심양면의 보상을 해야 한다, 그리고 무엇보다도 광주 영령들이 갈망하는 민주주의가 이뤄져야 한다, 이렇게 말했습니다. 그러면서 그 자리서 제가 반면에 우리는 독재정권은 절대로 용서할 수 없지만 독재자는 우리가 인도적 견지에서, 또 장래에 정치적 혼란을 막는 견지에서, 또 국민 내부의 화해를 성취시키는 견지에서 이것은 용서해야 한다, 제가 그렇게 말했습니다. 그랬더니 참 뜻밖에도 거기서 큰 박수가 일어났습니다. 난 가슴을 쓸어내리고 안도감을 그때 느낀 일이 있습니다.

아까 사회정의 측면 말씀을 하셨는데, 사회정의란 것은 악을 용납할 때 사회정의에 어긋납니다. 독재정권, 독재적 제도, 독재적 법률 관행, 이런 것을 우리가 만일 용납한다면, 또 그것을 정치보복 안 한다는 구실 아래 용납한다면 그것은 사회정의에 어긋납니다.

그러나 사람은 누구나 죄도 범할 수 있지만 선행도 할 수 있습니다. 또 사람은 그 죄가 미운 거지 사람이 미운 것은 아닙니다. 우리 종교 신앙에서 보면 다 하느님 아들이고 인도주의적 견지에서 보면 다 같이 천부인권을 가지고 있는 사람들입니다. 따라서 우리는 그런 사람들에 대해서 반성하고 또 회개하도록, 그리고 새로운 민주사회에 선량한 시민으로 참가하도록 촉구하고 용서하는 것이 옳다고 생각합니다. 용서야말로 우리에게 가장 큰 성공과 내일을 향한 화해를 가져올 것이라 생각합니다.

박성범 딱딱한 질문과 답변이 계속되는 것 같아 화제를 바꾸겠습니다. 김 위원장이 감옥에 계실 때 김일성과 수천 번 장기를 두셨다고 나오셔서 했다는 말을 들었습니다. 그때 장기는 누가 이겼고 또 김 위원장은 어떤 수를 주로 쓰셨고 김일성은 어떤 수를 주로 썼습니까.

김대중 장기를 두었다고 얘기하고 바둑을 두었다고 하지 않은 것은 바둑을 둘 줄 몰라서 장기를 두었다고 얘기했습니다. 장기를 둬 보니까 김일성 주석도 수가 세지만 내 수도 별로 지지 않는 수다, 이렇게 결론 얻었는데요.

온건 개혁주의의 기조

김대중 논설위원 또 도리 없이 딱딱한 질문으로 들어가게 됐습니다. 김 위원장은 온건 개혁주의를 표방하셨습니다. 그러나 부유세富裕稅 신설에 관한 발언 또는 농가 부채 전면 탕감, 그 밖에 민중사관, 이런 문제들에 대한 발언이 김 위원장으로 하여금 운동권 및 재야의 주장을 다른 여타 출마 예상자들에 비해 상대적으로 많이 수용하고 있다는 그런 주장을 가능케 하고 있습니다. 또 김 위원장은 특별히 근로자와 학생들을 지지 기반의 토대로 삼으려는 그런 의도를 때때로 간헐적으로 비치고 있습니다.

또 평민당이 저소득층, 근로대중, 소외 계층을 위하는 정당이고 민주당이나 기타 다른 정당과는 다른 정당이라고 말하고 있습니다. 그러나 현재 김 위원장을 비롯한 신당 참여 인사들의 뜻과 의지가 그럴 것이라는 것은 충분히 짐작이 가지만 적어도 구성 면에서는 온건하면서도 개혁적인 어떤 수용이 있어 보이지 않는다는 생각이 듭니다. 다시 말해 기왕에 가지고 있던 세력을 갈라서 가졌을 뿐 새로운 다른 정당이라고 표방하면서 새로운 인풋(input)이 과연 있느냐 하는 점에서는 말로만 믿을 수밖에 없다는 저희들 생각입니다. 신당에 참여하신 분들도 저희들 느낌으로는 지금 당장에는 어제의 민주당 의원들과 별로 색깔이 다른 것 같지 않아 보입니다. 그래서 저희는 온건주의자일지는 몰라도 개혁주의자라기에는 고개가 까닥해지는 느낌이 있는 것입니다. 따라서 차제에 진보 세력 또는 학생 세력들을 광범위하게 흡수해서 명실공히 혁신정당으로 새로운 진출을 할, 그런 변신을 할 용의는 없으신지요.

김대중 상당히 어려운 질문이고 잘못하면 위험한 질문 같은 생각이 드는데,(웃음) 아까 농가 부채 얘기를 했는데 그 농가 부채는 원래 신민당에서 탕감하라고 주장한 겁니다. 나는 신민당에서 배워서 마치 내가 혼자 창안해 가지고 말한 것처럼 말씀을 하시는데 어째서 내가 얘기하면 그렇게 들리는지 모르겠어요.

민중사관이라는 것은 국민 대중의 입장에서 보는 역사관이기 때문에 프롤레타리아적 계급사관은 아닙니다. 민중이란 것은 얼마 전까지 경찰을 보고 민중의 지팡이라고 부를 수 있었듯이 좌익 용어가 아닙니다. 또 그리고 내가 무슨 사관이라고 해서 그렇게 큰 역사적 지식이 있는 것도 아니고 내가 혁신정당을 안 한 것은 다른 이유가 아닙니다. 전에 학생들한테도 분명히 얘기했는데 나는 경제에 있어 자유경제를 지지한다, 그러기 때문에 나는 혁신정당이 지향하는 계획경제, 이런 것은 지지하지 않기 때문에 나는 혁신정당이 주장하는, 사회민주주의자가 주장하는 사회정의의 측면은 강력히 지지하지만 경제적으로는 자유경제주의자이기 때문에, 나는 혁신주의자가 아니다, 그리고 사회정의의 측면도 나는 어디까지나 경제의 안정과 건전한 발전을 해치지 않는 범위 내에서의 정의의 측면이지, 말하자면 영국에서 하는 식으로 국가 경제의 능력을 초월한 무모한 사회보장적인 그런 것을 주장한 것은 아니다, 이런 말이었습니다. 내가 혁신정당을 하지 않는 이유는 그 같은 기본적인 생각 때문입니다.

요즘 노조 같은 데서 나를 지지할 때도 그 이유를 보면 다 마음에 안 맞지만 그래도 그중 김 아무개가 우리 문제에 제일 관심을 갖고 있는 것으로 보이니까 지지한다, 이렇게 한편으로는 비판하면서 지지한다고 말하고 있습니다. 나는 그것을 적절한 표현이라고 생각합니다. 그렇기 때문에 저는 혁신정당을 할 생각이 없다, 이렇게 말씀드립니다.

김경철 보충 질문을 하겠습니다. 농가 부채의 이야긴데 지금 김 위원장은 농가 부채 탕감 문제는 원래 내가 제기한 게 아니다, 신민당에서 제기한 것인데 어떻게 좀 잘못돼서 내가 얘기한 것인 양 신문에 보도됐다는 뉘앙스로 말씀하신 것 같은데, 김 위원장도 분명히 요즘 공공연히 농가를 부채로부터 해방시키겠다는 말을 많이 하고 있습니다. 그래서 물론 김 위원장 나름대로 농가를 부채로부터 해방시키는 방법론이 있기 때문에 이런 말을 한 것으로 알고 있습니다.

첫째 농가 부채 해결 방법론을 말해 주시고, 그다음 세간에 경제 전문가들이 농가 부채 탕감 문제에 대해서는 상당히 비판적이란 사실도 알아야 할 줄 믿습니다. 왜냐면 농가 부채는 어쨌든 경제적인 해결책이라기보다는 사실

경제적인 문제를 정치적으로, 다시 말하면 선거를 위한 해결책이다, 이런 비판이 있다는 것도 참고로 말씀드립니다. 농가 부채 탕감 방법을 제시해 주시기 바랍니다.

김대중 그 문제에 있어 내 나름대로는 명확한 생각을 갖고 있습니다. 여러분 아시다시피 조세감면특별법, 이것을 재작년에 날치기로 통과시켜서 작년과 금년, 양년의 정부는 불과 30-40개의 재벌에 대해 약 5조—어쩌면 그 이상이 되는지도 모르겠습니다.—빚을 탕감해 주었습니다. 우리가 양심이 있다면 30명의 대재벌에게는 5조의 빚을 탕감해 주고 1천만 농민에게는 3-4조의 빚을 탕감 못 해 주겠다, 이것은 어떤 양심 갖고도 긍정할 수 없습니다.

또 농가가 부채를 지게 된 원인은 자기 자신의 책임보다는 정부 책임이 큽니다. 무모한 양곡 도입, 무모한 소와 쇠고기 도입, 그리고 농민들이 생산한 농축산물과 채소에 대한 유통 구조의 형성에 실패한 것, 따라서 서울선 배추 한 포기에 2백 원 하는데 농민들 밭에서는 15원, 20원밖에 안 하니까 밭에다 내팽개치는 이런 상태에서 부채를 졌습니다. 때문에 정부 책임상으로도 이것은 모면할 수 없습니다. 현실적으로는 농민으로부터 이 부채의 짐을 덜어 주고 농민의 생산물 가격을 보장해 주지 않으면 농촌은 완전히 없어져 버립니다. 이미 현재도 파멸 직전입니다. 농촌이 파멸됐을 때 우리나라가 어떤 상태가 되겠는가, 이것은 3조는커녕 3백 조 갖고도 해결 안 될 문제가 됩니다. 이것은 국가 존망 문제입니다.

그리고 여기에 예산 문제만 해도 솔직히 말해 우리나라의 정부 구매 물자 또는 정부 공사, 이것이 연간 약 3-4조에 달하는데 여기서 적어도 30-40퍼센트 이상의 로스(loss)가 있습니다. 깨끗하고 정직한 정부가 들어서서 여기서 20퍼센트씩만 절약을 한다 해도 5년 안에 농가 부채는 탕감할 수가 있습니다. 꼭 탕감해 주지 않을 성격의 부채는 장기간 저리 상환할 수도 있습니다.

그렇기 때문에 농가 부채 문제는 어떠한 면에서 보더라도 이 문제는 해결해야 한다고 나는 생각합니다.

3단계 통일론의 자주적 성격

사회 질문, 답변이 너무 딱딱한 것 같은데 장명수 국장께서 부드러운 질문 하나 해 주십시오.

장명수 부드러운 질문 하나 하겠습니다. 오늘 김 위원장은 굉장히 젊어 보이는데 혹시 머리에 염색을 하셨습니까?

김대중 예, 미국에 가서도 염색을 많이 하고 다녔는데 미국 사람들은 특히 동양 사람들을 굉장히 젊게 봅니다. 그러다가 나이를 얘기하면 깜짝 놀라서 당신은 고생도 많이 했다는데 어째서 그렇게 젊고 머리도 그렇게 검으냐? 그래서 제가 말하기를, 그 일일이 이유를 설명하기도 쑥스럽고 해서 당신들은 밖에서 정상적인 생활을 했기 때문에 정상적으로 늙을 책임이 있지만 나는 감옥 안에 오래 있었으니까 내 인생이 중단되어 늙는 거도 중단되어야지(웃음) 늙는 것도 같이 가면 되느냐 이렇게 대답했는데 뭐 그런 정도죠.

박성범 지금 4명의 대권 후보자 중에서 김 위원장이 통일 문제를 가장 많이 말하고 또 가장 빈번하게 말하는 것 같습니다. 공화국연방제의 내용에 대해서는 여러 차례 들을 기회가 있었기 때문에 생략하고 그것보다도 왜 북한측에서 쓰는 고려연방제, 즉 오해를 받을 수 있는 그런 용어를 썼는지 또 한반도의 비핵지대화론, 또 군축론, 남북한의 평화구조정착론의 배경과 내용을 설명해 주시죠.

김대중 연방이란 말은 이북 공산당이 먼저 쓴 것이 아니라 사실은 1973년에 내가 일본에서 먼저 한 얘긴데 또 우리보다 훨씬 더 먼저 나온 것은 미국은 2백 년 전부터 연방제를 하고 있고 호주 연방, 캐나다 연방, 서독 연방 등

연방 얘기의 원조는 서방국가지 이북이 아닙니다.

그런데 이북은 또 내가 말한 연방하고 내용이 다릅니다. 나는 양쪽 남북 간의 두 독립정부가 대표를 파견해서 아주 권한이 제한된 그러한 일종의 협의기구 비슷한 연방이다, 그런 제안인 데 비해 이북의 연방은 외교와 군사권을 연방정부가 갖는다, 간단히 말하면 인민군과 국군을 하나로 만든다는 얘깁니다. 이러면서 양쪽 정부는 지방정부로 한다는 것이어서 전연 다릅니다. 그런데 이 내용은 안 살피고 연방이란 말 하나만 가지고 모두들 오해도 하고 악선전하기도 해서 내가 이미 선언한 바와 같이 내 본의가 그런 뜻이 아닌데 또 미국이나 캐나다나 다 쓰는 말이니까 또 이것은 미국의 라이샤워 교수라든가 하는 석학들과도 협의해서 붙인 이름이지만 국민에게 그런 오해의 소지가 있다면 이 이름은 쓰지 않겠다고 이미 발표한 바가 있습니다.

비핵지대 군축론, 이것은 제가 말한 적은 없고요. 민주당에서 정책 안에 그것이 나온 적은 있습니다.

나는 이 핵 문제에 대해서는 솔직히 말해 오늘날 우리나라의 안보 사정을 모르기 때문에 그 문제에 대해서는 내 의견을 유보하고 만일 정권을 잡으면 충분히 안보 사정을 검토해 가지고 그 필요성을 검토해서 정해야 한다, 또 군축 문제는 적어도 남북의 평화 체제가 확립되기 전에는 군축이란 있을 수 없다, 이렇게 생각하고 있습니다.

김대중 논설위원 이번에는 좀 개인적인 질문을 드리겠습니다. 특히 김 위원장 세대가 대단히 어려운 시대를 살아왔기 때문에 개인적인 히스토리라고 할까 하는 것이 비교적 잘 알려져 있지 않은 편입니다.

그것은 시대적 상황을 충분히 감안해 이해는 합니다만 그러나 오늘날 정치에 있어서는 대통령을 하겠다, 한 나라의 지도자가 되겠다는 분들은 어떤 형태로든 간에 국민 앞에 투명하게 비쳐져야 하는 것이 올바른 선택을 유도

할 수 있는 것이 아닌가 이렇게 느껴져서 김 위원장의 해방 전후한 정치 경력 등에 대한 오해나 비판에 대한 말씀을 해 주시고, 또 학력 문제에 대해서도 몇 가지 알아보고 싶습니다.

제가 이걸 우연히 발견한 것입니다만 선관위에서 나온 국회의원 당선자 명단에 보면 김 위원장의 학력이 네 가지로 나와 있습니다. 일본 법정대학인 경우가 있고, 건국대학, 이것은 아마 만주 건국대학인 걸로 보입니다. 또 경희대학도 나와 있고 대학원이라고 나와 있기도 합니다.

이런 문제를 묻는 것은 비단 김 위원장의 경우만은 아니고 앞으로 토론회에 나오거나 예정된 분들께도 그분의 개인적인 경우를 우리가 물을 권리가 있지 않은가, 다만 김 위원장이 오늘 처음 나왔기 때문에 먼저 묻게 되는 것을 양해하기 바랍니다.

한 가지 더 말씀드리겠습니다. 김 위원장의 나이, 연세 문제인데 저희가 1971년 선거 때 기억하기로 박정희 씨와 치열한 다툼을 벌일 때 김 위원장은 나는 돼지띠요, 박정희 씨는 뱀띠라 뱀이 돼지한테 꼼짝 못한다, 그래서 이 선거는 필연코 내가 승리한다고 말했습니다. 그래서 돼지띠로 계산하면 지금 예순다섯이 되는 게 아닌가 생각됩니다만 1925년 출생으로 되어 있어 어느 쪽이 맞는가를 말해 주십시오.

김대중 아이고, 그 1971년에 조금 말하던 것까지를 다 기억해 가지고 질문하시니 이거 뭐 겁이 나서 안 되겠는데요.(웃음)

여러분께서 또 텔레비전이 비추어서 국민에게 알려지겠지만 내 여기서 특히 사상에 대해서 경력에 대해서 말한 것에 대해 김대중 선생이 질문해 준 것을 감사히 생각하고 또 여기서 책임 있게 말하겠습니다.

나는 일제시대에 목포상업학교를 나와서 바로 일본군에 끌려가게 돼서 대기하고 있던 중에 해방을 맞이했습니다. 해방을 맞이해서 참 그때 스물한 살에 너무도 기뻐서 건국준비위원이니 인민위원회니, 그땐 또 지방에서는요, 우익·좌익이 같이 가담을 했습니다. 그때 거기도 또 조금 관계했고 신민당이라고 하는—당시 지방에서는 남북 좌우 합작을 하는 정당이었는데 나중에는 좌익 정당으로 갔습니다.—또 거기에 조금 가담을 했습니다. 한 10개월 동안 관계를 했습니다. 그러다가 1946년부터는 당시 전처의 아버지, 즉 장인이 한민당 목포시당 부위원장이었는데 저는 거기를 이탈하고 그래서 우익 측에 가담을 하고, 6·25전쟁 당시에는 해상청년단 목포시 부단장을 했습니다.

그래서 6·25전쟁 때는 서울에 사업상 왔다가 6·25전쟁을 서울에서 맞이했습니다. 그래서 이불을 뒤집어쓰고 유엔 방송을 들으니 대전 금강전투에서 막는다고 안심하라고 했고 서울에 있으면 의용군이 잡아가려고 하고 해서 몇 사람들과 함께 걸어서 목포까지 내려갔습니다. 가는 도중에 목포에 인민군이 들어와 버렸습니다. 올데갈데없어 할 수 없이 집으로 갔더니 우리 집은 몰수됐고 가재도구도 다 가져갔어요. 아내는 방공호에서 둘째아들을 낳았지요.

그래서 나는 이틀 만에 공산당한테 잡혀갔습니다. 그 사람들이 철수할 때 목포형무소에 있는 약 2백20명을 학살했는데 그중에 1백40명이 죽고 80명이 간신히 탈옥해서 나왔습니다. 그중의 하나가 바로 접니다. 제 바로 밑의 아우도 그랬습니다. 이래 가지고 나는 다시 해상방위대—말하자면 해상방위군이죠.—전남지구 부사령관이란 직책을 해군으로부터 임명받아서 하다가 육군 방위군이 해산되는 바람에 같이 해산됐습니다.

내가 만일 요새 말하는 그런 좌익이고, 무슨 파출소를 습격하고, 이랬다면 상식으로 생각할 때 내가 목포에서 출마, 국회의원을 두 번씩 할 수 있었겠는가, 또 그랬다면 내가 1971년 대통령 출마했을 때는 왜 박 정권은 그때 입 다물고 있었는가, 전부 유신 이후에 조작한 말입니다. 이것은 나 혼자 한 소리가 아닙니다. 1980년 나를 좌익으로 몰아 죽이려 할 때 미국 정부가—이 문제는 중요하니까 시간이 좀 걸리더라도 양해해 주십시오.—자기네 변호사를 보내 법정에서 방청하고 기록했습니다. 그래 가지고 미국 정부가 예외적으로 김대중에 대한 혐의는, 좌익이다, 광주항쟁 선동했다, 이런 것은 전부 조작이라 했습니다. 그뿐 아니라 레이건 행정부도 그 입장을 재확인했습니다. 더욱이 지난 연초에는 미 의회에서 어느 의원이 김대중 사상에 대해 어떻게 생각하느냐 질문했을 때 시거 차관보가 김대중 사상에 대해 우리는 아무 의문도 갖고 있지 않다고 말했습니다. 도대체 이 전全 정권이 또 민정당이 지금 악의적인 문서를 매일같이, 지금 이 시간에도 전국에 뿌리고 있는데 내가 진짜 좌익이면 왜 나를 사면복권하는가, 이 정권이 용공 정권입니까? 나는 사람들이 참으로 비열한, 국민으로부터 저주받을 짓을 하고 있다고 생각합니다.

나는 여러분들같이 좋은 시대를 못 만나고 또 환경이 그래서 내 학력은 이렇습니다. 나는 학력이 법정대학 나왔다는 말 한 적도 없고 만주 건국대학 나왔다 한 일도 없습니다. 다만 부산 있을 때 거기에 건국대학이란 게 있어서 나중에 동아대학으로 합병했습니다. 거기에 내가 3학년으로 편입한 일이 잠깐 있습니다. 그리고 나는 경희대 경영대학원을 나왔고 경희대대학원에서 석사과정을 마쳤습니다. 다만 대학을 정식 졸업 안 했기 때문에 석사학위는 받지 못했습니다. 그리고 하버드대학 가서 여러분이 아시다시피 국제문제연구소에 초청연구원으로 1년 있었고 에모리대학에서 명예 법학박사 학위를 받았습니다. 나이는 돼지띠입니다. 그런데 호적은 달라서 만으로 두 살 차이가 납니다. 우리 나이로는 12월생이지만 65세입니다.

교육은 국가의 백년대계

박성범 이번에는 부드러운 질문을 하나 하겠습니다. 최근에는 공식 석상에 한복을 자주 입고 나타나니까 해방 직후 여운형 씨나 김구 선생 같은 인상을 연상케 한다, 이런 말을 하는 사람도 있습니다. 해방 직후 두 분의 정치 노선하고 자신의 노선하고 공통점과 차이는 어떤 것입니까.

김대중 김구 선생은 민족 정통성을 엄격히 주장, 친일파를 처단은 안 하더라도 친일파가 국정을 좌우토록 해서는 안 된다고 하셨습니다. 이는 지금도 천만금 같은 말씀이라고 생각합니다.

김구 선생의 책을 읽어 보면 일반적으로 알고 있는 김구 선생 이미지와는 달라서 경제적 정의에 대해 상당히 역설하고 있습니다. 그런 면에서도 한없이 존경합니다.

여운형 선생에 대해서는 그분이 일종의 비극의 주인공이다, 그분은 공산주의자도 아니었고 공산주의를 좋아하지도 않았지만 좌익으로부터는 개량주의자로 몰리고 우익으로부터는 용공주의자로 몰리고, 이런 비극의 시대를 살았습니다. 그분이 이 나라의 민주주의와 사회정의 구현을 위해 병행해서 활약했던 그 정신은 우리가 정당히 평가해야 한다고 생각합니다.

한복 입는 것은 그분들 흉내 내는 것은 아니고 원래 좋아한 데다 또 이번 선거에 나가는 정신이 민족 자주라든가 국민들의 생존권이라든가 민족 통일이라든가 이런 점이 우리의 목표이기 때문에 주위의 권고도 있고 해서 앞으로도 종종 입을 생각입니다.

장명수 문교 정책에 대한 질문입니다. 현행 대학 입시 제도는 정부가 반드시 풀어야 할 숙제 중의 하나라고 생각합니다.

또 현재 과외 공부가 법으로 금지돼 있는데 아무리 부작용이 있다 하더라도 공부시키는 것을 불법화시키는 것은 문교 정책의 모순, 나아가 빈부 격차의 모순을 수험생들에게 전가시키는 큰 모순이라고 생각합니다. 입시 제도와 과외 공부에 대해서 어떤 생각을 갖고 계시는지요?

김대중 제가 나름대로 제일 고민하며 연구하고 있는 것 중의 하나가 그런 교육제도입니다. 이는 너무도 예민하고 중요한 문제이기 때문에 제가 조심하며 말해야 하는데 지금 장 국장 말씀에 전적으로 동감합니다.

우선 입시 지옥은 해결해야 합니다. 그런데 이것은 하나만 갖고 처리될 문제가 아니고 전반적으로 해결할 방법이 나와야 합니다. 예를 들면 민주정부가 수립돼 교사들이 양심을 갖고 정직하게 봉사할 수 있는 환경을 만들어서 교사들의 내신서가 입학에 있어 중요한 역할을 할 수 있는, 이런 방법도 검토돼야 할 것입니다. 2학년, 3학년으로 가면 시험 과목 외에는 거의 공부를 안 함으로써 교육이 완전히 파행적으로 가고 있는 이런 사태를 시정키 위해서도 내신제도가 중요하다고 생각합니다. 또 대학 문호도 어느 정도 개방, 공부하고 싶어 하는 사람은 시키되 열심히 안 하는 사람은 졸업시킬 수 없다, 그래서 유급제도를 두더라도 개방은 더 해야 하지 않는가 하는 생각입니다.

그러나 이것만 가지고는 안 되고 근본적으로는 사회에서의 정책이 가령 대학 4년 나온 사람과 고교 3년 나온 사람의 차이는 봉급이나 승진에 있어서 4년 차이만 두어야 합니다. 그래서 대학을 안 나오고 고등학교만 나오더라도 자기 실력에 따라서는 얼마든지 승진을 할 수 있도록 만들어져야 됩니다. 이렇게 돼야 모두가 대학에 안 몰리지, 그렇지 않으면 사회에서 출세하는 길이란 오직 대학 가는 일밖에 없기 때문에 아무리 대학 문을 넓히더라도 이 문제는 해결이 안 되지 않는가 이런 생각을 갖고 있습니다. 그래서 이런 여러 가지 문제가 종합적으로 다뤄져야 하지 않겠는가 하는 게 제 생각입니다. 대학 기부금 입학제에 대해선 그것이 부작용이 안 나오는 범위 내에선 채택해도 좋지 않은가 생각합니다.

장명수 최근에 찬반양론이 일었던 사립대학 기부금 입학제도에 대해선 어떻게 생각하십니까?

김대중 장 위원은 어떻게 생각하는가, 좀 가르쳐 주십시오.(웃음) 나는 그 문제에 대해서는 일장일단이 있다고 생각하기 때문에 자신 있게 말할 수 없으나, 부작용이 안 나는 범위 내에서는 채택해도 좋지 않은가, 이런 생각을 갖고 있습니다.

수난은 자기완성의 과정

박성범 1980년 봄, 지금은 1987년 가을입니다. 세월도 계절도 정치 상황도 차이가 큽니다. 김대중 위원장은 어떤 점이 달라졌습니까?

김대중 여러 가지 고생도 하고 어려움도 겪고 했으니까 다소 수양도 됐을 것이고 인내심도 좀 생겼을 것이고 그러지 않나 생각이 듭니다. 사실 그간에 내 개인으로서는 참으로 힘들고 때로는 슬프고 고통스러운 여러 가지 일들이 있었습니다.

그러기 때문에 지금은 어떤 일을 겪더라도 그때 일을 생각하면 모든 것이 다 감사하다는 이런 심정도 들고, 또 내가 남한테 당해 보니까 참 못 당할 일이 정치보복이더라, 정치적 목적을 위해 상대방을 박해하는 일이더라, 생각하니까 결국 용서하자는 그런 생각도 들고, 또 가만히 안에서 생각해 보니까 결국 인생이란 것은 결국 한 번 왔다 한 번 가는 건데 아무리 높은 자리, 부귀영화 누려도 이완용이 같이 누리면 아무 소용이 없고, 설사 그렇게 못 하더라도 안중근이나 윤봉길 의사같이 살면 값이 있다, 결국 인생은 뭐가 되는 것이 중요한 것이 아니라 어떻게 사는 것이 중요하다, 그리고 또 많은 사람들이 뭐가 옳고 그른 줄 알면서도 결국 침묵을 지키거나 소극적으로 악에 협력하는 걸 볼 때, 양심이 중요한 것이 아니라 양심대로 행동을 하는 것이 중요하다는 생각도 가졌습니다.

결국 근본적으로는 내 나름대로 느낀 것은 이런 어려움을 겪고 고독한 생활을 해 보니까 사람이 그립고 사람을 사랑하고 싶고 사람을 용서하고 싶고 그리고 현재의 상태에 대해서 감사하고 싶은 그런 여러 가지 면에서 사실은 그 감옥 간 덕택으로 수양도 좀 됐고 안에서도 책을 좀 읽은 덕택으로 부족한 지식도 보충해서 때로는 감옥 안에서 내가 여기 안 왔더라면 이 진리를 모르고 죽을 뻔했는데 참으로 감옥에 오길 잘했다는 생각까지도 들었어요. 지금은 사면복권돼서 바쁘니까 그런 생각을 할 여지가 없지만 그 후로 간혹 집에서 있을 때는 차라리 감옥에라도 가 있으면 책도 좀 읽을 수 있을 텐데 하는 그런 생각도 했습니다.

장명수 지금 말씀하신 것과 관련해서 한 번 더 묻겠습니다. 선생님의 정치적인 높이랄까, 나가고 싶은 방향은 간디처럼 되는 것인지, 아니면 네루와 같은 방향으로 가고 싶은지, 이 질문은 두 가지가 동시에 될 수는 없다는 것을 전제로 하고 드리는 질문입니다.

김대중 간디와 네루처럼 훌륭한 사람을, 저는 그렇게 된다고 할 수는 없고, 정치는 기본적인 원칙, 민주주의에 대한 원칙, 조국의 통일에 대한 원칙은 확고히 지키면서, 전략 전술이랄까, 행동에 유연성을 가져야 합니다. 아까도 말했지만, 이렇게 생각합니다. 이 때문에 원칙의 세계에서 간디 그런 분들은 어디까지나 성자이고 정신적인 지도자입니다. 역시 간디를 존경하면서도 구체적 현실적 정치적 행동에 있어서는, 또 그 처신에 있어서는 상당히 다른 처신을 했던 네루 그런 분들이 우리에 대해 모범이 될 수밖에 없지 않을까, 그런 생각이 듭니다.

민주주의는 모두가 고락을 같이하는 것

김경철 김 위원장께서는 나의 지지 세력은 중산층 이하 저소득층이다라는 걸 대단히 만족해하고 동시에 자랑스럽게 생각하는 것 같습니다. 그렇다면 앞으로 혹시라도 집권하게 되면 저소득층의 지지에 대한 상당한 보상이 있을 걸로 생각됩니다. 뿐만 아니라 지금까지 고락을 같이해 온 주위의 많은 분들이 계시리라 생각합니다. 그분들은 경제적으로 또 사회적으로 정치적으로 어려운 처지에 있다가 김 위원장이 집권하면 어떤 보상이 있어야 할 것 아니냐는 요구가 클 텐데요. 과거 김 위원장과 어떤 관계로든 연루되어 경제적으로 타격을 받거나 고난을 받았던 기업들도 상당히 있으리라 봅니다. 집권 후 이들에 대한 한풀이 경제 운영이라는 쪽으로 펼쳐지지 않겠느냐는 일부 의견에 대해서는 어떻게 대답하실 수 있을 것인지에 대해 말씀해 주십시오.

김대중 중산층과 근로대중이 뿌리박는 정당이라고 말했는데 최근 국내 모 국립대학 사회과학연구소에서 조사한 것을 보면 우리 국민의 83퍼센트가 내 이익을 대변할 정당이 없다고 나와 있습니다. 이것은 굉장히 중요한 사실이라고 생각합니다. 정당은 모든 계층의 이익을 대변할 수는 없습니다. 그래서 평화민주당은 중산층과 근로대중의 이익을 대변하는 정당을 지향하고 또 그것이 내 일생의 신조이고 다른 분들은 또 다른 분야를 대변하겠지, 이렇게 생각을 합니다. 그리고 같이 고락을 나누던 분들의 요구를 어떻게 하겠느냐, 또 노동자들의 요구를 어떻게 하겠느냐는 질문에 대해서는 참고로 할 만한 좋은 예를 하나 소개하겠습니다.

남미 아르헨티나의 알폰신 대통령, 이분이 지금 내가 말한 계층들의 지지로 대통령이 됐습니다. 그런데 이분은 대통령이 되고 나서 그분들의 과도한 요구, 그것을 다 들어주어서는 경제가 안 되게 되었습니다. 그래서 이분이 자기 지지 세력을 설득, 적정한 선에서 요구를 채워 주는, 말하자면 설득을 통해서 재조정했습니다. 그래서 아르헨티나 경제는 파탄 직전에서 회생, 지금 3백-5백 퍼센트까지 치솟았던 인플레가 잡혀서 10퍼센트대로 안정됐습니다. 그래서 세계적인 신용도 얻고 지지도 받았습니다. 반면에 그러한 계층의 지지를 받지 못하고 군정과 적당히 타협했던 브라질의 네베스 정권, 그런 정권은 지금 양쪽에서 불신임받고, 양쪽에서 표류당하다 보니 브라질 경제는 지금 파탄 직전에 있고, 정치는 완전히 안 되게 되어 버렸습니다. 이래서 나는 그런 계층의 분들과 유대가 있기 때문에 그분들의 정당한 요구는 충족시켜 주되 우리 경제로 봐서 불가능한 요구는 그분들의 지지와 신임 속에서 설득, 조정할 수 있다고 생각합니다. 그런 점에 있어서는 그래서 내가 남이 하지 못한 몫을 할 수 있지 않은가, 경제적·사회적 안정에 기여할 수 있지 않은가, 외람되지만 그렇게 생각합니다.

그리고 경제인 중에서 억울한 일을 당하는 것은 현실적으로 제가 잘 모릅니다. 나중에 나타난 사실 위에 그 당시의 사회 여론, 특히 언론에서 그러한 것을 보도하는 데 따라 처리가 될 것입니다. 그러나 근본적으로 나는 자유경제 지향주의자이고, 기업인의 적이 아니고, 경제의 안정을 절대로 해치지 않겠다고 하는 기본 입장만은 확고하다, 이렇게 말씀드리겠습니다.

김대중 논설위원 김 위원장은 매사를 아주 명쾌한 논리와 사변적인 입장을 취하면서 모든 일을 처리하는 것으로 알고 있는데 시중의 속된 말로 하자면 대단히 머리가 좋으셔서 모든 문제를 자기보다 더 뛰어나지 않거나 자기보다 못한 것에 대해서는 항상 불만을 갖는 것으로 알려져 있습니다. 결과인지는 모르겠지만 과거에 김 위원장을 모셨던 여러 사람들이 지금은 김 위원장 주변에 없는 경우가 있습니다. 일반론으로 말씀드릴 수는 없겠지만 1971년 또는 그 이후에 김 위원장의 손발이 돼서 여러 업무를 해 왔던 사람들이, 비록 나름대로의 실수는 있었을지 모르지만 오늘날 김 위원장을 떠나서 김 위원장에게 결코 좋지 않은 감정을 갖고 있는 것은 일부에서는 결국 김 위원장이 재승박덕한 것이 아니냐는 말을 하는 사람들이 있습니다. 여기에 대해서는 어떻게 생각하십니까?

김대중 이유가 어쨌든 내 주위에 있었던 사람들 중에서 이탈이 있다, 이것은 내 부덕의 소치지요. 또 나는 그 분들에 대해 항상 그것을 가슴 아프게 생각하고 있고 그 분들이 당초 나와 같이 일하던 정신으로만 돌아오면 언제든지 받아들이겠다, 이런 자세를 갖고 있습니다.

다만 분명한 것은 내가 사적으로는 어떤 감정도 없다는 것을 말씀드리고, 그 분들과 앞으로 같이 일하지 못할 이유가 없다, 사회에 알려져 있는 사실들 중 잘못돼 있는 게 많다, 이렇게 생각합니다.

내가 볼 때 과거 박정희 씨와 여야 간에 많은 지도자를 볼 때도 혁명도 같이 했다, 쿠데타도 같이했다 하지만 나중에는 인간관계기 때문에 자연히 변화가 있습니다. 나도 해 보니까 좋은 관계도 사람도 세월이 가면 변하기도 하고 여러 문제점도 생기고 어느 누구라도 주위에서 떨어져 나가는 사람도 있고 새로 들어오는 사람도 있고, 그런 게 인간관계가 아닌가 생각합니다. 다만 가까이하고 멀리하고 그런 것도 문제지만 서로 적어도 미워하지 않고 또 언제든지 인간적으로는 같이 손잡고 상의하고 하는 마음의 자세를 갖고 있는 것이 중요치 않은가, 나는 적어도 그 점에 있어선 내가 조금도 부족하지 않다고 생각합니다.

김경철 김 위원장은 자신에 관한 『동교동24시』를 읽어 봤습니까?

김대중 안 읽어 봤는데요.

김경철 왜 이런 질문을 하는가 하면 내 주변에 있는 야당 국회의원들로부터 김대중 위원장이 결코 따뜻한 분이 아니라는 말을 들었기 때문입니다. 본인이 직접 그 문제를 포괄해서 자신의 인간성, 또 성격에 대해 말해 주기 바랍니다.

김대중 『동교동24시』라는 것은 전직 내 경호원 이름만 빌었지, 안기부에서 만든 거예요. 나는 안기부에서 만든 모든 증거와 필자 이름도 갖고 있어요. 어느 땐가 여러분이 알 때가 와요. 그리고 운전기사 얘기…… 전적으로 거짓말이에요.

운전기사가 나를 20년 모시다 죽은 것이 아니고 유신 이후 나가서 다른 직업을 갖고 7, 8년 있다가 병 걸려 죽었어요. 그런데 지금도, 지난 추석 때도…… 이런 말을 내가 안 해야 하는데 말이 나왔으니…… 추석 명절 때도 난 얼만가를 보냈어요. 그 운전기사뿐 아니에요. 또 하나 처를 태우고 다니던 운전기사가 죽었는데 그런 사람들 가족에 대해서, 자식들 취직도 시켜 주고 지금도 출입을 해요. 한 사람도 그런 사람이 없어요. 『동교동24시』에 쓴 것은 가공의 조작이에요. 그 사람들이 구체적으로 사람 이름과 증거를 대면 거짓말이라는 게 나타나요.

나는 지역감정을 증오하는 사람

박성범 대권 경쟁자들은 한결같이 지역감정이 있어서는 안 된다고 강조하지만 실제로 그 사람들의 움직임은 지역감정을 유발시키는 행동임이 틀림없습니다. 김 위원장도 지역감정이 있어서는 안 된다는 걸 여러 번 강조한 것을 전제로 해서 여쭤보는 겁니다. 지역감정의 발동이 선거에 유리하다고 생각하십니까, 불리하다고 생각하십니까?

김대중 지역감정…… 이것은요. 과거 자유당 때는 없었어요. 부산·대구에서 전라도 출신이 국회의원이 됐어요. 우리 목포에서는 내가 경상도분을 밀어서 국회의원에 당선됐어요. 이게 박정희·전두환 정권이 만든 거예요. 이 사람들이 만들어 놓은 망령, 악령 때문에 시달림을 받고 있는 거예요. 나는 지역감정이 설사 내게 도움이 된다 해도 절대로 증오해요. 나는 단 한 번도 지역감정을 갖고 행동한 일이 없어요.

지금 가령 동교동계, 요새 평화민주당을 보세요. 우리 쪽에 부총재가 있는데 네 분 중 한 분 빼놓고 두 분이 충청도고 한 분이 서울이에요. 정무위원도 동교동계 17명 중에서 전라도는 일곱 명밖에 안 돼요. 그런데 우리 쪽보다는 한 지역에 훨씬 편중된, 그런 쪽이 있음에도 불구하고 세상은 우리에게만 자꾸 말합니다.

여러분이 잘 아는 구체적인 예로 말하겠어요. 1979년에 김영삼 민주당 총재가 당시 신민당 총재 경선에 이철승 대표최고위원에게 도전했어요. 그때 김 총재는 아주 열세였고 주위에 사람도 없었어요. 그런데 내가 자진해서 김재광, 박영록, 조윤형, 세 분을 간곡히 설득해서 당수 후보에서 사퇴시키고 나중에 이기택 후보 표까지 몰아서 김 총재를 당선시켰어요. 나는 아무것도 요구한 게 없어요. 이번에도 신민당에서 이탈해 왔을 때 김 총재를 우리가 밀어서 총재를 시켰어요.

1979년에 내가 김 총재를 밀 때는 그렇게 하면 장래 내게 불리하다고 충고했고, 심지어 어떤 사람은 "소위 경상도 정권 밑에서 전라도 사람이 그래, 야당 당수 하나 하고 있는데 같은 전라도 사람인 당신이 그럴 수 있느냐?" 그래서 나는 그 사람들에게 "당신은 나를 전라도의 김대중으로 만들 작정이냐?" 고 면박했지만 나는 내 행동에 부끄럽지 않게 지역감정을 초월하려고 노력해 왔습니다.

이번에 전라도·경상도 청소년들이, 청년·학생들이 지역감정을 해소하는 대동제를 오는 11월 10일 대구에서 하게 되어 거기에 김 총재와 내가 초청된 데 대해 참으로 감사하게 생각하고, 참 훌륭하고 장한 일이라고 생각해서 기꺼이 참석할 예정이며, 이번 선거가 지역감정 해소의 선거가 되어야 한다고 생각합니다. 이래서 내가 국민운동본부에서도 거국내각과 더불어 지역감정 해소에 국민운동본부가 총력을 다해야 한다는 것을 역설해서 그렇게 방침으로 채택시킨 일도 있습니다.

사회 밤이 이슥해 가면서 질문과 답변 내용이 점점 더 진지해 가고 밀도를 더해 가고 있습니다. 패널리스트 한 분이 서너 차례 질문한 것으로 알고 있지만 아직도 질문 보따리가 많이 남아 있는 것으로 알고 있습니다. 그런데 지금 플로어에 계시는 여러분도 궁금하신 질문 내용을 많이 갖고 있을 줄 믿습니다. 그래서 사무국 직원이 백지를 돌려 드렸습니다. 거기다 서면으로 질문을 적어 주시면 중복되지 않는 범위 안에서 제가 대신 질문을 해 드리도록 하겠습니다. 말씀해 주십시오.

김대중 논설위원 지역감정에 대한 보충 질문입니다. 나도 김 위원장 말대로 그것을 주도했다고 보지는 않습니다. 그러나 김 위원장이 언제 가도 환영받을 수 있는 고향인 광주를 처음 정계 복귀의 거점으로 삼았다는 사실이 결과적으로 일파만파로 지역감정을 부채질하고 사람들에게 어두운 그림자를 안겨 주고 있다는 사실과 결과에 대해서는 어떻게 생각하십니까?

김대중 그것은 사정이 좀 다릅니다. 내가 광주에서, 아시다시피 유세나 연설을 한 일이 없습니다. 광주는 여러분이 아시다시피 망월동 묘소 참배, 유가족과 부상자, 그리고 광주 시민에 대한 위문과, 또 그동안의 은혜에 대해 감사의 뜻을 표하기 위해 갔던 것입니다. 그렇기 때문에 어느 장소에 사람을 모아 놓고 연설 안 하지 않았습니까? 아, 내가 광주민주화운동에 연루되어 사형선고를 받았습니다. 또 광주분들이 그 당시 일어설 때 계엄사령부 발표를, 내가 광주민주화운동이 나고 56일 만에 신문에서 읽을 기회가 있었는데 그걸 보면 "계엄령 해제"와 "김대중 석방", 나중에 알고 보면 또 하나 "전두환 물러가라"의 셋이 있었다고 하는데 이 "김대중 석방"을 들고 일어났다가 그분들이 많이 희생된 것입니다. 한 인간으로서 만일 광주를 제일 먼저 가지 않고 딴 데를 갔다면 아마 질문하신 여러분들 중에는 "당신은 당신의 정치적 목적만 달성하는 것이 문제고 그런 막중한 은혜를 입은 데 대한 인간적인 예의조차 결하는 일이 아니냐?" 이렇게도 말할 수 있을 것입니다.

내가 광주를 택할 때는 참 고민도 많이 했습니다. 지금 말한 그런 오해를 받을까 해서 사실은 부산부터 먼저 갈까, 한때 그렇게 결정한 때도 있었습니다. 그런데 부산분들이 와서 이야기가 "그렇게 하면 곤란하다. 적어도 떳떳하게 광주부터 갔다 와야지, 그렇지 않고 부산부터 먼저 오면 너무 정치적으로 보인다." 이런 부산분들의 만류에 의해서 사실은 부산으로 결정했다가 다시 광주로 환원했던 것입니다.

여성 지위 문제는 헌법 정신대로 되어야

장명수 이 나라 여성들은 전통적으로 그동안 차별과 불이익을 당해 오면서도 일제 치하에서 독립운동에 헌신한 것은 물론이고 지난 유신 이래 민주화 과정에서도 남자들 못지않은 끈질긴 투쟁을 해 왔다고 생각합니다. 그러나 아직도 가족법이나 동성동본 불혼제도 같은 법적인 차별 문제가 있어도 역대 국회의원들이 가족법 개정의 필요성을 인정하면서도 유림 세력을 의식해서 개정작업을 미뤄 왔습니다. 김 후보의 부인인 이희호 여사는 특히 대권 주자로 뛰는 네 분의 후보 중 가장 활발한 여권론자로 알고 있는데 이 가족법 개정과 동성동본 불혼 문제에 대해 앞으로 어떻게 대처할 것인지 알려 주기 바랍니다.

또 만일 대통령이 되신 뒤에 비슷한 자격을 가진 총리 후보나 장관 후보가 남녀 두 명이 있을 경우 그동안 여성들이 오랜 세월 동안 감수해 온 불이익을 고려해서 우선적으로 지명해 줄 생각이 있으신지요?

김대중 후자부터 말하자면 저는 앞으로 다음 정부는 젊은 세대와 여성을 국회나 정부에 많이 등용해야 한다고 생각합니다. 그런 점에서 장 국장과 전적으로 의견이 같고, 만일 그런 장 국장보고 나와 주십사 하면 거절하지 마시길 부탁드립니다.(웃음)

그리고 여성의 지위 문제, 가족법을 포함해서 저는 근본적으로 헌법이 만인 평등, 남녀 동등을 규정한 이상 이 헌법 정신대로 실천돼야 한다고 생각합니다. 여성이 여성이기 때문에 받는 불이익, 이것은 여성만의 손실이 아니라 크게 보면 국가 전체의 손실입니다. 동일한 노동에 동일한 임금을 주어야 하고, 동일한 학력에 동일한 월급을 주어야 하고, 또 똑같이 근무한 연한이면 똑같이 승진해야 한다고 생각합니다. 가족법 문제는 여권을 주장하는 분들과 유림과의 사이에 상당히 첨예한 대립이 있는 문제이기 때문에 이 문제에 대해서는 다음 정부가 헌법 정신에 입각해서 충분한 대화를 거쳐 합리적으로, 또 남녀 동등의 원칙하에서 해결해 나가야 한다고 생각합니다.

박성범 김 위원장은 1980년 이후에 동학란, 3·1운동, 8·15광복, 4·19 등을 민중항쟁의 역사의식으로 재평가해야 된다, 이렇게 주장했고 또 얼마 전에는 정몽주와 이성계, 중국의 진시황까지 민중사관으로 재조명해야 한다고 주장한 것으로 알고 있습니다. 8·15 이후에는 친일파를 제거하지 못해서 8·15 이후의 역사가 일제의 연장에 불과하다고 평가했습니다. 그렇게 본다면 중국의 문화혁명 당시 역사적 인물 재평가 방법과 닮은 데가 있지 않나, 이런 생각도 하게 되는데 김 위원장은 민중사관에 의한 최근 세계사의 민중항쟁사를 간단하게 어떻게 요약하고 있습니까?

김대중 나는, 무슨 민중사관이다 할 정도로 큰 식견이 없고요. 역사에 대해서도 지난번에 기자분들이 취재하면서 좀 부정확하게 취재했는데, 내가 민중사관에 의해서 정몽주, 이성계, 이런 문제를 재평가하겠다, 이렇게 했다는데, 그때 어떤 신문이 "정치인이 그런 소릴 한다는 것은 염치없는 소리다."라고 했는데 그 말은 옳지요. 어떻게 정치인이 그런 역사·사관을 마음대로 정치나 법률 가지고 합니까? 다만 내가 그 이야기를 할 때는 민중, 민중이라고도 하고 백성이라고도 하고 국민이라고도, 여러 가지 용어를 썼습니다. 비슷한 얘기죠. 백성들의 입장에서 볼 때는 이러이러한 의견도 있는 것이다. 예를 들면 이성계에 대한 문제는 진시황에 대한 문제는 문화혁명의 사관이라든가 그것이 아니고 아시다시피 서양의 저명한 토인비 같은 사람도 그 역사책에서 진시황이 한 역할을 상당히 높이 평가하고 있어요. 그 사람은 진나라의 자산子產이라든가 진시황에 대해서 크게 평가하고 있습니다. 그래서 이런 역사의 학설도 있다, 이것을 그날 소개한 데 불과합니다. 그런데 내가 이 자리를 통해서 다시 한번 얘기하고 싶은 것은 내가 정몽주 선생에 대해서 어떤 역사적 평가를 내렸다든가, 또 어떤 방향으로 바꿔 쓰겠다든가, 이런 것은 절대로 아닙니다. 그렇게 쓰신 분들은 죄송하지만, 오늘 저녁에 내가 정정한 것을 신문 기록에 올려 주시면 감사하겠습니다.

김대중 논설위원 김 위원장의 말을 듣노라면 우리 언론이 제대로 일하지 못하고 있다는 느낌을 받게 됩니다. 받아쓰는 것도 잘못 받아쓰고, 말도 잘못 알아듣는다는 질책 같은 느낌도 듭니다.(웃음) 개인의 입장입니다만 과거에 고생하고 고통받을 때에 우리가 활발한 언론 기능을 못 했다는 데 나는 김 위원장에 대해 나름대로 생각하는 바가 많습니다. 그런 입장임을 전제로 해서 김 위원장은 현재 언론이 수행하고 있는 기능에 대해 공개적으로 비판하는 경우 때로는 우리가 수긍하는 일도 있고 그렇지 않은 경우도 있다는 것을 느낍니다.

말하자면 광주 인파의 보도 문제에 관한 홍사단에서의 발언 문제라든가 또는 두 월간지의 이후락의 증언에 관한 발언이라든가, 우리 나름대로 가슴에 손을 얹고 생각해 봐도 누구의 압력으로 이루어진 것은 아니라는 것을 다른 동료 기자들도 같이 느끼고 있다고 믿습니다. 그래서 나는 언론 자유가 없다고 공개적으로 말하는 경우 그 언론 자유란 무엇을 의미하는가, 지금도 언론 자유가 없다고 생각하십니까? 기자가 갖고 있는 판단의 폭은 별개 문제로 하고 말씀드리는 것입니다.

김대중 그런데요, 이렇게 이해해 주시기 바랍니다. 누구든지 자기에게 잘 써졌거나 과히 불공평하게 안 쓴 것은 말 안 하고 불공평한 것은 얘기합니다.

그러니까 오늘 저녁의 민중사관이라는 것도 그 받아썼다는 것이 잘못 썼다는 것보다도 내가 하는 의미가 잘 반영 안 되었다는 의미이고, 그래서 언론인과 취재 대상은 상호 간에 조금씩 불만이 있지 않겠습니까? 그런 가운데 또 서로 이해도 깊어지고, 물론 자유도 더욱 전진해 나간다, 언론도 우리를 비판해 나갈 수 있고, 우리도 불만이 있으면 얘기할 수 있고, 그런 가운데 서로 이해도 깊어지고 발전할 수 있지 않을까, 그렇게 생각해서 이해해 주기 바랍니다.

김대중 논설위원 부탁 겸 보충 질문으로 언론이 잘하고 있다고 칭찬도 해 주면, 그것이 부담도 되고 공정 보도에 도움이 되리라고 생각합니다.

김대중 명심하겠습니다.

장명수 만일 이번 선거에서 낙선한다면 가장 큰 이유가 야당 후보가 단일화되지 못해서라고 생각하겠습니까? 또 낙선한다면 다음 선거에 다시 도전하겠습니까?

김대중 낙선한다는 것은 생각 안 해 보았기 때문에 거기에 대해서는 답변 준비가 없는데요.(웃음) 나는 선거 전망에 대해 이렇습니다. 우리의 과거 투표 성향으로 봐서 표가 산표되지는 않는다, 결국 국민은 여야거나 혹은 야당의 두 후보거나 여기에 표를 집중하지 산표하지는 않는다고 봅니다. 그것은 지금까지 대통령 선거의 성향이 일관해서 그렇습니다. 예를 들면 1971년, 제가 박정희 대통령하고 같이 나왔을 때 공명선거 여부는 별도로 하고, 어쨌거나 박정희 대통령과 제가 얻은 표가 합쳐서 99퍼센트입니다. 나머지 박기출 씨 이하 세 명이 얻은 표는 1퍼센트도 안 됩니다.

이번에도 국민의 힘에 의해서, 압력에 의해서, 필요하면 야당의 힘을 단일화시킬 것이고, 예를 들면 1963년에 윤보선, 허정, 두 분의 경우같이 할 것이고 또 야당 후보 두 사람에게 표를 집중시켜 그것으로 결정할 것이다, 또 하나 내가 생각한 것은 노태우 후보에 대해서는 그 분이 권력의 지지를 받고 있고, 또 선거자금을 독점하고 있고, 게다가 많은 언론 매체의 각광을 받고 있고, 또 큰 조직을 갖고 있습니다. 그렇기 때문에 무시할 수는 없지만, 나는 우리 국민이, 총칼 앞에서도 굽히지 않은 국민이, 전두환=노태우인데 그 분을 지지할까? 더구나 8개 항도 제대로 이행하지 않은 식언食言을 한 그 분을 지지한다, 나는 상상할 수 없습니다. 그래서 정상적인 선거를 하면 노태우 후보의 당선은 없다, 부정선거해야만 당선 가능성이 있는데 그럴 때는 그것대로 큰 문제가 된다, 이렇게 보고 있습니다.

김경철 그 문제와 관련해서 질문을 하겠는데, 떨어지는 것은 전혀 생각해 본 적 없다고 말했는데, 나는 떨어질 수도 있다는 측면에서 생각해 보겠습니다. 이번에 단일화에 실패했습니다. 만약 단일화가 가능했다면 땅 짚고 헤엄치기다, 이렇게 국민 대부분은 생각했습니다. 그러나 이제 당이 깨지고 단일화가 안 되었기 때문에 모처럼 민주화의 기회, 또 군정 종식이란 기회가 결국 무산되는 것 아니냐? 그래서 거기에 대한 책임도 결국 양 김 씨가 져야 한다, 두 분은 차기에 대통령으로 재출마한다는 것은 아예 생각도 마시고 영원히 이 정치장에서 물러나야 한다, 그런 여론까지 있다는 것을 알아주기 바랍니다. 이런 여론에 대해선 어떻게 생각하십니까?

김대중 그런 이야기가 일부에 있고 또 상당수 사람들은 어떤 경우에도 양보하지 말고 나오라고 엄청난 압력을 가합니다. 결국 솔직한 얘기로 내가 대통령에 나가게 된 것은 나 자신으로서는 그렇게 마음에 내키는 것은 아닙니다. 내가 그렇게 고민스럽고 수치를 느낀 적이 없습니다. 밤에 일어나서 2시, 3시까지 잠 못 잔 적이 많습니다. 그런데 지금 내가 국민의 압력—물론 전부는 아니죠.—나를 지지하는 사람들, 즉 적지 않은 수의 압력, 지난번 10월 25일 고려대에서 강연 때 와서 보셨지만 그런 엄청난 광경을 여러 번 봤을 것입니다. 그런 압력을 지금 내가 거부할 길이 없습니다. 지금 떨어지면 정치생명이 끝난다고 하지만, 지금 거부하면 정치생명이 문제가 아니라 인간적으로 저를 지지하는 사람에게 다시는 용납받지 못할 상황에 있습니다. 그래서 내가 입후보를 결심하게 된 것입니다.

그러나 아무리 그분들의 압력이 그렇다 할지라도 나는 물론 내가 당선되리라고 확실히 믿고 있습니다. 그것은 앞으로 여러분이 선거 양상을 보면 압니다. 절대 이건 허세로 말하는 것은 아닙니다. 그렇지만 가정해서 김영삼 총재나 나나 둘 다 떨어지고 군사정권에서 나온 사람이 당선될 경우가 있다 할 때는, 국민도 그것을 그냥 두지 않고 "두 사람 중의 하나를 단일화시켜라."라고 했지만, 우리 자신도 그런 것이 확실할 때는 결단을 해야 된다, 이렇게 확실히 마음에 결심하고 있습니다.

1963년에도 윤보선, 허정 두 분이 따로따로 당을 가지고 있었지만, 결국 그런 결단을 했습니다. 1963년에 그랬는데 24년 후의 오늘에 이렇게 잘나고 이렇게 똑똑하고, 판단과 정치 수준이 높은 국민 앞에 우리가 그러한 어리석은 일을 할 수 있다고 절대 생각하지 않습니다. 너무 성급하게 독단할 것이 아니라 앞으로 사태 추이를 좀 더 주시할 필요가 있습니다. 나 자신도 지금 질문하신 분 못지않게 그런 면을 걱정하고 있고, 고민하고 있고, 또 나 나름대로 양심을 가지고 이 문제를 생각하고 있습니다. 이 점을 양찰해 주기 바랍니다. 그러니까 너무 성급하게 독단할 것이 아니라, 앞으로 사태 추이를 좀 더 주시할 필요가 있습니다.

김대중 논설위원 막판 단일화를 말하는데 그 그림에는 김 위원장이 있지, 김영삼 총재가 있는 것은 아니지 않습니까? 그러니 김 위원장도 막판에 양보할 가능성이 있는지를 묻고 싶습니다.

김대중 물론 국민 여론에 따라서 양쪽 다 할 준비가 되어야지요.

박성범 지금 김 위원장께서 말씀하신 것을 들어 보면 지난 주말의 고려대

집회에서의 김 위원장을 지지하는 세력이 결정적으로 김 총재를 지지하는 세력보다 많았고, 그것이 마지막 단계에서 출마를 결심하게 됐다고 저는 해석을 하는데, 계보 쪽이 정치권으로 달려들어 왔을 때, 그렇다면 대학생을 선거를 앞두고 정치권에 김 위원장이 끌어들인 꼴이 됐는데, 앞으로 선거를 앞둔 민감한 시기에 특히 국가의 장래 문제와는 어떤 영향을 미치리라 생각합니까?

김대중 예, 그것 아주 좋은 말씀입니다. 그런데 그날 고려대에 온 것은 학생만도 아니고, 내가 보기에는 학생보다는 일반 사람이 훨씬 더 많았다고 봅니다. 대학생들도 투표권을 갖고 있고, 선거법에 의해 선거 활동을 할 자유가 있는 만큼 이 선거에 관한 한 대학생 여부를 떠나 유권자라는 차원에서 대학생들도 누구든 자유롭게 지지할 수 있고 의사 표시도 가능하다, 만일 대학생이라 안 된다면 제 생각에는(웃음) 중고교를 나와 20세가 되면 자연히 선거운동과 의사 표시를 하는데, 대학생은 20세가 넘어도 제약을 받는다는 것은 불공정하다고 생각합니다.

박성범 다시 한번 덧붙이는데, 김 위원장은 낙선은 생각 안 해 봤다는데 만약 네 후보가 경선하면 가장 힘겨운 상대는 누구입니까? 노태우 후보가 됩니까? 아니면 김영삼 총재가 됩니까? 김종필 후보가 됩니까?

김대중 그건 참 어려운 질문입니다. 좀 더 선거전이 진행되지 않으면 답하기가 어렵습니다. 그러나 국민의 지지로 봐서는 김영삼 후보가 더 어려운 상대고, 군사정권의 집권당으로서 프리미엄을 생각하면 노 후보도 무시할 수 없다, 따라서 현 사태를 예의 주시, 분석하고 있습니다.

지도자는 국민이 키운다

김대중 논설위원 다음 지도자 세대에 관한 말씀을 좀 드려 보겠습니다. 일반적으로 우리 정치가 여야 할 것 없이 권위주의적으로 흘러가고 있는 경향이 많습니다. 사람들, 흔히 외국 사람들일 경우에 만약 그 분들이 아니면 대안이 누구냐고 물어봅니다. 솔직하게 그 분들 아니면 대안이 별로 없다 이겁니다. 집권당은 집권당대로 한 사람이란 정점을 위해서 모든 것이 희생돼야 되는 상황이고 오늘날 야당은 어느 야당이건 간에 야당의 입장도 결코 한 사람의 지도자에 우산 같은 형태를 유지하고 있을 뿐이지, 다음 지도자 세대로 부각될 수 있는 그런 여지는 상당히 봉쇄되어 있는 것이 아닌가, 한국의 정치를 관찰하는 입장에 있는 저희들도 다음 세대가 누구일 것인가에 대해서는 전혀 예측할 수 없는 상태입니다.

과연 우리나라 정치가 이렇게 한 끼 아침밥을 먹고 끝나야 되는 것인가, 아니면 점심도 걱정하고 저녁도 걱정하고 하는 그런 상황까지, 그것을 다 배려해야 하는 것이 훌륭한 지도자가 아닌가 하는 입장에서, 지금 오늘날의 다음 지도자 세대의 빈곤과 부재 현상에 대해선 어떻게 생각하십니까?

김대중 아주 심각하고 중요한 문제입니다. 지금 사실 우리 다음 세대의 지도자 될 만한 사람이 정확히 부각이 안 되고 있습니다. 이것은 참 걱정스러운 일입니다. 이렇게 된 원인은 누가 밀어젖혀서 그렇게 됐다고는 볼 수 없고, 이것은 도대체 세대 교체가 있을 만한 자유로운 정치 분위기가 안 돼 있기 때문에 다음 세대 사람의 등장이 못 된 것이고, 또 앞에 가는 세대 사람이 대통령을 하든지, 뭐든지 하고 끝나야 그다음을 하는 건데, 딱 독재정권에서 길이 막혀 버리니까, 순서를 기다리다 보니까 뒤의 사람들이 등장을 못 하는 것이 아닌가, 이런 생각이 듭니다.

결국 다음 세대의 지도자란 것은 국민이 등장시켜야 하는데, 국민이나 야당이나 전부가 독재정권 넘어뜨리는 데 열심 하다 보니까 이런 상황이 오지 않았는가, 그래서 이번에 민주정부가 성립이 되면 그 문제는 아마 국민 사이에 굉장히 급속도로 활발하게 논의가 전개될 것이고, 또 행인지 불행인지 헌법에 5년밖에 못 하게 돼 있으니까 저도 대통령 당선되더라도 당선된 그다음 날부터 후계자가 등장할 수 있는 그러한 길을 열어 주면서 고무·격려하고 협력하는 그런 조치를 취해서, 지금 김 논설위원이 말한 그런 걱정을 덜어 가야 한다, 이렇게 생각하고 있습니다.

김경철 이번 대통령 선거를 치르는 데 김 위원장 본위로 선거 비용이 어느 정도라고 봅니까? 그리고 자금 확보는 어떻게 원활히 되고 있는지요? 지금 성금이 원활히 들어오고 있는 건지, 자금 사정이 어려운지요? 독지가들이 지금 성금을 많이 보내는 것으로 알고 있는데, 자금 사정이 어려운 것인지를 묻고 싶습니다.

김대중 자금 사정이 어렵다고 신문에 나서 독지가가 돈 좀 도와줬으면 참으로 감사하겠다, 이렇게도 생각하는데, 저는 선거자금이 얼마나 드느냐 가늠할 수 없어요.

그런데 그 여당 후보가 엄청난 돈 쓰는 것을 보면 얼마나 쓸 건지…… 내가 입수한 정보에 의하면 1조 원을 쓴다는데 지난 추석 때도 민정당 노 후보 선물을 안 받은 사람은 사람 축에 못 들어간다, 이 정도로 뿌리고…… 그 양반 이야기하는 것을 보면 자기 재산이라고는 집 한 채밖에 없다는데 집 한 채밖에 없다는 사람이 어떻게 돈이 나서 그렇게 선물을 할 수 있는가, 그 집에는 금 나오고 돈 나오는 방망이가 있는지 모르지만 그렇게 쓰니 겁이 나서 선거자금에 대해 얘기할 수 없어요.

그리고 솔직히 말해 이 정권이 여당만 선거자금을 갖다 쓰면 그것도 어느 정도는 여당의 프리미엄이다 하고 봐줄 수 있는데, 경제인들을 샅샅이 찾아다니면서, 나하고 한 번 얼굴도 본 적 없는 사람들에게 미리 세무 사찰 위협하기 때문에 돈 주기는커녕 만나 주지도 않아요. 이런 면에서 지금 현실적으로 정치자금을 자기네만 일방적으로 뒷구멍에서 불법적으로 받아 쓰는 것이 부정선거의 원천이다, 이렇게 생각합니다.

장명수 김 후보는 지난달 광주에 내려갈 때 저고리와 잘 안 맞는 바지를 입었다가 다시 갈아입은 일이 있고, 또 지난 10월 27일 국민투표 때 주민등록증을 못 찾아 소동을 겪은 끝에 다시 다른 양복 주머니에 있는 주민등록증을 찾은 일이 있습니다. 평소 일상생활에서 주의력이 부족한 편인지, 아니면 이희호 여사가 매우 독립적인 여성이라 전통적인 내조를 좀 소홀히 한 것이나 아닌지 말해 주십시오.

김대중 어떻게 해서 저고리, 바지 틀리게 입은 것을 아세요.(웃음) 나보고 너무 빈틈이 없다고 하는데 때로 빈틈이 있어 좋지 않아요?

민주와 통일은 하나

박성범 김 위원장은 모 일간지 회견에서 "민주주의와 통일은 손바닥의 안쪽과 바깥쪽이나 마찬가지다. 민주주의가 먼저 되고 통일이 되어야 한다. 민주주의가 없는 통일은 낭만적인 도피다."라고 했는데 통일 정책과 민주화는 어떻게 연결시켜 나갈 생각인지요?

김대중 네, 아주 중요한 질문이고, 내가 그 말을 할 수 있게 해 주어 감사합니다. 저는 이렇게 생각합니다. 아마 여러분도 동의할 것으로 생각하는데, 공산주의를 극복하는 길은 민주주의밖에 없다, 세계에서 민주주의 해서 공산주의에 진 나라 없고, 독재해서 공산주의를 이긴 나라가 없습니다. 예를 안 들어도 다 아시니까 그만두겠습니다.

그래서 우리는 민주주의만 하면 국민의 자발적인 지지에 의해 정국이 안정되고, 공산당이 대한민국에 대해 공산화한다는 것은 도저히 꿈도 꾸지 못한 확고한 안전과 안보 태세가 된다고 봅니다. 이것은 단순히 내 추측만이 아니라, 6·25전쟁 때 내가 그 시대를 경험하고 산 사람인데, 전시하에서도 언론 자유, 지금보다 훨씬 자유가 있었습니다. 지방자치, 대통령 직선, 그리고 국회와 사법부 독립, 도대체 그때는 만일 법원의 독립이 없다고 하면, 없다고 하는 사람보고 정신병자라 했을 것입니다. 이렇게 자유가 있어서 활발하게 보도하고, 국회에서는 국민방위군 사건 같은 것 문제를 삼아 전시에 공산당이 보는 앞에서 공개적으로 처단하는 이런 일까지 했습니다.

이렇기 때문에 모든 국민이 그때는 중앙정보부도 없고, 향토예비군도 없고, 보안사령부도 없고, 경찰 하나밖에 없었습니다. 물론 계엄사령부는 있었습니다. 그러나 모든 국민이 아무런 두려움 없이 살면서 자발적으로 안보나 안정에 협력했기 때문에 전시하에 자신을 갖고 공산당과 싸웠고, 군인이나 민간인이나, 공산당 너희는 이런 자유가 없지만 우리는 이런 자유가 있다, 우리는 이 자유를 위해서 싸우는 것이다, 이런 긍지를 갖고 살아 그때 안보가 잘되었습니다. 나는 이번에 민주주의를 하게 되면 그 이상의 안정과 안보가 온다고 봅니다. 그렇게 되면 남북 간에 현재의 휴전 상태를 종식시키고 평화 체제로 바꾼다, 여기에는 미·일과 밀접한 협력으로 진행시킨다, 그래서 유엔 4대국의 협력을 받는다, 이렇게 해서 항구 평화를 정착시키고, 그다음 이것을 기반으로 평화적 교류의 단계로, 평화 공존에서 교류의 단계로 들어가 모든 분야의 교류를 활발히 해서 민족 동질성을 회복시키고 통일의 길을 닦는다, 여기까지 다음 정부가 할 수 있고, 그다음 문제는 그다음 정부가 맡을 것이라고 생각합니다.

김대중 논설위원 김 위원장의 군에 관한 견해가 어떤 것인지 많은 사람들이 잘 알고 있습니다. 대한민국에서 가장 큰 조직력을 갖고 있는, 또 가장 훈련이 잘된 집단과 대통령이 되겠다는 김 위원장과의 관계가 원활하게 되는 것이 나라의 발전과 정치의 모양을 위해 좋을 것입니다. 다시 말해 김 위원장의 군에 관한 발언에 항상 가시가 있고 또 군은 군대로 김 위원장에게 또 다른 가시가 있다고 믿어집니다. 따라서 김 위원장이 군의 지도자들을 초청해서 허심탄회하게 의견을 교환할 기회를 마련할 용의는 없습니까?

김대중 그분들이 응할 형편만 되면 내일이라도 있죠. 그런데 실제로는 내가 전에 육군통합병원에 위문을 가려고 했어요. 처음 연락 때는 "좋다"고 "언제라도 오시라"고 병원 당국에서 했어요. 나중에는 무슨 판단이 내렸는지 오는 것을 원치 않는 방향으로 해서 결국 못 가고 말았어요. 내가 안 하려고 한 게 아니에요.

나는 요새 연설할 때마다 우리 군인의 절대다수가 "군은 정치에 개입하지 말고 안보에 전념해야 한다. 이런 애국적이고 국방에 충실한 군인이니 그분들을 격려하고, 또 정치군인도 이제부터는 태도를 바꿔 국방에 충실하면 아무 차별 없이 서로 협력할 것이기 때문에 정치군인들도 마음을 바꾸도록 격려하는 박수를 하자." 해서 박수를 보내고 있습니다. 다만 분명히 얘기할 것은 군이 후보를 누구를 뽑느냐, 대통령을 누굴 뽑느냐, 이 문제에 대해서는 백에 하나, 만에 하나라도 개입해서는 안 된다, 이 문제를 해결할 사람은 국민뿐이다, 어떤 일에서도 양보할 수 없는 기본적인 확고한 선입니다. 나는 군을 존경하고, 군을 사랑하고, 또 군의 국방의무를 적극 지원하는 태도를 지금까지 취해 왔습니다. 국방예산을 삭감했다느니 외국 군원을 반대했다느니…… 전부 조작된 거짓말입니다.

그러나 다만 군이 정치 개입하는 것은 나라도 망치고 군도 망칩니다. 우리 눈앞에서 사실로 나타나고 있습니다. 우리가 이북에 비해 인구가 배 이상이고 국민총생산(GNP)이 6배입니다. 우리 국민은 세계에서 최고로 교육 수준을 자랑하고 있습니다. 서독은 그런 상황에서 동독에 압도적으로 우월합니다. 그런데 우리는 우월하지 못합니다. 매일 안보가 위태롭다고 그럽니다. 왜 그러느냐? 서독은 민주주의가 있고, 여기는 민주주의가 없기 때문입니다. 군의 중립, 민주주의만이 진실로 군을 위하고 나라를 위한 길입니다. 예를 들면 아르헨티나 같은 데서 알폰신 대통령이 처음 출마하려 하자 "다 돼도 알폰신만은 안 된다." 이랬지만 알폰신이나 지지자들이 "비토할 권리는 국민뿐이지, 어찌 군이 개입하느냐." 이래서 대통령에 당선해서 오늘날 알폰신은 국민의 지지 속에 아르헨티나 3군 사령관으로 군도 잘 장악하고 정국도 안정시키고 있습니다.

나는 절대로 국방이나 군의 임무를 누구 못지않게 중요시합니다. 다만 내가 반대하는 것은 군의 정치 개입뿐입니다. 군이 정치하려면 옷 벗고 나와 민간인이 돼서 해야 합니다. 군복 입은 채로 국민 세금으로 준 무기를 가지고 백성을 탄압해서 정권 잡고, 그다음에 옷 벗는 것은 민간인이 아닙니다. 옷은 벗어도 그것은 군사정권입니다. 그렇기 때문에 우리가 전두환 대통령이나 노태우 씨를 정당한 민간 정치인으로 인정하지 않는 것입니다.

박성범 김 위원장은 1985년 미국 정치 망명을 마치고 귀국할 때 전현직 미 정치인들을 대동하고 김포공항에 도착했습니다. 이것은 김 위원장이 늘 주장하고 미워하는 사대주의에 상치하는 행동이 아니었나 생각합니다.

김대중 당시 사정은 귀국할 때 미국의 전 언론이 "김대중의 귀국이 제2의 아키노가 되는 것 아니냐." 하는 우려를 했습니다. 미국 사람들은 아키노를 소홀히 보냈다가 목숨을 잃은 데 대해 굉장히 후회스럽고 실수라고 생각하고 있었습니다. 그분들이 자기 돈 가지고 자발적으로 온 것입니다. 온다는 것을 내가 막을 것도 없고, 생각해 보니까 내가 그분들 따라가면 사대주의자지만, 세계에서 제일 큰 대국 사람들이 날 따라오는 것은 사대주의가 아니지 않으냐?(웃음) 어떻게 보면 우리 국민이 볼 때 속이 후련한 일이 아니냐, 나는 그렇게 생각해서 일행과 같이 왔습니다. 그렇게 이해해 주시기 바랍니다.

장명수 우리나라 도시 근로자의 평균 가계소득이 작년 기준으로 볼 때 한 달에 48만 원 정도로 나와 있습니다. 김 위원장께서는 대통령 월급이 여기에 비해 얼마나 되면 적당하다고 생각하시는지?

김대중 대통령이 되려고는 했지만, 월급까지는 아직 생각을 안 해 봤는데……(웃음) 저는 분명한 것은 앞으로 일체의 공직자는 월급 가지고 살아야 합니다. 공직자가, 위로는 대통령부터 장관, 여기서부터 월급 가지고 살지 않으면서 말단 공무원들보고 월급 가지고 살아라, 그것 자체부터 부정입니다. 이래서 앞으로 장관이나 국회의원을 임명하고 공천할 때는 그 부인까지 오라고 해서 서약을 받아야 합니다. 그래서 이렇게 임명했을 때, 월급 갖고 살겠느냐, 또 부인에 대해서는 남편에게 보석반지 사 달라, 밍크코트 사 달라, 이런 말 하겠느냐 않겠느냐? 이런 자신 있으면 말고 그렇지 않으면 차라리 장사하라고……. 이렇게 해서 대통령부터 자기 생활을 마치 쇼윈도 속에 비춰 보듯이 훤히 보이는 이런 일 하면서, 한마디로 전 공무원에 대해, 내가 부정하면 여러분도 하라, 그 대신 내가 안 하면 여러분도 하지 마라, 이런 말을 하면서 대통령이 모범을 보여야 하지 않겠는가, 이렇게 생각합니다.

노동자의 설득은 신뢰받는 정치만이 가능

김경철 잘 아시다시피 금년 여름에는 노사분규로 우리 경제가 큰 홍역을 치렀습니다. 그런데 업계에서는 사실 내년 봄에 또 한 차례 이와 같은 큰 홍역이 있을 것으로 지금 벌써부터 우려가 대단합니다. 이와 같은 노사분규가 재발되지 않는 것이 가장 바람직하다고 생각하겠습니다마는, 만약 노사분규가 발생하는 경우에 어떻게 또 하나의 홍역을 슬기롭게 극복할 수 있을 것인지, 복안이 있다면 밝혀 주시기 바랍니다.

김대중 아주 심각한 질문인데요. 우리가 지금까지 보면, 우리가 예측하고 걱정하던 것하고 사태가 똑같이 오느냐 하면 반드시 그렇지는 않습니다. 예컨대 8월에 우리가 얼마나 많이 9월, 10월 위기설을 말했습니까? 그런데 위기가 안 왔습니다. 또 그때 9월부터 학교가 문 열면 노학 연대해 가지고 큰 혁명적 투쟁이나 일어날 것처럼 말했습니다. 노학 연대, 안 일어났습니다. 절대다수 노동자나 학생들이 지금 가는 길은 선거를 통해서 민주화를 하겠다, 그러니 공명선거만 해 달라 이것입니다. 세상에 이런 온건한 주장이 어디 있습니까? 이래도 툭하면 정부는 좌경·용공으로 모는데, 어제 자제하고 안 갔습니다만, 작년에 건국대학에서 1천2백65명 체포해서, 이것은 용공도 아니고 공산혁명분자라고 발표했습니다. 그런데 그 사람들 다 나왔습니다. 그러면 이 정권이 용공정권입니까? 다 내어 주게. 이 정부가 그렇게 엄청난 과장을 하고, 반공을 악용하고 있다 이것입니다.

나는 명년 봄에, 노동 전문가와 얘기해 보니까, 다시 민주정부가 섰을 때 노동자들이 요구를 들고나올 가능성이 있다고 그럽니다. 그러나 그것도, 노동자들의 주장도 지난번과 같이, 지난번 주장 즉, 어용노조 물러가라, 적정임금 내라, 그런데 심지어 여당의 총재까지도 그 주장은 합리적이라고 말하지 않았습니까? 나는 명년에도 합리적인 주장을 넘지 않을 것이다, 다만 그때는 민주정부가 서면 좀 더 그 주장하는 표현이나 강도가 강해질 수 있지요. 그러기 때문에 그때에 노동자로부터 신임을 받을 수 있는 대통령, 그들하고 고락을 같이하는 대통령, 그리고 그들이 신뢰할 수 있는 대통령이 나왔을 때만 이런 노사 문제를 안정의 기반 위에 해결할 수 있지 않은가, 이래 가지고 과도한 요구는 조정할 수 있지 않은가, 이렇게 생각합니다.

김대중 논설위원 가족이나 가까운 친척이 정치에 진출하고 개입하는 것은 어떻게 생각합니까?

김대중 내 생각에는요……. 그거는 원칙론보다는 구체적으로 우리가 상식으로 생각해서 누가 보더라도 그 친척과 가까운 사람 중에서 정치에 참여할 자질과 능력이 있는 사람이 참여하느냐, 아니면 부모의 선택으로 그 힘을 발려 가지고 정치에 밀고 나오느냐, 이것이 중요한 문제라고 생각합니다. 내 주위의 가족이나 동지는 유신 이래 15년 동안 온갖 고초를 겪었습니다. 그런 의미에서 피해를 본 사람이 더 많습니다. 다만 앞으로 자유로운 세상에는 국민 여론이 판단해서 주변 사람 중에 저만하면 정치할 수 있다 판단하면 할 수 있는 것이고, 아니면 아닌 것이고, 다만 하나 분명한 것은 부모나 특별한 편에 의해서 등장하는 것은 절대로 안 된다고 생각합니다.

12·17 대통령 선거의 의의

사회 이상으로 네 분 패널리스트의 질문을 모두 마치겠습니다. 그러면 플로어에 계시는 여러 방청객 가운데서 보내 주신 서면 질문이 여럿 있습니다. 중복되는 것도 있지만 제가 대신 낭독해서 질문하겠습니다.

방청객 단일화 문제와 관련해서 4파전이라도 해 볼 만하다고 말한 것은 4파전이라야 꼭 승산이 있다는 뜻은 아닌지요. 그렇다면 처음부터 1노 3김의 경쟁 체제를 예비하지 않았나 묻고 싶습니다. 그러기 위해서 내각제 주장자였던 김영삼 총재를 우선 직선제 주장으로 돌려 앉혀 놓고 민주화투쟁을 벌이다가 직선제가 관철되었으니 4파전 실현을 위해서 단일화를 깬 것은 아닙니까? 단일화 실패의 책임은 김영삼 총재와 김대중 위원장 어느 쪽에 더 책임이 있다고 보십니까?

김대중 굉장히 깊이 생각해서 질문하셨는데, 단일화를 하려고 나름대로 노력한 것은 사실이고 또 누가 잘했다, 누가 못했다, 말하고 싶지는 않고 다만, 오늘날 여기까지 온 결과는 절대로 처음부터 의도해서 한 것도 아니고, 의도해서 했다면 지난번에 당을 깨지 않기 위해서 조금 비정상적이지만 우리 두 사람이 공천을 하지 않은 채로 나가 가지고 당은 안 깨는 것이 어떠냐…… 결코 의도적으로 한 것은 아닙니다.

결국 국민 간에 상당수의 층이 참으로 거역할 수 없는 강한 압력·주장을 해 왔고 또 재야에서 민주주의를 가져오는 데 절대적인 공헌을 한 그 층에서 감사하고 과분하게도 적극적인 지지를 보냈고 그리고 가장 직접적인, 결정적인 동기가 됐다고 생각한 것은, 김 총재 측에서 군이 나를 지지하지 않기 때문에, 나이도 내가 많고 또 사면복권되면 나보고 나가라고 약속한 일도 있기 때문에 양보하고 싶지만, 군이 지지하지 않기 때문에 양보할 수가 없다, 이 점에 대해서는 나하고 아주 결정적으로 의견을 달리하고 또 이것은 민주주의로 가느냐 안 가느냐 하는 중대한 분기점이라고 생각했기 때문에 여기에서는 도저히 양보할 수가 없다, 또 그것이 그쪽의 한 번, 두 번 해 본 우연한 발언도 아니고 일관된, 8, 9월에서 10월까지도 일관된 주장이기 때문에 거기에 근본적인 차이가 있다, 이런 생각에서 오늘날 여기까지 온 것인데, 어쨌거나 결과적으로 단일화를 이루지 못한 것은 대단히 송구하다고 말씀드리겠습니다.

방청객 김 위원장을 포함한 대권 4주자의 예상 투표율을 어떻게 전망하시는지요?

김대중 나는 그 질문한 분한테 한번 묻고 싶은데……. 제가 아까도 말했지만 여기서 긴말하지 않고 우리 국민은 결국 필요하면 야당의 후보도 국민의 힘으로 관철시킨다, 우리 두 사람은 필요하면 단일화를 시켜야 한다고 생각합니다. 현재 내 판단으로서는 나의 당선에 대해서는 충분한 전망을 갖고 있다, 이렇게 말씀드릴 수 있겠습니다.

방청객 왜 꼭 대통령을 하려고 하시는지, 그리고 대통령직이 격무라고 생각되는데 현재의 건강으로써 감당할 수 있다고 보시는지 말씀해 주십시오.

김대중 먼저 뒤부터 얘기하면, 건강에 대해서는 실제로 아무 지장이 없을 정도로 건강합니다. 그것은 내가 여러분이 보시다시피 최근에 격무를 감당해 내고 또 지난번에 이한열 군 장례식도 연세대에서 시청 앞까지 걸어오고 또 『조선일보』의 광복절 걷기 운동 때도 긴 거리를 걷는 것 보시면 대개 알 것입니다.

내가 미국에서 전체 정밀 검사했을 때도 건강은 완벽하다는 보증을 받았습니다. 다만 여기 허리 관절, 이것이 여러분이 아시다시피 1971년 제가 대통령 선거 후에 국회의원 총선거 지원 유세 때 박 정권 사람들이 자동차 사고로 위장해서 제 차를 들이받은 데 얻은 부상 때문에 지금 지팡이를 짚고 다니지만 건강 자체에 대해서는 아무런 지장이 없다고 말씀드리겠습니다.

그리고 대통령을 왜 하려고 하느냐, 그것은 공무원이 국장·장관 하려는 거나, 장사하는 분이 돈 벌려 하는 거나, 정치하는 사람이 총리나 대통령 하려는 거나, 그것은 나는 아무런 시비될 것은 없다……, 그런데 저는 현재 솔직한 심정은 이렇게까지 고통스러운 심정을 느끼면서 대통령으로 나간 것은 참으로 본의가 아닙니다. 아까 말한 그런 이유에서 나가게 된 거고……, 여기에는 언론인들이 많아서, 과거 제가 국회의원 할 때 국회 출입하신 분들이 많고 또 1971년 내가 선거를 한 것 보시면 알지만, 나는 어떠한 비판을 할 때나 정책 대안을 내지 않고 한 일은 없습니다. 내가 정부를 맡았을 때 어떻게 하는가, 내가 여당일 때 어떻게 하는가, 언제든지 대안을 내었습니다. 이것은 지금에도 국회 속기록 뒤져 보면 거기 분명히 나옵니다. 또 1971년 대통령 선거는 한국뿐 아니라 외국의 언론까지도 찬양할 정도로 야당 후보가 참으로 모범적인 정책 대결을 했다고 지적을 받았습니다.

내가 지금 강경 투쟁하고 뭐한 것은 유신 이후에 이러한 길이 전연 없어지고 오직 독재가 모든 자유를 말살하기 때문에, 이 독재에 항거하다 보니까 내 정책적인 면은 가려지고 투쟁적인 면만 부각됐는데, 여하간에 나는 옥중에 있어서나 집에 있어서나 국회의원 할 때나 이 나라의 정치를 바로 세워 가지고 우리들의 다음 세대에 어떻게 하면 우리가 겪어 온 그런 고통스러운 악의 정치를 남기지 않고 희망의 정치를 남기느냐, 이것을 일구월심日久月深 생각해 왔기 때문에 내 개인으로서는 개인 욕심보다는 국민을 위해서, 우리 조국과 민족을 위해서 내게 한번 그런 기회가 주어지면 참으로 내가 그동안 30여 년 두고 닦고 축적해 온 내 나름대로의 식견과 포부와 경험을 국민을 위해서 마지막 봉사를 해 보고 싶다는 생각을 간절히 가지고 있습니다.

사회 세 시간이 넘는 긴 시간 동안 진지한 분위기 속에서 토론에 참가해 주신 여러분께 감사드립니다. 특히 어려운 질문에도 일일이 성실하게 답변해 주신 초청 연사 김대중 위원장께 감사드립니다. 그리고 패널리스트 여러분들의 노고에도 치하를 드리고 싶습니다. 마지막으로 저희 관훈클럽에서 초청 연사에게 드리는 기념패 증정이 있겠습니다. 기념패 증정 때는 박수를 같이해 주시면 감사하겠습니다.

* 중견 언론인들의 친목 단체인 관훈클럽은 1987년 가을 대통령 후보들을 차례로 초청해 토론회를 가졌다. 토론은 초청 연사의 기조연설에 이어 질문자들의 질문에 초청 연사가 답변하는 식으로 진행되었다. 질문은 김대중 『조선일보』 논설위원, 김경철 『중앙일보』 논설위원, 장명수 『한국일보』 부국장, 박성범 한국방송(KBS) 보도본부장 등 4명이 맡았다. 김대중은 10월 30일 평화민주당 창당준비위원장의 자격으로 초대받았다.

김대중 대화록 간행위원회

김대중 대화록 ❶

1971—1987

초판 1쇄 발행 2018년 8월 29일

지은이 김대중

엮은이 정진백

발행인 정진백 **편집** 김효은

발행처 도서출판 행동하는양심 **등록번호** 제2015-000001호

주소 광주광역시 동구 백서로137번길 29, 1층 | 전라남도 화순군 도곡면 온천2길 44 김대중기념센터

전화 061-371-9975 **팩스** 061-371-9976 **이메일** asia9977@daum.net

인쇄·제책 (주)신광씨링/출판사업부 (062-232-2478)

ISBN 979-11-964442-2-8 (04300) | ISBN 979-11-964442-0-4 (04300) 세트